BIBLIOTHÈQUE DU VOYAGEUR

COSTA RICA

COSTA RICA

ÉDITION FRANÇAISE

Traduction
Bruno Krebs, Sophie Paris

Bibliothèque du voyageur
Gallimard Loisirs
5, rue Sébastien-Bottin, 75007 Paris
tél. 01 49 54 42 00, fax 01 45 44 39 45
biblio-voyage@guides.gallimard.tm.fr

Aucun guide de voyage n'est parfait. Des erreurs, des coquilles se sont certainement glissées dans celui-ci, malgré toutes nos vérifications. Les informations pratiques, adresses, heures d'ouverture, peuvent avoir été modifiées ; certains établissements cités peuvent avoir disparu. Nous vous serions très reconnaissants de nous faire part de vos commentaires, de nous suggérer des corrections ou des compléments qui pourront être intégrés dans la prochaine édition.

Dépôt légal : septembre 2009
Numéro d'édition : 156669
ISBN 978-2-74-242285-2
Mise en page et adaptation : Quercy Blanc, Tiphaine Cariou (Carnet pratique)
Photogravure couverture : Mirascan, Paris
Imprimé et relié à Singapour par Insight Print Services (Pte) Ltd.

www.guides-gallimard.fr
biblio-voyage@guides.gallimard.tm.fr

À PROPOS DE CE GUIDE

Cet ouvrage est une traduction-adaptation de l'*Insight Guide : Costa Rica*, mise à jour en 2009.

Dans l'univers du guide de voyage des années 1970, les Insight Guides innovaient radicalement en alliant l'image au texte. Le lecteur bénéficiait ainsi d'une approche culturelle plus complète. Aujourd'hui, alors qu'Internet apporte une quantité phénoménale d'informations, nos ouvrages allient textes et images afin d'affiner les qualités imperceptibles : savoir et discernement. Grâce aux connaissances et à l'expérience de nos auteurs, correspondants et photographes, ces objectifs sont atteints.

Comment utiliser ce guide

Ce guide de voyage est conçu pour répondre à trois objectifs : informer, guider et illustrer. Dans cette optique, l'ouvrage est divisé en 3 grandes sections, identifiables grâce à leurs bandeaux de couleur. Chacune d'elles vous permettra d'appréhender le pays et vous guidera dans le choix de vos visites, de votre hébergement, de vos activités culturelles et sportives :

◆ La section **Histoire et Société**, repérable par son bandeau jaune, relate l'histoire culturelle et environnementale du pays sous forme d'articles fouillés et de Zoom sur..., thématiques spécifiques à la région.

◆ La section **Itinéraires**, signalée par un bandeau bleu, présente sous forme de circuits une sélection de sites et de lieux incontournables ou à découvrir. Chaque site est localisé sur une carte à l'aide d'une pastille numérotée.

◆ La section **Carnet pratique**, située en fin d'ouvrage et soulignée par un bandeau orange, fournit toutes les informations nécessaires pour préparer le voyage (climat, formalités...), se déplacer, se loger, se restaèurer... Bref, pour vivre au mieux à la *tica*.

Les contributeurs

Paul Murphy, assisté de **Huw Hennessy**, a réalisé cette nouvelle édition fondée sur le travail de **Dona** et **Harvey Haber**, auteurs de la plupart des articles historiques. Pour ce magistral lifting, Paul a fait appel à de nouveaux auteurs.

Carol Weir, qui a pris en charge une grande partie de la mise à jour de l'ouvrage, est responsable du Zoom sur... *Les Ticos et les Nicas* ; **Henry Genthe**, biologiste marin et spécialiste de longue date de l'Amérique centrale, a rédigé certains des Itinéraires et l'article Société sur les *Sports* ; **Cindy Hilbrink** s'est concentrée sur les aspects de la vie rurale au Costa Rica ; **David Burnie**, biologiste et auteur sur l'histoire naturelle, a bien entendu signé les Zoom sur... *Les plantes tropicales* et *Les oiseaux du Costa Rica*.

Les autres articles et itinéraires, rédigés par **Tony Avirgan**, **Juan Bernal Ponce**, **Martha Honey**, **Moisés Leon**, **John McPhaul**, **Marjorie Ross-Cerdas**, **Mary Sheldon** et **Alexander Skutchont**, été scrupuleusement revisités et révisés par la canadienne **Dorothy MacKinnon**, installée au Costa Rica et journaliste au *Tico Times*. Le Carnet pratique a été entièrement actualisé par **Suzanna Starcevic**, journaliste free-lance et traductrice.

Quant aux photos qui illustrent à merveille cet ouvrage, une grande partie est l'œuvre de **Glyn Genin** et de **Henry Genthe**. **John Skiffingham** a largement pioché dans sa photothèque pour trouver les images de San José. Les autres photographes ayant aussi contribué à ce guide sont : **Michael et Patricia Fogden**, **André Bärtschi**, **Chip et Jill Isenhart**, et **Buddy Mays**.

Légendes des cartes

— · ·	Frontière internationale
- - - -	Province, Frontière régionale
⊖	Point de passage
	Parc national, réserve naturelle
- - - -	Route maritime
✈ ✈	Aéroport international, national
	Gare routière
P	Parking
i	Office du tourisme
✉	Poste
† †	Église, ruines
☪	Mosquée
✡	Synagogue
	Château, ruines
∴	Site archéologique
∩	Grotte
	Monument, statue
★	Autre site d'intérêt

Les sites des itinéraires sont signalés dans les cartes par des puces noires (ex ❶ ou Ⓐ). Un rappel en haut de chaque page de droite ou de gauche indique l'emplacement de la carte correspondant au chapitre.

COSTA RICA

SOMMAIRE

Cartes

En bref

Histoire

Soci t

Petite pause gourmande à l'heure du goûter.

Carnet pratique

◆ **Index détaillé du Carnet pratique en page 265**

Zoom sur...

Itinéraires

Rêvez le Costa Rica

Imaginez-vous sur la piste du farouche jaguar ; surfant un tube de Playa Jacó ; dévalant les eaux blanches du Río Reventazón ; traversant la forêt ombrophile pour atteindre le sommet du Volcán Barva… Vous ne rêvez pas, vous êtes au Costa Rica.

Ses plages

- **Playa Carillo** Détendez-vous sur cette plage idyllique, au sud de Sámara. *Voir p. 204*
- **Playa Tamarindo** Surfeurs à vos boards : choisissez parmi les 8 spots de premier choix pour rider. *Voir p. 198*
- **Playa Nosara** Très animées, Pelada et Guiones offrent un large choix d'activités : surf, natation et même yoga ! *Voir p. 202*
- **Playa Uvita** Outre ses fonds sablonneux, parfaits pour la nage, vous pourrez y observer baleines et dauphins. *Voir p. 247*
- **Manuel Antonio** Trois longs croissants de sable blanc frangés par une dense jungle, peuplée d'une multitude d'oiseaux et de singes. *Voir p. 172*
- **Montezuma** Repaire de surfeurs et autres branchés de belles vagues, de plages soyeuses et de cascades délassantes. *Voir p. 186*
- **Punta Uva** Plongez dans ses eaux cristallines avant de vous prélassez dans un hammac sous les palmiers, un cocktail à la main. *Voir p. 237*
- **Playa Sámara** Parfaite pour le snorkling, une sortie en kayak ou tout simplement nager. *Voir p. 203*

Ses aventures sportives

- **Rafting** Docile descente ou ride explosive, vous trouverez votre niveau sur les eaux des monts Talamanca, de la Cordillera Central ou du Río Reventazón.
- **Surf** Le Costa Rica figure au palmarès des meilleurs spots au monde, notamment à Playa Jacó, Nicoya, Guanacaste et Puerto Viejo.
- **Plongée** Ne manquez pas de plonger dans les eaux cristallines de la péninsule d'Osa, de la côte sud caraïbe et au nord du Guanacaste.
- **Funboard** Les lacs Arenal et Coter, ainsi que les Bahia Salinas, sont une invitation (jan.-avr) de première classe pour tout funboarder confirmé.
- **Kayak de mer** Voici votre meilleure option pour découvrir les moindres recoins de la côte pacifique et des fleuves selvatiques. Pour une première expérience, les débutants préfèreront le Corobicí au Guanacaste.
- **Funambulisme sur la canopé** Traversez la canopé de cîmes en cîmes pour observer de haut la riche faune de la forêt pluviale.

À gauche : Playa Carillo.
Ci-dessus : partagez le grand bleu avec les tortues caouanes.

CI-DESSUS : Volcán Poás.
CI-DESSOUS : église de Sarchí.

SES IMPÉTUEUX VOLCANS

- **Volcán Arenal** Vous pourrez admirer la lave (926 °C) s'écoulant de ce majestueux volcan, le plus actif du pays, d'une distance sécurisée. *Voir p. 217*
- **Volcán Poás** Plus calme, l'immense cratère de ce volcan, tout proche de San José, vous offre un merveilleux spectacle. Sentiers nature dans le parc. *Voir p. 147*
- **Volcán Irazú** Les sentiers de trek vous mèneront au sommet du Irazú, le plus haut volcan du pays, d'où la vue embrasse les 2 océans. *Voir p. 157*
- **Volcán Barva** Situé à l'ouest du Parque Nacional Braulio Carrillo, le sentier du Barva vous conduit à travers la forêt ombrophile au lac vert émeraude du cratère. *Voir p. 151*

SES CÉLESTES TRÉSORS

- **Basílica de Nuestra Señora de los Angeles** Visible à des lieues à la ronde, cette imposante église de Cartago accueille chaque année un pèlerinage (2 août). *Voir p. 152*
- **Sarchí** L'église baroque aux couleurs pastel de cette bourgade témoigne du plein essor du pays au début du XXe siècle. *Voir p. 162*
- **Catedral de las Mercedes** À Grecia, remarquez cette église de couleur rouille, entièrement assemblée d'éléments en acier, fabriqués en Belgique dans les années 1890. *Voir p. 162*
- **San José de Orosí** De style colonial, la plus vieille église du pays (1743), est remarquable pour son autel finement ciselé. *Voir p. 154*

SES FABULEUSES RANDONNÉES

- **Parque Nacional Chirripó** Osez la randonnée jusqu'au plus haut sommet du Costa Rica, vous traverserez des pâturages des décors alpestres et des forêts de chênes. *Voir p. 262*
- **Pacific Coastal Path** Au départ de Drake, suivez ce sentier sablonneux jusqu'à Punta Marenco. Une balade de 2 heures dans un paradis tropical. *Voir p. 249*
- **Parque Nacional Rincón de la Vieja** Selon votre humeur optez pour une marche au long de laquelle vous apercevrez fumeroles, boue bouillonnante et rocs sulfureux ; pour un trek de 2 heures au fil de prés et de forêts peuplés d'oiseaux jusqu'à la Catarata La Cangreja où vous vous baignerez ; ou

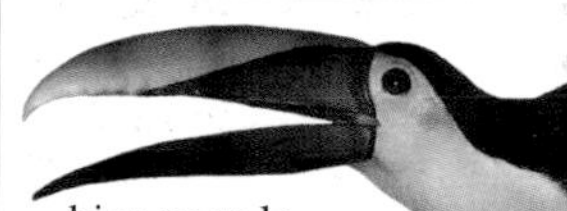

bien pour le challenge : escalader le volcan pour atteindre son cratère venté. *Voir p. 189*
- **Parque Nacional Corcovado** Le grand choix de sentiers reliant les stations entre elles, offre une chance de voir un pécari ou un jaguar. *Voir p. 251*
- **Barra Honda** Accompagné d'un guide, découvrez ce réseau de 40 grottes merveilleuses. *Voir p. 204*

Ses routes et canaux panoramiques

- **Braulio Carrillo** Cette route principale menant à la côte caraïbe, débouche, à la sortie d'un tunnel, dans la nature la plus primitive.
- **De La Fortuna à Lago Arenal** Lorsque vous quittez les plaines baignées de soleil de La Fortuna en direction de l'ouest, vous apercevez à l'horizon le cône parfait du Volcán Arenal.
- **Costanera** Très bien entrenue, cette route qui rallie Dominical à Cortés offre, au cours du trajet, les plus beaux panoramas sur le Pacifique et les montagnes arborées.
- **Tortuguero** Flottez au gré des canaux autour de Limón, enivré par les divins parfums des fleurs et des plantes tropicales.
- **De San José à Monteverde** Après avoir affronté une route pleine de nids de poule pour atteindre le sommet de la ligne de partage de la Cordilla, vous serez pleinement récompensé par la vue époustouflante sur la forêt ombrophile.
- **Isla del Caño** La traversée d'une heure au départ de la péninsule d'Osa, vous permettra de découvrir cette superbe réserve biologique de 304-ha. Vous y verrez des dauphins, des baleines à bosse venues de l'Alaska mettre bas.
- **Ancienne route du pacifique** Ce merveilleux itinéraire vous mènera de San José, via Puriscal, au littoral, tout en sinuant parmi les plantations de café, de bananes et de canne à sucre.

Ci-dessus : végétation luxuriante de la forêt ombrophile du Monteverde.
À droite : le resplendissant quetzal.
Ci-dessous : paisiblement au fil de l'eau.

Sa somptueuse faune

- **Refugio Nacional de Vida Silvestre de Ostional** Ne ratez pas les *arribadas* des tortues de Ridley sur cette plage du nord de Nosara. *Voir p. 203*
- **Parque Nacional Tortuguero** Avec un peu d'attention et un bon guide, vous obsererez une myriade d'oiseaux, de reptiles et de mammifères lors de votre périgrination dans ce dédale de canaux. *Voir p. 231*
- **Rainforest Aerial Tram** Rencontre du troisième type avec un iguane à la cîme des arbres, 35 m au-dessus du sol. *Voir p. 159*
- **Forêt ombrophile de Monteverde** Papillons, colibris et, bien sûr, quetzals figurent au casting de ce parc, l'un des plus visités du pays. *Voir p. 205*
- **Parque National Manuel Antonio** Des plages frangées de forêts riches en faune, des iguanes aux paresseux, offrent une expérience unique. *Voir p. 173*

SES CURIEUSES BÊTES

- **Quetzal resplendissant** Le site le plus sûr pour voir l'emblème national du Costa Rica demeure San Gerardo de la Dota, sur les hauts plateaux du pays. *Voir p. 261*
- **Jaguar et tapir** Avec un peu de chance, vous pourrez entr'apercevoir le timide tapir de Baird, plus gros mammifère du Costa Rica, et le superbe mais farouche jaguar dans le Parque Nacional Corcovado (40 5000 ha), le plus éloigné et le plus sauvage des parcs ticos. *Voir p. 251*
- **Ara de Buffon** Ce gros psittacidé, figure, avec quelque 400 espèces d'oiseaux, mammifères et insectes, au palmarès de la Estación Biologíca La Selva, située au nord du parc Braulio Carrillo. *Voir p. 158*

À DROITE : arabesques végétales dans les jardins de l'église de Zarcero.

CI-DESSOUS : le farouche jaguar, difficile à repérer.

SES UNICITÉS TICAS

- ***Gallo Pinto*** Régalez-vous du plat favori des Costaricains, du riz et des haricots servis avec une touche tica unique.
- **Charrettes à bœufs** Toujours utilisées dans tout le pays, ces charrettes peintes de couleurs vives sont fabriquées pour la plupart à Sarchí. *Voir p. 162*
- **Sphères en pierre** D'immenses et mystérieuses pierres parfaitement rondes jalonnent la campagne. Tels les scientifiques, elles vous laisseront perplexe. *Voir p. 251*
- ***Arribadas*** Le Costa Rica demeure le meilleur site au monde pour observer l'arrivée massive des tortues de mer pour la ponte. *Voir p. 202*
- **Zarcero** La nature n'est pas toutjours sauvage : elle peut aussi être apprivoisée, comme dans les jardins de l'église de Zarcero. *Voir p. 163*

SES PETITES ASTUCES ET BONS PLANS

Bus Les cars longue-distance sont confortables, souvent climatisés et très économiques. Prenez-en un qui vous mènera à la ville la plus proche de votre destination, puis louez une voiture pour vos déplacements dans les environs. *Voir Transports p. 266*

Voiture de location À votre arrivée, vous pouvez éviter les lourdes taxes aéroportuaires de 12 % si vous louez un véhicule au centre-ville plutôt qu'à l'aéroport. *Voir Transports p. 268*

Hébergement à petit prix À la campagne, vous obtiendrez le droit de planter votre tente en demandant simplement la permission au propriétaire ; certaines auberges rurales peuvent également vous donner l'autorisation moyennant une modique somme ; et les *cabinas* sont une excellente alternative aux rares auberges de jeunesse du pays. *Voir Hébergement p. 270*

Haute saison Si vous voyagez en haute saison, évitez les sites majeurs et les parcs nationaux les plus courus : les prix des logements augmentent, les sites affichent complets… Tous ces petits inconvénients risquent de nuire à votre approche du pays. Préférez les lodges familiaux, les B&B, les réserves privées moins fréquentées où vous découvrirez un accueil et une nature 100 % ticos. *Voir Environnement p. 294*

UN JUSTE-MILIEU

Au sein d'une Amérique centrale en ébullition, le Costa Rica forme un îlot où l'homme et la nature vivent en harmonie.

Niché entre le Nicaragua et le Panamá sur l'isthme d'Amérique centrale, le Costa Rica est une nation démocratique et paisible, dont l'image de pays du tiers-monde, peu en rapport avec son niveau de développement, surprend toujours les visiteurs. Les clichés habituellement associés à d'autres nations latino-américaines comme le Mexique, le Pérou ou le Brésil collent mal à cet environnement naturel jalousement protégé, et à une diplomatie toujours prête à intervenir pour ramener la paix dans une région troublée.

Depuis que Don Pepe Figueres a démobilisé les forces armées en 1949, l'État a pu consacrer une grande part de ses ressources à l'éducation, à la santé et à la protection de l'environnement. Parcs nationaux, réserves de biosphère, refuges de vie sauvage et réserves privées couvrent environ un quart du territoire. Avec plus de 850 espèces d'oiseaux, 250 de mammifères, et environ 6 % des espèces identifiées sur la planète, le Costa Rica offre un authentique paradis à ceux qui recherchent une nature vierge. Ce petit pays présente une variété géophysique étonnante, entre jungles épaisses, volcans actifs et plages immaculées. Un tiers de la population (4,3 millions au total) vit dans le Valle Central, au climat tempéré, et sa capitale, San José. Mais les Ticos, comme on désigne là-bas les Costaricains, vous le diront : le "vrai" Costa Rica, vous le découvrirez dans le *campo* – la campagne.

Un responsable de la Banque mondiale qualifia un jour le Costa Rica de "Terre du Juste-Milieu". Cette société de type plus européen que latino, où les classes moyennes dominent, bénéficie effectivement d'un niveau de vie très correct. Avec un PNB par habitant de 4 300 $US environ, les Costaricains peuvent compter sur l'État qui leur assure une protection sociale de qualité, des écoles et des services à prix équitable comme l'eau et l'électricité, tandis que le budget de la Défense et une instabilité chronique engloutissent des sommes d'argent équivalentes chez leurs voisins.

Depuis 1994, le tourisme se taille la part du lion dans l'économie nationale, avec l'exportation de composants informatiques, alors que celle de la banane, l'ananas et le café ont reculé. Plus de 1,5 million de voyageurs visitent le pays chaque année, la majorité en provenance d'Amérique du Nord et d'Europe. Une infrastructure intelligemment pensée s'est mise en place, avec un choix d'hébergements allant du luxueux lodge au B&B familial. Écotourisme et tourisme d'aventure proposent des activités aussi diverses que le rafting ou l'observation des oiseaux. Le Costa Rica n'est certes plus le pays rural et indolent d'autrefois, mais il a conservé l'essentiel de son charme, surtout dans les régions les plus reculées. ❑

PAGES PRÉCÉDENTES : forêt ombrophile du Cerro de la Muerte ; plage de sable noir, province de Limón.

CI-CONTRE : dendrobates, utilisés par les indigènes pour empoisonner leurs flèches.

DES CARAÏBES AU PACIFIQUE

S'il est petit par la superficie, le Costa Rica recèle une diversité naturelle stupéfiante, entre ses deux océans, ses volcans et ses cordillères approchant les 4 000 m.

Le Costa Rica s'étire au cœur de l'isthme d'Amérique centrale – aucun rapport, donc, avec l'île antillaise de Porto Rico. Déplacez-vous au fil de ses paysages, et vous aurez le sentiment de découvrir un vaste pays : il y a tant de choses à voir, et tout change si vite... Combien de mois vous faudra-t-il pour tout explorer ? Du nord-ouest au sud-ouest, vous n'avez en effet que 460 km à parcourir, et à peine 120 km dans sa plus petite largeur : au total, une superficie de 51 000 km^2 – un peu plus que la Suisse, mais bien moins que l'Irlande.

Voisins turbulents

Le Costa Rica borde le Nicaragua au nord, et le Panamá au sud : deux pays qui font fréquemment la une des médias internationaux, ce qui n'est pas le cas de cette nation le plus souvent stable et paisible. À l'est se déploient les eaux tranquilles de la mer des Caraïbes, parfois fouettées par les tempêtes de l'Atlantique ; à l'ouest déferlent les puissantes lames du Pacifique. Le Costa Rica présente une complexité géographique peut-être unique sur la planète ; chacune de ses régions se distingue des autres par d'innombrables aspects.

Une terre fertile

Les premiers voyageurs, aventuriers et explorateurs à visiter cette contrée ont-ils été attirés par les chaudes plaines côtières des zones tropicales, leurs palmeraies et leurs bananeraies, ou par les denses forêts des vallées et des littorals, frangés de plages variées à l'infini ?

Le fertile plateau central et sa zone climatique tempérée, à 975-1 980 m d'altitude, ses riches forêts ombrophiles et ses jungles tropicales envoûtantes n'ont cessé, eux, de fasciner une communauté internationale d'écologistes, de biologistes, de naturalistes, d'ornithologues et autres amoureux de la nature.

Bien des Européens, maints *gringos* originaires du Canada ou du Middle West et du nord des États-Unis ont trouvé au Costa Rica le pays de leurs rêves et se sont installés parmi ces hautes collines, ces prairies et ces forêts plus apparentées à la Suisse qu'à une région tropicale.

Telles les veines d'un minerai précieux, un inextricable réseau de cours d'eau irrigue le corps du pays. Dévalant les montagnes, ils s'écoulent jusqu'à la mer, fournissant une source constante d'eau douce et d'hydroélectricité.

Le sol du Valle Central doit une grande part de sa fertilité exceptionnelle aux cendres volcaniques qui l'ont recouvert au fil des siècles. Cette terre riche et bien drainée convient admirablement aux plantations de caféiers. Au cours de vos pérégrinations à travers les hauts plateaux, vous apercevrez d'immenses *fincas* (domaines) : les arbustes au feuillage d'un vert sombre étincelant y tapissent des pentes apparemment inaccessibles et le bord des grandes vallées alluviales.

CI-CONTRE : la splendeur préhistorique de l'iguane vert.
À DROITE : la beauté naissante d'une jeune Tica.

Le littoral

Où que vous soyez au Costa Rica, la côte n'est jamais bien loin. En de nombreux endroits vous pourrez même simultanément distinguer la mer des Caraïbes et l'océan Pacifique. La côte caraïbe ne mesure que 220 km de longueur, tandis qu'il vous faudra en parcourir beaucoup plus si vous longez le littoral pacifique, échancré d'innombrables golfes et irrégularités, de la presqu'île de Nicoya, au nord, à celle d'Osa, au sud. Enfin, lointaine et mystérieuse, perdue à des centaines de kilomètres au large, Isla del Coco a préservé toute la splendeur d'une nature vierge.

Feux d'artifice

Si la majorité des volcans du pays sont éteints, quelques-uns ne dorment jamais. Proche de la ville d'Alajuela, le Volcán Poás (2 700 m) s'ouvre sur l'un des plus vastes cratères de la planète – près de 2 km de largeur. Quant au Volcán Irazú (3 440 m), près de Cartago, son réveil toujours possible ne vous empêchera pas de l'approcher de relativement près.

Dressé à 1 630 m d'altitude, l'Arenal manifeste l'activité la plus régulière des volcans du Costa Rica. Ce spectacle son et lumière unique, rythmé de grondements et d'explosions continus, vous laissera un souvenir indélébile.

Les montagnes qui traversent le Costa Rica du nord-ouest au sud-est se divisent en 3 dorsales dépassant les 3 800 m – les somptueuses chaînes Guanacaste, Central et Talamanca. Le Chirripó Grande atteint 3 820 m, point culminant du pays.

Ci-dessus : excursion ornithologique sur les chenaux de Tortuguero.

Ci-dessus : signaux de fumée, Volcán Arenal.

Climat

Géographiquement situé dans ce que les voyageurs appelaient jadis la “zone torride”, le Costa Rica, pour l'essentiel, n'entre aucunement dans cette catégorie, quelle que soit l'époque de l'année. La majorité de la population vit dans le Valle Central, à une altitude comprise entre 450 m et 1 400 m, bénéficiant d'un “printemps perpétuel” aux températures moyennes comprises entre 20°C et 26°C.

Mais la situation change à l'approche des côtes, où les températures se font tropicales, les saisons humide et sèche très marquées, qu'il s'agisse de l'Atlantique ou du Pacifique. Il arrive alors que les habitants eux-mêmes souffrent d'une atmosphère exagérément lourde en milieu de journée, et recherchent un peu de fraîcheur à l'ombre.

Sur les côtes toujours, et durant la saison humide, des pluies tropicales d'une violence inouïe se déversent assez régulièrement dans l'après-midi. Si vous vous faites surprendre, vous ne serez pas près de l'oublier ! Au fil des siècles, les Costaricains n'ont eu de cesse de multiplier les expressions pour tenter de décrire cet extraordinaire théâtre naturel d'éclairs, de tonnerre et de déluge.

Quand on s'éloigne des côtes tropicales, le climat varie avec l'altitude. À chaque palier, les températures diurnes demeurent assez constantes tout au long de l'année. La nuit, en revanche, la chaleur des plaines littorales s'abaisse légèrement, tandis que sur les pentes des montagnes et des volcans, la température, agréablement chaude le jour, plonge brutalement durant la nuit, se maintenant parfois tout juste au-dessus de zéro.

Des bords d'une côte caraïbe presque dépourvue de marées aux rouleaux assourdissants du Pacifique, à travers les pentes et les vallées des cordillères volcaniques, et jusqu'à la cime glacée du Chirripó, le Costa Rica déploie toute une palette de couleurs. ❑

Chronologie

12 000–4000 av. J.-C. Premiers signes d'habitations humaines en Amérique centrale : des petites tribus de chasseurs-cueilleurs migrant vers le Sud développent diverses langues et cultures.

4000–1000 av. J.-C. Premiers établissements permanents basés sur l'agriculture (maïs, yucca, coton).

1000 av. J.C.– 1500 ap. J.- C. Expansion de communautés sédentaires rurales organisées, qui établissent des voies de communication et de commerce entre elles, jusqu'aux Chibcha d'Amérique du Sud. À leur arrivée, les Espagnols découvrent 5 grands groupes

culturels indigènes dominants, qu'ils dénomment : Carib, Boruca, Nahua, Corobici (les plus anciens) et les Chorotega (les plus développés) qui habitent la presqu'île de Nicoya.

1502 Durant 2 semaines, Christophe Colomb mouille au large de l'île d'Uvita (près de Puerto Limón) où il rencontre les Cariari.

1510–1570 Conquête espagnole.

1561 Partie de la côte pacifique, une expédition atteint le Valle Central. Juan Cavallón y fonde une première ville, Castillo de Garcimuñoz, déplacée plusieurs fois avant de devenir l'actuelle Cartago.

1562 Juan Vazquez de Coronado explore le Valle Central et convertit les indigènes de façon pacifique.

1572 Début de la période coloniale. L'Espagne se désintéresse d'une colonie sans ressources minières ; le Costa Rica demeure une terre pauvre pendant 250 ans.

1660–1670 Les plantations de cacao sur la côte caraïbe produisent les premiers revenus de la colonie ; attaques incessantes des pirates.

1723 La petite capitale naissante de Cartago est rasée par l'éruption du volcan Irazú.

1787 Le Costa Rica est la seule colonie de l'Audiencia de Guatemala autorisée à cultiver le tabac.

1821 Le Guatemala déclare son indépendance.

1823 Guerre civile entre les impérialistes conservateurs de Cartago et de Heredía, qui réclament le rattachement à l'Empire mexicain, et les *liberalistas* (républicains), majoritaires à San José et Alajuela. Les Républicains parviennent à faire entrer le Costa Rica dans les éphémères Provinces unies d'Amérique centrale, dirigées par le Guatemala. San José devient capitale du pays.

1824 Juan Mora Fernández est nommé à la tête de l'État (jusqu'en 1833). Les habitants du "Partido de Nicoya" (région gouvernée par le Nicaragua et correspondant à l'actuel Guanacaste) votent leur rattachement au Costa Rica.

1825 Première constitution de l'État libre du Costa Rica, et officialisation du rattachement du Guanacaste.

1832 Premières exportations de café vers l'Europe, via le Chili.

1835 Braulio Carrillo devient Président et utilise la force pour introduire ses réformes libérales. Heredia, Cartago et Alajuela s'y opposent, déclarent la guerre à San José et s'emparent de la capitale.

1838–1842 Dictature de Braulio Carrillo.

1848 Naissance de la République du Costa Rica.

1849 Juan Rafael Mora devient président et se fait réélire en 1853 et 1859. Les exportations de café font un bond en avant.

1858 Guerre contre le contrebandier William Walker, qui veut faire de l'Amérique centrale une colonie des États américains du Sud et y introduire l'esclavage. Bataille décisive près de Santa Rosa. Les troupes costaricaines battent Walker à Rivas (Nicaragua).

1870 Tomás Guardia Gutiérrez prend le pouvoir lors d'un coup d'État militaire ; il établit une nouvelle Constitution libérale et reste en place jusqu'en 1882.

1871 Avènement du chemin de fer.

1880 Premières exportations de bananes.

1882 Abolition de la peine de mort.

1886 L'instruction devient obligatoire.

1890 Les premières élections libres et démocratiques d'Amérique centrale portent José Joaquin Rodriguez à la présidence. Achèvement du chemin de fer de l'Atlantique, de Cartago à Limón.

1914-1918 La Première Guerre mondiale ferme les marchés internationaux, provoquant une récession économique.

1917 Soutenu par les barons du café, un coup d'État mène Federico A. Tinoco au pouvoir. En 1919, un soulèvement populaire met un terme à sa dictature.

1932 Récession économique mondiale.

1934 Grève ouvrière dans les bananeraies en réaction contre les conditions de travail imposées par la United Fruit Company ; série de concessions, dont le droit de grève et le salaire minimum.

1939-1945 Seconde Guerre mondiale - stagnation des exportations de café. Le Costa Rica déclare la guerre à l'Allemagne, au Japon et à l'Italie. Expropriation et déportation des résidents allemands et italiens.

1940-1944 Le Président Rafael Calderón fait passer une série de réformes sociales.

1945 Fondation du Parti social démocrate (PSD), futur Partido Liberación Nacional (PLN), sous la direction de (Don Pepe) José Figueres.

1948 Calderón Guardia déclare invalides les résultats des élections et reprend la présidence. Guerre civile. Une junte conduite par Figueres s'empare du pouvoir.

1949 La nouvelle Constitution impose la démobilisation de l'armée et son remplacement par la Guardia Civil. Figueres remet le pouvoir au président élu Otilio Ulate, mais il reviendra à la tête de l'État en 1953-1958 et en 1970-1974. Affranchissement des Noirs et des femmes (1949).

1979 Au Nicaragua, les Sandinistes renversent la dictature de Somoza. Durant la guerre civile qui s'ensuit, le Costa Rica devient une base arrière pour les groupes de guérilla et les anti-sandinistes. Des centaines de milliers de Nicaraguayens se réfugient au Costa Rica.

1980 L'effondrement des marchés de la banane et du café provoque une grave récession économique.

1983 Le président Luis Alberto Monge déclare le pays en état de "neutralité désarmée", suscitant les foudres des États-Unis.

1986 Élu président, Oscar Arias Sánchez tente de restaurer la stabilité dans la région. À l'origine d'Esquipulas II, plan de paix pour l'Amérique centrale, il reçoit le prix Nobel de la Paix en 1987.

1990 Le Partido Unidad Social Cristiana (PUSC) remporte les élections. Rafael Angel Calderón Fournier, fils de Calderón Guardia, gagne la présidence. Pour la première fois, le Costa Rica envoie une équipe de football à la Coupe du monde et atteint le second tour.

1991 Un tremblement de terre frappe la province de Limón, tuant plus de 60 personnes et causant des ravages encore visibles.

1994 José M. Figueres devient le plus jeune Président de l'histoire du Costa Rica. Mais des scandales ternissent son mandat, dont la faillite de la Banco Anglo Costarricense, la plus ancienne banque du pays.

1996 L'ouragan César tue des dizaines de personnes et provoque plus de 100 millions de $US de dégâts.

1998 Le PUSC remporte les élections générales, conduisant Miguel Angel Rodríguez à la présidence. Durant son mandat, il encourage les investissements étrangers et privatise les compagnies nationales, mais beaucoup critiquent l'opacité du gouvernement.

2000 Manifestations nationales contre la privatisation d'ICE, monopole d'État de l'électricité et des télécommunications.

2002 Abel Pacheco (PUSC) remporte la première élection présidentielle à 2 tours. L'astronaute costaricain Franklin Chang, membre de l'équipage de la navette spatiale *US Endeavour*, marche dans l'espace.

2006 Au terme d'une élection très serrée, Oscar Arias Sánchez remporte son second mandat présidentiel.

2007 Un référendum ratifie de justesse le CAFTA (Traité de Libre Échange pour l'Amérique Centrale).

2009 Le 8 janvier; un séisme de magnitude 6,1 secoue la région au nord-ouest de San José. ❑

PAGES PRÉCÉDENTES : poteries précolombiennes, Museo Nacional, San José. **CI-CONTRE :** guerrier nicoya, armé pour le combat. **À DROITE :** vision idyllique du paradis amérindien par le chroniqueur Figueroa.

AVANT CHRISTOPHE COLOMB

La culture précolombienne du Costa Rica, essentiellement agricole, subit l'influence des pays voisins, et façonne la pierre, le jade ou l'or avec un art consommé.

Le 8 septembre 1502, Cristóbal Colón (Christophe Colomb) arrive en vue des côtes atlantiques du Costa Rica et jette l'ancre entre la petite île d'Uvita et l'actuel site de Puerto Limón.

Les indigènes accueillent les Espagnols avec intérêt et entreprennent de commercer avec eux. Ils rejoignent le navire, apportant cotonnades, chemises, pendentifs en *tumbaga* (alliage de cuivre et d'or), massues, arcs et flèches.

Rêves dorés

Hanté par ses rêves de l'El Dorado –et les exigences de la couronne d'Espagne–, Colomb a cartographié toute la côte atlantique, du Honduras au Panamá ; il l'a baptisée Veragua. Fasciné par les miroirs dorés que les Amérindiens portent au cou, et par des évocations de mines d'or plus au sud sur la côte, il nomme tout naturellement cette contrée "Costa Rica" ("Côte Riche") de Veragua.

Hélas pour l'amiral de la mer océane, sa découverte ne va guère remplir les coffres du trésor royal. Et cette "côte riche" se révèlera bientôt l'une des plus pauvres des colonies espagnoles. Montagnes infranchissables, forêts impénétrables, fleuves et rapides torrentueux, chaleur suffocante, crues et marécages s'ajoutent au manque de nourriture, aux rivalités internes et à la pauvreté des ressources pour transformer ce paradis en enfer. Les colons en seront souvent réduits à vivre comme les "sauvages" qu'ils sont venus "civiliser", portant des vêtements en peau de chèvre ou en écorce, utilisant les fèves de cacao comme monnaie d'échange, tirant leur maigre subsistance des champs, imitant les méthodes indiennes pour cultiver des plantes indigènes.

Mais Christophe Colomb ignore encore tout de cette réalité à venir. Il rentre en Espagne, bercé par ses rêves de trésors et de grandeur, et va jusqu'à demander au roi de lui octroyer le titre de duc de Veragua.

CI-CONTRE : vase de cérémonie polychrome.
À DROITE : bijou en or porté au combat.

Richesses naturelles

Pourtant, cette contrée possède des richesses naturelles considérables, entre ses forêts, ses montagnes, ses fleuves et ses prairies, sa faune et sa flore abondantes. Dans les basses terres du bassin atlantique, quelque 400 cm de pluies annuelles grossissent les eaux des fleuves navi-

gables et de leurs affluents. Hévéas, orchidées et fougères s'épanouissent dans une végétation tropicale foisonnante. Poissons, caïmans et –parfois–, requins fréquentent les fleuves. Oiseaux aquatiques, dindons, iguanes, singes-écureuils, singes hurleurs, pécaris et jaguars hantent les forêts.

Au nord, dans la région de Nicoya, les forêts tropicales sèches regorgent également de vie animale et végétale : sur les vastes plaines sèches saisonnières poussent le *guacanaste* au généreux ombrage, le *javillo* au tronc épineux et à la sève toxique, le *cenicero* aux fleurs éclatantes, le *guapinol* et ses gousses caractéristiques, surnommées "orteils puants", outre d'innombrables cactées et autres buissons épineux. Capucins moines, singes hurleurs, écureuils, tapirs, coatis, cerfs, jaguars, pumas, coyotes et divers animaux plus petits peuplent les zones boisées. Aras macao et perruches de toutes sortes jacassent dans les arbres. Avocats, papayes, goyaves et bien d'autres fruits mûrissent à l'état sauvage.

La vie déborde tout autant au cœur des prairies et des marécages de la côte sud du Pacifique, appelée Diquis, ainsi que dans les collines émeraude, souvent brumeuses, du Valle Central. Là, les forêts d'arbres à feuilles persistantes, de palmiers et de chênes blancs tapissent les pentes luxuriantes, repaire de myriades d'espèces d'oiseaux, d'animaux et de plantes.

Peuples des origines

Dans toutes ces régions vivent des groupes indigènes de langues et de cultures diverses, les *cacicazgos*. Ils cultivent le yucca, le maïs, la *pejibaye* (fruit orange vif du palmier) et bien d'autres plantes encore, complétant leur alimentation avec des fruits sauvages, le gibier des forêts, les poissons et crevettes des cours d'eau, les crustacés et les petites huîtres du littoral.

À l'époque de Christophe Colomb, les peuples de la région de Nicoya-Guanacaste habitent des cités très développées, certaines pouvant accueillir jusqu'à 20 000 personnes. Fondées sur la culture du maïs, elles rayonnent autour d'une place centrale, de marchés et de bâtiments religieux.

Guayabo

Côté Atlantique, dans les montagnes centrales, bassins et fontaines rafraîchissent une cité aux larges allées pavées, tandis qu'un aqueduc achemine l'eau douce jusqu'à certaines maisons élevées sur des monticules de pierre. Ce centre cérémoniel ou administratif, dénommé Guayabo, et proche de l'actuelle Turrialba s'épanouit approximativement entre 1000 av. J.-C. et

Noms d'emprunt

Les colonisateurs espagnols baptisent les Amérindiens des noms que nous leur connaissons aujourd'hui – souvent celui de leur chef – : Chorotega, Bribri, Cacebar, Coctu, Corobicí, et ainsi de suite. En revanche, nous ignorons quels noms eux-mêmes se donnaient. Et comme certains groupes ont complètement disparu avant l'arrivée des Espagnols, nous ne pouvons les nommer, ni savoir quelle langue ils parlaient. Aussi les archéologues choisissent-ils de définir les groupes amérindiens selon la région où ils vivent : région de Nicoya-Guanacaste, région du Bassin atlantique/Hautes Terres ou encore région de Diquis (Pacifique sud).

1400 ap. J.-C., pour disparaître avant l'arrivée des Espagnols. Partant de Guayabo, des voies pavées mènent aux autres villes et peut-être même à l'Océan.

Dans cette partie atlantique du pays, certains groupes semblent avoir été moins développés. Ils cultivent les tubercules, chassent le petit gibier, puis se déplacent vers d'autres terres lorsque les sols ou les ressources en viande s'épuisent.

Dans la région de Diquis, au nord-est, les indigènes chassent également, pratiquent la culture de tubercules, mais vivent dans des villages solidement fortifiés, stratégiquement placés pour protéger leurs habitants d'attaques éventuelles.

Carrefour des Amériques

Influencés par plusieurs grandes cultures des Amériques, les indigènes du Costa Rica sont passés maîtres dans l'art de la poterie, du travail de l'or et du métal, du tissage et de la sculpture de la pierre. Le pays se situe au carrefour commercial et culturel des deux Amériques ; une grande richesse d'objets artisanaux et de matériaux, parallèlement aux influences linguistiques et culturelles, s'échange ainsi à l'intérieur et au-dehors, remontant jusqu'au Mexique, au nord, et descendant jusqu'à l'Équateur, au sud. Les Costaricains d'avant la Conquête sont des commerçants nés qui portent en haute estime les pièces de jade, les poteries, les objets sculptés en or et en pierre provenant de Méso-Amérique ou d'Amérique du Sud.

La région de Nicoya, dotée de baies tranquilles et de mouillages sûrs, offre aux précolombiens des ports commerciaux sur le Pacifique. Les navires marchands de l'antique Équateur, qui font escale tout au long de la côte pacifique du Mexique, de l'Amérique centrale et de l'Amérique du Sud, y relâchent fréquemment. Peut-être ont-ils servi de vecteur aux influences olmèques dans la région, à moins que les Olmèques eux-mêmes – et d'autres – ne soient descendus jusque-là. Sur la côte pacifique du Nord-Ouest, cet héritage se manifeste à travers un fascinant éventail de styles de poteries, d'articles utilitaires comme les mortiers, et la pratique de certaines coutumes telles que le limage des dents en pointe.

La poterie de Nicoya se caractérise par un style hybride vigoureux qui se répandra pendant des siècles à travers l'Amérique centrale et le sud du Mexique. Le Museo Nacional, à San José, en présente une collection remarquable. Cet art frappe par son caractère très vivant,

CI-CONTRE : *mano*, ou *metate*, mortier à maïs préhistorique.

CI-DESSUS : statue de conquistador, San José.

CI-DESSUS, À DROITE : statuette en pierre, Guayabo.

audacieux et coloré : grands récipients aux formes arrondies, statuettes d'hommes et de femmes, parfois affublées de parties génitales proéminentes ou de déformations physiques, animaux en tout genre, mystérieuses effigies d'hommes-oiseaux, masques funéraires envoûtants, parmi d'autres pièces plus paisibles, d'une beauté lumineuse.

Énigme des sphères

La région de Diquis détient l'une des grandes énigmes de l'ère précolombienne. Des boules de granite, d'andésite et de pierre sédimentaire ont été découvertes par milliers le long des cours d'eau et dans des sites funéraires. Certaines ne dépassent pas la taille d'une orange ; d'autres mesurent jusqu'à 2 m de diamètre et pèsent jusqu'à 14 t. Parfaitement sphériques à 1 ou 2 cm près, elles témoignent d'une précision inégalée dans la taille de la pierre.

Ces sphères en pierre sont uniques – on n'en a jamais trouvé de semblables dans aucune autre partie du monde. Comment ont-elles été réalisées ? Comment leurs créateurs ont-ils pu parvenir à une forme aussi parfaite ? Comment ont-elles été transportées, sur plus de 30 km parfois, de leur site d'extraction aux lieux cérémoniels où elles étaient façonnées ? Et dans

LE MYSTÈRE DU JADE

Au Costa Rica, les historiens et archéologues spécialisés dans l'ère précolombienne doivent faire face à deux énigmes : celle des pierres sphériques tout d'abord (*voir ci-dessus*), et celle de la mystérieuse provenance du jade qui a servi à façonner les pièces exhumées dans tout le pays. Nul n'a jamais découvert aucune carrière de jade au Costa Rica. Sans doute ce très précieux matériau venait-il du Guatemala, et en partie – mais, là encore, il ne s'agit que d'une hypothèse – du Mexique.

Nombre de ces objets semblent avoir été préservés pendant des générations et transmis en héritage, tandis que d'autres sont arrivés sous une forme pour être retravaillés par la suite selon les goûts de leurs nouveaux propriétaires. Certains chercheurs avancent une hypothèse intéressante : quelques-unes de ces pièces ont pu être acheminées jusqu'au Costa Rica par des pilleurs de tombes funéraires mayas, ce qui expliquerait la présence de hiéroglyphes mayas sur le jade.

Le Museo del Jade, à San José (*voir p. 138*), présente la plus vaste collection de jade d'Amérique, avec pas moins de 6 000 pièces d'une extraordinaire diversité, dont certaines curiosités, tels une dent avec insert en jade ou un soutien-gorge, également en jade, sans doute porté par une femme de haut rang.

quel but ? Elles gardent tout leur mystère, dressées de nos jours dans leur nouvel environnement – le Museo Nacional, et les jardins des villas de luxe du Valle Central. Mais vous pourrez encore en admirer quelques-unes sur leur lieu d'origine à Isla del Caño, près du Parque Nacional Corcovado.

Or et coton

La région de Diquis recèle également de l'or, que les Amérindiens tamisent dans les rivières, ou extraient de tranchées creusées dans les savanes, sous des bosquets au sommet des collines ou dans les plaines. Experts en orfèvrerie, ils utilisent diverses techniques, notamment celle de la "cire perdue", pour confectionner bandeaux frontaux, anneaux, colliers, bracelets, perles ou clochettes ; l'or se coud sur les vêtements, se forge en pinces à épiler le visage, en poinçons, aiguilles et hameçons ; il habille les dents et se retrouve sur les masques décoratifs.

Les indigènes de Diquis sont aussi d'habiles tisserands, et leurs fines cotonnades blanches servent également de linceuls. Nous n'avons aucun indice archéologique sur le sujet, les vêtements en coton ne résistant pas à l'épreuve de millénaires, mais nous pouvons supposer qu'hommes et femmes revêtaient des chemises en coton lors des cérémonies.

Guerres, rites et religions

Les vestiges archéologiques qui nous sont parvenus sur la vie, le régime alimentaire, les arts et le commerce des premiers Costaricains pourraient laisser croire à quelque paradis perdu.

La réalité semble avoir été tout autre. Ainsi dans la région de Nicoya, des guerres incessantes mettent aux prises les tribus rivales en quête de prisonniers, peut-être pour des sacrifices humains – voire des rites cannibales. À travers tout le Costa Rica, ces guerres se rallument pour réduire les femmes et les enfants en esclavage, pour obtenir les têtes des ennemis, emportées et conservées comme trophées, ou encore pour avoir accès à de nouveaux territoires. Parfois – et c'est le cas dans le Diquis –, hommes et femmes combattent côte à côte. Les personnages de haut rang sont mis en terre avec leurs richesses et leurs esclaves, sacrifiés pour pouvoir servir leurs maîtres dans l'au-delà.

CI-CONTRE : sourire précolombien, Nicoya.
À DROITE : femme sculptée en pierre, Guayabo.

Vie spirituelle

Nous savons actuellement très peu de chose sur les croyances des peuples indigènes. Les symboles phalliques et les statuettes en terre cuite ou en pierre soulignant les parties génitales, mâles ou femelles, évoquent clairement un culte de la fertilité. Ces rites s'accompagnent sans doute de l'utilisation de tambours en terre cuite, de flûte en os ou en argile, de trompettes, d'ocarinas et de hochets, fabriqués avec des gourdes naturelles ou en argile. De grands récipients ont servi jadis à la fermentation du maïs, du yucca ou du fruit de palmier dans le cadre d'orgies rituelles.

Des chamans experts dans la flore des forêts soignent les malades, prédisent l'avenir ou entrent en communication avec les puissances surnaturelles.

Des traditions disparues

Avec l'arrivée des Européens, qui capturent et soumettent les caciques, réduisent les indigènes en esclavage et détruisent systématiquement leurs objets cérémoniels, un art inspiré va céder la place à une terne médiocrité, et une religion acceptée à contrecœur étouffer des croyances spirituelles ancestrales. Peu à peu, les traditions précolombiennes du Costa Rica vont presque toutes disparaître. ❑

LA CONQUÊTE

Attisée par la fièvre de l'or, la conquête du Costa Rica suit les mêmes chemins empruntés ailleurs en Amérique centrale, apportant avec elle épidémies et massacres.

En 1492, Christophe Colomb quitte l'Espagne pour son premier voyage vers le Nouveau Monde. Il espère découvrir un groupe d'îles près du Japon, qu'il estime positionné à environ 2 400 milles à l'ouest des côtes espagnoles. Le navigateur rêve d'y construire une superbe cité, d'y faire le commerce de l'or, des pierres précieuses et des épices des Indes avec les grandes villes d'Europe. Il en sera le vice-roi, gouvernant les plus riches contrées du monde connu et inconnu.

Ses ambitions coïncident avec les intérêts de la reine Isabelle de Castille et de son époux Ferdinand. La Reconquista a chassé les Maures d'Espagne mais vidé les caisses royales. La Couronne a besoin d'or, et vite.

De l'or à tout prix

Le premier de ses 4 voyages conduit Colomb jusqu'aux Bahamas, où il fonde une colonie espagnole dans le Nouveau Monde, à Hispaniola, île des Grandes Antilles partagée aujourd'hui entre Haïti et la République dominicaine. Il y fait construire un fortin, où il laisse 39 de ses hommes continuer la recherche du précieux minerai. Embarquant plusieurs prisonniers indigènes à bord, il fait un retour triomphal en Espagne.

La reine le nomme amiral des Mers océanes, et lui commande d'organiser un deuxième voyage. Beaucoup plus importante, cette expédition sillonne les Antilles, puis retourne à Hispaniola, où les 39 Espagnols ont été massacrés après avoir maltraité les indigènes. Colomb décide alors de faire voile vers la côte nord, où il fonde une nouvelle colonie, dont il confie le gouvernement à son frère Diego. Puis le conquérant repart à la découverte de l'or tant convoité. Mais la situation s'envenime à nouveau avec les Amérindiens, et la discorde s'installe entre les colons eux-mêmes. Les navires de Colomb retournent en Espagne chargés d'esclaves, mais sans or.

L'infatigable navigateur parvient tout de même à monter une troisième expédition, durant laquelle il touche les côtes du Venezuela. Pendant ce temps, la révolte gronde à Hispaniola. Un or toujours aussi rare, et des conditions de vie très dures mettent en danger l'autorité de l'amiral. Comme nombre de ses successeurs en Amérique centrale, il tente d'apaiser les frondeurs en leur accordant le droit de réduire la population indigène en esclavage.

"Découverte" du Costa Rica

Mais cette mesure ne peut suffire ; plusieurs capitaines et de nombreux hommes rentrent en Espagne exiger leurs arriérés de paye – et la tête de Colomb. Un envoyé de la Couronne débarque

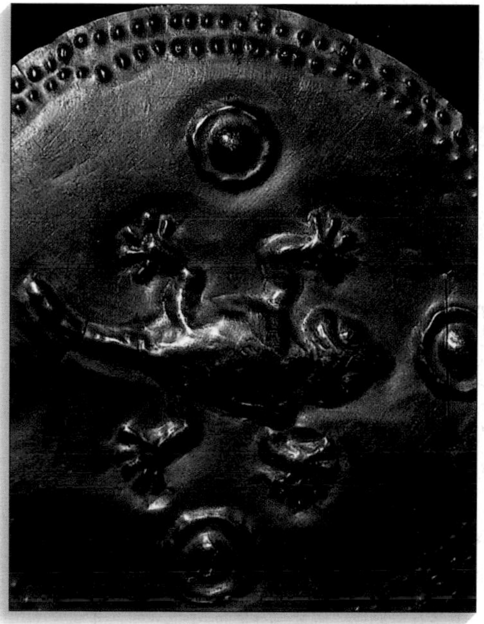

à Hispaniola, le fait jeter en prison, puis le renvoie en Espagne, enchaîné. Isabelle et Ferdinand le gracient, et l'explorateur met laborieusement sur pied son quatrième voyage.

En 1502, Colomb longe les côtes atlantiques d'Amérique centrale, cherchant un passage vers ce que l'on appellera plus tard le Pacifique. C'est alors qu'il découvre la "Côte Riche" de Veragua.

Il passe 18 jours sur le sol du futur Costa Rica, près du port actuel de Limón, en un site qu'il baptise Cariari. Les indigènes délèguent aussitôt deux jeunes filles pour saluer les étrangers. Dans une lettre à Ferdinand, Colomb écrit : "Dès mon arrivée, ils ont envoyé deux filles, cérémonieusement habillées ; la plus âgée avait à peine 11 ans, l'autre 7, chacune se comportant avec si peu de décence qu'elles ne valaient guère mieux que des prostituées. Dès qu'elles sont montées à bord, j'ai ordonné qu'on leur offre quelques-unes de nos marchandises d'échange, et je les ai tout de suite renvoyées à terre."

À Cariari, Colomb fait réparer ses navires endommagés – la *Capitania*, la *Gallega*, la *Viscaína*, et le *Santiago de Palos* –, profitant d'un océan presque sans marées ; les vagues lèchent doucement les plages de sable blanc ou noir, et les cocotiers se balancent dans une brise légère. Ce répit tombe à pic : au large du Honduras, une violente tempête a durement éprouvé matériel et équipage – ses marins, dont un tiers ont entre 13 et 18 ans, sont malades et épuisés. Colomb lui-même, âgé de 51 ans, est presque paralysé par la goutte.

Un retour difficile

Le voyage de retour ne s'annonce pas sous les meilleurs auspices : rongés par les vers et affaiblis par le mauvais temps, les navires prennent l'eau de toutes parts. Colomb parvient à rallier

CI-CONTRE : coupe rituelle à motif zoomorphe.
CI-DESSUS : statuette phallique, Nicoya.
CI-DESSUS À DROITE : pectoral en or, Diquis.

Santa Gloria, en Jamaïque ; il y passera un an, sans pouvoir obtenir l'aide du gouverneur d'Hispaniola, qui craint pour sa position. La nourriture venant à manquer, une mutinerie éclate. Colomb et 100 hommes sur les 135 du départ rejoignent enfin l'Espagne en 1504, peu après la mort d'Isabelle.

Très diminué physiquement, épuisé, le navigateur passe ses dernières années à essayer d'obtenir les titres, les droits commerciaux et les revenus jadis promis par la reine. Mais le roi accepte tout juste de le recevoir, et ses efforts ne profiteront finalement qu'à sa descendance – son petit-fils sera nommé duc de Veragua en 1546 –, ainsi qu'aux conquistadors qui vont bientôt suivre ses traces en Amérique. Quant à son héritage historique, lui aussi va connaître quelques vicissitudes.

Les conquistadors

On serait tenté de caricaturer la conquête du Nouveau Monde sous la forme d'un manga pétri de violence et de sang : des conquistadors rapaces, sans pitié, incapables de mener à bien une exploration, s'entr'égorgeant au moindre prétexte – pour de l'or, des terres ou des titres –, exterminant, pillant et asservissant sans état d'âme les indigènes.

FIÈVRE DE L'OR

Les Amérindiens du Costa Rica qui accueillent les Espagnols portent des miroirs et des colliers en or ; ils évoquent de vastes mines, désignant le sud.

"J'ai vu plus de signes d'or en 2 jours que je n'en ai vu à Hispaniola en 4 ans", écrit Christophe Colomb au roi Ferdinand. Le navigateur pense avoir découvert le bon filon. Mais les richesses dont il rêve ne vont jamais se matérialiser. Les ressources en or du pays se limitent à de maigres dépôts alluviaux.

Le Museo de Oro de San José illustre à merveille le travail de l'or précolombien, avec des milliers d'articles de toutes sortes (*voir p. 137*).

Entre l'arrivée de Colomb à Limón et la fondation de la première colonie espagnole au Costa Rica, 60 ans vont s'écouler. La nature du terrain et les infortunes de la mer, un climat éprouvant et une population locale rétive n'ont certes pas facilité les choses ; mais les querelles intestines continuelles qui divisent les conquistadors ont également joué un rôle majeur dans l'échec de maintes tentatives de colonisation.

L'or est de toutes les convoitises. Lorsque les Espagnols demandent aux Amérindiens où se trouvent les gisements, ceux-ci pointent le doigt vers le sud – et les fabuleuses mines de Veragua. Une véritable fièvre s'empare alors des Espagnols, et beaucoup en mourront. Si les indigènes connaissaient réellement l'emplacement de ces mines, ils ne l'ont jamais révélé, et, à ce jour, le mystère demeure entier. Dédaignant l'or des cours d'eau, les nouveaux venus doivent se contenter de le voler aux indigènes – jusqu'à épuisement total du butin. Après quoi, il ne leur reste plus qu'à tenter de survivre, à défaut de s'enrichir.

Nouvelles expéditions

En 1506, deux ans après le retour de Colomb, Ferdinand d'Espagne envoie le gouverneur Diego de Nicuesa à la tête d'une expédition pour fonder une colonie à Veragua. Ce sera la première d'une longue série d'essais infructueux. Le navire de Nicuesa s'échoue sur les rivages du Panamá ; le gouverneur et ses hommes doivent longer la côte à pied pour rejoindre Veragua. Le manque de nourriture, les maladies tropicales, les difficultés du terrain font des ravages, et les indigènes préfèrent brûler leurs récoltes plutôt que de les leur céder : lorsqu'il arrive enfin à destination, Nicuesa a perdu la moitié de ses effectifs.

Ci-contre : Colomb, Cortès, Magellan et Pizarro.

Ci-dessus : la *Pinta* fait naufrage dans une tempête.

Ci-dessus à droite : la *Virgen de los Navigantes*, Alejo Fernández (vers 1435).

À la même époque, d'autres expéditions débarquent en différents points de l'Amérique centrale. Les Espagnols capturent des Amérindiens, les contraignent à travailler dans les mines d'Hispaniola, pillent leur or et cherchent désespérément un passage vers l'"autre Océan". En 1513, Vasco Nuñez de Balboa, fuyant Hispaniola et la prison pour dettes, monte une expédition à travers l'isthme de Panamá et découvre le Pacifique. Bientôt, des chantiers improvisés de construction navale essaiment sur la côte du Pacifique ; ils accueillent les explorateurs qui ont, à leur tour, réussi à franchir l'isthme et s'apprêtent à faire voile vers l'ouest en quête de nouvelles découvertes. Les mouillages sont mieux abrités sur cette côte, et certains pensent y trou ver plus d'or.

Les aventures de Gil González

La deuxième expédition au Costa Rica, conduite en 1522 par le capitaine Gil González, ne parvient pas plus à fonder une colonie. Les navires construits à la hâte sur la côte pacifique du Panamá prennent l'eau, obligeant González et ses hommes à débarquer pour continuer à pied.

Quelque 1 000 km de marche séparent la côte pacifique du Costa Rica et le Nicaragua au nord : l'épopée va prendre une dimension mythique. Âgé de 65 ans, perclus d'une arthrite aggravée par les pluies incessantes, González doit parfois être transporté sur une litière, mais il refuse d'abandonner. Pendant 15 jours, il se repose chez le chef Térraba, près de Boruca. Selon ses estimations, il aurait baptisé quelque 32 000 indigènes sur place, récoltant au passage des pièces en or d'une valeur considérable.

Il rencontre également le chef Diríagen, lequel surgit un beau jour accompagné de 500 Amérindiens, chacun portant un ou deux dindons ; de 17 femmes couvertes de disques d'or des pieds à la tête ; de 10 porte-étendards ; de 5 trompettes et d'autres serviteurs chargés de 200 hachettes en or. Cette troupe s'arrête devant

la maison où González a fait halte ; les trompettes sonnent, puis les chefs, les femmes et autres dignitaires entrent. Lorsque le conquistador lui demande ce qui les amène, Diríagen répond qu'ils sont venus voir les hommes à barbe qui montent d'étranges animaux. En fait, il voulait sans doute évaluer les forces des Espagnols, car, 3 jours après sa visite, il revient pour les attaquer. Selon la légende, González et son petit groupe d'une vingtaine d'hommes les auraient facilement repoussés.

Plus tard l'explorateur entrera en conflit avec le très gourmand Pedrarias, gouverneur du Panamá et responsable de la mort de nombreux conquistadors, dont son propre gendre Balboa, qu'il a fait décapiter. Les énormes quantités d'or amassées par González, et son refus d'abandonner ses droits sur le Nicaragua, déclenchent les foudres de Pedraria. Mais González réussit à s'enfuir du Panamá, emportant son trésor avec lui.

Épidémies et esclavage

Les tribus de Nicoya et du Nicaragua n'ont pas eu autant de chance que González. Son expédition leur a apporté la petite vérole, la grippe et la peste : les Amérindiens meurent par dizaines de milliers. Quant aux survivants, ils doivent faire face à un autre danger : l'esclavage. Les indigènes de la région de Nicoya, concentrés dans

de vastes bassins de population, et donc plus vulnérables aux razzias, sont capturés, marqués au fer rouge et embarqués vers le Panamá et le Pérou pour y être vendus comme esclaves.

La troisième tentative de colonie costaricaine, Villa Bruselas, s'implante près de l'actuelle Orotina, non loin du grand port de Puntarenas, sur la côte pacifique. Elle ne survivra que 3 ans aux rivalités internes et aux attaques des Amérindiens.

Durant cette période, les conquistadors qui débarquent en Amérique centrale peuvent exploiter la population locale autant qu'ils le souhaitent. La loi du *requerimiento*, édictée en 1510, les autorise en effet à faire la guerre à tous ceux qui ne sont pas baptisés – excellent prétexte pour exterminer les Amérindiens et piller leur or.

Un peu plus tard, la couronne espagnole fait un autre cadeau aux colons avec l'*encomienda* : ils ont maintenant le droit de contraindre les indigènes à les servir sans compensation – ou d'exiger des marchandises comme tribut. Dans les faits, il s'agit d'un esclavage à peine déguisé. Les Amérindiens, d'abord déportés sur les domaines où ils travaillent, sont ensuite considérés comme le bien du propriétaire. Le système de l'encomienda va permettre aux conquistadors de réaliser leur rêve : accéder à l'aristocratie terrienne. Tous les droits et privilèges qu'ils se sont arrogés n'ont aucune valeur si les indigènes ne travaillent pas pour eux.

Cependant, l'encomienda se développe moins facilement au Costa Rica que dans d'autres colonies d'Amérique centrale, et ce pour plusieurs raisons : la main-d'œuvre locale y est plus réduite ; en dehors de la région de Nicoya, les indigènes n'habitent pas des bassins de population comparables à ceux des Mayas du Guatemala, par exemple. Ils vivent en petites communautés autonomes très dispersées à travers le pays : les Espagnols ne peuvent donc en capturer beaucoup à la fois, contrairement à ce qui s'est passé au Mexique.

Par ailleurs, les indigènes du Costa Rica supportent très mal l'esclavage et résistent farouchement au travail forcé. Ils préfèrent souvent mourir au combat, ou fuir et se réfugier dans les montagnes. Ainsi la pratique de l'encomienda sera-t-elle abolie bien avant l'arrivée d'une importante colonie espagnole dans le pays.

Intervention de l'Église

Pour une grande partie de l'Église, le principe de l'encomienda est inacceptable. Au terme d'une vigoureuse campagne menée par de nombreux religieux, et notamment le frère Bartolomé de Las Casas, conquistador repenti, l'encomienda est abolie en 1542.

Un tel bouleversement provoque la colère des propriétaires terriens, qui pensent ne pas pouvoir survivre sans esclaves. Au Nicaragua, la fièvre monte au point que les colons se soulèvent et assassinent l'évêque qui avait soutenu le retrait de l'encomienda. Ils envoient une pétition au roi d'Espagne, expliquant qu'ils ont investi leurs biens et leurs vies, et que la Couronne a tiré grand profit de leurs sacrifices. Mais Charles Quint refuse de revenir sur sa décision.

Repartimiento

L'Espagne ne peut tout de même pas abandonner ses colons sans main-d'œuvre. Un système vient donc remplacer l'encomienda : le *repartimiento*. Il oblige tous les Amérindiens de sexe masculin âgés de 16 à 60 ans à travailler une semaine par mois pour des propriétaires terriens, des institutions religieuses, des municipalités ou des administrations. Sur le papier, le *repartimiento* est supposé apporter aux indigènes une compensation pour leur travail et les laisser libres de cultiver leurs terres durant le reste du mois. Mais, en pratique, la situation évolue bien différemment, et les abus deviennent la norme.

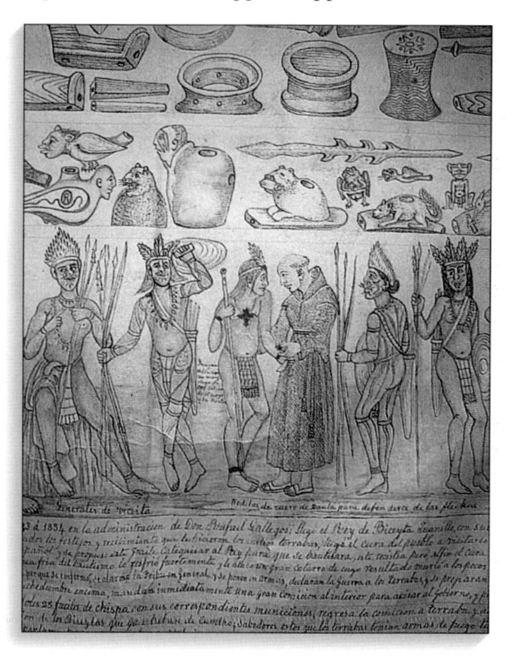

Les indigènes se voient contraints de consacrer beaucoup plus d'une semaine aux Espagnols : ils parcourent souvent des distances considérables, parfois plusieurs jours d'affilée, de leur village à leur lieu de travail, et doivent payer leur nourriture et autres produits de première nécessité, épuisant ainsi un salaire de misère.

Les années passent, et les fabuleuses mines d'or de Veragua demeurent introuvables. Toutes

CI-CONTRE : la Conquête par la conversion.
À DROITE : missionnaires catholiques et Amérindiens.

les expéditions reviennent bredouilles. Les conquistadors pillent les côtes, mettent la main sur tout butin qui passe à leur portée, capturent les indigènes, les réduisent en esclavage et se disputent la possession de nouveaux territoires. Les pirates anglais entrent vite en scène, attirés par l'or et les esclaves.

Les colonies espagnoles d'Amérique centrale se développent, des centres administratifs voient le jour au Panamá, au Nicaragua et au Guatemala.

Duc de Veragua

En 1546, Luis, le petit-fils de Christophe Colomb, est enfin nommé duc de Veragua. Il part en compagnie de 130 hommes prendre possession de son bien, mais les Amérindiens massacrent presque tous ses soldats et il doit abandonner.

Cavallón a également apporté avec lui chevaux, vaches, chèvres, cochons, poules et canards en nombre pour améliorer les chances de succès de la communauté.

L'expédition est convenablement préparée, bien financée : une soixantaine d'années après le débarquement de Christophe Colomb à Veragua, la première colonie intérieure du Costa Rica voit enfin le jour. On la baptisera Garcimuñoz, lieu de naissance de Juan de Cavallón.

En 1539, le gouvernement du Panamá utilise pour la première fois le terme de Costa Rica, désignant ainsi les terres comprises entre le Panamá et le Nicaragua. Mais aucune colonie permanente ne s'y est encore implantée.

En 1559, le roi Philippe II d'Espagne exige que le Costa Rica soit peuplé, et pas seulement sur la côte. En 1561, Juan de Cavallón y pénètre à la tête de 90 hommes recrutés au Guatemala et au Nicaragua, accompagnés par un groupe d'esclaves noirs et d'auxiliaires amérindiens du Nicaragua. Les conquistadors ont pris l'habitude de déplacer ainsi les populations indigènes, qui n'essayent pratiquement jamais de s'échapper et de rentrer chez elles.

Juan Vásquez de Coronado

Salué par certains historiens comme le véritable conquérant du Costa Rica, Coronado déplace la colonie de Garcimunõz dans la vallée de Cartago, au cœur du pays, puis à El Guarco, où une colonie permanente s'enracine pour la première fois. Avec les Amérindiens, Coronado adopte une tactique différente de celle de ses prédécesseurs. Il a bien l'intention d'occuper leurs terres et de mettre la main sur autant d'or que possible, mais il se montre amical et les traite avec respect ; certes il demande travail et tributs, mais sans rien imposer.

Les soldats et les colons voient les choses tout autrement ; la paix ne les intéresse pas, et ils attendent de Coronado qu'il fasse preuve d'autorité envers les indigènes. Ils veulent de la nourriture, de l'or et de la main-d'œuvre et menacent continuellement de déserter le Costa Rica, jugeant leurs conditions de vie trop difficiles et leurs efforts mal récompensés. Mais la stratégie de Coronado s'avère payante, et la colonie prospère peu à peu.

Pacification

Entre autres succès, Coronado obtient la reddition – ou "pacification", comme on la baptisa diplomatiquement –, d'un chef local nommé Quitao. Lors d'une réunion de tous les chefs de la région, Quitao annonce qu'il est fatigué de se cacher dans la jungle et prêt à se rendre aux Espagnols. Les autres sont libres de faire leur propre choix. Mais ces derniers demandent à Quitao de décider pour eux : il leur répond alors qu'ils auront à servir le roi et son représentant. Ceux qui ne se soumettent pas seront sévèrement punis. Pour preuve de sa bonne foi, il met 150 indigènes à la disposition des Espagnols, ce qui lui vaut en retour leur "grande considération".

Coronado a laissé des chroniques sur ses explorations à travers le Costa Rica ; elles témoignent d'une observation attentive et bienveillante des Amérindiens.

Dans la région de Diquis, en visitant la communauté des Coctu, il décrit des villages bien organisés et développés, contrairement à ceux qu'il a connus ailleurs. Il note que les habitants possèdent beaucoup d'or, qu'ils ont acheté à des tribus de la côte atlantique ou extrait des rivières ; il se montre également impressionné par leur beau linge en coton ; il admire leur beauté physique, leur caractère guerrier, leurs manières civilisées et très franches, "chose rare chez les Indiens". C'est parmi les Coctu que Coronado rencontre "le plus bel Indien" qu'il ait jamais vu, le chef Corrohore, qui vient lui demander son aide pour reprendre sa sœur Dulcehe, enlevée par un chef voisin. Coronado accepte et lui ramène Dulcehe.

Mais la vie au Costa Rica ne se passe pas toujours de façon aussi idyllique. Car si Coronado sait rétablir la paix entre les tribus en guerre, il se bat également aux côtés des uns ou des autres. Et la colonie doit faire face à des soulèvements. De retour d'une exploration, Coronado découvre que tous les Amérindiens de la région, y compris Quitao, sont entrés en guerre contre les Espagnols. À Orosi, les indigènes ont tué 8 Espagnols et leurs chevaux. Ses anciens amis, les chefs Aserri, Currirabá, Yurustí, Quircó et Purirsí, ont été faits prisonniers. Essayant de calmer la situation, Coronado engage des discussions ; puis, exaspéré, il ordonne la mise à mort de deux d'entre eux.

Le manque d'or, les pénuries alimentaires et les révoltes indiennes imposent une existence très rude aux colons. Ils reçoivent du Nicaragua des vivres, des marchandises et un nouvel apport de population, mais les choses ne s'améliorent guère. En 1569, ils exigent des esclaves indigènes, faute de quoi ils menacent d'abandonner la colonie. Le successeur de Coronado, Perafán de Ribera, âgé de 74 ans et de santé fragile, défie la loi de la Couronne et autorise les colons à soumettre les Amérindiens en esclavage.

Les années 1560 marquent la fin de la Conquête. La grande majorité de la population indigène a été massacrée, est morte d'épidémies, s'est soumise aux Espagnols ou a trouvé refuge dans les forêts de Talamanca. La voie est libre : de nouveaux colons peuvent venir d'Espagne et envisager une existence dorée. ❑

CI-CONTRE : Coronado remet Dulcehe à son frère Corrohore.

À DROITE : Don Juan de Cavallón.

COLONIALISME ET INDÉPENDANCE

Colonie misérable et abandonnée, le Costa Rica apprend son indépendance par courrier, se lance dans la production du café et découvre les règles difficiles de la démocratie.

La colonie costaricaine ne se développe que lentement. En 1573, 50 familles vivent à Cartago, dans le Valle Central, et une petite communauté s'est implantée non loin de là, dans la future San José. Les immigrants espagnols arrivent d'Estrémadure, à l'ouest de l'Espagne ; d'Andalousie, au sud, apportant avec eux leurs racines mauresques ; et de Castille, cœur du royaume. Ils fondent également des colonies sur la côte pacifique, à Espiritú Santo de Esparza et à Nicoya. La population croît, mais sans hâte et dans des conditions toujours aussi pénibles.

Du rêve à la misère

Premiers arrivés, premiers servis : les conquistadors ont chargé d'or leurs navires et leurs coffres, envoyant leur pourcentage obligé au trésor royal. Mais à la fin du XVIe siècle, le peu d'or détenu par la "Côte Riche" s'est envolé. Les colons n'ont presque pas d'argent, et ils ne voient pas comment générer des richesses. Ils doivent se résoudre à employer les fèves de cacao comme monnaie d'échange et à pratiquer le troc. Les rares marchandises en provenance d'Espagne ne sont pas payées mais échangées contre la farine de blé, les cochons, le lard, les poulets, le tabac ou l'alcool produits sur place. La plupart des familles vivent dans des fermes isolées du Valle Central, utilisant des méthodes d'agriculture primitives. La vie sociale, voire religieuse, est inexistante, et la population survit dans un état de réelle misère.

Une colonie oubliée

L'Espagne ne s'intéresse plus guère à ce bout du monde improductif, et même le gouverneur colonial du Guatemala ne se préoccupe pas outre mesure des problèmes du Costa Rica. Après tout, il faut compter 3 mois de voyage à cheval pour s'y rendre, et il ne voit aucune raison de se transporter si loin pour si peu.

Paradoxalement, cet abandon aura des aspects positifs. Dépourvus des vastes domaines et de la main-d'œuvre en quantité nécessaire pour travailler dans les plantations, les aristocrates et le gouverneur en personne sont bien obligés de cultiver eux-mêmes leur terre. Et du moins cette terre est-elle fertile, enrichie par les cendres volcaniques et irriguée par les rivières. Les colons font pousser du blé, des légumes et de la canne à sucre, ils élèvent du bétail et de la volaille. Lentement, mais sûrement, les prémices d'une économie voient le jour.

Naissance du commerce

À défaut d'or, les Costaricains vont exporter... des mules. Ils les acheminent par la Route muletière jusqu'à Panamá, où elles sont vendues aux commerçants qui ont besoin de bêtes de somme pour transporter leurs marchandises de la côte atlantique au Pacifique. Plus tard vient le tour de la production de cacao, sur la côte atlantique, puis du tabac, sur le plateau central. Pour donner aux Costaricains un produit à exporter – et un revenu à taxer –, la Couronne les aide à

CI-CONTRE : Sir Henry Morgan, illustre pirate.
À DROITE : les Miskito, fléau redouté des colons.

construire des fabriques et leur accorde l'unique privilège, entre toutes les colonies, de cultiver le tabac. Mais le tabac costaricain ne sera jamais de bonne qualité, et trouvera difficilement des débouchés.

Sur la côte atlantique, la piraterie et la traite des esclaves sèment la désolation. Les rivages des Caraïbes sont sans cesse pillés par les pirates anglais – Drake, Mansfield, Morgan ou Owens – et par les boucaniers français, hollandais et portugais. Tous cherchent à contrôler ce territoire qui peut leur permettre de franchir l'isthme reliant l'Atlantique au Pacifique, et d'éviter ainsi la flotte espagnole de Panamá.

En 1742, exaspéré par ces razzias continuelles, le gouvernement fait construire le fort San Fernando à Matina, au nord de l'actuel Limón. Mais, 5 ans plus tard, le gouverneur britannique de la Jamaïque envoie le pirate Owens et les Miskito détruire le fort – l'Espagne et la Grande-Bretagne sont alors en guerre.

Une paix monnayée

En 1779, le gouvernement du Costa Rica ne peut que constater son impuissance face aux pirates. Il décide de les acheter, offrant aux Miskito de superbes manteaux aux boutons bien brillants, et des tricornes qu'il laisse à leur disposition à

Saqueo y incendio de la Ciudad de Esparza por los piratas ingleses.
A Dn Miguel Gómez de Lara sucedió como Gobernador y Capitán General el Maestre
campo Dn Manuel de Bustamante y Vivero, nombrado por Real Cédula de 55 de mayo de
Tomó posesión el 28 de Abril de 1693, y recidenció a su antecesor. Este Gobernador era caballero de

Les Miskito

En 1641, un navire négrier fait naufrage au large des côtes nicaraguayennes – ou du Honduras. Les esclaves africains parviennent à rejoindre le rivage. Les Amérindiens les acceptent ; ils s'unissent entre eux et, au fil des ans, développent une identité et un langage propres, le miskito. Les pirates britanniques s'allient avec eux : ensemble, ils vont répandre la panique le long des côtes atlantiques costaricaines et dans les plantations de cacao. Pour les Miskito, ces domaines sans défense offrent une proie facile. Deux fois par an, ils débarquent, s'emparent du cacao, capturent des esclaves noirs, et repartent comme ils sont venus.

Matina. Cependant, en 1841, le président Braulio Carrillo refuse de continuer cette pratique déshonorante et menace d'enrôler toutes les forces du pays pour lutter contre les Miskito. De toute façon, la production de cacao a déjà beaucoup diminué. Alors, les pirates cessent leurs raids contre Matina. Ils ont laissé des vestiges de leur influence sur la côte atlantique, où bien des noms de lieux proviennent de leur langue, comme Talamanca (Talamalka), Sixaola et Cahuita.

Expansion coloniale

Grâce à ses montagnes inaccessibles, la région de Talamanca a pu échapper à la Conquête. Fuyant leur condition d'esclaves, des indigènes venus de tout le pays s'y sont réfugiés, à l'abri des Espagnols. Mais les colons arrivent toujours plus nombreux au Costa Rica pour défricher la terre, construire des routes et des fermes, et le manque de main-d'œuvre amérindienne devient crucial : ils décident alors de lancer des attaques contre la région de Talamanca. Des raids vont se succéder, sans gain notoire. Les contre-attaques et les représailles les plus sanglantes se multiplient de part et d'autre. En 1747, au terme de cette guerre sans merci, un décret officiel impose à des centaines d'Amérindiens de se "réinstaller" dans le Valle Central où, entretemps, la population s'est considérablement développée. En 1706, le village de Cubujugui, futur Heredia, est fondé ; en 1737, c'est au tour de Villa Nueva de la Boca del Monte, l'actuelle San José ; et, en 1782, des colons s'implantent à Villa Hermosa (aujourd'hui Alajuela).

Les Costaricains, qui luttent pour leur subsistance, sont trop occupés par leurs soucis quotidiens pour s'intéresser aux courants de pensée et aux conflits qui conduisent l'Amérique centrale sur la voie de l'indépendance. Aucun écho ou presque ne leur parvient de cette révolte qui fermente ailleurs, alimentée par les distinctions de classe et par d'insupportables taxes douanières.

Avis d'indépendance

Les Costaricains aiment raconter comment ils ont appris leur indépendance – par une lettre venue d'Espagne. Un courrier voyageant à dos de mulet arrive dans le Valle Central un certain 13 octobre 1821, près d'un mois après que les responsables de Ciudad Guatemala ont déclaré l'indépendance du Costa Rica.

La nouvelle suscite des réactions confuses et contradictoires. En tant que province la plus éloignée de la capitale coloniale, le pays est celui qui a le moins subi l'influence de la couronne espagnole, de l'Église catholique, de la bureaucratie coloniale et des marchands qui, ailleurs, dominent le commerce d'Amérique centrale. Repliés dans leurs montagnes intérieures, les responsables des petites communautés de San José, Cartago, Heredia et Alajuela entament un long débat sur leur avenir.

Quel avenir ?

Inspirés par la Constitution espagnole de 1812, les dirigeants costaricains vont enrôler l'homme de lettres et libéral Florencio de Castillo pour rédiger leur première Constitution, le Pacto de Concordia, le 1er décembre 1821.

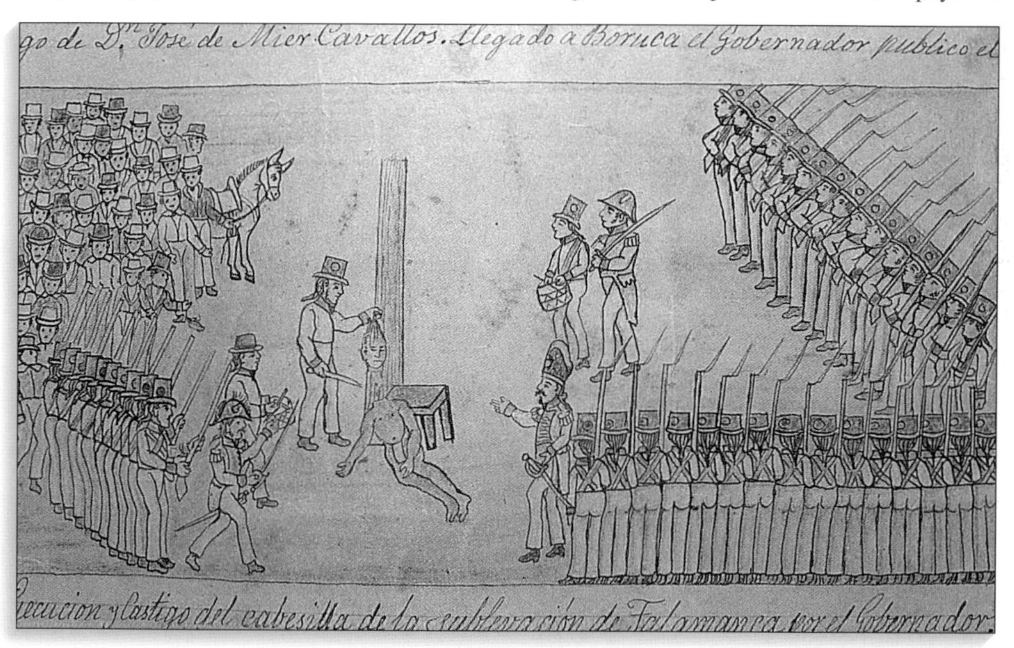

CI-CONTRE : des pirates anglais pillent un village sur la côte pacifique.

CI-DESSUS : décapitation publique, Talamanca.

Mais une rupture apparaît bientôt entre ceux qui optent pour une indépendance totale et ceux qui préfèrent suivre toute l'Amérique centrale et rejoindre l'Empire mexicain d'Agustín de Itúrbide.

Les dirigeants de San José et d'Alajuela, enthousiasmés par les idées révolutionnaires qui balayent l'Ancien et le Nouveau Monde, sont partisans de l'indépendance, tandis que ceux de Cartago et d'Heredia penchent pour un ralliement à l'Empire mexicain. Pour certains autres, le Costa Rica doit se rattacher à la Colombie de Simón Bolívar.

Ces désaccords reflètent des disparités fondamentales dans l'histoire et l'identité de ces villes. Cartago et Heredia ont été fondées pour rassembler en congrégations catholiques les premiers colons. Une pensée fortement conservatrice s'y est développée et elles demeurent très étroitement liées à l'Église et à la vieille bureaucratie coloniale. San José apparaît bien différente, créée par des colons bannis de Cartago pour avoir défié les lois coloniales sur la contrebande. De la même manière, Alueja s'est affirmée comme un centre agricole en marge où prospère la contrebande du tabac. Dans ces deux villes se fait jour une attitude plus ouverte et plus libérale que chez leurs voisines.

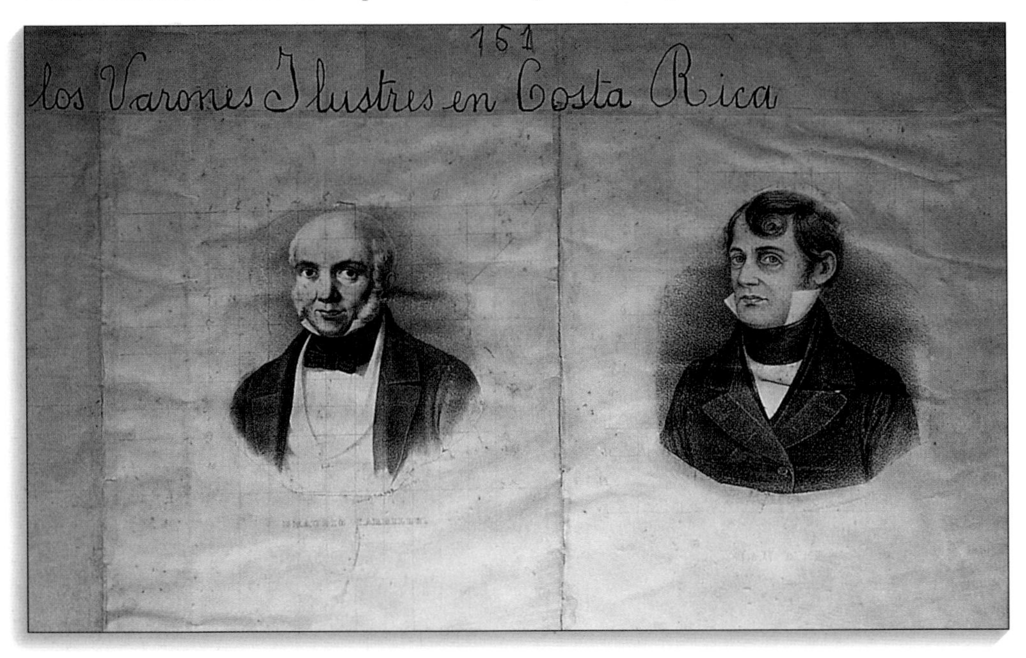

INSTABLE CAPITALE

Première capitale du pays, Cartago est fondée en 1561 par Juan de Cavallón et baptisée Castillo de Garcimuñoz. Le site et le nom sont ensuite abandonnés, Coronado transférant ses habitants à El Guarco, dans la vallée de Cartago. Puis Perafán de Ribera la déplace encore, à Mata Redonda, près de l'actuelle Sabana. Enfin, cette ville décidément instable revient dans la vallée de Cartago, son site actuel.

En 1723, le Volcán Irazú fait irruption, ensevelissant Cartago sous les cendres. La capitale ne compte alors que 70 maisons, une église et deux sanctuaires ; pas de boutiques, pas de pharmacie, pas même un médecin.

La question du rattachement du Costa Rica à l'Empire mexicain va se régler par les armes, le 5 avril 1823. Les deux armées mises sur pied par les cités rivales se rencontrent entre San José et Cartago. Cette escarmouche laisse 20 hommes morts sur le terrain. Emmenées par un ancien capitaine de navire de commerce, Gregorio José Ramírez, les forces indépendantistes victorieuses prennent Cartago.

Le pays est maintenant libre de son destin. Mais les Costaricains auraient pu faire l'économie de cette bataille : plusieurs jours auparavant, Itúrbide, convaincu de traîtrise, a été capturé et exécuté. Il n'y a plus d'Empire mexicain.

Fermiers et instituteurs

Gregorio José Ramírez abandonne aussitôt les rênes du pouvoir pour retrouver ses occupations agricoles – un exemple qui sera imité par d'autres dirigeants costaricains. Il ne quittera sa ferme une nouvelle fois que pour étouffer un coup d'État militaire, assurant la suprématie du pouvoir civil sur l'armée à un stade très précoce du développement de son pays.

Le Costa Rica se voit confirmer son statut d'État par la République fédérale d'Amérique centrale. Cette confédération est née d'un effort louable pour fonder des "États-Unis d'Amérique centrale" à partir des 5 anciennes provinces, élisant Ciudad Guatemala pour capitale. Une entreprise vouée à l'échec, en raison des disparités sociales et de l'obstination des élites à vouloir conserver leurs privilèges dans la plupart des provinces.

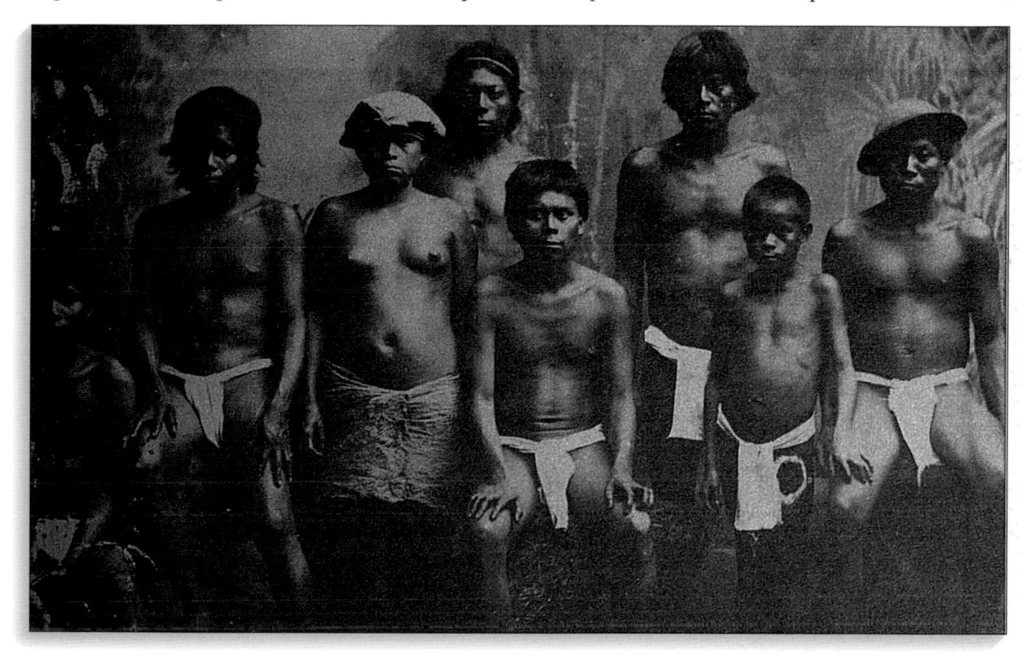

Le Costa Rica ne connaît pas ce genre de problèmes : dépourvu de classes sociales bien définies et d'élite dominante, il ne trouve rien à redire à cette idée de confédération, mais l'adopte sans enthousiasme particulier. Devenu État fédéral souverain, il élit son premier chef d'État, Juan Mora Fernández, en 1824. Cet instituteur va se distinguer par une conduite des affaires aussi prudente que modeste.

Les premières presses d'imprimerie débarquent au Costa Rica sous le mandat de Mora Fernández. Lorsque son successeur José Rafael Gallegas, instituteur lui aussi, est élu – contre sa volonté – en 1833, plusieurs journaux paraissent régulièrement. L'un d'eux, *La Tertulia*, publie des attaques humiliantes contre Gallegas. Il n'en faut pas plus à celui-ci, qui ne goûte guère la vie politique, pour se démettre de son poste. *La Tertulia* critique notamment le désordre social qui frappe la communauté depuis le développement des plantations de café près de San José ; quelques rares signes de prospérité ont commencé à poindre, et avec eux, la prostitution, le jeu et le vol à des niveaux inconnus durant l'austère vie coloniale. Certains en appellent à une forte personnalité pour redresser la barre ; un avocat de San José, Braulio Carrillo, semble bien être l'homme de la situation.

Braulio Carrillo

Carrillo fait appliquer une loi contre le vagabondage, retire le Costa Rica d'une République fédérale d'Amérique centrale défaillante, et met en place des réformes libérales, assorties d'un code civil et pénal. Il ôte également à l'Église son droit de dîme et s'attire l'hostilité des

CI-CONTRE : chefs d'État du XIXe siècle.

CI-DESSUS : Amérindiens de Nicoya, début du XXe siècle.

bourgs du Valle Central en imposant des taxes foncières sur les terres agricoles, revenus qu'il utilise pour construire des routes et des ports.

Il règle aussi la part costaricaine de la dette contractée par les fondateurs de la République fédérale d'Amérique centrale auprès des banques britanniques – d'autres pays voisins demeureront liés par cette dette pendant plus d'un siècle encore.

CAPITALES TOURNANTES

Pour apaiser les rivalités entre les 4 grandes bourgades de l'époque, le statut honorifique de capitale passe de l'une à l'autre tous les 4 ans.

Le paiement de la "dette anglaise" va d'ailleurs s'avérer très rentable, le pays s'assurant ainsi les crédits nécessaires pour investir dans sa nouvelle source de richesses : le café. Autocrate astucieux et dénué d'états d'âme, Carrillo réorganise l'administration publique pour soutenir les besoins de l'économie du café.

Café fort

Les villes rivales de San José supportent mal l'essor économique de celle-ci, pas plus qu'elles ne peuvent rester les bras croisés devant la refonte des institutions nationales orchestrée par Carrillo autour du nouveau pactole. En 1837, Cartago, Alajuela et Heredia défient Carrillo et San José : c'est la Guerra de la Liga, dont Carrillo sort victorieux, déplaçant le siège de la capitale à San José.

Au terme de son mandat en 1837, Braulio Carrillo quitte son poste. Mais, l'année suivante, voyant son successeur remettre en cause certaines de ses réformes, il revient au pouvoir, porté par un coup d'État militaire. Il s'autoproclame alors président à perpétuité, et continue de pousser son pays sur la voie d'un progrès dopé à la caféine.

Un bonheur n'arrivant jamais seul, en 1843, le capitaine anglais William Le Lâcheur rentre en Grande-Bretagne avec sa cargaison de fourrures, quand il fait relâche à

Puntarenas, sur la côte costaricaine, cherchant du lest pour son bateau qui a essuyé une tempête au large du Mexique. Il embarque quelque 500 000 livres de café dans ses cales, inaugurant ainsi la liaison Costa Rica-Liverpool. Les îles Britanniques, puis le continent européen ouvrent bientôt leurs marchés au café costaricain.

Francisco Morazán

En 1842, le nouvel ordre social créé par Carrillo finit par se retourner contre lui. Les membres d'une oligarchie du café naissante font appel au général Francisco Morazán, héros de la République fédérale d'Amérique centrale, pour qu'il les libère de Carrillo et de son carcan despotique. Lorsqu'il arrive au Costa Rica en avril 1842, à la tête d'une armée composée essentiellement de volontaires salvadoriens, Morazán est accueilli en libérateur. Le général remonte avec ses hommes du port pacifique de Caldera et s'approche d'Alajuela, quand il rencontre l'armée de Carrillo ; son chef Vicente Villaseñor lui propose alors d'unir leurs forces. Le pacte de Jocote est scellé, tout comme le sort de Carrillo, qui doit s'exiler au Salvador.

Une assemblée spéciale nomme Morazán chef d'État provisoire. Il est acclamé en héros à Heredia et à Alajuela ; San José le reçoit plus fraîchement.

Morazán va rapidement chercher à utiliser le Costa Rica pour ressusciter son rêve d'une seule et unique nation d'Amérique centrale. Il envoie des missives aux autres pays de la région, appelant à une Assemblée nationale constituante ; il menace même de recourir aux armes si certains refusent l'unification. Mais lorsqu'il tente d'enrôler les Costaricains pour appuyer son ultimatum, les habitants de San José se révoltent. Après 3 jours de violents combats, Morazán est capturé, puis exécuté sur la place centrale de San José le 15 septembre 1842.

Moins de 3 ans plus tard, Braulio Carrillo trouve à son tour une fin tragique : il est assassiné au Salvador. Les Costaricains éprouvent aujourd'hui des sentiments contradictoires envers Carrillo. Ils voient en lui un despote, mais un despote pacifique, qui eut le mérite d'être là au bon moment. Il obligea le Costa Rica à rompre avec son passé colonial, et mit fermement son pays sur la voie difficile d'une indépendance économique et politique.

William Walker

En 1855, un aventurier américain originaire du Tennessee, William Walker, prend le contrôle du Nicaragua. Entre autres objectifs, il a l'intention d'y institutionnaliser l'esclavage – ainsi que dans les pays voisins –, pour vendre ensuite cette main-d'œuvre aux États-Unis. Alléchés par cette perspective, certains industriels américains apportent leur appui à Walker. L'année suivante, il envahit le Costa Rica à la tête de 300 mercenaires, les *filibusteros*, et progresse jusqu'au site actuel du Parque Nacional Santa Rosa. Avec ses hommes, il se retranche dans la *casona* (demeure) Santa Rosa. Le président costaricain Juan Rafael Mora, membre de l'oligarchie du café, a prévenu la menace et enrôlé une armée de *campesinos* (travailleurs agricoles) pour repousser Walker. Les Costaricains sont en nombre supérieur, mais doivent se contenter d'outils agricoles et de fusils rouillés. Le 20 mai 1856, ils engagent avec Walker un combat de 14 minutes exactement, au terme duquel les mercenaires rebroussent chemin jusqu'à la frontière nicaraguayenne.

Au Nicaragua, l'armée costaricaine parvient à encercler Walker dans le fortin de Rivas. Un jeune tambour, Juan Santamaría, se porte volontaire pour mettre le feu au fort ; il se fait tuer, mais les hommes de Walker doivent fuir leur refuge en flammes. L'aventure de Walker a pris fin. Trois ans plus tard, il sera fusillé au Honduras. Quant au nom de Juan Santamaría, symbole de jeunesse, d'héroïsme et de liberté, il s'est perpétué dans la conscience nationale et le folklore. Le principal aéroport du pays en a hérité.

Le président Mora n'a pas, lui, l'étoffe des héros. En dépit de sa victoire, sa politique intérieure se révèle un échec. En 1859, il doit truquer les élections pour renouveler son mandat. Bientôt démis, il tente un coup d'État, échoue, et finit sous les balles du peloton d'exécution. ❑

CI-CONTRE : maison en clayonnage et torchis, XIXe siècle.
À DROITE : statue du tambour Juan Santamaría, Alajuela.

TEMPS MODERNES

Les difficultés économiques et l'urgence des réformes plongent le pays dans une guerre civile dont il sort marqué, mais politiquement mûri.

En 1889, avec la ratification d'une Constitution libérale et l'instauration d'un processus électoral quadriennal fiable, le Costa Rica aborde une période de prospérité et de réelle stabilité politique. Les affaires de l'État reposent entre les mains d'une ploutocratie, les "Olympiens", qui n'obéissent qu'à un principe : le très libéral "laisser-faire".

Café corsé

Quelques nuages obscurcissent pourtant ces horizons dorés. Les retombées économiques du boom du café ne se redistribuent que très imparfaitement, surtout dans les centres urbains. Confronté à la fermeture des marchés européens durant la Première Guerre mondiale, le premier président réformateur du Costa Rica, Alfredo Gonzáles Flores, impose une taxe sur le café. Cette mesure déclenche bien évidemment une tempête chez les grands producteurs, qui soutiennent le coup d'État du général en chef Federico Tinoco, le 27 janvier 1917. Ce dernier s'empare alors de la présidence et nomme son frère Joaquín à la tête de l'armée.

Prêtre combattant

La dictature répressive des Tinoco s'aliène le peuple et prépare l'entrée en scène d'un personnage haut en couleur, Jorge Volio Jiménez. Descendant d'une riche famille de planteurs qui a donné plusieurs chefs d'État au pays, Volio a fait son séminaire à l'Université catholique de Louvain (Belgique) en 1903. Pétri d'idées sociales, il retourne au Costa Rica en 1910. Nommé curé de la paroisse de Carmen de Heredia, il ne se contente pas de sermons traditionnels : en 1912, le bon prêtre dénonce le silence du gouvernement costaricain après l'intervention des marines américains au Nicaragua ; joignant l'acte à la parole, il conduit lui-même un groupe de révolutionnaires au combat. Il sera gravement blessé à la bataille de Paz Centro, au sud du Nicaragua. Son aventurisme militaire vaut à Volio d'être suspendu un temps par l'Église ; puis il est réintégré et assigné à la paroisse de Santa Ana. Mais sa passion pour la justice sociale le mène à de nouvelles confrontations avec une hiérarchie locale conservatrice. En

1915, il renonce définitivement à la soutane pour se vouer exclusivement à la cause des plus démunis.

La dictature des Tinoco prenant une tournure ouvertement brutale, Volio et une poignée de Costaricains quittent le pays pour former une résistance armée. Ces faibles forces n'ont aucune chance face aux troupes gouvernementales ; au début de l'année 1919, elles sont mises en pièces près de la frontière nicaraguayenne. Le régime va pourtant s'effondrer quelques mois plus tard, mais sous la pression des étudiants et des enseignants : en juillet, l'armée intervient contre des manifestants et provoque une émeute. Le 9 août, Federico Tinoco démis-

PAGES PRÉCÉDENTES : miliciens volontaires.

CI-CONTRE : jeunes soldats, lors d'un conflit frontalier avec le Panamá.

À DROITE : à l'ère des chasseurs de grands fauves.

sionne. Le lendemain, son frère Joaquín est abattu. Le tireur ne sera jamais identifié.

¡Viva Volio!

Malgré sa défaite sur le terrain, c'est en héros que Volio est accueilli à San José. Les acclamations de "¡Viva Volio!" expriment bien l'attente des Costaricains et leur espoir en un changement politique concret. Mais, pour le Congrès, qui nomme Volio général, la chute de Tinoco ne signifie rien d'autre qu'un retour à la normale et aux affaires courantes, notamment commerciales. En 1923, Volio contre-attaque avec la fondation du Parti réformiste, qui demande une série de réformes en profondeur – loi agraire, politique de logement décent, sécurité de l'emploi et protection sociale. Cette même année, Volio se porte candidat à la présidence contre Ricardo Jiménez et Alberto Echandi. Il arrive troisième dans une élection très serrée où aucun des candidats n'a la majorité et accepte de s'allier avec Jiménez, avec une vice-présidence et un siège au Congrès à la clé. Pour Volio, ce pacte n'a rien d'un compromis. Bien au contraire. Il va utiliser sa fonction pour déstabiliser la classe politique par ses violentes attaques contre la dictature qui paralyse toujours la société costaricaine.

Les troubles ont repris au Nicaragua voisin. Le gouvernement n'ayant aucune intention d'agir, Volio prend la tête de troupes et franchit la frontière pour intervenir. Inquiet de ce que pourrait tenter le bouillant général une fois de retour avec ses hommes, Jiménez ordonne son arrestation dès son arrivée à Liberia. Volio est ainsi appréhendé après une fusillade où lui-même et deux soldats gouvernementaux sont blessés.

Ramené à San José, il est examiné par des médecins, qui émettent un diagnostic d'"hypersensibilité nerveuse". Plutôt que de faire emprisonner ce symbole national, Jiménez prend l'avis de la famille et autorise l'embarquement de Volio vers la Belgique, où il recevra un traitement psychiatrique. Le Costa Rica n'entend pas plus s'encombrer de héros que de dictateurs.

Montée des réformes

Les idées réformatrices de Volio se sont évanouies avec son parti, mais son mouvement aura eu une influence certaine en donnant la parole à des secteurs sociaux en marge de l'économie agro-commerciale. Il a également encouragé de jeunes intellectuels à entrer en action. Ainsi Manuel Mora, qui, selon ses propres mots, "suivait Volio comme un petit chien". Déçu par le flirt politique de Volio avec Jiménez, Mora a quitté le Parti réformiste pour fonder à son tour le Parti communiste en 1931.

Les communistes gagnent très vite du terrain dans les zones bananières des basses terres. En 1934, lors d'une grève dans les bananeraies immortalisée par le roman *Mamitas Yunai* de Carlos Luis Fallas, ils vont livrer une lutte sans merci contre les troupes gouvernementales et celles de la United Fruit Company pour arracher des garanties de salaires et le droit de grève.

Pendant ce temps, la Grande Dépression a précipité la chute des cours du café, et la vie se révèle plus difficile encore pour la majorité des Costaricains.

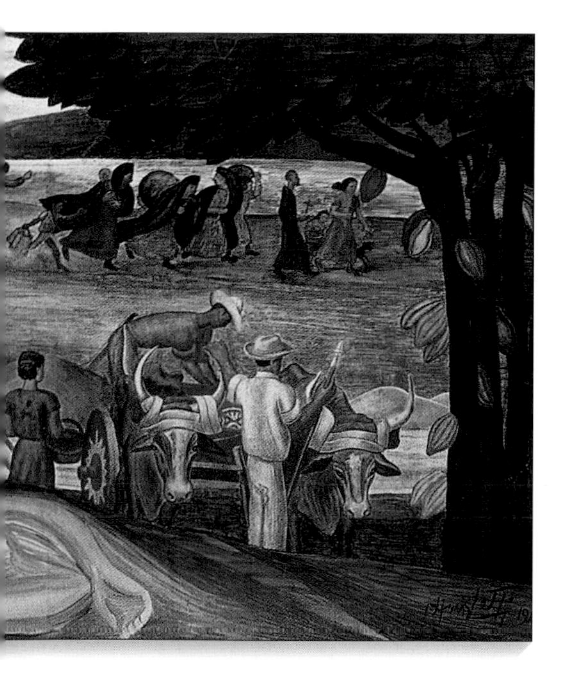

Calderón Guardia

La crise économique atteint un point critique quand la marée montante des réformes trouve son champion : en 1939, les Costaricains élisent le Dr Rafael Ángel Calderón Guardia à la présidence. Héritier de l'humanitarisme de son père, soutenu par l'oligarchie du café, Calderón Guardia incarne le compromis idéal.

Imprégné de doctrine sociale par sa formation dans une université de médecine en Belgique, le nouveau président engage un train de réformes qui dépassent les espoirs des plus ardents réformateurs et les craintes des libéraux les plus endurcis – système de sécurité sociale, code du travail et autres lois protégeant les plus démunis.

Immédiatement après l'attaque de Pearl Harbor, le Costa Rica déclare la guerre au Japon et à l'Allemagne – un jour avant les États-Unis. Calderón Guardia profite des pouvoirs exceptionnels que lui confère l'état de guerre pour bafouer les barons du café en confisquant les terres des familles allemandes, dont certaines résident au Costa Rica depuis plusieurs générations et sont proches de l'oligarchie.

Privé de son soutien traditionnel, il s'allie avec Manuel Mora et le Parti communiste, ainsi qu'avec l'Église catholique et son archevêque, le très social Victor Sanabría. Ensemble, ils défient les libéraux qui dominent le Costa Rica depuis la fin du XIXe siècle et entendent développer le rôle de l'État afin de pourvoir aux besoins du peuple. Les administrations créées seront systématiquement dirigées par un membre du Parti communiste. À Manuel Mora échoit le commandement de l'état-major de l'armée.

Mais lorsque se dissolvent les accords antinazis conclus à travers le monde qui avaient rendu possible un tel pacte, s'effondre le large soutien populaire dont bénéficiait Calderón. Tandis que le gouvernement se cramponne encore au pouvoir, Mora, écarté, reçoit la visite et le réconfort inattendu d'un ancien ami – le vieux général Jorge Volio Jiménez.

L'Histoire démontrera que les vainqueurs de la guerre civile de 1948, dirigés par José (Don Pepe) Figueres, n'avaient aucune intention de mettre la protection sociale au placard. Bien au contraire, ils vont institutionnaliser l'héritage de 30 ans de luttes réformatrices. Un héritage toujours symbolisé par le cri de "¡Viva Volio!".

Le grand-père du Costa Rica

Si José Figueres est surtout connu pour avoir démobilisé l'armée, au Costa Rica, on se rappelle également l'homme, sa vie, la démocratie qu'il sut instaurer et consolider.

Don Pepe est né de parents catalans – une ascendance qui explique, pour beaucoup, ses certitudes, ses principes et ses opinions inébranlables, son entêtement et son courage, son caractère à la fois inflexible et imprévisible. Autodidacte, il poursuit ses études à sa manière dans la Boston Public Library, où il s'imprègne avec ferveur du nouveau libéralisme nord-américain. Dans les années 1920, il quitte Boston et

CI-DESSUS : *La vie au temps des pionniers*, peinture murale, Museo de Arte Costarricense.

New York pour rentrer au Costa Rica, hanté par l'idée de progrès et de justice sociale.

Avant 1942, Don Pepe ne peut se prévaloir d'aucune expérience politique. Le 2 juillet de cette même année, le *San Pablo*, un navire de la United Fruit Company, est coulé dans le port de Limón par un sous-marin allemand. Tous les Costaricains à bord périssent. Le président Calderón rétorque en emprisonnant les ressortissants allemands et italiens de la région atlantique. Deux jours plus tard, la fenêtre d'un médecin formé en Allemagne vole en éclats ; 20 000 personnes descendent dans la rue et se livrent au pillage. Non seulement le gouvernement ne fait rien pour contrôler la foule, mais, pour certains, il l'a peut-être encouragée.

Durant la période qui suit les émeutes, un climat de peur et de soupçon pèse sur le pays. Les hommes d'affaires victimes hésitent à demander justice. Don Pepe critique Calderón pour n'avoir pas su rétablir l'ordre et la sécurité.

Il décide d'exprimer "ce que tout le monde pense mais n'ose pas dire" et achète un temps de passage à l'antenne de la radio "America Latina". D'un ton persifleur et corrosif, il accuse l'administration d'incapacité à gouverner. En plein milieu d'une phrase, sa diatribe est interrompue par l'irruption du directeur général de la police, qui le fait arrêter sur-le-champ. Le résultat ne se fait pas attendre : emprisonné, Don Pepe accède au statut de martyr et de héros national.

Germes révolutionnaires

Figueres passe les 2 années suivantes en exil au Mexique, convaincu que seule la force peut renverser le gouvernement de Rafael Ángel Calderón. Il tisse des relations privilégiées et conclut des accords avec des exilés, des intellectuels et des révolutionnaires d'autres pays, et commence à entreposer des armes.

En 1944, après un scrutin particulièrement violent et discrédité, le successeur politique de Calderón, Teodoro Picado, accède à la présidence. Élections frauduleuses, économie vacillante, pénétration communiste et corruption généralisée à tous les niveaux : la situation semble mûre pour Figueres, qui rentre au pays au mois de mai. Sur le plan politique, il se range aux côtés de l'opposition, mais sans cesser de mettre au point son projet de révolution armée.

Lors de l'élection présidentielle de 1948, Otilio Ulate se présente contre Calderón. Rédacteur en chef du *Diario de Costa Rica*, quotidien de San José, Ulate l'emporte confortablement, mais les *calderonistas* gardent le contrôle du Congrès. Chacun s'accuse de fraude, la confrontation vire au pugilat, et tout un lot de bulletins est incendié. Censé être le garant du bon déroulement des opérations, le tribunal électoral se retrouve dans l'impossibilité de rendre un verdict.

Devant la faillite des autorités et l'incapacité des candidats à négocier un compromis, le Congrès prend une décision sans précédent : il annule purement et simplement le scrutin.

LA LUCHA SIN FIN

De retour au Costa Rica en 1944, Don Pepe fonde une ferme dans la sierra, au sud de San José, et l'appelle La Lucha Sin Fin ("La lutte sans fin"). Il réinvestit l'ensemble de ses bénéfices dans la création d'écoles, de bibliothèques, de cinémas, de terrains de football et d'hôpitaux pour les villageois.

Don Pepe n'a qu'un but : délivrer les *campesinos* (paysans) de l'ignorance et de la pauvreté, et mettre en pratique certaines de ses théories utopistes.

La vie quotidienne de La Lucha va lui fournir des enseignements qui lui serviront plus tard, et qu'il appliquera au pays tout entier.

Le colonel de la police de Picado arrête Ulate, dont le plus proche conseiller, le Dr Carlos Luis Valverde, est abattu le lendemain. À San José, tous les commerces ferment et des panneaux sont placardés sur les vitrines. Une bombe semble près d'exploser à tout moment. Pendant ce temps, Figueres s'est réfugié dans les montagnes près de sa ferme, La Lucha Sin Fin ("La lutte sans fin") et se prépare à la guerre.

Guerre civile

La guerre de Libération nationale débute le 11 mars 1948. Bien préparée, cette offensive engage des troupes sans formation militaire, mais entraînées par les guérilleros de la République dominicaine et du Honduras, équipés d'armes arrivées du Guatemala par avion : 44 jours plus tard, la guerre civile a fait 2 000 morts (un Costaricain sur 300). Les forces de Figueres ont remporté la victoire, en dépit de l'intervention du dictateur nicaraguayen Anastasio Somoza, qui a envahi le nord du pays. Quant au président Picado, il n'a jamais cru à l'éventualité d'une insurrection armée ; peu soucieux de prolonger le conflit, il opte pour une négociation de paix rapide et annonce sa reddition.

Seconde République

Cinq jours après le cessez-le-feu, Don Pepe, chef de la junte victorieuse, fait une entrée triomphale dans les rues de San José. Son armée nationale de libération remonte l'Avenida Central jusqu'à l'aéroport de La Sabana. Dans une allocution publique, Figueres résume ses idées directrices – "le plus grand bien pour le plus grand nombre". Plus précisément, il décrit les 4 objectifs de ce qu'il baptise sa Seconde République : le rétablissement de la morale civique, l'éradication des passe-droits et de la corruption dans l'administration publique, l'établissement du progrès social en dehors du communisme, et une solidarité accrue envers les autres nations.

Figueres commence par imposer une taxe de 10% sur les richesses – une loi mal acceptée, mal appliquée, et dans la plupart des cas contournée par les privilégiés. Il étend le système de sécurité sociale, accorde le plein droit de vote aux femmes, instaure un salaire minimum, jette les bases d'une santé publique à bas coût pour tous, fait voter une législation en faveur des enfants, et propose la nationalisation de toutes les banques du pays. Dans le cadre d'une refonte de l'administration publique, un nombre important de fonctionnaires et d'instituteurs se retrouvent sans emploi et viennent grossir les rangs des mécontents. Enfin, Don Pepe fait geler les comptes bancaires de toutes les personnalités compromises avec les gouvernements Calderón et Picado. Cette politique de l'extrême est ressentie par beaucoup comme arbitraire. La presse elle-même se retourne contre lui.

La Constitution de 1949 reflète les grandes lignes de la Seconde République : elle établit le

principe de la régulation publique de la propriété et de l'entreprise privée, confère à l'État un pouvoir d'action qui lui permet de redistribuer les richesses dans une large mesure. Enfin, elle accorde la citoyenneté à toute personne née au Costa Rica – une belle conquête pour les Afro-Caraïbes, jusqu'alors traités en individus de seconde catégorie et confinés dans les basses terres de la zone atlantique.

Fin de l'armée

La nouvelle Constitution abolit également l'armée. Ce sera sans doute la réussite la plus incontestable et la plus mémorable de Figueres – qui ne se fera pas faute de le rappeler. Ainsi qu'il

CI-CONTRE : Don Pepe (à gauche) et Oscar Arias, président du Costa Rica et prix Nobel de la paix (à droite).
À DROITE : Don Pepe, méditatif.

aime à l'expliquer, si un membre de votre famille est malade, il faut appeler le médecin. Mais vous n'allez pas pour autant garder toute votre vie le médecin auprès de vous.

Le calme avant la tempête

Lors d'une cérémonie publique, Figueres remet les clés de la forteresse militaire de Bella Vista au ministre de l'Éducation publique, et lui demande de convertir l'édifice en musée national. Don Pepe exploite ce moment à merveille : devant les photographes, il lève une masse, puis l'abat symboliquement contre le rempart de la forteresse. Pour ses partisans, cet acte spectaculaire porte un coup fatal au militarisme. Ses ennemis y voient quant à eux un geste politique : puisque Figueres ne peut se fier à l'armée, il s'en débarrasse purement et simplement.

Durant les années 1960 et 1970, paix et prospérité dominent la vie des Costaricains. Le régime met en place une série de mesures progressistes, développant la protection sociale et la législation en faveur des peuples indigènes, entre autres. Mais, en 1979, les forces sandinistes renversent la dictature de Somoza au Nicaragua. Sous la pression des États-Unis, envers qui le pays s'est endetté, le Costa Rica se transforme en base arrière pour les groupes de guérilla et les rebelles anti-sandinistes.

La situation se complique encore avec la chute des cours de la banane et du café, qui s'effondrent au début des années 1980. La dette ne cesse alors de croître : en 1989, le Costa Rica se trouve dans le rouge à hauteur de quelque 5 milliards de dollars.

Une lueur d'espoir éclaire heureusement ce ciel d'orage avec l'investiture du président Oscar Arias Sánchez, médiateur très engagé dans le règlement des conflits qui bouleversent la région. Car le Salvador, le Honduras et le Guatemala se trouvent plongés à leur tour dans des querelles plus ou moins explosives. En dépit de ses problèmes économiques, au moins le Costa

UN RÉVOLUTIONNAIRE PRAGMATIQUE

La junte de Don Pepe ne rallie pas tous les suffrages, et les critiques ne manquent pas de pleuvoir de part et d'autre. La droite l'accuse d'être à la solde des communistes, la gauche le traite de fasciste. Par ailleurs, sa révolution a encaissé des subsides de tous les conservateurs ; Figueres a accepté l'aide militaire des États-Unis ; il a également reçu des armes d'un mouvement appelé Légion caraïbe, après avoir conclu un accord selon lequel sa révolution sera la première d'une série visant à remodeler la région d'Amérique centrale et à renverser toutes les dictatures arrivées au pouvoir grâce aux États-Unis.

Rica offre-t-il une image stable. En 1987, Arias reçoit le prix Nobel de la paix en récompense de ses efforts. Il parvient également à obtenir des États-Unis plusieurs millions de dollars d'aide, non sans compromettre la neutralité de son pays.

Affaires de famille

En dépit de sa réussite sur le plan international, Oscar Arias perd les élections de 1990 au profit de Rafael Calderón Fournier, fils de l'ancien président Rafael Calderón Guardia. Au terme d'un mandat sans relief, il laisse la place à José Maria Figueres, fils de Don Pepe, le vieux rival de Calderón Guardia.

L'ère Calderón se solde par une série de scandales, dont celui du Banco Anglo Costarricense. En 1994, juste avant la fin du mandat de Calderón, la plus ancienne banque nationale fait faillite, laissant une ardoise de plus de 100 millions de dollars. Aujourd'hui encore, les procès se poursuivent.

Le jeune Figueres s'avère incapable d'assumer l'héritage de son père, et devient rapidement l'un des présidents les plus impopulaires de l'histoire du pays. En 1998, le Partido Unidad Social Cristiana (PUSC) remporte les élections ; à sa tête, le conservateur Miguel Ángel Rodríguez promet de libéraliser certains secteurs clés de l'économie et de tailler dans les dépenses publiques. Il attire des investisseurs étrangers, comme les fabricants de processeurs Intel, et signe des accords commerciaux avec le Canada et le Mexique ; mais, derrière ses projets de privatisation des télécommunications et des sources énergétiques, pointe le spectre de la corruption. L'opacité du gouvernement déclenche les manifestations les plus importantes depuis la révolution de 1948.

En avril 2002, le PUSC reprend le pouvoir avec l'élection d'Abel Pacheco, qui fait du tourisme son cheval de bataille économique. Scandales politiques, financiers et écologiques soulignent son incompétence, son manque d'autorité et la rigidité du Congrès. En 2004, deux anciens présidents sont soupçonnés de corruption et arrêtés, dont Rodríguez, qui doit abandonner le poste prestigieux de secrétaire général pour l'Amérique centrale de l'Organisation des États américains. Entre autres affaires, l'effondrement d'une demi-douzaine de fonds de pension et d'investissements défiscalisés frappe durement la communauté des expatriés. Pacheco propose des lois pour l'environnement qui ne seront jamais votées, et la situation des parcs nationaux se dégrade sensiblement, leur misère financière favorisant le braconnage et le déboisement illégal.

Un revenant

Les élections de 2006 font durer le suspense, entre Ottón Solís, dirigeant du Partido Acción Ciudadana (Parti action citoyenne, PAC), et Oscar Arias (Partido Liberación Nacional, PLN), qui a réussi à faire abroger l'interdiction du renouvellement du mandat présidentiel. Après recomptage des bulletins, Arias l'emporte sur le fil. Quelque 20 ans après son premier mandat (1986), il retrouve la Casa Presidencial et un pays obnubilé par l'accord de libre-échange entre l'Amérique centrale et les États-Unis (CAFTA), qui donne lieu à d'immenses manifestations entre partisans et opposants dudit accord. La hausse du taux de criminalité et l'élargissement du fossé entre riches et pauvres ternissent l'image d'un pays paisible et sûr. La prostitution enfantine jette également une ombre sur le tourisme. Le Costa Rica apparaît fragilisé, hésitant à s'adapter aux nouvelles donnes internationales. ❑

CI-CONTRE : manifestants drapés des couleurs nationales.
À DROITE : élu pour la seconde fois, le président et prix Nobel de la paix Oscar Arias.

COSTA RICA
(THE HEART OF THE AMERICAS)
FOR FURTHER INF
THE NATIONAL TOURIST BOARD,
OR ANY TOURIST AND TRAVEL A

WHERE THE WORLD'S CHOICEST COFFEE GROWS.
MATION APPLY TO
JOSÉ, COSTA RICA, (CENTRAL AMERICA)
CY OR COSTA RICAN CONSULATE.

SAN JOSÉ – LES ANNÉES FASTES

Dopé par le café, San José vit son âge d'or au début du XXe siècle. Mais cet élégant paradis bourgeois, teinté de vieille Europe, va connaître un déclin rapide.

En 1737, les Espagnols ordonnent la construction d'un ermitage coiffé d'un toit de chaume dans la plaine de Boca del Monte. Il s'agit de créer un nouveau village qui regroupera les habitants de la région, dont les maisons s'éparpillent à travers la vallée. Ainsi naît, d'origines bien modestes, la ville de San

José. Pendant 39 ans, le village se résume à quelques rues boueuses et une poignée de cabanes misérables. Puis vient la décision d'y bâtir une fabrique de tabac, qui va bientôt administrer le monopole de cette culture, accordé au Costa Rica par la couronne espagnole. Pour la petite communauté, c'est le début de la richesse.

Boom du café

Le tabac ne connaît qu'une fortune éphémère, comme le cacao. Les Costaricains expérimentent alors une autre culture : le café. Son succès dépasse toutes les espérances. Les caféiers prospèrent et fructifient au point que la Cendrillon de l'Amérique centrale se mue en princesse.

L'Angleterre s'intéresse très vite à cette nouvelle manne. Elle prête des fonds, avec intérêts, sur la récolte suivante. La région se couvre de feuillages émeraude et les planteurs enrichis s'emploient à métamorphoser San José en ville prospère.

Sur la place centrale, on élève l'église La Merced et l'hôtel de ville. Puis d'autres établissements voient le jour, destinés notamment à accueillir les étrangers qui commencent à affluer. À la fin du XVIIIe siècle, l'édifice pour l'Éducation sort de terre, comme la cathédrale, devant laquelle s'étend une belle place centrale où Amérindiens et fermiers *criollos* tiennent leur foire hebdomadaire. Un hôtel de la Monnaie est fondé, et des casernes renferment un embryon de milice.

Vie sociale et culturelle

En 1821, le Costa Rica devient une république indépendante. Le petit bourg de San José prend les allures d'une véritable cité, puis d'une capitale. Les autorités récemment installées s'efforcent d'améliorer la voirie, construisent des ponts, ouvrent des routes vers les ports. Des gardes armés de vieux mousquets rouillés patrouillent les rues, désormais pavées de brique et éclairées par des lampadaires alimentés au pétrole.

Dans les salons dansants de la bourgeoisie, le quadrille est à la mode. Un acteur récite des poèmes, une jeune dame joue des ballades de Chopin, tandis que les conversations roulent sur les cours du café à la Bourse de Londres.

La vie sociale et économique obéit à une hiérarchie très stricte. La population indigène a pratiquement disparu du paysage ; la communauté noire, exclue du Valle Central, demeure cantonnée au travail manuel dans les basses terres. Les descendants des Espagnols résident dans le centre-ville, où ils se font construire de grandes maisons en pisé ouvertes sur des jardins potagers clos.

La vie culturelle rayonne autour du Teatro Mora, où des troupes de seconde zone se produisent, ainsi que des jongleurs ou quelque musicien soliste occasionnel. Les dames écoutent assises, vêtues de leurs plus beaux atours, tandis que ces messieurs restent debout, drapés dans leurs capes espagnoles, fumant et devisant.

Les visiteurs étrangers logent chez l'habitant et partent à la découverte de cette capitale exotique. Certains réfléchissent à l'éventualité d'y ouvrir un comptoir, d'autres consignent des notes dans leur carnet de voyage.

Influences européennes

Les bénéfices tirés de l'exportation du café donnent bientôt naissance à une grande bourgeoisie. Ses membres visitent la France, et leurs enfants poursuivent des études en Europe, puis retournent au Costa Rica emplis de la nostalgie des théâtres, des boulevards, des cafés et de l'architecture de l'Ancien Monde. Peu à peu, ils vont faire pression pour que leur capitale revête une apparence plus conforme à son nouveau statut. Le café engendrant une prospérité croissante, les grandes familles de planteurs augmentent leurs investissements, et des rivalités se font jour. Personne n'entend céder du terrain – au propre comme au figuré – et les plantations prennent une allure encore plus grandiose.

En 1900, les architectes costaricains se rendent à l'Exposition universelle de Paris ; ils en reviennent avec quantité d'idées nouvelles, parmi lesquelles la construction en métal pour les bâtiments scolaires. Ils importent alors des plaques en métal forgé, des colonnes en acier, des faîtières et des mosaïques italiennes. Les résidences ressemblent bientôt à celles des riches propriétaires de La Nouvelle-Orléans et de Jamaïque : murs en adobe à la française ; larges toits inclinés ; vérandas aux balustrades blanches et aux boiseries finement ouvragées.

Pages précédentes : le tourisme ne date pas d'hier.
Ci-contre : héritage de l'âge d'or de San José, statues imposantes et belles demeures émaillent le centre-ville.
Ci-dessus : avenue principale, San José, au début des années 1900.

Impressions contradictoires

"Il n'y a pas un seul bâtiment qui retienne l'attention pour sa beauté. Les édifices gouvernementaux, l'université et le théâtre brillent par leur insignifiance. La cathédrale semble le fruit de la négligence et de l'économie. Il n'y a même pas de chaises. Le président de la République doit s'asseoir avec son entourage sur des bancs" (notes d'un savant et voyageur allemand rédigées au milieu du XIXe siècle). "Le palais présidentiel est un merveilleux édifice carré avec un patio mi-arabe, mi-espagnol. Un escalier circulaire mène à la salle de réunions où un bal avait été organisé en mon honneur" (un journaliste français, même époque).

Stores et jalousies protègent des fenêtres en vitrail, qui tamise et colore délicatement le soleil tropical.

Âge d'or

Vers la fin du XIXe siècle, un certain Amón Fasileau Duplantier reçoit la concession pour l'établissement d'un réseau de tramways. Il divise son domaine sur les rives et les pentes ensoleillées de la Torres : l'industrie immobilière est née. La bonne société de San José s'arrache les parcelles, y fait élever des demeures dont certaines ont survécu dans le Barrio Amón. Les plantations de café cèdent bientôt la place à des rues ombragées et à de majestueuses résidences entourées de parcs. Minor C. Keith, après avoir mis sur pied la United Fruit Company et le chemin de fer de l'Atlantique, achève la gare du même nom. Quant à la mère supérieure Barthelemy Rich, elle ouvre sa prestigieuse école secondaire, le Colegio de Sión, où les jeunes filles de la bonne bourgeoisie reçoivent une éducation policée.

Le 19 octobre 1897, le Président et un public trié sur le volet inaugurent le Teatro Nacional. À l'affiche de la soirée d'ouverture, une somptueuse représentation du *Faust* de Gounod. Les caisses de l'État et une taxe acquittée par les planteurs ont financé la construction de cet imposant édifice qui se déploie sur 4 niveaux, agencé en fer à cheval.

Au début du XXe siècle, la capitale n'affiche certes pas la magnificence et l'élégance rêvée par ses concepteurs, mais elle reflète un niveau de vie et un confort inimaginables 50 ans plus tôt.

Si les premiers visiteurs européens du Costa Rica avaient pu lire dans une boule de cristal et prévoir l'essor de ce papillon tropical, ils n'auraient sans doute pas été si pressés d'en repartir. Devant le théâtre s'élève la gracieuse façade de l'Hôtel Français. À proximité, le Petit Trianon sert son onctueux café à une élite de notables, artistes et diplomates ; un peu plus loin, les vitrines du Golden Eagle vantent leurs vins et alcools français, leurs conserves et leurs huiles d'olive espagnoles, tandis que la Talabartería Inglesa et La Tiendita s'attachent à satisfaire les exigences de leur clientèle en matière de décoration et d'articles en cuir.

L'agence Ford expose son modèle 1912, au prix de 975 dollars. D'autres grandes marques lui font concurrence, cependant qu'un secteur immobilier en plein essor propose des fermes, des parcelles, des plages ou encore des résidences victoriennes. Les tramways circulent jusqu'à la périphérie de la ville, transportant leur foule de commerçants et d'employés.

De l'autre côté de la barrière

Mais les membres de la société locale ne voient pas tous la vie en rose. La ville s'est développée trop rapidement, des faubourgs sombres et lugubres encerclent les quartiers plus anciens. La Première Guerre mondiale et la chute des cours du café qui s'ensuit provoquent une forte hausse du chômage, touchant une population qui vivait auparavant relativement à l'aise, tandis que les salaires plongent.

La compagnie des Casas Baratas entreprend la construction de programmes de logements appelés *puertas ventanas* (portes et fenêtres), où plusieurs familles se serrent dans des pièces exiguës.

Au sud et aux alentours de la gare du Pacifique, des baraques, des entrepôts et des manufactures de savon et de bougies voient le jour. Peu à peu, brasseries, fabriques de glace, imprimeries, ateliers de mécanique et scieries forment une véritable ceinture industrielle qui enveloppe le centre urbain. L'avènement de la maçonnerie en ciment, puis l'industrialisation progressive de la ville font naître au sein d'une classe de nouveaux riches le désir de rompre avec le passé et de se tourner vers un avenir qui semble radieux.

CI-CONTRE : San José, vers 1928.

CI-DESSUS : la bonne société de San José, en famille.

Fin d'une époque

La pioche des démolisseurs s'attaque au magnifique Palais national, au Garrison, à la Bibliothèque nationale, à l'Union Club et à bien des résidences pleines de charme, qui disparaissent du jour au lendemain. La ville perd son identité et se laisse envahir par des constructions de qualité médiocre. Des voies rapides s'ouvrent, et l'influence nord-américaine prend le pas sur les idéaux européens.

San José déborde et s'étend dans la confusion la plus totale. L'automobile permet aux nantis de quitter un centre vidé de sa substance pour habiter les faubourgs élégants d'Escalante, de Los Yoses, Curridabat, Paseo Colón, Sábana et Rohrmoser. Dans les années 1960, plusieurs centres-villes satellites ont éclos, à l'image des métropoles de l'Amérique du Nord.

Aujourd'hui, San José n'est sans doute pas la plus séduisante des cités d'Amérique centrale. Les embouteillages et la pollution n'arrangent rien. Mais la capitale a conservé un certain charme. Vous n'y découvrirez pas l'échelle monumentale de Ciudad Guatemala ni le caractère cosmopolite de Ciudad Panamá. Toutefois, la ville dégage une énergie et un dynamisme indéniables et recèle quelques vestiges de son âge d'or, entre architecture néoclassique et style caraïbe néocolonial. ❑

LES TICOS

Mêlant de multiples origines culturelles et ethniques, les pacifiques Ticos se trouvent aujourd'hui confrontés à un monde instable et menaçant.

Le Costa Rica a évolué sous le signe de la complexité. Parallèlement à l'écrasante majorité de Ticos d'origine espagnole, 4 autres groupes ethniques se répartissent à travers le pays. Les habitants du Guanacaste ont la peau sombre et ressemblent à leurs voisins nicaraguayens par le comportement et l'accent. Dans les régions montagneuses du Sud, les Amérindiens appartiennent à 6 groupes linguistiques différents. Ils parlent de plus en plus souvent l'espagnol, et sont partagés entre le souci de préserver leur identité et la tentation de se fondre dans la culture nationale.

Les Noirs de la côte atlantique forment la plus importante minorité exogène ; ils parlent l'anglais avec l'accent des Caraïbes et revendiquent fièrement leur héritage jamaïcain. Quant aux Sino-Costaricains, plus familièrement dénommés "Chinos", ces descendants de travailleurs "sous contrat", ils possèdent de nombreux bars, restaurants et magasins, particulièrement dans les petites villes. Tous sont considérés comme des Costarricenses.

Indigènes

Selon les méthodes de calcul employées, les estimations des archéologues varient très largement : entre 30 000 et 400 000 indigènes auraient vécu au Costa Rica à l'arrivée de Christophe Colomb. Il en resterait aujourd'hui environ 63 000, chiffre peu fiable étant donné le nombre de mariages mixtes.

L'histoire des Amérindiens du Costa Rica ne diffère pas sensiblement de celle des autres peuples américains. Les Européens ont apporté avec eux des maladies contre lesquelles les populations du Nouveau Monde n'étaient pas immunisées. Des tribus entières seront décimées avant même d'avoir vu un homme blanc.

Durant l'ère précolombienne, les Chorotega, cousins des Nicaro, habitent le Guanacaste et la presqu'île de Nicoya. Ils vivent attachés à une terre, cultivent le maïs et présentent des similitudes culturelles avec les groupes du sud du Mexique. Durant la conquête espagnole, ils sont décimés par les épidémies, quand ils échappent aux trafiquants d'esclaves qui les embarquent vers le Panamá ou le Pérou. Leurs descendants

PAGES PRÉCÉDENTES : peintre de charrette à bœufs.
CI-CONTRE : un *campesino* dans son champ d'oignons.
À DROITE : jeune Afro-Caraïbe.

UN PEUPLE FIER

"Le sang qui coule dans les veines du peuple de cette République est trop généreux. Les Costaricains sont des gens d'un courage tout à fait exceptionnel ; ardemment patriotes, ils sont très fiers de leur indépendance, de leur autonomie et d'une prospérité due presque entièrement au travail.

Le pays est un bouquet de villages. C'est là que la population habite, car c'est là que se trouvent les rudes travailleurs qui arrachent à la terre les produits qui font la richesse du pays. Une atmosphère paisible alliée à une simplicité antique caractérise ces villages."

A.S. Calvert, *A Year of Costa Rica*, 1901

se sont aujourd'hui, pour la plupart, intégrés à la vie du pays.

D'autres groupes autochtones parlent des dialectes originaires de Colombie. Ils se divisent en clans que les Espagnols baptisent à leur façon, et dont les noms réels nous demeurent obscurs : ainsi les Guaymí s'appellent eux-mêmes Ngabe (prononcez "nobe"). D'autres clans ont reçu pour noms Terraba, Boruca et, dans les monts de Talamanca, Bribri et Cabecar. Ces peuples vivent selon un régime matrilinéaire dans des clairières, en pleine jungle. À l'arrivée des Européens, beaucoup trouvent refuge dans les régions inaccessibles des montagnes méridionales. Une grande part de leur culture s'est perpétuée à travers leurs descendants, qui parlent encore leur langue originelle et habitent toujours les monts de Talamanca.

En dépit de l'influence des missionnaires chrétiens, de nombreux peuples indigènes ont conservé leurs traditions animistes. Les Bribri appellent leur divinité Sibu, et leurs chamans mettent en pratique leur connaissance ancestrale des herbes médicinales de la forêt pluviale pour soigner toutes sortes de maux. Plus au sud, en lisière du Panamá, les Guaymí occupent leurs territoires traditionnels, à cheval sur les frontières politiques.

Sirènes de la modernité

En dépit de leur isolement, les Amérindiens ne peuvent éviter tout contact avec le monde contemporain. Des téléviseurs à piles diffusent jusqu'au fin fond de leurs réserves des publicités les incitant à consommer sodas et aliments en conserve, et les images d'une société qui n'imaginerait pas vivre comme eux – sans électricité ni eau courante. L'impérialisme culturel des ondes hertziennes pénètre un univers qui a su résister aux conquistadors voici 5 siècles. Les hautes technologies exercent une très forte séduction sur les jeunes, tenaillés par un puissant désir d'assimilation.

Esprit Tico

Les Costarricenses s'autobaptisent Ticos, en référence à leur usage courant d'une abréviation pour : "*Un momentico, por favor.*" Ils parlent l'espagnol avec une douceur particulière mais en avalant souvent les consonnes.

En politique, les Ticos se montrent modérés et discrets ; ce sont des démocrates convaincus, aujourd'hui plus que jamais. Jadis, ils y voyaient un simple jeu, une attitude, un amour des règles et des pièges de la démocratie. Aujourd'hui, le jeu est devenu plus sérieux, plus concret, voire passionné. Manifestations, grèves, rassemblements et réunions se succèdent. Mais les citoyens demeurent généralement prudents et respectueux.

De nos jours, les indigènes vivent dans des réserves créées à leur intention en 1971. Si la loi interdit aux non-indigènes d'y acquérir des terres, cette interdiction n'est pas respectée à la lettre dans ces territoires qui détiennent une part significative des ressources minières du pays. Les dérives de la société contemporaine menacent la langue, l'identité culturelle et le mode de vie indigènes. Pris en tenailles entre deux mondes, abandonnant lentement l'ancien mais peu préparés à affronter le nouveau, les Amérindiens sont extrêmement vulnérables. Depuis 5 siècles, la menace a certes changé de visage, mais n'en demeure pas moins redoutable.

En 1872, Minor C. Keith, futur fondateur de la United Fruit Company, fait venir des Noirs des Antilles pour les travaux du chemin de fer de l'Atlantique. Cette main-d'œuvre va se révéler physiquement plus résistante que les ouvriers précédemment importés par Keith, et plus armée pour affronter des conditions particulièrement éprouvantes : fièvre jaune, malaria, serpents venimeux, sans compter des contremaîtres impitoyables. Mais les Noirs ne sont pas invulnérables pour autant, et périssent par milliers pendant la construction des voies, des ponts, des quais et des larges avenues de Puerto Limón.

Colons noirs

Dès 1825, les Afro-Caraïbes originaires des Antilles fréquentent les côtes costaricaines pour pêcher, chasser les tortues et vendre leurs noix de coco. Du Panamá au Honduras, ils essaiment en quête de moyens de subsistance. Beaucoup ne font que passer. Engagés pour la récolte du cacao à Limón, ils vont ensuite chercher un emploi sur les barges du lac de Nicaragua, avant de partir travailler à la construction du canal de Panamá.

Ci-contre : *pipas* – noix de coco en vente à l'étal, province de Limón.

Ci-dessus : écoliers de Puntarenas.

D'autres Afro-Caraïbes gagnent la côte costaricaine par leurs propres moyens, prêts à s'engager dans n'importe quel travail pour échapper à la misère à laquelle les assignent leurs îles natales. Certains se verront finalement attribuer des parcelles le long du chemin de fer ; d'autres, forts de leur pratique de l'anglais, quitteront le statut d'ouvrier pour entrer dans l'administration des bananeraies ou des chemins de fer. À l'origine, presque tous pensent rentrer aux Antilles après avoir gagné suffisamment d'argent.

Lorsque la United Fruit Company délaisse la région caraïbe pour s'implanter sur la côte pacifique, les Noirs sont abandonnés à leur sort, sans emploi. Beaucoup émigrent à nouveau. Ceux qui choisissent de rester sur place vivent de la maigre subsistance qu'ils peuvent tirer de leur lopin de terre. Leurs communautés conservent leur langue natale – l'anglais – et leur religion – le protestantisme –, se tenant fièrement à l'écart des Costaricains hispaniques et imprégnant la côte d'un parfum caraïbe prononcé. Mais elles doivent supporter les lois sur l'immigration et la résidence, qui entravent leur liberté de mouvement jusqu'au milieu du XXe siècle.

Lorsque la Constitution de 1949 déclare que toute personne née au Costa Rica reçoit automatiquement la citoyenneté costaricaine, les portes s'ouvrent enfin pour les Afro-Caraïbes. Ils obtiennent le droit de se déplacer en dehors de la province de Limón, commencent à fréquenter l'école et à se mêler à la vie politique. Dans les années 1950, les cours du cacao flambent sur les marchés internationaux, et de nombreux fermiers y gagnent une relative prospérité. Paradoxe de l'Histoire, ils vont même jusqu'à engager des Hispaniques pour travailler sur leurs terres.

Parmi la génération suivante, beaucoup de Noirs reçoivent une éducation solide et délaissent le travail des plantations. Ils quittent la région de Limón – voire le Costa Rica – en quête d'emplois plus intéressants. Certains, issus des classes moyennes et demeurés au Costa Rica, ont épousé des Hispaniques, mais leur assimilation dans la société costaricaine ne sera jamais entière, en raison d'un étrange et persistant racisme bilatéral.

De nos jours, on dénombre moins de 5 % de Noirs au Costa Rica, et moins de 25 % de la population de la côte caraïbe est d'origine africaine.

La construction du chemin de fer de l'Atlantique suscite d'autres vagues d'immigrants à la fin du XIXe siècle. Parmi les administrateurs, les entrepreneurs et les ingénieurs de la Northern Railway Company figurent des Anglais, des

Origine des espèces

Selon la tradition, la plupart des Costaricains descendraient de paysans espagnols – une origine populaire et modeste.

Mais, parmi les colons venus de la péninsule Ibérique, on compte aussi des Juifs et des Arabes, des Catalans et des Basques, ainsi qu'une importante population originaire du Moyen-Orient.

Au XIXe siècle, attirés par l'or noir du café, des colons allemands et britanniques se lancent dans l'import-export, tandis que Libanais, Turcs et Juifs polonais fondent des commerces prospères. Et il ne s'agissait manifestement pas de simples paysans.

Irlandais et des Nord-Américains. Mais, après les ouvriers afro-caraïbes, le plus important groupe de migrants est originaire du sud de la Chine ; travaillant aux côtés des Afro-Caraïbes sur la voie ferrée, ces Chinos sont dits "sous contrat" – un euphémisme qui jette un voile pudique sur leur condition d'esclaves.

RAILS SANGLANTS

Après la mort de 4 000 Antillais durant la pose des 32 premiers kilomètres du chemin de fer de l'Atlantique, M. C. Keith fit tout simplement venir 10 000 ouvriers supplémentaires.

Immigrants chinois

En 1855, un premier groupe de 77 domestiques chinois "sous contrat" pose le pied au Costa Rica. Près de 20 ans plus tard, et en dépit d'une loi qui interdit l'immigration africaine et asiatique, les administrateurs du chemin de fer de l'Atlantique font venir "1 000 Chinois robustes, de bonnes mœurs et travailleurs". Ces deux groupes vont fonder la colonie chinoise du Costa Rica.

Ceux qui ont été recrutés par la Northern Railway Company s'en échappent aussi vite qu'ils le peuvent, s'engageant comme cuisiniers ou domestiques. Avec leurs économies, ils ouvrent de petits restaurants, des épiceries ou des boutiques de spiritueux. Par le biais de contrats de travail et d'emprunts auprès de leurs compatriotes, les nouveaux immigrants chinois montent des commerces le long du chemin de fer, dans les villes portuaires et dans les bourgs ruraux qui se développent à travers le pays. Ces petits commerces demandent peu de capitaux, une connaissance minimale de la langue et font appel à la solidarité familiale. Les traditions chinoises maintiennent une solide hiérarchie entre les générations. Une répartition précise des tâches et une culture de l'effort et du travail assurent la prospérité de leurs entreprises.

Ces colonies se transforment peu à peu en véritables groupes commerciaux dans les villes moyennes et grandes du pays. Au début du XXe siècle, nombre de Chinois sont devenus riches : ils peuvent financer l'immigration d'autres membres de la famille et de leurs proches.

Parmi les premières générations installées au Costa Rica, beaucoup d'hommes vivent avec des Costaricaines d'origine hispanique, sans rompre pour autant les liens du mariage noués en Chine. L'argent qu'ils envoient dans leur pays d'origine sert souvent à y financer des

CI-CONTRE : la jeune génération.
CI-DESSUS : l'incontournable *pulpería* costaricaine (épicerie de quartier).

entreprises familiales. Au début du siècle dernier, le commerçant chinois qui a réussi au Costa Rica retourne dans sa patrie d'origine pour diriger ses entreprises, élever une famille et investir, avant de prendre sa retraite sur la terre de ses ancêtres. Durant son absence à l'autre bout du monde, ses affaires ont été gérées par son plus proche parent.

Avec la prise du pouvoir par les communistes de Mao en 1949, ce retour perd de son attrait, et la plupart des Chinos abandonnent tout espoir de rentrer définitivement au pays.

Des évènements plus récents ont renforcé cet influx asiatique. Dès les années 1970, la perspective du transfert de l'ex-colonie britannique de Hong Kong entre les mains des autorités chinoises a alimenté une immigration régulière vers le Costa Rica. Aujourd'hui, 1 % de la population costaricaine est d'origine chinoise, et vous trouverez plus de 250 restaurants asiatiques dans la seule région de San José.

Les Chinois nés de familles sino-costaricaines se considèrent comme membres à part entière de la société tica ; ils ont intégré sans réserve ses modes de vie et ses traditions, tout en conservant un profond sentiment de dévotion à l'égard de leurs ancêtres immigrants.

Beaucoup d'entre eux ont épousé des Hispaniques, en dépit de l'opposition de leurs parents et de l'ostracisme exercé par leur communauté. Mais ils ont su préserver les valeurs chinoises en matière de sagesse ancestrale et de solidarité familiale.

Nombre d'entre eux, parmi les plus jeunes, ont rejoint l'élite sociale. Médecins, avocats, ingénieurs, cadres supérieurs ou professeurs d'université, ils n'en continuent pas moins à gérer l'affaire familiale qui a permis à leurs aïeux de s'implanter avec succès au Costa Rica.

Les Italiens

Les responsables du chemin de fer de l'Atlantique eurent beaucoup de mal à garder leur main-d'œuvre chinoise. En 1888, ils firent venir 1 500 "Italiens de race supérieure, bons, modestes et économes". Les conditions de travail eurent tôt fait de dégoûter ces bons Italiens. La plupart demeurèrent cependant au Costa Rica et, dans les années 1950, ils furent rejoints par une vague de compatriotes qui s'implanta dans une colonie financée par l'État, San Vito, dans le sud de la côte pacifique.

Celle-ci a conservé un cachet nettement italien avec sa société Dante Alighieri, ses dizaines de magasins de chaussures, et ses *pasticcerias* aux appétissants *gelati*. Plus récemment, des Italiens sont arrivés au Costa Rica pour ouvrir des restaurants et des hôtels dans tout le pays, apportant dans leurs bagages une touche de raffinement qui n'appartient qu'à eux et que l'on identifie aussitôt.

Le gringo

À San José, leur tête émerge de la foule qui se presse sur les trottoirs ; de peau plus pâle et de taille généralement supérieure à celle des Costarricenses, les gringos se font facilement repérer. Péjoratif dans presque toute l'Amérique latine, le terme de "gringo" prend une tonalité beaucoup moins agressive ici, où il s'applique non seulement aux Nord-Américains, mais aussi aux Canadiens et aux Européens. La présence des gringos ne date pas d'hier. Dès le début du XIXe siècle, attirés par l'or du café, des hommes d'affaires français, allemands et britanniques, mais aussi des enseignants ou des scientifiques s'installent au Costa Rica. Beaucoup épousent des autochtones et s'intègrent facilement à la société tica. De nos jours, bien des noms célèbres, en politique ou dans les arts, ont une consonance britannique ou allemande. Dans les années 1950, des quakers débarquent des États-Unis pour s'établir dans ce pays sans armée. En quête de tranquillité, ils fondent une communauté dans la forêt humide de Monteverde, où ils mènent une vie en harmonie avec la terre. Leurs produits laitiers alimentent toujours l'essentiel du marché des fromages costaricains.

Depuis les années 1960, les lois du pays ont très largement favorisé l'établissement d'un grand nombre de retraités gringos assez aisés dans le Valle Central. On estime à 35 000 le nombre de ces *pensionados*, étrangers bénéficiant d'un revenu mensuel garanti, attirés par le climat chaud, la qualité et le niveau de vie qui leur sont offerts.

CI-CONTRE : vieillir au Costa Rica.

CI-DESSUS : religieuses à la fête, province de Guanacaste.

Effets du tourisme

Actuellement, l'essor de l'industrie touristique provoque un formidable afflux de population. Beaucoup de jeunes viennent ici faire des recherches dans le domaine de l'environnement. Le Costa Rica leur offre un laboratoire en plein air, où la coexistence pacifique avec la nature peut faire office de modèle pour la planète. Ce nouveau regard porté par des biologistes, botanistes et autres scientifiques a suscité de profonds changements dans les mentalités locales.

Mais si les Costaricains sont évidemment fiers de l'intérêt porté à leur pays, la médaille a son revers : le petit agriculteur qui risque de perdre sa terre, réquisitionnée par une réserve biologique ; l'éleveur qui ne peut plus s'acheter de nouvelles pâtures, la spéculation immobilière ayant fait flamber les prix ; le fermier qui manque d'eau pour son bétail durant la saison sèche et voit d'immenses complexes construire des parcours de golf arrosés à longueur d'année... Les bénéfices engrangés dans le pays partent souvent à l'étranger, pour le compte de grands groupes hôteliers ; quant à la manne promise aux habitants, elle se résume aux modestes salaires payés au personnel subalterne.

CARNAVAL DE LIMÓN

La participation des Chinos à la vie sociale de la cité se manifeste plus particulièrement durant le carnaval de Limón, où le dragon chinois traditionnel serpente entre une haie de danseurs caraïbes aux costumes flamboyants.

Un tourisme durable, bénéfique pour la communauté locale : voilà le nouveau mot d'ordre du ministère concerné et des organisations écologistes internationales qui travaillent sur place. Deux programmes ont été mis en œuvre avec succès : la Green Leaf accordée aux hôtels respectueux de l'environnement, et la Bandera Azul (drapeau bleu) qui dresse la liste des plages propres du pays.

Nouveaux Latinos

Ces dernières décennies, le Costa Rica a offert un refuge à tous ceux qui fuyaient la violence, les guerres civiles et les crises économiques – Chiliens, Argentins, Uruguayens et Colombiens en particulier, dont un bon nombre sont issus des classes moyennes et supérieures.

Ces différents groupes ont considérablement ouvert et enrichi l'univers culturel du pays. En revanche, l'absorption d'immigrants illégaux – et misérables pour la plupart –, en provenance notamment du Nicaragua, a soulevé des problèmes indéniables. Parallèlement, le trafic des narcotiques a pris de l'ampleur, impliquant aussi bien les nouveaux arrivants que les Ticos. Mais d'une manière générale, chacun a accepté ces nouvelles vagues avec bonne grâce (*voir Ticos et Nicas, p. 77*).

Ticos d'aujourd'hui

Selon un écrivain latino-américain : “Le problème du Costa Rica, c'est qu'il regarde trop vers le Nord. Il devrait regarder vers le Sud.” À quoi les Ticos rétorquent que, de toute façon, ils resteront toujours différents des autres Latinos du fait de leur “blancheur” (peau pâle, cheveux et yeux clairs) et de leur héritage européen.

Il n'est qu'à se rendre chez leurs voisins guatémaltèques, panaméens ou salvadoriens pour saisir la différence. Ces pays ne sont pas très éloignés, et pourtant le Costaricain leur est aussi étranger qu'un Autrichien peut l'être d'un Italien, ou un Français d'un Anglais. Les Ticos se complaisent dans cette marque d'identité – ils en sont même extrêmement fiers.

Sous la pression

Ce peuple observe avec une étrange nonchalance la corruption généralisée qui l'entoure. Les Ticos hochent la tête, constatent cet état de fait avec regret – il y a tant de problèmes pratiquement insolubles ou presque, on ne peut tout résoudre. Et même s'ils émettent parfois quelques critiques, à demi-mot, ils restent intimement convaincus que leur gouvernement est le plus intègre d'Amérique latine.

Vous ne pourrez sans doute pas identifier au premier coup d'œil ce qui sépare les Costaricains des autres peuples d'Amérique centrale et du Sud, mais vous finirez par le remarquer à quelques détails. Par exemple, les Ticos sont passés maîtres dans un art bien curieux : celui d'être pauvre et de ne pas le montrer. Les bidonvilles de tôle et de carton qui envahissent le paysage des grandes villes du tiers-monde s'étalent moins ici qu'ailleurs. Dans les rues, les habitants sont d'une manière générale plutôt bien habillés. Les sans-abri sont beaucoup moins visibles à San José que dans les grandes villes d'Amérique latine, d'Asie, et même des États-Unis.

INVASION DES FOURMIS

Aujourd'hui encore, les tribus indigènes affublent l'homme blanc du surnom de "hormiga" (fourmi), créature qui balaye tout sur son passage.

Petites villes rurales

Quittez Paris ou Montréal, Bruxelles ou Francfort, envolez-vous pour le Costa Rica, et filez vers la première petite ville de province venue : vous avez fait un bond dans le temps qui n'a rien à voir avec le décalage horaire. Vous n'avez pas précisément remonté le temps – vous avez plongé dans un *autre* temps, qui s'écoule selon d'autres critères, d'autres valeurs.

Une communauté familiale étroitement tissée règle le quotidien des bourgs et bourgades des campagnes. Les jeunes vivent chez leurs parents bien après l'âge de 20, voire de 30 ans, et certains restent même à la maison après leur mariage. Le stress de la vie citadine semble en contradiction profonde avec ce trait national. Ainsi, San José pourra vous sembler parfois irréelle, car la capitale incarne une contradiction suprême, tiraillée entre son rythme de vie et les

CI-CONTRE : bouquet de feu en route pour le marché ; vendeur de melon sur le marché de l'Avenida 10, San José.
CI-DESSUS : *boyero* ("cow-boy") et ses bœufs indiens.

valeurs nationales. Les Ticos sont évidemment nombreux à San José et aux alentours, mais la plupart ne trouvent leur véritable équilibre que dans un village ou une bourgade, entourés par une communauté familière.

Influences US

La puissance la plus riche de l'hémisphère, premier vecteur d'images et d'idéologies, exerce sur le Costa Rica une influence et une fascination manifestes à de multiples égards. Les Ticos en savent beaucoup sur les États-Unis, bien plus que les Nord-Américains n'en sauront jamais sur ce petit pays. Ils connaissent les célébrités américaines du monde du sport, du cinéma, de la musique ou de la politique.

Entre programmes de télévision relayés par les chaînes satellites et films d'Hollywood sous-titrés, réalité et fiction se mêlent pour former un étrange amalgame.

Éducation bilingue

L'éducation bilingue devient de plus en plus synonyme de succès pour les jeunes Ticos. Beaucoup feront carrière en travaillant pour des sociétés étrangères dont les investissements sont les bienvenus. Zones franches et incitations fiscales facilitent la création d'entreprises. Les promoteurs de complexes touristiques se voient également encouragés. Plusieurs organismes publics ont été spécialement créés pour soutenir cette double impulsion économique.

Un monde fragile

Le Costa Rica est un pays vulnérable, pris en tenailles entre un Nicaragua imprévisible et un Panamá résolument américanisé. Des groupes financiers y mettent la main sur ce qui leur paraît rentable à court terme, l'Amérique centrale y déverse ses réfugiés politiques et économiques, tandis que les narcotrafiquants infiltrent ses côtes et ses ports.

Pourtant, le pays donne le sentiment de devoir tenir le choc. Si les Costaricains ne sont pas parfaits, ils forment une nation profondément démocratique, tolérante et paisible. Une sorte de force émane de leur fragilité. Une grande séduction, également : bien des voyageurs, après leur retour, ressentent le besoin de faire tout leur possible pour aider à la survie et à la croissance de ce pays profondément attachant. ❑

Santé et éducation

En matière de santé et d'éducation, le Costa Rica n'a vraiment rien d'un pays du tiers-monde. En 1920, le taux de mortalité infantile était de 26 %. Aujourd'hui, il n'atteint pas les 10 %. Voici un siècle, le taux annuel de mortalité était de 41 ‰. En 1944, il était tombé à 18, et ne dépasse pas désormais les 5 ‰. Selon une récente étude menée par *The Economist*, l'espérance de vie moyenne au Costa Rica est de 78 ans, chiffre comparable à ceux des États-Unis et de plusieurs pays européens.

Ces statistiques ne doivent rien au hasard, ni à la qualité de l'air. Au lieu d'entretenir une armée, le Costa Rica peut investir environ 10 % de son PNB en services de santé. Le système public, accessible à tous, montre des signes de faiblesse incontestables. Mais la qualité des soins demeure élevée, notamment dans le secteur privé – des habitants huppés de Beverly Hills viendraient subir ici opérations de chirurgie esthétique ou dentaire.

Le Costa Rica avance un taux d'alphabétisation de 96 % pour les plus de 10 ans. Un chiffre impressionnant, qui n'a rien à envier à celui des pays les plus riches de la planète.

Les enseignants ont souvent occupé de très hautes fonctions politiques ; c'est pourquoi, en 1869, le Costa Rica fut l'un des premiers pays au monde à rendre l'éducation obligatoire et gratuite.

Ticos et Nicas

Parent pauvre du Costa Rica, le Nicaragua rappelle aux Ticos ce que leur pays aurait pu devenir dans un contexte géographique et politique légèrement différent.

On estime à 500 000 – certains organismes penchent pour 1 million – le nombre de Nicaraguayens qui travaillent au Costa Rica, la plupart illégalement. Ils ont fui un chômage dont le taux avoisine 70 % et des conditions d'existence misérables – le PNB moyen par habitant du Nicaragua est de 900 $US par an, l'un des plus bas de l'hémisphère occidental. Presque tous viennent gonfler les rangs d'une économie parallèle ; sous-payés, non déclarés et sans accès au système de santé publique, ils occupent pour la plupart des postes de femmes de chambre, de jardiniers, d'ouvriers dans le bâtiment ou de vendeurs de rue. La récolte de la canne à sucre et du café exploite aussi une forte main-d'œuvre nicaraguayenne.

Mais tous ces réfugiés ne vivent pas dans la misère. Durant les années 1980, les classes moyenne et supérieure, soutiens du régime de Somoza, ont fui la guerre civile et les sandinistes. Beaucoup ont monté des entreprises florissantes au Costa Rica.

En 1997, l'ex-président Figueres signe un accord octroyant un délai de 5 mois à tous les Nicaraguayens vivant dans le pays afin qu'ils puissent demander un permis de travail, indispensable pour bénéficier du système de santé : les files d'attente s'allongent tout autour de l'ambassade.

Pomme de discorde récurrente en Amérique centrale, le débat sur l'immigration prend une dimension plus polémique lorsque les États-Unis adoptent cette même année une ligne très dure. La loi est heureusement amendée, évitant les expulsions en masse, mais des milliers de Nicaraguayens changent alors de destination, préférant le Costa Rica aux États-Unis dans leur quête d'une vie meilleure.

En mars 1998, 29 Nicaraguayens se noient lorsque leur bateau surchargé, *El Cairo*, se retourne sur les eaux houleuses du lac Nicaragua ; beaucoup allaient chercher du travail au Costa Rica. La même année, le Nicaragua subit deux désastres successifs : après qu'une sécheresse eut réduit à néant 40 % des récoltes, l'ouragan Mitch frappe l'Amérique centrale, causant la mort de quelque 3 000 habitants. Selon les estimations du gouvernement, 870 000 personnes sont directement touchées, et les dégâts s'élèvent à 1,5 milliard de dollars. Une énorme vague d'immigrants afflue alors au Costa Rica, où les dégâts, quoique sévères, n'ont pas atteint une telle échelle.

Selon les agents de l'immigration de San Carlos, port du sud du Nicaragua, près de 5 000 personnes entrent illégalement au Costa Rica chaque mois. Les deux pays partagent une frontière de 320 km, et les autorités tentent d'endiguer le flot en renforçant les contrôles. Autour de la capitale, les immigrants nicaraguayens ont créé de vastes bidonvilles, tandis que d'autres occupent une ferme dans la Zona Norte. Les Ticos ont une image assez négative de leurs voisins, qu'ils jugent "sales", "violents" et qu'ils accusent souvent de tous les maux. Ils reprochent également aux "Nicas" le déclin social du pays et leur coût en matière de santé, d'école et d'emploi. Ces derniers font pourtant le travail que les Ticos refusent, et, sans eux, la production de café, de banane et de sucre plongerait dans le marasme.

Ci-contre : violoncelliste, Orchestre national, San José.
À droite : mère nicaraguayenne et son enfant.

Avec leur accent et leur peau plus sombre que celle des Costaricains – qui oublient que le Guanacaste fit jadis partie du Nicaragua –, les Nicas sont généralement plus réservés et moins éduqués que les Ticos. Mais ils apportent avec eux la passion de la poésie et de la musique, et une longue tradition d'entraide. C'est souvent le désespoir qui les conduit à quitter leur patrie et leurs proches, prêts à tout risquer pour vivre dans un pays où ils ne sont pas toujours les bienvenus. ❑

PARCS NATIONAUX

Emblème de l'écologie militante, le Costa Rica veille jalousement sur ses immenses territoires protégés. Bien des batailles ont été remportées, mais la lutte continue.

Un chiffre, d'abord, impressionnant : parcs nationaux, réserves biologiques, refuges de vie sauvage et autres zones protégées, publiques ou privées, couvrent 26 % du territoire costaricain. Particuliers ou organismes achètent de plus en plus d'espaces sauvages pour les protéger. Ainsi, plus d'un quart du pays a déjà été sauvegardé, d'une manière ou d'une autre, pour le préserver d'une exploitation potentiellement destructrice.

Bons et méchants

Tragédies et sacrifices jalonnent l'histoire de la création de ces parcs et zones protégées. Parmi les pionniers de cette lignée de défenseurs de la nature, deux noms se détachent : ceux de Nils Olaf Wessberg et de sa femme Karen Mogensen Fischer, qui arrivent de Suède en 1955 et acquièrent une ferme dans le Nicoya, près de Montezuma. Naturalistes passionnés, ils ont fait vœu de vivre en harmonie avec la terre et se construisent une maison tout en feuilles de palmier.

Pourtant, même en ce coin perdu de la planète, ils ne peuvent échapper à la marche du "progrès" et assistent, impuissants, à la destruction de la forêt vierge de Cabo Blanco, sur la péninsule de Nicoya. Nils se jette dans la bataille, se bat pour trouver de l'argent, acheter des terres et les protéger.

Au bout de 3 ans et un bon millier de lettres, il a réussi à lever les 30 000 $US de fonds nécessaires à l'achat des 1 200 ha qui constituent la Reserva Natural Absoluta Cabo Blanco. Aujourd'hui, une plaque y honore la mémoire de Nils : essayant de fonder une autre réserve dans la Península de Osa, il fut assassiné par ceux dont il contrariait les intérêts. En 2004, une nouvelle réserve a été créée près de Montezuma et baptisée du nom de Karen Mogensen Fischer.

Autre figure illustre, Mario Boza, étudiant spécialisé dans les forêts costaricaines, parvient à mettre en œuvre son idéal écologiste en créant Santa Rosa, le premier parc national du pays. En 1969, la Loi forestière annonce en fanfare la fondation du parc et la naissance de la Sección de Parques Nacionales. Mais, dépourvue de moyens et de personnels, elle se révèle incapable de stopper l'exploitation des terres, qui

PAGES PRÉCÉDENTES : crépuscule, Braulio Carrillo ; heliconias dans la jungle ; iguanes, La Orotina.
CI-CONTRE : jaguars. À droite : *bejuquillo*, serpent-liane.

MERVEILLES NATURELLES

Quelques statistiques donnent une idée des fabuleux trésors naturels du Costa Rica. Dans un espace couvrant moins de 0,03% de la surface terrestre se trouvent réunies 4% de toutes les espèces végétales et animales scientifiquement identifiées sur la planète. Au total, leur nombre s'établit aux alentours de 500 000 espèces, dont 50 000 espèces d'insectes – certains aussi gros que des petits mammifères –, plus de 1 000 d'orchidées, 800 de fougères – plus que dans toute l'Amérique du Nord et le Mexique ; 208 espèces de mammifères, 850 d'oiseaux, 200 de reptiles (dont 50 % de serpents), et des milliers de sortes de papillons.

continue comme par le passé – pâtures pour le bétail des éleveurs, et fermes de squatters qui cultivent les sols selon l'antique méthode des brûlis.

La voie bureaucratique s'avérant inefficace, Boza se résout à en appeler à l'opinion publique via la presse, qui en fait ses gros titres : "Santa Rosa en flammes – Destruction du parc national". Le scandale est tel que les autorités du parc reçoivent mandat de déplacer les squatters et de protéger le parc des pâtures et cultures.

L'ex-président Rodrigo Carazo (1978-1982) décrit les parcs nationaux comme de "splendides laboratoires naturels que nous offrons à la communauté scientifique de notre pays, mais aussi aux enfants, aux jeunes et aux adultes, qui ne devraient pas être privés du bonheur d'entrer en contact direct avec la nature à l'état vierge. Tout cela représente la contribution du peuple costaricain à la paix parmi les hommes et à la bonne volonté parmi les nations".

Économie contre écologie

Certes admirables, les initiatives environnementales du Costa Rica, pays du tiers-monde, freinent néanmoins son développement économique. Les parcs, faut-il le rappeler, coûtent cher. La concentration de plus de 60% de la population dans le Valle Central, région la plus fertile du pays, entraîne l'accélération de l'urbanisation. Le déboisement, qui transforme les terres en pâtures, occasionne une déperdition considérable d'humus, avec pour conséquence une érosion inquiétante des sols.

Des menaces pèsent également sur les réserves aquifères du pays et sur son vaste réseau hydroélectrique. Le déversement incontrôlé de déchets toxiques par les industries de la banane, du café et des engrais a contaminé les eaux douces et côtières. Jadis réservés aux plantations traditionnellement exportatrices de la banane et de la canne à sucre, les pesticides sont dorénavant utilisés par les horticulteurs et les cultivateurs de primeurs : l'empoisonnement qu'ils provoquent a eu pour effet, entre autres, d'éradiquer des espèces comme les tatous et les crocodiles du Río Tempisque. La demande du Vieux Continent en bois exotique a provoqué une fièvre de l'or vert, et avec elle le déboisement des terres qui bordent les fabuleux chenaux de Tortuguero. Et la liste n'est pas close.

Voulant imiter l'Amérique du Nord et l'Europe, le pays se trouve confronté à un conflit inévitable, tiraillé entre désir de consommation et souci de préserver la planète. Une armée de naturalistes et d'écologistes du monde entier se rend au Costa Rica pour rallier le camp de la "bonne" cause, tandis que, sur place, le pays ne manque pas d'experts. De multiples organismes internationaux tentent de faire pencher la balance.

Écologie et éducation

Persuadés qu'une véritable conscience écologique ne peut voir le jour sans l'appui des paysans, les parcs nationaux ont entrepris d'éduquer les Ticos les plus concernés par la mutation des terres en parcs nationaux. Leur coopération est indispensable à la survie même des parcs. Prenons l'exemple de la chasse aux animaux qui se réfugient dans les réserves : les grands mammifères comme les pumas et les jaguars ont besoin de vastes territoires inviolés pour survivre. Mais les félins menacent constamment les troupeaux, et, pour convaincre les fermiers de ne pas les tuer, il faudra beaucoup de temps, d'énergie et de patience.

Les écotouristes, comme tous les visiteurs qui se rendent au Costa Rica, soutiennent les parcs nationaux en les explorant, en observant leur faune et leur flore et, à l'occasion de séjours dans des réserves privées, en essayant de com prendre leur fonctionnement ; d'autres choisissent un soutien plus actif en travaillant sur place ou par des donations aux nombreux organismes implantés dans le pays.

Certains de ces programmes écologiques franchissent les frontières. Ainsi, le Parque Internacional La Amistad, l'une des premières réserves binationales au monde, chevauche désormais la frontière panaméenne, tandis que le projet SIA-PAZ (Sistema Internacional de Areas Protegidas para la Paz) unit le Costa Rica et le Nicaragua le long du Río San Juan, à cheval sur les 2 États. Ces exemples illustrent la capacité des parcs nationaux à renforcer des relations de bon voisinage.

CI-CONTRE : *martilla* (kincajou) et son garde-manger.
CI-DESSUS : dans la jungle, ouvrez l'œil pour déjouer les pièges du camouflage.

Vers un avenir radieux ?

Ces bonnes nouvelles peuvent-elles suffire ? L'image du pays a paradoxalement un impact négatif tout autant que positif. Comment une nation si paisible et si démocratique peut-elle émouvoir la planète, mobiliser l'aide internationale, l'attention et les médias du monde entier ?

Personne ne peut dire avec certitude qui l'emportera, des écologistes ou des intérêts économiques engagés dans le développement à tout prix. Si le Costa Rica peut devenir un modèle environnemental pour chaque nation, l'expérience peut également tourner court face aux réalités trop pesantes de l'économie globale et mondialisée. ❑

Forêt tropicale : guide de l'observateur

Lors de votre première incursion dans la forêt tropicale, vous ne verrez sans doute ni les centaines d'oiseaux ni les grands félins, les singes et les paresseux dont vous avez entendu parler. Face à cette muraille végétale, vous chercherez vainement la trace de ces animaux spectaculaires. Pourtant, de multiples organismes habitent réellement la forêt tropicale, mais leur existence, qui remonte parfois à plusieurs millénaires, dépend en grande partie de leur

aptitude à se camoufler et à éviter l'œil des prédateurs - dont l'homme.

Avant de vous lancer en forêt, révisez vos connaissances : lisez les guides spécialisés qui décrivent les animaux de la région et familiarisez-vous avec les caractéristiques permettant de les identifier - couleurs, formes et comportement. Apprenez à quelles heures du jour ou de la nuit ils se montrent les plus actifs. Une bonne paire de jumelles est indispensable. Sur un lac ou une rivière, louez un bateau - vous ne regretterez pas votre investissement.

Observez les règles élémentaires de sécurité avant de partir. Vous n'êtes pas dans un parc d'attractions. Ici, les serpents sont silencieux, les insectes piquent et les animaux peuvent - à de très rares occasion - se montrer agressifs. Prévenez quelqu'un de votre départ, de l'endroit où vous vous rendez, du moment auquel vous comptez être de retour. Emportez de l'eau, une lotion antimoustiques, une lampe torche, de l'écran solaire, un vêtement imperméable avec capuche.

Soyez attentif avant de toucher quoi que ce soit, de marcher, de vous asseoir. Scrutez la piste - pierres glissantes, boue, arbres abattus, fourmis ou serpents. Puis avancez en balayant la canopée du regard. Ne vous aventurez pas hors des sentiers en suivant un oiseau sans regarder où vous mettez les pieds. Les serpents sont rares, mais potentiellement mortels. Vous trouverez du sérum antivenin en vente dans tout le pays. En cas de mauvaise rencontre, ne paniquez pas, essayez de mémoriser les couleurs de l'animal.

En règle générale, la faune se laisse observer plus facilement tôt le matin et en fin d'après-midi ; vous la verrez mieux le long des rivières, des plages, des clairières et des pistes. Tentez de repérer les formes, les couleurs et les mouvements qui tranchent sur le décor végétal environnant.

À la saison sèche, les arbres à feuilles caduques se dégarnissent, augmentant ainsi sensiblement le champ d'observation, et les animaux se rapprochent des points d'eau.

Les plus expérimentés, comme les pisteurs, savent repérer des indices qui témoignent de la présence d'animaux ou d'oiseaux dans la forêt. Des frémissements de feuillages - surtout en l'absence de vent - et tout autre bruit inexpliqué signalent souvent qu'un animal se trouve à proximité. Des graines ou des feuilles qui tombent trahissent probablement l'activité de perroquets, de singes ou de paresseux dans les hauteurs. Sur la piste, fruits, noix, cosses de graines ou fragments de feuilles indiquent qu'un arbre proche pourrait bien alimenter des animaux ou des oiseaux.

De grandes formes sombres tapies dans les crevasses des arbres peuvent trahir la présence d'un paresseux, d'un fourmilier ou d'un singe endormi. Une queue verte suspendue appartient peut-être à un iguane. Sur la berge, un caïman immobile ressemble à s'y méprendre à un tronc. Les arbres morts hébergent volontiers des amphibies, des insectes, des mousses et des champignons. Dans leurs creux nichent souvent de superbes oiseaux.

Lorsque vous saurez mieux observer et identifier certains animaux, réfléchissez à leur mode de subsistance et aux raisons qui leur ont fait choisir ce milieu. Alors vous commencerez à entrevoir toute la complexité de cet univers fascinant. ❑

À gauche : les plus petits assurent aussi le spectacle.
Ci-contre : observateurs d'oiseaux à Monteverde.

Les écosystèmes du Costa Rica

Le pays abrite une étonnante variété d'écosystèmes. Un trajet de quelques kilomètres suffira à vous faire passer de l'un à l'autre, dévoilant une flore et une faune particulières. Une grande part de cette diversité provient des montagnes, qui créent des zones biologiques correspondant à des altitudes et à des rythmes de précipitations caractéristiques. Si quelques espèces végétales et animales peuvent s'adapter à différentes zones, la plupart sont endémiques.

Forêt tropicale sèche

Dans certaines régions, comme les plaines du Guanacaste, il pleut très peu durant 4 ou 5 mois. C'est le domaine de la forêt tropicale sèche, où la plupart des arbres perdent leurs feuilles dès la fin de la période des pluies. Ces derniers dépassent très rarement 30 m, tandis qu'un impénétrable couvert de taillis et d'arbustes épineux tapisse le sol.

Même si les arbres restent nus durant la saison sèche, beaucoup étalent leur floraison une fois dépouillés de leur feuillage. Parmi les plus spectaculaires, le *guayacán*, ou *corteza amarilla* (*Tabebuia ochracea*), fascine par ses superbes trompettes jaunes. La forêt tropicale sèche héberge une grande quantité de reptiles, dont le serpent à sonnette et des iguanes, appelés cténosaures, qui se nourrissent volontiers des fleurs et fruits du *guayacán* tombés au sol.

Forêt pluviale

Dans la majeure partie des plaines, un climat chaud et humide permet aux arbres de pousser presque toute l'année. On appelle forêt pluviale le milieu résultant de cette croissance continue – quoique les botanistes réservent ce terme aux forêts les plus arrosées. Contrairement aux arbres des milieux tropicaux secs, ceux de la forêt pluviale restent perpétuellement verts, et leurs cimes forment une toiture végétale, ou canopée, qui jette une ombre presque continue – on parle aussi de forêt ombrophile.

Dans la forêt pluviale des plaines, ils peuvent dépasser 50 m, épaulés par leurs racines aériennes, les *gambas*. Semés ici ou là, des arbres géants, dits émergents, culminent à 60 m de hauteur, voire plus. Avec l'altitude, la hauteur de la canopée diminue, tandis que le niveau des pluies augmente, atteignant son maximum vers 1 000 m. Plus haut, les précipitations se réduisent. Sur les versants orientés face aux vents dominants, des nuages enveloppent souvent la forêt. En moyenne et haute altitude, les arbres se chargent de plantes épiphytes – broméliacées, orchidées ou fougères.

En quête de lumière, ces dernières les utilisent comme des perchoirs vivants. Elles ne causent toutefois pas grand mal à leurs hôtes, sauf quand de fortes précipitations développent leur croissance outre mesure, et que leur poids combiné peut faire céder les branches.

Les forêts pluviales recèlent une immense diversité biologique. Mais vous ne repérerez pas facilement leurs habitants. En dehors des singes et des agoutis, la plupart des mammifères forestiers sont nocturnes. Quelques oiseaux se nourrissent au sol ou à proximité, et certains se spécialisent dans la chasse aux fourmis, attrapant les insectes qui fuient en colonnes serrées. Cependant, la véritable richesse de cette faune réside dans la canopée déployée au-dessus de votre tête, où un biosystème complexe vit presque sans contact avec le sol.

Páramo

Sur les pentes les plus hautes, la forêt cède le pas à un paysage dénué d'arbres, le *páramo*. Dans cet univers glacé, souvent nuageux, seuls des arbustes très solides, à croissance lente, peuvent résister aux vents violents. Le *páramo* couvre également les Andes, et il atteint sa limite septentrionale au Costa Rica, où il se cantonne à quelques zones dispersées, comme dans les monts Talamanca.

Zones humides

La topographie du pays impose aux cours d'eau un trajet bref et rapide, entre les montagnes de l'intérieur et l'Océan. Provoquées par les averses tropicales, de brutales variations de niveau surviennent fréquemment, et les animaux familiers de cet habitat savent parfaitement se mettre à l'abri lorsque les eaux montent brusquement. En contrebas, dans les plaines, quand le courant se calme, la vie sauvage se fait plus variée. Les caïmans prennent le soleil sur les berges, tandis que l'un des rares lézards bipèdes de la planète, le basilic, fuit le danger en courant sur l'eau à l'aide de ses pattes arrière, d'où son surnom de "lézard Jésus-Christ".

Si les petits cours d'eau forestiers s'écoulent généralement sous une canopée ininterrompue, la plupart des rivières sont assez larges pour laisser filtrer la lumière. Ainsi naissent des "clairières linéaires", habitat propice à une profusion d'espèces végétales rarement présentes dans les forêts elles-mêmes. Entre autres, l'héliconia, ou "pinces de homard", dont les fleurs éclatantes sont pollinisées par les oiseaux-mouches. Elles s'épanouissent volontiers sur les vasières ou les bancs de sable, mais rarement dans la pénombre.

La plus vaste étendue d'eau douce du pays, le lac artificiel Arenal, se caractérise par son altitude et sa richesse en poissons, mais vous y verrez peu d'oiseaux. En revanche, les marais et lagunes du Parque Nacional Palo Verde et la réserve de vie sylvestre de Caño Negro forment des écosystèmes beaucoup plus productifs. Ces zones humides saisonnières attirent un large éventail d'échassiers, notamment lorsque baisse le niveau des eaux, et que les proies deviennent plus faciles à attraper.

Marais de mangrove

Les littoraux bas et vaseux des tropiques donnent naissance à une végétation spécifique, la mangrove. Au Costa Rica, des espèces de palétuviers couvrent de leurs vastes forêts les rivages du Pacifique comme de l'Atlantique. Aucune d'entre elles n'est apparentée, mais elles ont toutes évolué pour survivre dans l'eau de mer et les sédiments salins. Appelés halophytes par les botanistes, ces espèces ont la particularité de posséder des mécanismes qui les débarrassent de l'excès de sel, et des racines qui les ancrent dans les vases mouvantes.

Le plus souvent inaccessibles, torrides et nauséabonds, les marais de mangrove du Costa Rica regorgent de vie. En particulier, des hordes de crabes violonistes y fouillent la vase, des crabes terrestres ou des crabes de palétuviers, s'y nourrissent de feuilles d'arbres et sautent de branche en branche, tels des acrobates. La vase elle-même apporte sa contribution à la chaîne alimentaire par ses algues riches en nutriments.

CI-CONTRE : canopée d'une forêt pluviale vue d'avion.
À DROITE : papillon malachite, Parque Braulio Carillo.

Côtes et récifs coralliens

En dehors des mangroves, le littoral costaricain est ourlé d'immenses plages - souvent de sable noir volcanique -, de rochers et de quelques petites îles. Les deux côtes ne sont pas si éloignées l'une de l'autre, mais leurs différences physiques se répercutent sur

leur vie marine. Le pélican brun, par exemple, fréquente les deux côtes, mais ne se reproduit que sur le Pacifique, dont les îlots rocheux offrent l'abri qui lui est nécessaire.

Quant à la spectaculaire frégate, elle est bien plus répandue sur les rivages du Pacifique. Ces derniers comptent plusieurs petits récifs coralliens, mais un seul s'est fixé côté caraïbe, à Cahuita. Les coraux ont besoin de lumière et d'eaux limpides pour survivre. Ils ne peuvent donc supporter la proximité d'embouchures, et sont très sensibles à l'action des sédiments. Malheureusement, le récif de Cahuita a beaucoup souffert du déboisement, qui a augmenté les taux de sédimentation des eaux environnantes. ❑

FRONDAISON ENLUMINÉE

Splendide ou étrange, la flore très diversifiée du Costa Rica vous ouvre les portes d'un univers végétal kaléidoscopique.

Votre premier contact avec la flore spectaculaire du Costa Rica ? Dès vos premiers pas dans le hall de votre hôtel, où sur le comptoir de la réception trône sans doute un vase d'héliconias, somptueuses fleurs rouges ou orange, surnommées pinces de homard, qui poussent dans les forêts.

Les héliconias illustrent à merveille le gigantisme des fleurs qui s'épanouissent sous ce climat chaud et humide. Pour schématiser, les plus grandes et les plus robustes sont pollinisées par des oiseaux ou des chauve-souris, tandis que les plus délicates attirent les insectes. Cette seconde catégorie comprend presque toutes les orchidées du pays – autre famille de plantes représentée à foison.

PLANTES VENUES D'AILLEURS

Le Costa Rica compte un grand nombre de plantes indigènes, dont environ un millier d'espèces d'arbres. Pour compléter ce trésor botanique, bien des espèces ont été introduites d'autres régions des tropiques, dans un but alimentaire ou décoratif. La banane, par exemple, arrive au début du XVIe siècle, suivie par le caféier, le manguier et la canne à sucre, ainsi que le palmier à huile d'Afrique, cultivé à grande échelle dans les années 1960. De nombreuses plantes spectaculaires, dans les jardins ou le long des avenues, proviennent de régions éloignées, comme le jacaranda, arbre sud-américain aux splendides fleurs bleu-violet.

▷ **FEUILLES GÉANTES**
Les oreilles d'éléphant (*Alocasia macrorrhiza*), ou taro géant, présentent d'énormes feuilles de plus de 1,20 m. Originaires d'Asie, elles poussent en terrain marécageux, le long des cours d'eau. Leurs racines comme leurs tiges sont comestibles.

◁ **PORTE-AVION**
Répandu dans tous les jardins du pays, le strelitzia, ou oiseau de paradis, est pollinisé par les oiseaux, auxquels il tend son perchoir.

◁ **TROMPETTES JAUNES**
Le *Tabebuia chrysotricha*, qui peut atteindre 27 m de hauteur, déploie une éblouissante et très spectaculaire floraison d'or durant de brèves périodes au cours de la saison sèche.

▷ **FLEUR DU CHRIST**
Selon la légende, les missionnaires auraient baptisé la passiflore ("fleur de la passion") d'après la Passion du Christ : ses 3 pistils représenteraient les 3 clous de la Croix.

◁ **EMBLÈME NATIONAL**
Comme bien des orchidées, *Guarianthe skinnerii (Guaria morada)*, la fleur nationale, vit très haut perchée dans les arbres. Vous pourrez l'observer beaucoup plus facilement dans les serres d'orchidées.

▷ **PRÉCIEUSES CLOCHETTES**
Baptisées du nom d'un naturaliste allemand, les kohlerias présentent des fleurs tubulaires et vivent dans l'ombre humide des sous-bois. Leur famille est largement représentée à travers les tropiques et comprend bien des plantes appréciées à l'intérieur, comme les saintpaulia et les gloxinia.

△ **PINCES DE HOMARD**
Les fleurs de l'héliconia se déploient en "pinces de homard" aux couleurs très vives. Dans certaines espèces, la fleur reste droite, mais chez d'autres elle s'effondre en grandissant.

△ **PAUSE NECTAR**
Riches en nectar, les fleurs parfumées du gingembre sauvage *(Hedychium coccineum)* attirent comme un aimant les papillons et les oiseaux. Ce parent géant du gingembre comestible est arrivé d'Inde et d'Asie du Sud-Est pour coloniser les jardins costaricains.

PLANTES COLONISATRICES

Les forêts du Costa Rica hébergent une immense variété d'épiphytes, plantes croissant sur d'autres plantes, souvent très en hauteur. Les épiphytes parviennent à cet étonnant tour de force en captant l'eau de pluie et les nutriments de débris organiques qui passent à portée.

Dans cette famille, les broméliacées se remarquent le plus aisément. Les broméliacées dites à réservoir (voir photo ci-dessus) récoltent l'eau en la conduisant dans un réservoir central formé par leurs feuilles. Ces plantes peuvent mesurer plus de 1 m de largeur, et leur réservoir contenir plusieurs litres d'eau. D'autres épiphytes, dont la plupart des orchidées, sont dotées de racines capables d'absorber très vite l'eau et les nutriments avant qu'ils ne s'écoulent.

Dans les forêts, différentes plantes, dont les philodendrons et les *Monstera deliciosa*, commencent leur vie enracinées au sol, puis cherchent la lumière de la canopée. À l'état sauvage, la *Monstera* et ses cousines suivent un étrange schéma de croissance. Si la plante escalade un arbre et le trouve trop petit, elle se laisse retomber au sol pour en chercher un autre.

SPORTS

Les activités de plein air connaissent un essor sans précédent au Costa Rica, surtout quand il s'agit de se mettre à l'eau – dans un raft ou sur une planche.

Le sport joue un rôle important dans la vie des Ticos, toujours ravis de pouvoir inviter un étranger à venir assister avec eux à un bon match de football. Au cours des 10 dernières années, l'obsession de la forme physique a touché le Costa Rica comme bien d'autres pays – lame de fond illustrée par les joggers et autres cyclistes qui vont s'époumoner de bon matin dans les collines du Valle Central. Le week-end, des milliers d'athlètes amateurs envahissent l'immense Parque Metropolitano La Sabana, dans l'ouest de San José, joueurs de football, de base-ball, de basket, de volley-ball, nageurs et autres fans de roller-skate. Sur la Meseta Central, les golfs et tennis-clubs privés jouxtent les centres de remise en forme dédiés à une clientèle aisée.

Les sports nautiques ont le vent en poupe, galvanisés par l'intérêt des touristes qui sont de plus en plus nombreux à venir surfer devant des plages isolées, glisser en planche à voile sur le magnifique Lago Arenal, ou savourer les plaisirs d'un rafting d'excellent niveau.

Rafting

Un radeau gonflable rouge dévale une chute de rapides bouillonnants, plonge, traverse des vagues de presque 2 m. Les membres de l'équipage plongent vigoureusement leur pagaie dans les eaux écumantes, hurlent de bonheur en manœuvrant leur raft entre des rochers gros comme des voitures. Enfin, ils atteignent une zone de calme, un remous, et peuvent quitter des yeux cette rivière en folie pour respirer profondément et apprécier la splendeur des gorges du Reventazón : un paysage où se déploient les épaules immenses du canyon, les collines plantées de caféiers et de canne à sucre, les herbes sauvages et les fleurs éclatantes qui s'épanouissent à une hauteur improbable, parmi les cimes des arbres penchés au-dessus de la rivière.

PAGES PRÉCÉDENTES : rafting sur le Río Reventazón.
CI-CONTRE : bodyboarding à Playa Dominical.
À DROITE : planchiste à l'œuvre dans les souffles paisibles d'une fin d'après-midi, Lago Arenal.

Vous trouverez au Costa Rica plus d'eaux vives et de rapides que partout ailleurs sur la planète. La nature est responsable de ce bassin unique au monde, étranglé par 2 océans.

Les 4 cordillères qui sinuent le long de l'axe du pays fournissent des conditions idéales de pente. Les monts Talamanca et la Cordillera

PLOUF !

Des accidents de rafting surviennent chaque année, et les sportifs les plus expérimentés eux-mêmes peuvent se noyer dans les remous. Surtout, choisissez votre parcours en fonction de vos aptitudes, et un accompagnateur qui applique toutes les règles de sécurité : gilet de sauvetage, casque et kayak de secours sont obligatoires. Avant d'embarquer, vous devrez avoir suivi un exercice d'entraînement pour bien comprendre les consignes – souvent hurlées pour couvrir le tumulte des rapides. Vérifiez auprès de votre assurance que vous êtes couvert pour le rafting. Enfin, l'eau des rivières n'ayant rien d'une source limpide, gardez la bouche fermée si vous devez piquer une tête.

Central déversent vers les plaines de larges et puissantes rivières, alimentées toute l'année par des précipitations abondantes. La variété de ces cours d'eau permet d'expérimenter un vaste éventail de descentes. Certains cheminent paisiblement à travers des paysages luxuriants, où vivent de nombreux animaux sauvages, tandis que d'autres sont jalonnés de rapides et de passages dont le rugissement et le chaos défient les rafteurs les plus aguerris.

Río Sarapiquí

Le Río Sarapiquí s'écoule à travers les plaines de Heredia dans un environnement naturel spectaculaire. À environ 2 heures de route de San José, le cours supérieur du *río* présente des rapides négociables par des pagayeurs novices. Plus calme, le cours inférieur se faufile dans la jungle, offrant une pause bienvenue et de belles occasions d'observer les singes, les loutres et les nombreux oiseaux aquatiques qui fréquentent le bassin.

Río Reventazón

La partie supérieure du Río Reventazón, à 90 min de route de San José, mêle des paysages extraordinaires à l'une des plus furieuses descentes en eaux vives du pays. Les opérateurs de

Rafting – grands opérateurs

La descente de rafting en eaux vives offre à toute personne en bonne forme physique la possibilité d'entrer en contact avec les espaces sauvages du pays dans la joie et la bonne humeur. Plusieurs opérateurs fournissent le matériel requis : gilets de sauvetage, casques et rafts.

Les guides ont suivi une formation théorique et pratique. La plupart d'entre eux ont été se perfectionner aux États-Unis dans des écoles spécialisées, et beaucoup ont collaboré avec les meilleurs sportifs du monde.

La première exploration des eaux blanches costaricaines a été effectuée sur le Río Reventazón en 1978 par Costa Rica Expeditions.

L'année suivante, la même compagnie se lançait dans la promotion du rafting à travers l'Amérique centrale. Fondée en 1985, Ríos Tropicales a inauguré le rafting sur les *ríos* Sarapiquí et Sucio ; les diplômés de l'école ont représenté le Costa Rica aux championnats du monde. Un troisième opérateur a suivi, Aventures Naturales. D'autres, plus ou moins qualifiés, ont ensuite vu le jour à San José, Turrialba et ailleurs.

La plupart de ces prestataires proposent différents forfaits à la journée au départ de San José incluant transport, petit déjeuner et déjeuner, le plus souvent à des tarifs très honnêtes.

rafting proposent 4 sections différentes. La première, au pied du barrage hydroélectrique de Cachí, enchaîne une série continue de rapides de niveau moyen à difficile. Les débutants pourront aborder sans crainte la deuxième, de Tucurrique à Angostura, qui ménage de splendides perspectives sur les volcans environnants.

Quant aux deux dernières, d'Angostura à Siquirres, elles comptent parmi les descentes les plus terrifiantes de la planète : avis aux amateurs.

Río Pacuare

Accessible du Valle Central via Turrialba, ces célèbres eaux vives traversent des gorges profondément encaissées, tapissées d'une jungle où abondent flore et faune sauvages. La plupart des groupes passent 2 jours ou plus à descendre le *río* de Tres Equis à Siquirres, campant au bord de la rivière, dans le tonnerre des cascades et face à des nuées d'oiseaux.

Río Corobicí

La plus paisible des descentes de rafting offre un compromis idéal aux amoureux des oiseaux. Dans le Parque Nacional Palo Verde voisin, plus de 300 espèces ont été observées, dont de nombreuses peuvent être aperçues du fleuve. Un barrage sur le Lago Arenal contrôle le débit de ses eaux durant la saison sèche ; il se mue en oasis, attirant par myriades oiseaux, singes et lézards du Guanacaste.

Surf

Ces dernières années, les surfeurs d'Amérique du Nord, d'Australie et d'Europe ont découvert les plages infinies du Costa Rica. Pour tous, pas d'hésitation : la qualité du surf qui s'y pratique n'a rien à envier à celle des 3 autres grands – Californie, Hawaii et Australie. Il ne faut pas chercher loin pour trouver de bonnes vagues, les sites sont rarement bondés, et la température de l'eau ne descend jamais en dessous de 27 °C tout au long de l'année. Vous pourrez même encore y prendre une vague en solitaire, devant une nature vierge et déserte.

Un nombre impressionnant de plages ourlent le pays : s'étirant entre pointes rocheuses, récifs, embouchures et jungles, elles jalonnent 200 km de côte caraïbe et 1 000 km de côte pacifique. Beaucoup sont exposées à la houle du large, qui peut venir de toutes les directions. Une grande partie du littoral échappe à toute trace de civilisation, et vous pouvez parcourir des kilomètres sans trouver ni magasin, ni poste de secours.

CI-CONTRE : les belles vagues du littoral pacifique, une joie pour les surfeurs.

CI-DESSUS : funboards sur le Lago Arenal.

Spots de surf

Sur des centaines de kilomètres, bien des plages propices au surf demeurent anonymes et pratiquement inconnues. Nous vous indiquons ici quelques grands noms, parmi les plus réputés.

Sur le Pacifique, au sud-est du Golfo de Nicoya, la station balnéaire de Jacó est à moins de 2 heures en voiture ou en car de San José. Deux pointes rocheuses, couvertes de végétation tropicale, encadrent cette longue plage vaseuse aux vagues particulièrement adaptées au bodysurf ou au boogie-board. La mer est facilement accessible, à un jet de pierre derrière les patios des nombreux hôtels et *cabinas* (bungalows) qui émaillent la station. Pour les baigneurs, en revanche, la plage n'offre aucun intérêt avec ses puissants courants et contre-courants.

Pour rejoindre Playa Hermosa, à 3 km au sud de Jacó, vous avez le choix : faire du stop, louer un vélo ou prendre le car avec votre planche. Bien des spots de surf, superbes et très peu fréquentés, jalonnent le littoral entre Jacó et Playa Panamá, plus au sud. Au nord, près de Puntarenas, la langue de sable déployée à l'embouchure du Río Barranca lève l'une des plus longues gauches de la planète.

Beaucoup plus au nord encore, les plages de la province de Guanacaste assurent un surf de

Houles et breaks

Au Costa Rica, la formation des vagues obéit à des facteurs multiples. Sur la côte pacifique, la houle naît des tempêtes du Pacifique nord et central, fréquentes entre novembre et mars. La houle de sud, déclenchée par des ouragans lointains, prédomine le restant de l'année.

Les sédiments charriés par les grandes rivières façonnent les plages du Pacifique. La vase se déplace au gré de puissants courants littoraux. Les barres de sable créent des breaks aux droites et gauches longues et rapides presque tout le long de la côte. Des langues de sable se constituent aux embouchures, donnant naissance à de longs *point breaks*, souvent très propres. Mais ces fonds instables se déplacent selon les saisons. Vents et courants influencent également la forme des vagues.

De décembre à avril, les vents et les tempêtes des Caraïbes poussent une grosse houle vers les plages de la côte est. Ces vagues abruptes, rapides, brisent sur des hauts-fonds coralliens, présentant des formes et des dimensions comparables à celles de la rive nord d'Oahu, à Hawaii. Les alizés des Antilles créent une houle d'ouest plus modérée, dominante de juin à août. Seule période à éviter sur la côte est, en raison du manque de bonnes vagues : les mois de septembre à novembre.

Vérifiez les conditions sur le site www.surfingcr.com

qualité exceptionnelle, notamment durant la saison sèche, lorsque les vents du large, très réguliers, enflent les rouleaux. Près de Roca de la Bruja (*voir p. 194*), dans le Parque Nacional Santa Rosa, le break de Playa Naranjo est l'un des plus spectaculaires. Attention, le nombre de surfeurs y est contingenté ; vous devrez réserver sur place auprès des nombreuses boutiques de surf et prendre un bateau jusqu'au spot.

Au sud du Guanacaste, la Península de Nicoya est festonnée de plages, comme Playa Avellanas et Playa Negra ; beaucoup présentent des vagues tout à fait praticables, mais les surfeurs se régaleront davantage encore dans le Golfo Dulce, sur le superbe spot de Playa Pavones.

Près de Limón, à 2h30 à l'est de San José, les belles vagues de Playa Bonita attirent bien du monde. À environ 1 heure au sud de Limón, rendez-vous au paisible village caraïbe de Puerto Viejo pour défier la Salsa Brava, break parfois terrifiant, de réputation mondiale : de décembre à mars, une grande houle de nord brise sur les récifs avec une force démentielle.

Planche à voile et funboard

Le Costa Rica a organisé son premier championnat de planche à voile sur le Lago Arenal voici plus de 15 ans ; depuis, le pays compte parmi les destinations favorites des véliplanchistes du monde entier. Les alizés balayent et blanchissent ce plan d'eau remarquable, souvent comparé aux meilleurs spots du monde, tels la Columbia River Gorge aux États-Unis ou Kihei dans Maui aux îles Hawaii. Attention tout de même, les vagues peuvent être très cassantes.

Entre janvier et avril, presque 1 jour sur 2, des vents réguliers d'environ 20 nœuds creusent une houle de 1 m sur toute la longueur du lac, créant d'excellentes conditions de short-board. Le reste de la saison, des vents plus faibles dominent, propices au long-board. Mais le Lago Arenal n'est pas franchement conseillé aux débutants, des vents de travers soufflant régulièrement sur toute sa largeur. Si Éole est avec vous, une houle bien creuse favorisera pointes de vitesse, sauts et loopings acrobatiques. La température de l'eau oscille agréablement entre 18 et 21°C toute l'année. Vous trouverez du bon matériel de location à l'Hotel Tilawa et au River Rock Lodge. Quant aux amateurs de *funnel effect*, les vents de Bahía Salinas les attendent près de La Cruz, à l'extrême nord-ouest du pays.

Golf

La popularité du golf a considérablement augmenté ces dernières années. Au nord-ouest de San José, l'Hotel Cariari & Country Club, a accueilli le premier championnat du pays. Plus abordable, le golf public de Valle del Sol est implanté à Santa Ana, banlieue ouest de San José. Depuis les années 1990, les meilleurs architectes conçoivent de nouveaux parcours à travers tout le pays. Vous en découvrirez d'excellents dans la Península de Nicoya, dont le Garra de León (par-72) aménagé par Robert Trent Jones Jr, dans l'Hotel Paradisus Meliá Playa Conchal, et le par-72 d'Hacienda Pinilla, œuvre de Mike Young. À l'extrémité nord de la péninsule, le Four Seasons Papagayo Resort s'est également offert un parcours en 2004. Dans la Zona Pacífica Central, Ted Robinson est l'auteur du golf de l'Hotel Marriott Los Sueños. Enfin, vous trouverez quelques bons parcours 9 trous à Tango Mar, dans le Golfo de Nicoya ; au Costa Rica Country Club d'Escazú ; au Los Reyes Country Club de La Guácima ; et au El Castillo Country Club, au-dessus de Heredia (*voir Carnet pratique, p. 290*). ❑

CI-CONTRE : plongeurs sur le récif corallien d'Isla del Caño.
À DROITE : cadre de bougainvillées pour le fairway du Cariari Country Club.

Du gros à grand spectacle

Paradis pour gros poissons de mer ou de rivière, le Costa Rica a de quoi combler le pêcheur enthousiaste en quête de belles prises et de tranquillité.

Le roi de la pêche au gros nage en direction de la côte caraïbe. Pesant dans les 70 kg, il ne craint aucun prédateur hormis les requins, et croise tranquillement vers l'embouchure du Río Colorado.

D'où arrive ce tarpon, nul ne le sait. Il a pu longer les côtes de Floride, d'Amérique du Sud ou d'Afrique de l'Ouest. Il a également très bien pu passer tout son temps dans les eaux des rivières locales.

À présent, il fraie en compagnie d'une centaine de congénères de taille à peu près similaire. Brusquement, tous repèrent un banc de *titi*, sortes de sardines, et les pourchassent jusqu'à la

Règles de combat

Dans la pêche au tarpon, les règles traditionnelles ne s'appliquent plus, ou demandent à être inversées. La première astuce, qui va à l'encontre de tout ce que vous avez appris jusque-là, consiste à ramener l'appât avec la canne baissée – à hauteur de l'eau, ou mieux, sous l'eau. Ainsi, lorsque vient le moment de ferrer, le bout de la canne peut se ramener en arrière dans un grand arc de cercle. Cette manœuvre doit se répéter rapidement au moins 3 fois et avec une force qui déchirerait la gueule de presque tout autre poisson.

Le tarpon mord parfois avec violence, se projetant à 5 m dans les airs en happant le *plug*. Mais peut-être aurez-vous bien du mal à savoir si le géant a seulement effleuré votre hameçon. Si vous réagissez assez rapidement, et si vous avez de la chance, le tarpon sera ferré avant de faire son premier saut. Si vous avez moins de chance, votre leurre sera rejeté en l'air, tandis que le grand poisson d'argent semblera vouloir toucher les nuages. Un saut de tarpon est unique : il monte à une hauteur incroyable, se tord à droite, se tord à gauche, bascule, retombe sur la ligne et se démène comme un beau diable pour se libérer.

Généralement, il y parvient et vous le perdez : pour un expert, le taux de réussite est de 1 sur 10 – mais essayez de raconter cela à vos amis quand vous rentrerez bredouille d'une journée de pêche au tarpon…

surface. Un hectare de mer des Caraïbes explose littéralement tandis que les tarpons labourent les flots et dévorent leur plat de *titi*. Si vous avez la chance d'assister à un tel spectacle, alors vous n'avez plus qu'à vous lancer en plein chaos pour entrer en contact avec celui que beaucoup considèrent comme le plus gros gibier aquatique de la planète.

Les tarpons pénètrent dans toutes les embouchures des rivières de la côte caraïbe costaricaine, du Río Colorado au nord jusqu'au Río Sixaola, frontière du Panamá. Dans la plupart des cas, ils nagent quelques centaines de mètres en amont à la recherche de nourriture puis regagnent la mer.

Dans le Colorado, ils continuent à poursuivre les *titi*, parcourant plus de 200 km jusqu'au Lago Nicaragua, près de l'océan Pacifique.

Lagunes

Au début de leur longue croisière, les tarpons longent une série de lagunes étroites qui s'étirent vers le nord, touchant presque la frontière nicaraguayenne. Dans ces étendues d'eau douce coexistent toutes sortes de poissons exotiques, parfaits pour la pêche au lancer léger. Appelé *gaspar* au Costa Rica, le *Garpique alligator* ne laisse pas indifférent avec ses allures d'animal préhistorique, son long rostre aux dents nombreuses et parfaitement aiguisées, son corps couleur café recouvert d'une peau épaisse cuirassée de grandes écailles, sa queue large et puissante. Ferme et savoureuse, sa chair rappelle celle des crevettes. Mais ne goûtez jamais ses œufs, ils sont fortement toxiques pour l'homme.

Le tarpon n'est pas seul dans sa remontée des rivières. Le snook fait également le voyage à la poursuite des *titi*. Et derrière lui nage le redoutable requin bouledogue (*Carcharhinus leucas*).

Les requins, comme les tarpons, remontent jusqu'au Lago Nicaragua. Leur présence a souvent laissé croire que le lac hébergeait des requins d'eau douce, alors qu'ils ne sont que des touristes en provenance des lointaines Caraïbes.

Le snook alimente l'essentiel de la pêche sportive au Costa Rica. Les grands snooks abondent partout le long des côtes caraïbe et pacifique, ainsi que dans les rivières.

CI-CONTRE : au large, une bonne journée de pêche.
À DROITE : fier de sa prise – un *mahi-mahi* (coryphène) –, au large de Nicoya.

Les confluents du Río San Juan et de ses tributaires costaricains – Ríos Colorado, Sarapiquí, San Carlos, Infernito, Pocosol, Medio Queso et Frío – offrent d'excellents sites de pêche au tarpon et au snook. Aucune de ces rivières n'attire les foules, et il vous faudra consentir à faire quelques efforts pour vous y rendre. Mais la récompense en vaut la peine.

Río Frío

Seule exception à ce problème de – relative – inaccessibilité, le Río Frío coule en plein cœur du bourg de Los Chiles – à environ 3 heures de voiture, sur des routes goudronnées, de San José.

ROLLING

Le tarpon est l'un des rares poissons capables de respirer directement par la bouche sans filtrer l'eau à travers ses branchies. Une aptitude indispensable pour ce grand animal hyperactif qui, contrairement à la plupart de ses congénères, a besoin de plus d'oxygène que ne peuvent lui en fournir les eaux qu'il fréquente parfois.

Cette méthode de respiration directe explique le phénomène appelé "rolling", lorsqu'il remonte en surface et se laisse tomber sur le flanc en avalant de l'air. Une adaptation inhabituelle, mais qui permet au tarpon de passer sans problème de l'eau de mer à l'eau douce, même pauvre en oxygène.

Le Río Frío regorge de tarpons, de snooks, d'ombrines, de garpiques et autres espèces exotiques. Certains se contentent de pêcher directement de l'embarcadère de Los Chiles ; d'autres prennent un bateau et s'aventurent vers le nord ou le sud ; à l'embarcadère, toujours, vous pourrez également louer une *panga* (grande barque), menée par un habitué de la région qui vous servira de guide.

Certains tarpons, en remontant le Río San Juan, s'avancent très en amont des affluents. C'est le cas pour les Ríos Frío et Sabogal. Vous devriez pouvoir y pêcher toute l'année des individus pesant jusqu'à 45 kg.

Matin et soir, trop à l'étroit entre les berges de la rivière, ce géant bondit dans les airs, puis retombe à l'eau dans un fracas assourdissant : un spectacle de rêve pour tout pêcheur passionné. Bien sûr, l'expérience peut tourner au fiasco quand l'animal semble avoir décidé que, ce jour-là, il ne mordrait à l'hameçon sous aucun prétexte. Mais sa vue seule justifie le déplacement, et vous avez tout de même une bonne chance de faire une touche.

Autres poissons d'eau douce

Comme presque toutes les rivières du Costa Rica, le Río Frío héberge des poissons souvent dédaignés par les pêcheurs. Espèce très étrange, le *machacha* est un bolide argenté aux préférences végétariennes. Vous le découvrirez souvent sous les branchages des *chilemate* – ils attendent que leurs fruits mûrs tombent à l'eau. Les Costaricains les appâtent avec de la banane ou de la tomate, mais le *machacha* peut également s'intéresser à des petits leurres ou à des mouches qui filent, changent de direction, sautent en l'air et plongent dans le courant. Pesant en moyenne de 1 à 2 kg, il peut atteindre jusqu'à 9 kg et se montre très joueur. Sa chair est pleine d'arêtes mais goûteuse.

En remontant certains affluents du San Juan, notamment le Sarapiquí, vous rencontrerez sans doute le *bobo*, prise aussi difficile que passionnante. Ce poisson, qui pèse jusqu'à 14 kg, se nourrit dans des eaux rapides et peu profondes. Apparenté au mulet océanique, c'est un strict végétarien qui peut se capturer au petit spinner et vous promet une belle bagarre au milieu du courant.

D'autres espèces exotiques fréquentent ces rivières orientées vers l'Atlantique, comme la *mojarra* (blanche rayée), parent de la perche-soleil : brillamment coloré, ce solide poisson aux dents aiguisées ressemble à une perche qui serait dopée aux anabolisants.

Pêche en mer

La pêche sur la côte pacifique du Costa Rica repose sur 3 espèces reines : l'espadon voilier, le marlin et le thon. Les opérateurs spécialisés se multiplient, témoignant d'un succès grandissant.

Les pionniers en la matière se sont établis sur le Golfo de Papagayo, zone fréquemment vantée comme la plus productive de la planète en espadons voiliers. Ces splendeurs n'ont rien à voir avec leurs petits cousins de l'Atlantique et pèsent 45 kg en moyenne. Avec une ligne de 7 kg (ou moins), ils vous offriront le combat de votre vie et le spectacle de sauts de toute beauté. Généralement respectée par les pêcheurs, la loi impose de relâcher tous les voiliers – sauf prise record.

Ces dernières années, le marlin a fait son apparition le long de la côte pacifique. Au large, les dauphins, les thons et les *rainbow runners* (coureurs arc-en-ciel) abondent. Les récifs se montrent également prodigues en dorades, dont la très recherchée *cubbera*.

Ne sous-estimez pas pour autant les ressources des plages du Pacifique. Sur chacune d'elles, vous pourrez vous attaquer à divers chevaliers-lanciers et ombrines, et aux énormes snooks dont les bancs hantent les rouleaux, les embouchures des rivières et des cours d'eau. Le lancer des rochers permet souvent de localiser dorade ou poisson-coq (*Nemastistius pectoralis*), abondant sur la côte pacifique du Costa Rica. Coloré et puissant, il doit son nom à sa longue nageoire dorsale épineuse et apprécie les eaux qui entourent les rochers de Puntarenas ou le port voisin de Caldera. Une fois ferré, le poisson-coq hérisse sa "crête" et file comme une flèche à la surface, offrant un spectacle unique.

Licences

Licences de pêche en vente à Deportes Keko, Calle 20 et Avenida 4-6 à San José (tél. 223 4142 ; fermé de 12h à 14h).

à couvert avec la puissance d'un rhinocéros et, s'il y parvient, il coupera très certainement votre ligne dans la végétation.

L'animal est vraiment spectaculaire. Un mâle reproducteur porte de grosses excroissances autour des yeux, qui "s'éclairent" et font alors miroiter les couleurs de ses flancs. Dans le Lago Arenal, son principal site de pêche, il atteint 9 kg, voire plus – mais une prise de 7 kg reste très honorable. Le *guapote pinto* (gapote peint) fraye dans les affluents du San Juan. ❑

Le *guapote*

Dans les lacs du Costa Rica, le *guapote* fait figure de star. Certains l'appellent également *rainbow bass*, même s'il n'a aucune parenté avec le *bass*. Il fait, en réalité, partie de la famille des *Parachromis*. Une seule similitude, les méthodes de pêche : *casting* ou *flipping*, aux *plugs* ou aux *spinner baits*.

Ferré, le *guapote* ressemble autant à un *bass* qu'un tracteur à une voiture électrique. Ce n'est pas un poisson de lancer léger ; il se précipite

Ci-contre : géant au marché aux poissons.

Ci-dessus : pêche à la truite et au *machín* dans les fabuleux paysages du nord de San Isidro del General.

Truite et *machín*

La truite ne s'est jamais beaucoup plu au Costa Rica – sauf en pisciculture. En dépit de nombreuses tentatives pour l'introduire dans les cours d'eau des hautes montagnes, elle n'y a guère prospéré. Vous pourrez tout de même en pêcher dans les montagnes situées entre San José et San Isidro del General, par exemple dans le Río Savegre, région de San Gerardo de Dota. Les prises sont de petite taille, mais les paysages, en revanche, de toute beauté.

Si vous ne trouvez pas de truite, rabattez-vous sur le *machín*, poisson qui fréquente le même type de rivière et vous réserve un beau combat, très similaire à celui offert par la truite.

Cuisine tica

Laissez-vous tenter par les picadillos, *que les Ticos apprécient relevés mais sans excès, ou le* gallo pinto, *plat national à base de haricots noirs ou rouges.*

Le choix ne manque pas au Costa Rica, des sushis aux *huevos rancheros* (œufs à la mexicaine), mais, pour le voyageur, partir à la découverte de la cuisine locale participe au dépaysement. Le régime tico de base est simple, pauvre en graisses, riche en protéines et en sucres. Fruits, légumes, riz et haricots, bœuf et salades en abondance constituent l'essentiel de la cuisine costaricaine. Sur toute table tica, les *picadillos* règnent en maîtres : dés de pommes de terre, chayotes (courges en forme de poire) ou haricots mélangés à une viande finement hachée, tomates, oignons, *cilantro* (coriandre fraîche), poivrons et tout ce que la cuisinière a sous la main pour relever sa sauce. Les restes de *picadillos*, frits avec du riz, sont servis au petit déjeuner, généralement accompagnés de tortillas chaudes – on les dit alors *amanecidos*.

Les Costaricains assaisonnent leurs plats avec un mélange d'épices, les *condimentos mixtos*, en vente sur les marchés. Les rayons des magasins alignent également bien des marques de sauces, à commencer par la plus célèbre, Salsa Lizano. Le plus souvent s'y mêlent farine de maïs, sel, ail, poivre noir, oignon, coriandre, paprika et piment. La sauce Inglesia, une variante de la Worcester, a aussi ses adeptes. Les excellents poivrons Jalapeño, originaires des villes montagneuses de Zarcero et Cervantes, ne sont pas aussi forts que leurs cousins mexicains. D'ailleurs, les Ticos n'apprécient guère la cuisine trop épicée, même si Tabasco et sauce au piment trônent sur les tables des restaurants.

Gallo pinto et *casado*

Grand classique, le *gallo pinto* (littéralement, coq peint) se compose de riz et de haricots noirs ou rouges assaisonnés d'oignons, de coriandre, d'ail et de poivrons finement hachés. En ville, on vous le servira au petit déjeuner, mais, dans les campagnes, on s'attable 3 fois par jour devant un *gallo pinto* qu'agrémentent des tortillas de maïs maison. Au petit déjeuner, il se déguste avec des œufs, brouillés ou au plat, nappés de *natilla*, crème aigre.

Au déjeuner, chacun, sans exception, avale son *casado* ("mari") – solide mixture déclinant sans exclusive riz, haricots, salade de choux, plantains frits et poulet, poisson ou bœuf.

Autres spécialités ticas

Tout aussi caractéristique, la *olla de carne* (ragoût de viande) comprend, outre la viande, bien entendu, de nombreux légumes communs à la région : *ñampi* et *camote* –tous deux apparentés à la patate douce–, chayotes, carottes et pommes de terre. Elle s'accompagne généralement de riz – aliment sans lequel les Ticos n'auraient pas l'impression de faire un vrai repas. Cervantès évoquait déjà ce plat dans son *Don Quichotte*.

Quant à la *olla podrida*, une soupe locale, elle doit sa saveur au mélange de légumes qui la composent : yucca, plantain vert, patate douce, *tannia*, *tacacos*, taro, potiron, carottes, *cho-cho*, oignons, choux et bien d'autres ingrédients encore, selon l'inspiration du moment.

Autre soupe servie dans les restaurants de quartier à travers tout le pays : la *sopa negra*. Elle réunit haricots noirs, oignons, coriandre et œufs durs.

Au déjeuner ou au dîner, *arroz con pollo* (poulet au riz) ou *arroz con mariscos* (poulet aux fruits de mer) constituent un repas nourrissant et bon marché, toujours inscrit au menu des *sodas* (snacks) et des hôtels-restaurants.

Parmi d'autres spécialités locales, vous pourrez goûter la *lengua* (langue de bœuf) ou le *mondongo* (tripes de bœuf). La première est tendre et souvent cuisinée à merveille ; quant au second, son goût corsé et sa texture étrange peuvent rebuter les palais les plus délicats.

Garniture incontournable de presque tous les plats, la banane plantain se consomme *maduro* (mûre) ou verte, mais doit impérativement être cuite avant d'être dégustée ; on la tranche habituellement en lamelles pour la faire frire dans l'huile ou la *manteca* (graisse).

Bocas et *bebidas*

Certains bars servent encore avec les boissons des *bocas* ("bouchées") traditionnelles, petites sœurs des tapas espagnoles. Jadis offertes, elles vous seront facturées séparément. Parmi les plus courantes, essayez le *ceviche* (poisson cru mariné au jus de citron), la cassave (galette de farine de manioc) frite et le poulet grillé. Bière, rhum ou *guaro* (alcool de sucre de canne) passeront d'autant mieux.

Occasions spéciales

Le week-end, les Costaricains se régalent volontiers de *chicharrones* – dont ils aiment les deux versions : soit de la couenne de porc frite (avec sa graisse), soit des morceaux de porc maigre lentement mijotés – et qu'ils accompagnent de

PAGES PRÉCÉDENTES : panier tropical et paradisiaque.
CI-CONTRE : les plaisirs de la table.
À DROITE : somptueuses gambas.

NOUVELLE CUISINE

Le concept de nouvelle cuisine peut paraître un peu tiré par les cheveux, mais la croissance des exportations alimentaires a ouvert de nouvelles perspectives aux fruits et légumes du Costa Rica. Récentes ou traditionnelles, nombre de recettes ont fait l'objet de recherches inventives.

La soupe de *pejibaye*, potage délicatement orangé, figure sur les tables de banquet. Les modestes *frijoles* (haricots noirs), assaisonnés avec des oignons, des poivrons et de la coriandre, se dégustent en hors-d'œuvre dans la bonne société. Les restaurants élégants affichent des menus indigènes qui mettent à l'honneur soufflé au plantain ou pâtés de cassave au porc.

tortillas et de quartiers de citron. À Noël, tout le monde déguste des *tamales*, une préparation à base de *masa*, une pâte de maïs fourrée de diverses manières, enveloppée de feuilles de bananier et cuite à la vapeur. D'origine aztèque, les *tamales* se sont répandus dans toute l'Amérique centrale, avec des variantes selon les pays. Au Costa Rica, ils sont farcis traditionnellement avec du porc, du riz, des carottes, des olives, et parfois des pruneaux.

Pâques

Depuis l'ère coloniale, le repas de Pâques occupe une place de choix dans le calendrier

festif. L'interdiction de la viande rouge par l'Église durant le carême explique le succès du poisson, des pâtisseries et autres douceurs durant cette période. Depuis le XIXe siècle, le *bacalao con papas* (morue salée aux pommes de terre) s'invite à toutes les fêtes de Pâques. D'énormes quantités de morue salée sont importées d'Europe à cette occasion.

Juste avant la semaine sainte, particulièrement dans la région de Cartago, se vendent dans les rues des citrouilles de forme ovale, les *chiverres*. Les Ticos en tirent une confiture, le *cabellito de angel* (cheveu d'ange), qui se savoure à Pâques dans tout le Valle Central.

Autre spécialité pascale, le *ceviche* costaricain est servi toute l'année dans les *cevicherías* de quartier. On l'obtient en faisant mariner pendant au minimum 12 heures des dés de poisson blanc ou de fruits de mer dans une sauce à base de citron, d'huile d'olive, de coriandre, d'oignons et de poivrons. L'usage du citron se limite volontiers au profit de la coriandre, avec laquelle on parfume généralement le poisson. Le *ceviche* péruvien est identique, signe de l'influence culinaire des Aztèques. En accompagnement, vous aurez souvent droit aux *patacones*, une purée de plantain vert passée à la friture.

Le *palmito* frais (cœur de palmier) se prépare traditionnellement durant le carême, mais on le trouve toute l'année en bocal, mariné dans du vinaigre. Plat festif et décoratif, les *palmitos* au riz sont recouverts de fromage râpé. La *flor de itabo* pousse sur des plants souvent utilisés comme clôture. Leurs fleurs s'épanouissent en bouquets de lis immaculés, également consommés à Pâques, mijotés au beurre avec des œufs et des tomates.

Cuisine régionale

Le Costa Rica est certes un tout petit pays, mais il présente plusieurs cuisines régionales aux différences bien marquées.

À Limón, les saveurs des tropiques prédominent. La région propose un éventail de plats influencés par l'Afrique et les Antilles. Les noms mêmes des ingrédients – *haki*, *yokotaw*, *bami*, *calaloo* – évoquent le son du calypso et du reggae, tout comme ceux des plats – *tie-a-leave*, *dokunu*, *johnny cake*. De puissants effluves de cuisine chinoise flottent aussi dans la ville, témoignage de la présence d'une importante communauté asiatique.

La gastronomie de Limón s'appuie sur un ingrédient roi : la noix de coco. L'huile et le lait que l'on en tire parfument maintes recettes, dont le traditionnel riz aux haricots, qui cuit dans une marmite remplie de haricots rouges, de lait de noix de coco et d'herbes aromatiques. C'est la variante régionale du *gallo pinto*, mais, à Limón, on la réserve pour les dimanches et les occasions festives. Autre plat local, le *rondón*, un poisson épicé mijoté avec des racines tubéreuses, est de plus en plus rarement proposé.

De leurs origines africaines, les Limonenses ont conservé les appellations de nombreux ingrédients, l'utilisation de tubéreuses comme le *yam* et de feuilles vertes dans leurs soupes et leurs ragoûts. Cet héritage africain transparaît également dans des infusions concoctées à partir de myriades de plantes. Le fruit de l'arbre à pain, la morue salée, la mangue, la cassave, la banane plantain ainsi qu'une grande variété de fruits tropicaux figuraient parmi les denrées essentielles des esclaves des plantations, originaires des Antilles. Quant aux Britanniques, ils ont laissé quelques recettes de pâtisserie.

Dans le Guanacaste, les traditions culinaires précolombiennes sont demeurées très vivaces. Vous y goûterez une plus grande variété de plats à base de maïs, y compris de délicieux coles). Au petit déjeuner, les *cuajadas* (boulettes de fromage frais) s'accompagnent de tortillas *guanacastecas* chaudes, plus grandes que celles des autres régions. À l'époque coloniale, des esclaves africaines ont été importées pour travailler comme cuisinières dans les haciendas. Elles ont marqué de leur empreinte bien des recettes encore présentes dans la province. L'*ajiaco* et le *bajo*, ragoûts mariant viandes et légumes, trahissent ces influences africaines.

Sur la côte pacifique, Puntarenas se signale par ses recettes océanes comme le *guiso de cambute* (ragoût de conques) et autres plats mêlant crevettes, homard et calamars. ❑

desserts. *Tamales, chorreadas, tanelas* et autres savoureuses spécialités régionales devraient régaler les gourmets. Sur les plages, certains hôtels commencent à les proposer sur leurs cartes.

L'élevage comptant parmi les principales ressources du Guanacaste, les produits laitiers ne devraient pas non plus vous décevoir. Depuis le XIXe siècle, le *bagaces* (fromage salé à pâte dure, râpé et ajouté à certains plats) a toujours fait partie du salaire des *peones* (ouvriers agri-

CI-CONTRE : ces *empanadas* devraient rassasier les plus affamés.

CI-DESSUS : le *gallo pinto*, plat national.

HÉRITAGE DES CHOROTEGA

Bien avant l'arrivée de l'homme blanc, les tribus chorotega confectionnaient une mince galette de maïs sans levain appelée *tortilla*. C'est la base des *gallitos* costaricains, tortillas enveloppant purée de haricots noirs, viande épicée, légumes cuits, morceaux de porc... Les meilleures se dégustent chez Coope-Tortillas à Santa Cruz, cuites dans un poêle à bois.

Les Chorotega connaissaient également les *tamales*, ces chaussons rectangulaires de maïs fourrés à la viande de cerf ou de dindon, avec une sauce appelée *pipian*, à base de tomates, de graines de citrouille et de poivrons doux.

Fruits tropicaux

Empilés sur les marchés, servis sur un plateau, dégustés en milk-shake, en sorbet ou en confiture, la palette des fruits tropicaux défie l'imagination.

Fernández de Oviedo, écrivain espagnol arrivé au Costa Rica au XVIe siècle, fut probablement le premier Européen à décrire l'extraordinaire richesse des fruits tropicaux. Chaque nouvelle découverte l'emplissait d'enthousiasme – il salua même l'ananas comme "la plus belle, la plus merveilleuse

dame du monde végétal". De Oviedo n'a sans doute pu se délecter de tous les fruits du Costa Rica. Leurs variétés sont trop nombreuses, et viennent toute l'année combler les goûts les plus divers. À San José, levez-vous de bon matin et rendez-vous au Mercado Borbón ou marché de l'Avenida 10, ou encore le long des dizaines d'étals de fruits de la gare routière Coca Cola. Le samedi matin, dans la plupart des bourgs de la Meseta Central, les marchés en plein air croulent sous les fruits de saison. Le long des nationales et des routes principales se vendent toutes sortes de fruits, entiers ou pressés. Ce chapitre part à la découverte de ces fruits, par ordre alphabétique, de *anona* à *zapote*.

Anona

Étrange fruit en forme de cœur, l'*anona* (anone, également surnommée "cœur de bœuf") passe du vert au rouge brun en mûrissant. Sa pulpe blanche, sucrée, contient plusieurs gros pépins noirs. Après l'avoir coupée en deux, dégustez-la avec une cuiller, utilisant la peau comme un bol. Une autre variété, l'*anona chirimoya*, ou pomme-cannelle, pousse dans le nord du pays. Elle dégage une saveur délicate et un parfum merveilleux rappelant l'eau de rose. Mark Twain en parlait comme d'un "délice incarné".

Fruta de pan

L'arbre à pain, comme le bananier, croît dans les régions atlantiques. D'origine polynésienne, il fut introduit aux Antilles par le capitaine Bligh – du célèbre *Bounty* –, puis des Jamaïcains le plantèrent à Limón. Outre l'aspect ornemental de ses larges feuilles, l'arbre à pain donne un fruit utilisé dans de nombreuses recettes caraïbes.

Caimitos et autres étoiles

Le *caimito* (caïmite) ressemble à une étoile une fois coupé, et son goût rappelle celui du mangoustan, originaire de Malaisie et de Thaïlande. Ce fruit luisant peut varier du violet au vert pâle. Sa chair sucrée se consomme généralement telle quelle, mais, à Limón, vous pourrez le savourer en cocktail : on vide alors la pulpe pour la mélanger à un jus d'oranges amères.

Les *carambolas* (caramboles), tout aussi joliment étoilées lorsqu'on les taille en fines lamelles, garnissent les desserts ou se pressent en jus. Ce fruit brillant, de couleur jaune rosé, mesure de 5 à 8 cm de longueur.

Fruta de cajuil

Cousin de la mangue, le fruit de l'anacardier, ou cajou, est plus connu pour la petite noix attachée à son extrémité. La majeure partie du fruit varie du jaune éclatant au rouge écarlate, et elle se consomme crue. Sa couleur superbe et son arôme puissant en font l'un des plus grands délices des tropiques. Sa chair est douce, très juteuse et légèrement acidulée. On en fait également des confitures, du vin et une sorte de limonade rafraîchissante qui conserve très bien le goût et le parfum du fruit.

À la fin des années 1970, le Costa Rica s'est lancé dans la plantation d'anacardiers pour l'exportation. L'aventure a tourné court, mais les arbres sont restés, provoquant un effet miraculeux : les perroquets et les perruches adorent le cajou, et de nombreuses espèces presque éteintes se reproduisent aujourd'hui en grand nombre, dopées par ce régime survitaminé. Attention, les noix fraîches sont toxiques et doivent être grillées avant consommation.

aux rafraîchissements un parfum qui vous évoquera peut-être un cocktail subtil de mangue et d'ananas.

Guava (guayaba)

Le titre choisi par Gabriel García Márquez pour son recueil de conversations, *El Olor de la guayaba* (1982), est évocateur : vous en comprendrez mieux le sens si vous entrez dans une cuisine où l'on prépare la gelée de goyaves. C'est toute l'Amérique latine qui envahit la maisonnée de son arôme puissant. Mais la cuisson n'est pas indispensable, et vous pouvez aussi savourer la goyave crue.

Granadilla

Fruit ovale, de couleur orangé à ocre, la *granadilla* (barbadine) est répandue dans toute l'Amérique centrale. Protégé par une peau coriace, le sac de graines baigne dans une pulpe presque liquide, translucide, à la saveur très goûteuse – à déguster à la cuiller.

Guanábana

Cousine de l'anone, la *guanábana* (corossol) n'a pas son pareil pour donner aux sorbets et

CI-CONTRE : la partie gris-vert constitue la noix de cajou.
CI-DESSUS : *papayas* près de Turrialba. Un filet de citron jaune ou vert rehaussera leur saveur.

Proche de la *guava*, le *cas* est un fruit de couleur jaune, de forme ronde, à la chair blanche et moelleuse. Son acidité convient très bien à la confection de gelées et de boissons. Si vous le voyez inscrit à la carte sous la rubrique "*naturales*", goûtez un *jugo* (jus) *de cas* : fraîchement pressé, c'est délicieux.

Níspero

Le *níspero*, loquat ou nèfle du Japon, est un petit fruit ovale à gros noyau, de couleur jaune pâle ou orangé. Sa chair, ferme ou fondante selon les variétés, reste toujours juteuse et légèrement acidulée dans le palais. Consommé généralement frais, il peut également se cuisiner.

Mango

Les manguiers qui embaument la place centrale d'Alajuela ont valu le surnom de Ciudad de los Mangos à la deuxième ville pays. Sucrées, croquantes et délicates, les mangues arrivées à maturité deviennent plus petites et moins fermes et prennent un goût plus corsé, au superbe arôme d'épices. Peu de fruits peuvent prétendre à une histoire aussi riche que la mangue, inextricablement liée à de très anciennes croyances religieuses. Bouddha lui-même aurait reçu en offrande un bosquet de manguiers pour qu'il puisse trouver le repos sous ses élégants ombrages.

Très appréciées au dessert, elles entrent également dans la préparation de conserves, de sauces, de tartes et du chutney, une sauce épicée bien connue des amateurs de cuisine indienne.

Mombín

Les conquistadors décrivirent le *mombín*, ou *jocote*, comme une sorte de prune ; pourtant ce fruit juteux, épicé, n'a pas grand-chose de commun avec notre prune. La variété *tronador* est la plus goûteuse. Entre août et octobre, les vendeurs de rue proposent des cornets en papier remplis de *mombínes* ; leur couleur varie du vert sombre au rouge vif, selon le degré de maturité. Le *mombín* se croque généralement cru, comme son proche parent, de couleur jaune – une variété qu'adorent les hérissons qui se gorgent de ses fruits sauvages quand ils tombent des arbres en forêt.

L'*icaco* (icaque), en revanche, n'est jamais consommé cru, mais, une fois cuit, sa pulpe donne une confiture appelée *miel de icaco*. Autre parent, le *yuplón*, ou *ambarella* (pommier de Cythère), originaire du Pacifique, fut introduit en Jamaïque par le capitaine Bligh, puis au Costa Rica, via Puerto Limón, par des immigrants jamaïcains. Il se déguste frais avec un peu de sel, ou en confiture.

Nanzi

Le *nanzi* (*nance*) se reconnaît immédiatement à son odeur. Ce petit fruit rond et jaune est consommé par les Costaricains depuis l'époque précolombienne, mais les voyageurs reculent parfois devant son parfum très fort. On en fait des confitures, des vins et des gelées. Les excellents *nances en guaro* fermentent dans la liqueur pendant 9 mois et prennent une teinte ambrée. Essayez également les sorbets au *nanzi*.

Papaya

Le papayer, ou *paw-paw*, pousse pratiquement partout dans le pays, et les voyageurs apprécient particulièrement la *papaya en leche*, sorte de milk-shake. Il existe deux variétés de papaye : l'énorme *papaya* locale, et la version hawaïenne, plus petite et plus sucrée. En cuisine, ce fruit permet d'attendrir les viandes.

Pejibaye

Les Amérindiens raffolaient de cette espèce, plus proche d'un légume que d'un fruit. Vous la remarquerez sûrement sur les étals, reconnaissable à sa peau orange lustrée et à ses bandes noires. Cuite et épluchée, elle révèle la saveur de sa pulpe jaune, qui supporte un peu de mayonnaise. On ne peut la manger crue. Il faut absolument avoir goûté la soupe à la *pejibaye*, incontournable spécialité du pays.

Rambután

Rien de plus exotique que le spectacle offert par le *rambután* (ou *mamón chino*) sur les marchés costaricains. Ces grappes de fruits orange et rouges, parfois surnommés "lychees poilus", se consomment en coupant au couteau leur peau épaisse, hérissée de pointes, pour décortiquer la pulpe.

Manzana rosa et *manzana de agua*

Aucun fruit ne peut rivaliser avec le parfum de la *guava*, sauf, peut-être, la *manzana rosa*, ou pomme rose, superbe boule de couleur vert très pâle à jaune abricot, et parfumée comme la plus délicate des roses. Sa chair est ferme, juteuse et sucrée. En confiture ou cristallisée en bonbons, c'est un délice. Si vous la savourez crue, modérez votre consommation, ses pépins sont toxiques à trop forte dose. Proche parente de la pomme rose, la *ohia* ou *manzana de agua* (pomme d'eau) présente une belle forme ovale et une couleur blanche à pourprée. Sa chair rappelle celle de la pomme : croquante, blanche, juteuse, mais pas très parfumée. La confiture d'*ohia* est fameuse.

Sapodilla

Dans la province de Guanacaste, pousse l'un des meilleurs fruits d'Amérique tropicale, la *sapodilla (Manilkara zapota)*, appelée ici *Korobe*. Ce fruit se consomme cru au dessert, rarement cuit ou en confiture. Le botaniste Descourtilz (1775-1835) s'émerveillait devant ses "parfums de miel, de jasmin et de muguet".

CI-CONTRE : montagnes de melons, Cartago.
À DROITE : l'humble et indigène *pejibaye*, célébrée par la nouvelle cuisine costaricaine.

Zapote

Proche parent de la *sapodilla*, le *mammee-sapota*, plus couramment appelé *zapote (Pouteria sapota)*, permit à Cortés et à ses hommes de survivre durant l'expédition qui les mena de Mexico au Honduras.

L'éclatante couleur de sa pulpe rouge saumoné attire l'œil des promeneurs étrangers dans l'Avenida Central de San José : les vendeurs de rue coupent en deux quelques fruits pour les mettre en valeur. Toutefois, la saveur du *zapote* pourra peut-être vous paraître assez écœurante. Très mûr, il entre dans la confection de glaces et sorbets. ❑

REFRESCOS & NATURALES

Les *naturales* (boissons rafraîchissantes), comme le *refresco de maracuyá* (fruit de la passion), accompagnent tout repas costaricain. Additionné d'eau sucrée ou de lait, le jus de *moras* (mûres) est particulièrement reconstituant.

Le jus de *cas*, sorte de goyave, désaltère à merveille. Par la couleur et le goût, le *refresco tamarindo* évoque le jus de pomme. Il est concocté à partir des graines de tamarinier, auxquelles on ajoute de l'eau et du sucre. Graines et pulpe de tamarinier se vendent sur tous les marchés. Un jus de fruits en bouteille, le Tropical, a récemment envahi les rayons des magasins. Une boisson acceptable, mais qui n'égalera jamais un jus de fruits fraîchement pressés.

CAFÉ

Découvrez la "neige costaricaine", lorsque les fleurs blanches des caféiers nappent le Valle Central, emplissant l'air d'un parfum de jasmin.

Le café n'a pas toujours poussé au Costa Rica. Les Espagnols, les Français et les Portugais ont importé dans le Nouveau Monde des graines venues d'Arabie et d'Éthiopie. Lorsqu'ils apparaissent au début du XIXe siècle, les premiers plants de caféiers costaricains n'ont qu'une fonction ornementale,

décorant les patios de leurs feuilles vertes étincelantes, de leurs fleurs immaculées et de leurs baies rouges. Il fallut convaincre les Ticos, et même leur forcer un peu la main, pour qu'ils se lancent dans cette culture qui allait jouer un rôle essentiel dans l'économie nationale. La loi obligea chaque famille tica à entretenir au moins deux arbustes dans son jardin. L'État octroya gratuitement des plants aux plus pauvres, et des parcelles de terre à quiconque s'engageait à y faire pousser des caféiers.

L'altitude du Valle Central, au-dessus de 1 200 m, ses températures, comprises entre 15° et 28° C, et ses sols offraient des conditions idéales : les plantations occupèrent rapidement la plus grande part des terres, hormis celles réservées à l'élevage. Les ressources financières du Costa Rica furent mobilisées pour soutenir ce seul et unique produit d'exportation. En 1840, le café a pris une importance considérable ; il est convoyé à travers les montagnes par charrettes à bœufs jusqu'au port de Puntarenas, sur le Pacifique, puis par bateau jusqu'au Chili, d'où il est réexpédié à destination de l'Europe. Au milieu du XIXe siècle, les barons du café concentrent pouvoir et richesses, dictant leur loi aux planteurs en leur qualité de convoyeurs et d'exportateurs du grain d'or.

La médaille et son revers

Si le Costa Rica a largement bénéficié de l'essor de son industrie du café, il en a également souffert. Il contracte une lourde dette en empruntant 3 millions de dollars à la Grande-Bretagne pour financer le chemin de fer de l'Atlantique permettant d'exporter la précieuse denrée du port caraïbe de Limón. Lorsque les cours mondiaux s'effondrent en 1900, le pays doit faire face à une grave pénurie de produits alimentaires.

Cette dépendance par rapport aux marchés d'outre-mer rendra le Costa Rica très vulnérable à maintes reprises. Durant tout le XXe siècle, les cours fluctuent considérablement, et la santé économique du pays en subira les contrecoups.

DESTINATION EUROPE

En 1843, un capitaine marchand anglais, William Le Lâcheur, rentrant des États-Unis en Angleterre, relâche au port de Puntarenas, sur la côte pacifique du Costa Rica, en quête de lest pour ses cales vides. Il se trouve que 1843 a été une année exceptionnelle pour le café, et les planteurs ont des surplus à écouler.

Ils négocient avec le commerçant britannique et de lourds sacs de café viennent bientôt remplir les cales du navire. Le Lacheur fait mentir son patronyme : 2 ans plus tard, il est de retour pour régler aux planteurs leurs bénéfices. Ainsi naît le commerce du café entre le Costa Rica et l'Europe.

Bananiers, citronniers et *porós* jalonnent traditionnellement les plantations de caféiers pour les ombrager. Plus tard naissent des espèces hybrides qui n'ont plus besoin d'ombre, et le rendement des plantations en tire profit. Mais ces nouvelles variétés épuisent le sol plus rapidement et exigent des engrais, ce qui alourdit les coûts de production. De nos jours, nombre de planteurs en sont revenus aux arbustes traditionnels.

Le plant pousse dans une serre jusqu'à l'âge d'un an, puis on le transfère dans un champ. Deux ans plus tard, ses baies peuvent être récoltées, et, s'il est bien soigné, il continuera à fructifier encore 30 ou 40 ans.

Le caféier préférant les climats montagneux, bien des pentes du Valle Central sont couvertes d'arbustes en rangs serrés qui reflètent le soleil de leurs feuillages luxuriants. Certaines plantations paraissent presque verticales, et l'on se demande comment font les cueilleurs pour se tenir debout. La réponse est toute simple : les arbres sont plantés l'un derrière l'autre, le tronc du plus bas servant d'appui aux cueilleurs. Le café se récolte de novembre à janvier, durant les vacances scolaires et les vacances de Noël. Dans les zones rurales, des familles entières se regroupaient jadis pour la cueillette, et une partie de l'argent ainsi gagné permettait d'acheter cadeaux de Noël et vêtements. Aujourd'hui, presque toute la récolte est assurée par des travailleurs immigrés du Panamá et du Nicaragua.

Le café costaricain était traditionnellement mêlé à celui d'autres pays pour l'exportation. Les planteurs se concentrent désormais sur des crus de haute altitude. Les cafés des régions de Poás, Barva de Heredia, Tres Ríos et Tarrazú comptent ainsi parmi les meilleurs au monde. ❑

CI-CONTRE : la récolte du café est aujourd'hui presque entièrement confiée à des travailleurs immigrés.

CI-DESSUS : cueilleurs de café vers 1920 : toutes les familles costaricaines participaient alors à la récolte.

CAFE BRITT

Pour un avant-goût de la culture costaricaine du café, rien de tel que le Cafe Britt's Coffee Tour. À Brava, 1km environ au nord de Heredia – signalé à partir du centre de Heredia –, cette visite distrayante et très bien conçue vous entraîne à travers toutes les étapes de la production, de la pousse des baies de caféier au meilleur mode de dégustation pour juger le produit fini.

Mise en scène théâtrale, spectacle multimédia, visite du domaine et des plantations, séance de dégustation – Café Britt vous fait découvrir l'univers du café en 2 heures. Réservation indispensable par téléphone au 260-2748 ou sur le site www.coffeetour.com

ITINÉRAIRES

Vous trouverez dans les pages qui suivent un guide détaillé du pays. Des chiffres et des lettres vous permettent de repérer facilement les principaux sites sur les cartes.

Le Costa Rica n'est sans doute pas un grand pays, mais n'allez pas imaginer pour autant que vous en aurez fait le tour en une semaine. Eaux cristallines, sables blancs – certaines de ses plages n'ont rien à envier à leurs cousines antillaises –, jungles luxuriantes, volcans majestueux – randonneurs et amoureux de la nature viennent du monde entier les admirer. Et lorsque l'on parle d'écologie au Costa Rica, on parle de 27 parcs nationaux, 8 réserves biologiques, plus de 60 refuges de vie sauvage : voilà des statistiques qui en disent long sur cette démarche exceptionnelle.

Nos itinéraires débutent tout naturellement par la capitale, San José, métropole à l'échelle humaine, et porte d'accès internationale au reste du pays. San José n'est certes pas un prix de beauté, mais elle ne manque pas non plus de caractère. Vous pouvez y passer un jour ou deux pour visiter ses quelques musées remarquables – le Museo del Oro, souterrain, ou le Museo del Jade, perché au sommet de son gratte-ciel. Enfin, la ville vous permet de rayonner dans les montagnes voisines, où vous attendent d'excellents lodges et nombre d'activités comme le rafting, la randonné à cheval ou à pied.

Le Valle Central occupe le cœur fertile et verdoyant du pays : bourgades rurales et plantations de café y côtoient bien des trésors culturels. Un saut de puce vous mènera ensuite aux plages du Pacífico Central – certaines comptent parmi les plus belles du Costa Rica, à commencer par Manuel Antonio, dont les sables blancs frangés de cocotiers incarnent le parfait paradis tropical.

Pour beaucoup de voyageurs, c'est dans le Norte que réside l'âme du Costa Rica. Un pays à lui seul, avec les fabuleuses plages de la Península de Nicoya, les vastes pâturages du Guanacaste, les richesses naturelles du Monteverde et du Sarapiquí, les fumées sulfureuses et les laves rouges vomies par le Volcán Arenal.

Contraste radical avec la côte caraïbe : bananeraies, hauts palmiers, entrelacs de chenaux radieux et eaux d'aigue-marine vous invitent à partager la vie indolente de ces rivages hospitaliers.

Direction sud, et vous quittez les sentiers battus, découvrant une magnifique région sauvage parsemée d'immenses forêts tropicales, dominées par le toit de l'Amérique centrale. La Península de Osa et le Golfo Dulce vous font pénétrer dans un univers à part, uniquement accessible en bateau, par petit avion ou à pied. Des zooms photos vous en apprendront plus sur les volcans du Costa Rica, son artisanat traditionnel, sa flore aussi abondante qu'éclatante, et ses oiseaux d'une variété spectaculaire – tel son plus noble trésor, le quetzal resplendissant. ❑

PAGES PRÉCÉDENTES : plage sur la mer des Caraïbes ; le *páramo*, écosystème andin sur les cimes du mont Chirripó ; Basílica de Nuestra Señora de los Ángeles, Cartago.
CI-CONTRE : *campesino* perplexe devant une sphère géante en pierre, dont l'énigme n'a jamais pu être percée.

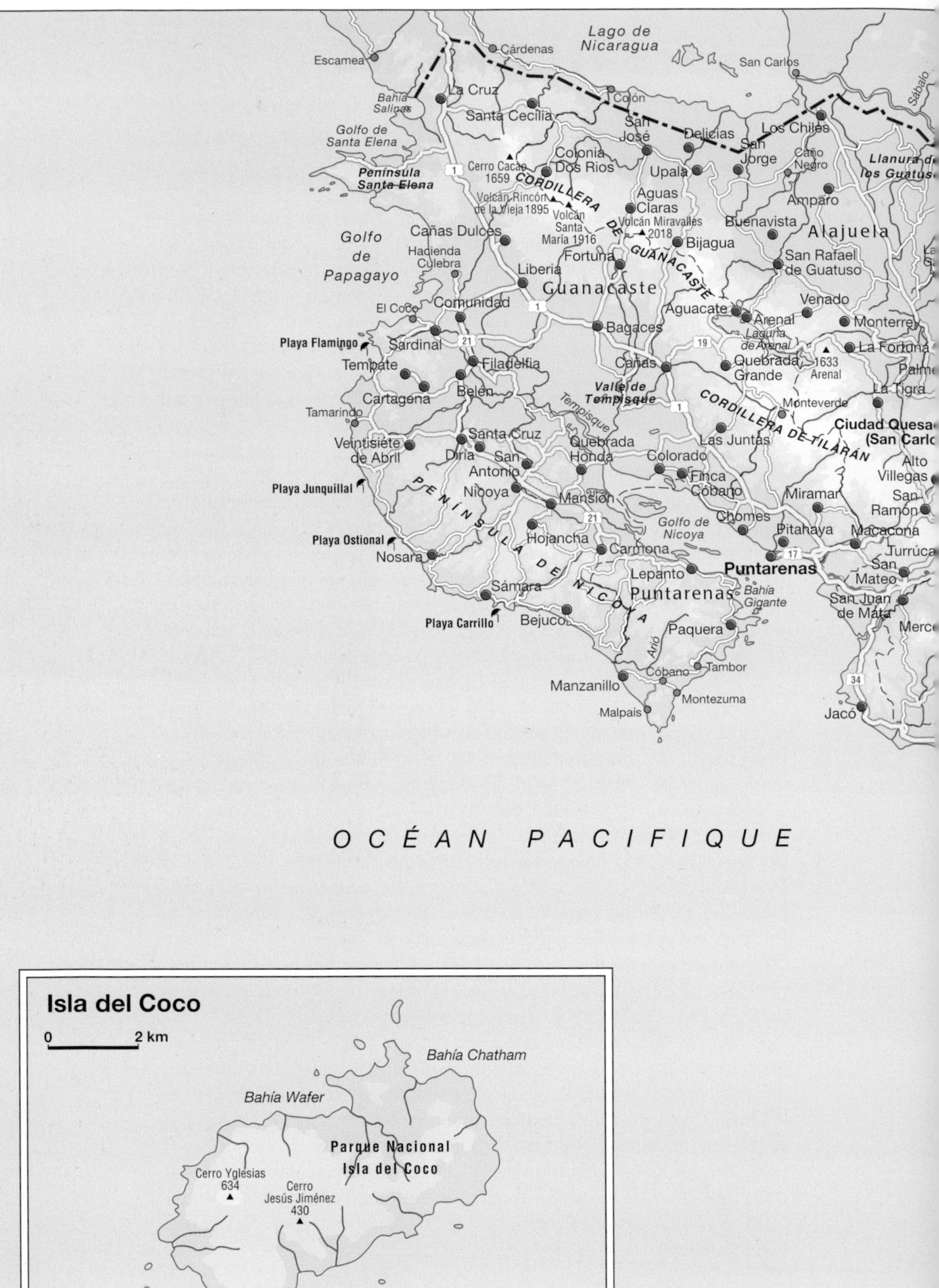

Lago de Nicaragua
Cárdenas
San Carlos
Escamea
La Cruz
Bahía Salinas
Santa Cecilia
Colón
Golfo de Santa Elena
San José
Delicias
Los Chiles
San Jorge
Caño Negro
Llanura de los Guatusos
Península Santa Elena
Cerro Cacao 1659
Colonia Dos Ríos
Upala
Amparo
Cordillera de Guanacaste
Volcán Rincón de la Vieja 1895
Volcán Santa María 1916
Aguas Claras
Volcán Miravalles 2018
Buenavista
Alajuela
Golfo de Papagayo
Cañas Dulces
Hacienda Culebra
Fortuna
Bijagua
San Rafael de Guatuso
Liberia
Guanacaste
El Coco
Comunidad
Aguacate
Venado
Arenal
Monterrey
Playa Flamingo
Sardinal
Bagaces
Laguna de Arenal
La Fortuna
Tempate
Filadelfia
Cañas
Quebrada Grande
1633 Arenal
Cartagena
Belén
Valle de Tempisque
Tempisque
La Tigra
Tamarindo
Monteverde
Cordillera de Tilarán
Ciudad Quesada (San Carlos)
Veintisiete de Abril
Santa Cruz
Diriá
San Antonio
Quebrada Honda
Las Juntas
Colorado
Alto Villegas
Playa Junquillal
Finca Cobano
Nicoya
Mansión
Miramar
San Ramón
Península de Nicoya
Golfo de Nicoya
Chomes
Pitahaya
Macacona
Playa Ostional
Hojancha
Carmona
Turrúcares
Nosara
Puntarenas
Lepanto
San Mateo
Sámara
Bahía Gigante
San Juan de Mata
Playa Carrillo
Bejuco
Paquera
Arió
Cóbano
Tambor
Manzanillo
Montezuma
Malpaís
Jacó
OCÉAN PACIFIQUE
Isla del Coco
0 2 km
Bahía Chatham
Bahía Wafer
Parque Nacional Isla del Coco
Cerro Yglesias 634
Cerro Jesús Jiménez 430

Costa Rica
0 20 km
N
MER DES CARAÏBES
NICARAGUA
PANAMÁ
Heredia
Limón
Cartago
San José
Puntarenas
CORDILLERA CENTRAL
CORDILLERA DE TALAMANCA
Llanura de San Carlos
Llanura de Tortuguero
Valle de la Estrella
Valle de Talamanca
Valle de El General
Valle de Coto Brus
Valle de Diquís
Península de Osa
Península de Burica
Bahía de Coronado
Bahía Drake
Golfo Dulce
Bahía Pavón
Bahía de Charco Azul
San José
Desamparados
Cartago
Puerto Limón
San Isidro
Golfito
David
Turrialba
Aserrí
Alajuela
Heredia
Pavas
Escazú
Tabarcia
San Juan del Norte
Trinidad
Boca Sahino
Las Medias
Puerto Viejo de Sarapiquí
Tortuguero
Pital
La Virgen
Las Horquetas
Cariari
Venecia
Roxana
Rita
Río Jiménez
Parismina
Guápiles
Jiménez
Volcán Cacho Negro 2150
Cinchona
Charrizal
San José de la Montaña
Volcán Irazú 3452
Santa Cruz
Florida
Siquirres
Batán
Matina
Peralta
Pavones
Tucurrique
Platanillo
Orosí
Pejibaye
San Gabriel
Empalme
San Andrés
Santa María de Dota
San Lorenzo
San Gerardo de Dota
Naranjito
Río Nuevo
Rivas
General Viejo
Cajón
San Pedro
Volcán
Buenos Aires
Savegre
Matapalo
Barú
Dominical
Uvita
Pejibaye
Colinas
Boruca
Cortés
Palmar Sur
Sierpe
Chacarita
Drake
Agujitas
Rincón
Puerto Jiménez
Carate
Zancudo
Banco
Manuel Antonio
Petróleo
Finca Banaga
Vesta
Cahuita
Pto. Viejo
Manzanillo
Bibrí
Bratsi
Shiroles
Sixaola
Changuinola
Almirante
Cerro Urán 3333
Cerro Chirripó 3819
Cerro Eli 3097
Cerro Kamúk 3549
Cerro Fábegra 3336
Potrero Grande
Chánguena
Santa Elena
Alturas
San Vito
Río Sereno
Limoncito
Sabalito
Agua Buena
Neily
Canoas
La Cuesta
Pertón
Hato del Volcán
Boquete
Pueblo Nuevo
La Concepción
Gualaca
Puerto Armuelles
Yerbazales
Indio
Caño Negro
Deseado
San Juan
Suerte
Chirripó
Telire
Coén
Teribé
General
Parrita

MILANO

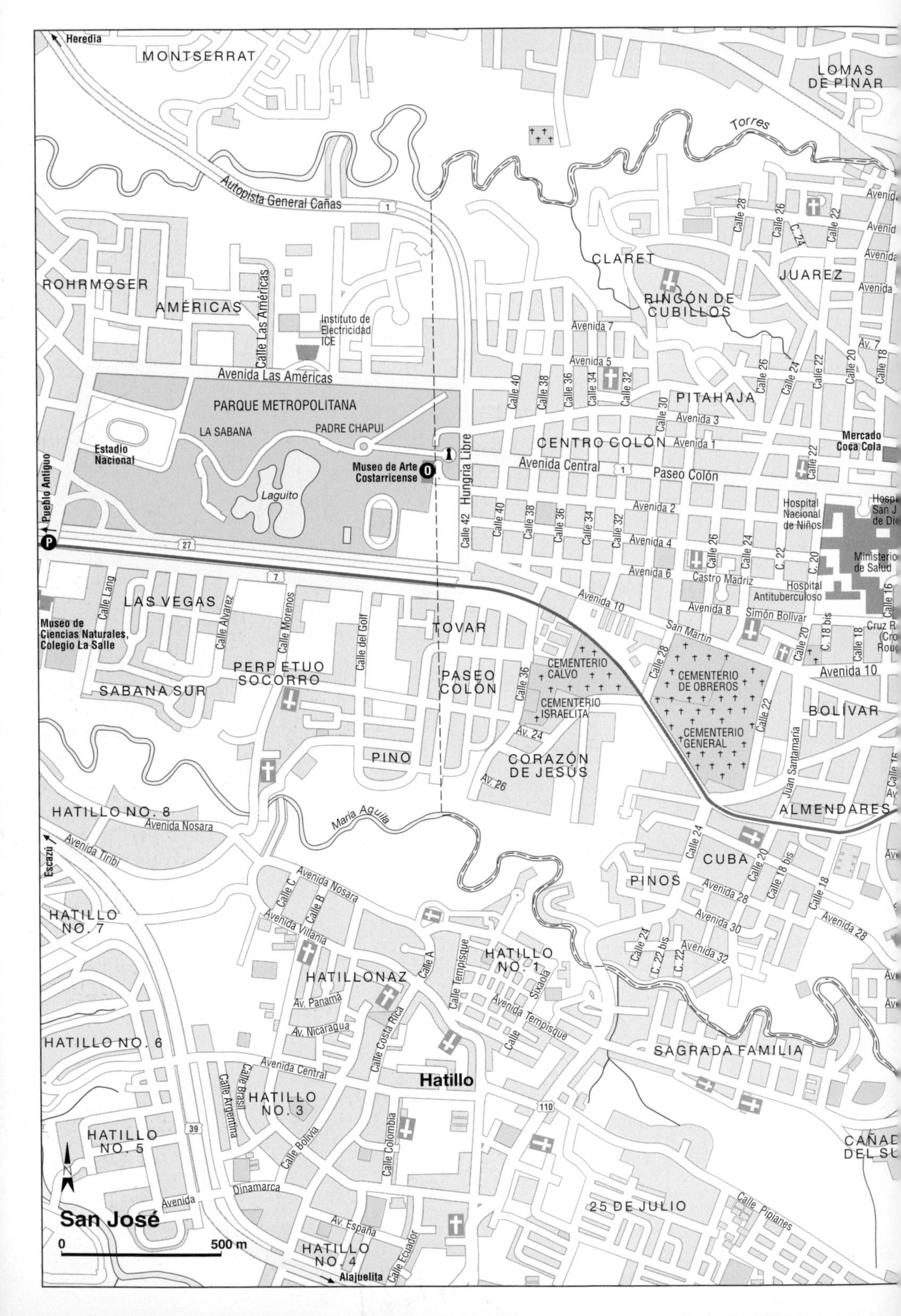
San José
Heredia
MONTSERRAT
LOMAS DE PINAR
Torres
Autopista General Cañas
CLARET
JUAREZ
RINCÓN DE CUBILLOS
ROHRMOSER
AMÉRICAS
Calle Las Américas
Instituto de Electricidad ICE
Avenida Las Américas
PARQUE METROPOLITANA
LA SABANA
PADRE CHAPUI
Estadio Nacional
Laguito
Museo de Arte Costarricense
Hungria Libre
PITAHAJA
CENTRO COLÓN
Avenida Central
Paseo Colón
Mercado Coca Cola
Hospital Nacional de Niños
Ministerio de Salud
Castro Madriz
Hospital Antituberculoso
Simón Bolivar
San Martín
Pueblo Antiguo
LAS VEGAS
Museo de Ciencias Naturales, Colegio La Salle
Calle Lang
Calle Alvarez
Calle Morenos
Calle del Golf
TOVAR
PERPETUO SOCORRO
SABANA SUR
PASEO COLÓN
CEMENTERIO CALVO
CEMENTERIO ISRAELITA
CEMENTERIO DE OBREROS
CEMENTERIO GENERAL
BOLÍVAR
PINO
CORAZÓN DE JESÚS
Juan Santamaria
ALMENDARES
María Aguila
HATILLO NO. 8
Avenida Nosara
Avenida Tiribi
Escazú
CUBA
PINOS
HATILLO NO. 7
Avenida Villania
HATILLONAZ
HATILLO NO. 1
Calle Tempisque
Avenida Tempisque
Sixaola
Av. Panamá
Av. Nicaragua
Calle Costa Rica
HATILLO NO. 6
SAGRADA FAMILIA
Avenida Central
Calle Brasil
Calle Argentina
HATILLO NO. 3
Hatillo
HATILLO NO. 5
Calle Bolivia
Calle Colombia
Dinamarca
25 DE JULIO
Calle Pipianes
Av. España
HATILLO NO. 4
Calle Ecuador
Alajuelita
0
500 m

San Juan de Tibás
Llorente, Guápiles
Calle Blancos
San Gabriel
Pinos
Iglesias Flores
Santa Teresa
Carretera Guapiles
Volio
San Francisco
San Isidro de Coronado
Colonia Florida
Centro Comercial El Pueblo (Centre commercial)
Colonia del Río
Unión
Museo de Niños
Paso de la Vaca
Tournon
Spyrogyra Jardín de Mariposas (Jardin des Papillons)
Torres
Asilo Carlos María Ulloa
Parque Zoológico Simón Bolívar
Lomas Escalante
Museo de Jade Instituto Nacional de Seguros
INS
Radiográfico Costarricense
Casa Amarilla (Ministère des Affaires étrangères)
Hospital Calderón Guardia
Iglesia de Santa Teresita
Mercado de Borbón
Correos, Museo de Postal
Parque España
Fábrica Nac. de Licores
Banco Nacional de Costa Rica
Iglesia El Carmen
Club Unión
Parque Morazán
Biblioteca Nacional
Parque Nacional
Ferrocarril al Atlántico
Mercado Central
Banco Central
Gran Hotel
Plaza de la Cultura
Palacio Nacional, Asamblea Legislativa (Parlement)
Aduana Theatre
San Pedro, Curridabat
Banco de Costa Rica
Parque Central
Teatro Melico Salazár
Teatro Nacional
Museo del Oro
Plaza de la Democracia
Museo Nacional (Fort Bellavista)
Iglesia La Merced
Centenario
Catedral Metropolitana
Teatro Rex
Iglesia La Soledad
Paseo Ruben Dario
Archivos Nacionales
Tribunales de Justicia
Estación General de Bomberos (Caserne de pompiers)
Servicio de Parques Nacionales
San Martin
Rep. de Chile
Iglesia La Dolorosa
Paseo de Los Estudiantes
Paseo Sarmiento
Dr. Moreno Cañas
Ricardo F. Guardia
Dos Finos
Mangos
República de Panamá
Ministerio de Obras Públicas y Transportes
Instituto Geográfico Nacional IGN
Plaza Gonzales Viques
Cerrito
Monte Alegre
Ferrocarril Eléctrico al Pacífico
Autopista Estado de Israel
Mongito
Invu
Luna Park
Colombari
San Dimas
Carmen
Brasil
Laguito
Parque de la Paz
San Sebastián
San Rafael Abajo
Desamparados
0 150 m
Dirección General de Estadística y Censos

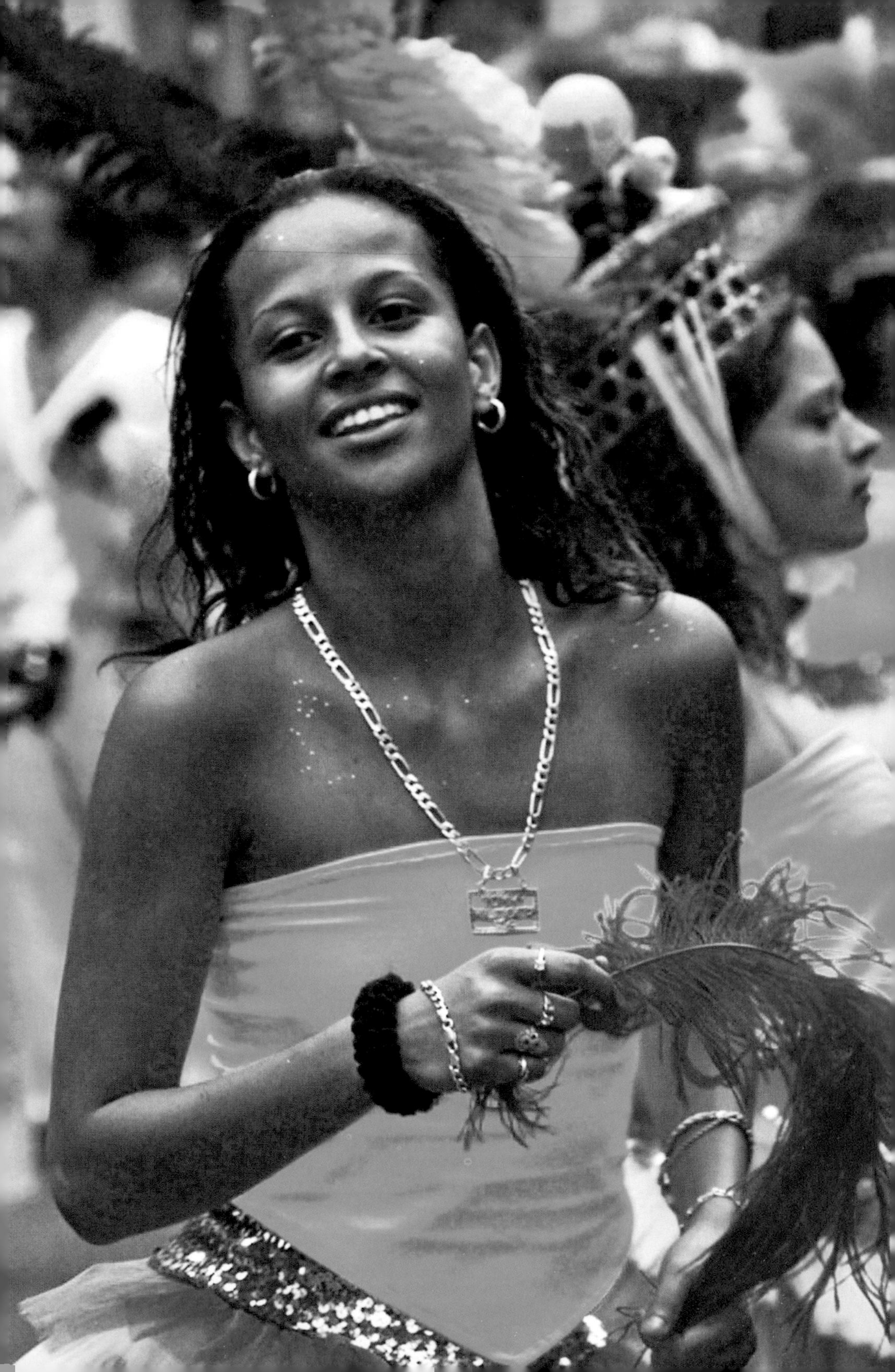

San José

Méli-mélo de gratte-ciel et de villas coloniales décrépites, la capitale ne séduit pas au premier coup d'œil, mais elle demeure profondément tica dans l'âme.

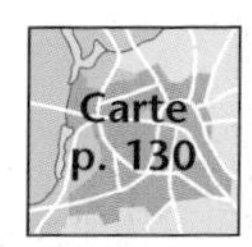

La croissance, voire l'épanouissement de San José, remonte à ce jour béni qui vit, dans la première moitié du XIXe siècle, les Européens goûter leur première tasse de café. À partir des années 1850, il ne restait plus aucun vestige de l'humble bourg colonial qui avait si longtemps végété. Pour les habitants de San José, rien ne paraissait alors trop moderne, trop luxueux, et, avant toute chose, trop européen. Chaque sac de café exporté enrichissait la vie économique, sociale et culturelle des Josefinos. Cette prospérité matérielle s'accompagna d'un raffinement et d'une élégance inimaginables quelques décennies plus tôt.

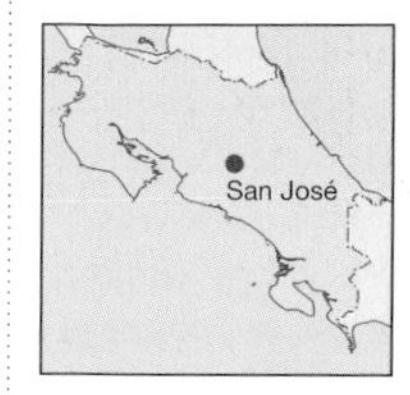

Pages précédentes : plafond du Teatro Nacional, détail ; carnaval dans les rues de San José.
Ci-dessous : Orchestre symphonique national des jeunes.

Âge d'or

À la fin du XIXe siècle, les exportations de café impulsent à la capitale un élan sans précédent. C'est la troisième ville au monde à bénéficier de l'éclairage public ; l'une des premières à installer des cabines téléphoniques ; la première d'Amérique centrale, et peut-être de toute l'Amérique latine, à étendre l'instruction gratuite et obligatoire à tous ses citoyens ; et la première à permettre aux jeunes filles de poursuivre leurs études au lycée. Certes, les rues ne sont pas encore pavées, mais les maisons bourgeoises possèdent presque toutes un piano.

Durant toute la première partie du XXe siècle, San José continue à prospérer et à s'embellir : une bibliothèque nationale, des écoles, des banques, des parcs et des places, des ministères, de nombreux hôtels, des théâtres, une poste centrale somptueuse, des librairies, des hôpitaux, des églises, un majestueux palais de justice et un aéroport international voient le jour.

En 1956, la population du pays dépasse le million d'habitants. Les regards se détournent de l'Europe, fascinés par le niveau de vie et les valeurs des États-Unis.

La ville moderne

Voitures et camions surgissent, là où l'on n'avait jamais connu que de tranquilles carrioles à cheval, des charrettes à bœufs, des piétons et des bicyclettes. Durant les 2 décennies qui suivent, la population va doubler.

Au milieu des années 1970, l'air de San José devient extrêmement pollué ; jadis calmes et charmantes, les rues étroites s'encombrent d'embouteillages. D'élégants bâtiments anciens disparaissent au profit de pâles copies de gratte-ciel nord-américains. La capitale civilisée du XIXe siècle ne peut adapter sa structure aux exigences de la société de consommation. Aujourd'hui, elle s'est transformée en une ville bruyante et sans grande séduction.

Oasis urbaines

Fort heureusement, derrière les gaz d'échappement et la cohue des trottoirs se cachent encore quelques îlots

Le vol à la tire est un vrai problème à San José. Pour passer une journée tranquille, n'emportez rien qui puisse vous être arraché. Accrochez un sac-banane à votre taille et laissez votre passeport et autres effets de valeur à l'hôtel.

de charme. Le Teatro Nacional, le plus bel édifice du pays sans doute, renferme un café paisible et élégant. Vous pouvez également siroter un *refresco natural* (jus de fruits frais) sur la véranda du Grand Hotel en prêtant l'oreille aux orchestres de marimba et aux quelque 20 langues différentes qui fusent et se croisent autour de la Plaza de la Cultura.

Le Museo Nacional et le Museo del Oro vous réservent des trésors passionnants, tout comme le Museo del Jade, unique au monde. Des boutiques de souvenirs, de bons théâtres, une brochette d'excellents restaurants côtoient une myriade de cabarets et de night-clubs, et plusieurs galeries d'art intéressantes. Enfin, il vous faudra absolument débusquer les quelques vestiges du vieux San José pour prendre conscience de la ville merveilleuse dans laquelle vivaient les Josefinos il n'y a pas si longtemps.

Points de repère

Avant de partir à la découverte de la capitale, ou même d'y chercher une quelconque adresse, n'hésitez pas à consacrer quelques instants à l'étude de notre plan (*p. 130*), afin de vous familiariser avec les lieux. La ville est agencée selon un quadrillage de *calles* (rues) perpendiculaires numérotées, orientées nord-sud, et d'*avenidas* (avenues) filant est-ouest. Les *avenidas* du nord et les *calles* de l'est portent des numéros impairs ; les *avenidas* du sud et les *calles* de l'ouest portent des numéros pairs. Rien de plus simple… sauf que les immeubles ne sont pas numérotés, et que les rues ne portent pas de noms en dehors du centre. Ainsi, les adresses s'inscrivent généralement sous la forme suivante : Catedral Metropolitana, Calle Central, Avenida 2-4, ce qui la situe Calle Central entre l'Avenida 2 et l'Avenida 4. Autre possibilité, plus répandue, les adresses sont données en

Ci-dessous : Parque Central.

nombres de *metros* (mètres) au nord, au sud, à l'ouest ou à l'est de repères connus. Détail bon à savoir : les Ticos assignent à une *cuadra* (pâté de maisons) une longueur de 100 m (peu importe sa longueur réelle). Résultat des courses : étrangers et Ticos se perdent continuellement et demandent sans cesse leur chemin. Une bonne façon de communiquer, d'autant plus que chacun se montre généralement prêt à donner un coup de main ! N'hésitez pas à vous promener dans San José le dimanche matin, qui offre des conditions plus agréables et sereines. En semaine, levez-vous tôt pour profiter de quelques instants de répit avant l'inévitable ruée.

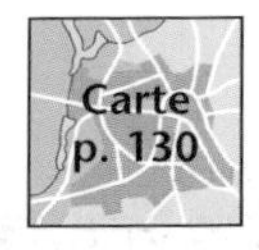
Carte p. 130

Cœur de la ville

La Plaza de la Cultura tient lieu de cœur à cette ville qui semble parfois en manquer. Cette vaste place attire bon nombre de commerçants, d'artisans, de musiciens de rue, de peintres, d'acteurs – et, à vrai dire, à peu près tous les Josefinos. Fleuron du quartier, le **Teatro Nacional** Ⓐ s'impose sans ambages comme l'édifice le plus ambitieux de San José, voire du pays. Les barons du café financèrent eux-mêmes sa construction : la capitale ne détenait auparavant aucune salle de spectacles digne de ce nom, et la plus grande diva du temps, Adelina Patti, avait même snobé San José lors de sa tournée en Amérique centrale en 1890 ; les *cafetaleros* proposèrent de payer une taxe sur chaque sac de café qu'ils exporteraient.

Inspiré de l'Opéra Garnier de Paris, ce monument de style néoclassique fut inauguré en 1897 avec une production de *Faust*. Aménagée en forme de fer à cheval, la salle bénéficie d'une acoustique remarquable. Artisans italiens et espagnols ont signé le décor intérieur. Ironie du sort, Adelina Patti n'y mit finalement jamais les pieds, mais l'Orchestre symphonique national s'y produit et invite des artistes de renom international. La saison débute en mars. Des visites guidées

Ci-dessus : montagnes de fruits, Mercado Central.
Ci-dessous : San José *by night*.

Circuler en bus

Vous trouverez des bus partout à San José. Ils sillonnent toute la ville et les secteurs environnants, embouteillent certaines rues du centre : Mercedes flambant neuf, aux vitres arrière peintes comme des tableaux ; épaves rouillées vomissant leurs fumées noirâtres ; bus scolaires nord-américains recyclés, amoureusement entretenus et baptisés de noms poétiques.

Neufs et rutilants, ou ferraillant et nauséabonds, tous partagent un trait commun : ils vous ouvrent un irremplaçable point de vue sur la vie des Ticos. Presque tout le monde les utilise – étudiants, femmes élégantes à talons hauts, *campesinos* venus en ville pour un motif ou un autre, jeunes mères qui emmènent leur enfant chez le médecin, hommes tirés à quatre épingles, porte-documents à la main, en route pour le bureau.

Pour une poignée de colones, vous pourrez monter à leur bord et accompagner les grandes migrations quotidiennes du Valle Central. Un trajet en bus à travers San José ne vous réserve sans doute pas le plus grand des conforts, surtout aux heures de pointe, mais vous ne trouverez pas de meilleur endroit pour observer les menus détails de la vie des Ticos – un spectacle qui manque rarement de charme ou de piquant.

Pour commencer, la courtoisie demeure une qualité bien présente – à moins qu'il ne s'agisse tout simplement de sociabilité vraie ? Les jeunes aident les plus âgés ou les femmes encombrées d'enfants à gravir les marches, un passager assis offre de prendre vos bagages si vous êtes debout ; on propose toujours son siège à une personne du troisième âge ou à une femme enceinte, et le chauffeur attend toujours le retardataire à bout de souffle.

Un jeune garçon, que le conducteur appelle par son prénom, monte à Paseo Colón et, pendant quelques arrêts, ouvre lui-même la portière. Un vieux paysan, revenant d'un voyage en ville, met une éternité à monter. Il porte un lourd sac en toile, imprégné du parfum des grains de café et des fèves de *pejibaye*.

Une petite fille en robe rose chiffonnée grimpe dans le bus stationné à la gare Coca Cola. Elle parle au chauffeur, puis se lance dans une chanson d'amour triste à pleurer. Après quoi elle s'avance dans l'allée centrale, et récolte quelques pièces.

Prenez le bus au moins une fois à San José. Montez de préférence vers le début de la ligne, pour trouver une place assise, et observez le flot qui se presse, s'arrête pour déposer 2 ou 3 piécettes dans la main du chauffeur, passe le tourniquet, salue amis ou voisins en s'avançant vers le fond, laissant de moins en moins d'espace à chaque arrêt.

Les bus affichant la direction Sabana-Cementerio vous feront faire le tour du centre-ville, passant devant le Correos, le Mercado Central, le Parque La Sabana et le grand cimetière. Vous pouvez également tenter une excursion hors de San José. Le trajet qui conduit à Heredia via Santo Domingo vous donnera un aperçu des faubourgs les plus aisés de la capitale, mais aussi de quelques-uns de ses quartiers les plus déshérités. Quoi qu'il en soit, vous ne regretterez certainement pas ce moment. ❑

À gauche : voyager "à la tica" permet de se familiariser avec le mode de vie des habitants.

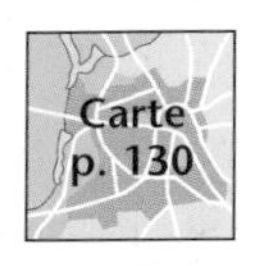

quotidiennes vous dévoileront toute une profusion de marbres, d'ors, de bronzes, de bois tropicaux, de lustres en cristal, de draperies en velours et autres statuaires. La célèbre fresque du plafond évoque la vie idyllique, quoique improbable, des cueilleurs de café et de bananes (*voir p. 128*).

Le **Café del Teatro Nacional** prête ses murs à des expositions d'art temporaires ; très apprécié des Josefinos, il sert d'excellentes salades, snacks, desserts et une sélection de cafés grand cru. Au **Gran Hotel Costa Rica** B adjacent, rénové pour son 75e anniversaire, des joueurs de marimba se produisent fréquemment en terrasse, attirant bon nombre de touristes.

Le **Museo del Oro** C a été aménagé sous la Plaza de la Cultura, côté est. Ses vastes salles, fraîches et parcimonieusement éclairées, exposent une collection de plus de 2 000 pièces précolombiennes, œuvres des peuples indigènes du sud-ouest du pays. Entre autres innombrables trésors, vous découvrirez de minuscules figurines mi-homme, mi-oiseau, ainsi que des statuettes érotiques (ouv. du mar. au dim. de 9h30 à 17h; entrée payante). Le musée conserve également la collection nationale de monnaies et propose des expositions temporaires d'art moderne. Avant de quitter la Plaza de la Cultura, entrez dans l'Instituto Costarricense de Turismo – qui est l'entrée du Museo del Oro – pour y glaner des informations sur les manifestations en cours et prendre un dépliant de bus (gratuit).

Plaza de la Cultura, côté Avenida Central, testez les glaces du Pop's Ice-Cream Parlor – sûrement le meilleur glacier du pays, car toujours bondé.

Autres musées

Une petite balade direction ouest, le long de l'Avenida 2, et vous voici devant le **Parque Central** D, autre point de ralliement majeur pour les Josefinos. Au centre du parc, un kiosque à la Gaudí – présent de la famille du dictateur nicaraguayen Somoza – accueille parfois des concerts en plein air le week-end.

CI-DESSOUS : Teatro Nacional.

Face au parc, côté est, la **Catedral Metropolitana** E ne vous retiendra pas par son intérêt architectural, mais vous offrira au moins fraîcheur et tranquillité. Prenez quand même le temps d'y admirer les superbes sculptures du plafond en bois de la Capella do Santíssimo Sacramento, ainsi que les murs, presque entièrement tapissés de motifs floraux. Dans le jardin, une statue monumentale du pape Jean-Paul II commémore sa visite.

À l'extrémité nord du Parque Central, une façade attire le regard, celle du néoclassique Teatro Popular Melico Salazar, récemment restauré.

Au nord du Parque Central, Calle 2, le **Correos** F (poste centrale) partage son majestueux et vénérable édifice avec le **Museo Postal** (musée de la Poste ; ouv. du lun. au ven. de 8h à 17h, le sam. de 8h à 12h) et un café bien agréable. Trois *cuadras* à l'ouest du Correos, Avenida 1, s'ouvre le **Mercado Central** G (ouv. du lun. au sam. de 6h30 à 18h30), superbe marché couvert datant de 1881. Au fil de ses quelque 200 étals, tout se vend ou presque : ustensiles de cuisine, images pieuses, sacs de selle, poisson, café ou épices au kilo – et vous trouverez difficilement moins cher ailleurs. Au centre du marché, des comptoirs vous permettront de goûter l'authentique cuisine tica à prix véritablement ticos. Mais veillez à votre portefeuille : les pickpockets hantent le secteur, et ils adorent les touristes. N'hésitez pas pour autant à plonger dans ce reflet coloré de la vie *josefina*.

Si vous êtes en famille, filez quelques *cuadras* plus au nord jusqu'à l'ancien Penitenciaría Central ; son **Museo de los Niños** H (musée des Enfants ; ouv. du mar. au ven. de 8h à 16h30, le sam. de 9h30 à 17h ; entrée payante ; tél. 258 4929) propose une foule d'expositions interactives – tout aussi plaisantes pour les adultes. L'histoire des Costaricains y est intelligemment retracée, de huttes amérindiennes en cabanes caraïbes en bois et en maquettes d'habitations modernes. Mais, plutôt que de vous y rendre à pied, n'hésitez pas à prendre un taxi pour rejoindre ce quartier assez mal famé.

CI-DESSOUS : couleurs et animation sont au rendez-vous, Mercado Central.

Coté nord du Parque España, Avenida 7, l'incontournable **Museo del Jade** I (musée du Jade ; ouv. du lun. au ven. de 8h30 à 15h30, le sam. de 9h à 13h ; entrée payante) déploie ses trésors au 11ᵉ étage de l'**Instituto Nacional de Seguros** (INS, Institut national des assurances), repère bien pratique qui déroule un panorama idéal sur la ville et les montagnes qui la cernent. Aux pièces de jade merveilleusement ciselées (*voir p. 28*), pour la plupart des *colgantes* (amulettes ou pendentifs), s'ajoutent des chefs-d'œuvre de la sculpture préhispanique de provenances régionales.

Face au Museo del Jade, les pièces détachées de l'**Edificio Metálico** furent importées de Belgique en 1892 pour accueillir le millier d'étudiants de l'une des premières écoles publiques du pays. À côté du musée, ombragée par les feuillages d'un splendide *ceibo* (fromager), l'ancien tribunal qui occupait autrefois la **Casa Amarilla** (Maison jaune, 1816) a cédé la place au ministère des Affaires étrangères. Vous pouvez jeter un coup d'œil dans le hall d'entrée et sur la fontaine du jardin, réalisée avec un morceau du mur de Berlin.

Espaces verts

Une *cuadra* au nord du Museo del Jade, le **Parque Zoológico Simón Bolívar** J (ouv. du lun. au ven. de 8h à 16h30, les sam. et dim. de 9h à 16h30 ; entrée payante) héberge tant bien que mal ses hôtes africains, asiatiques et costaricains. Si le zoo a fait l'objet d'une

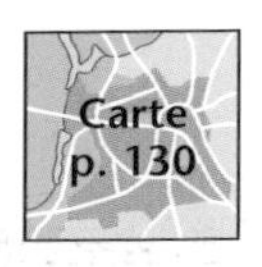

rénovation plus qu'indispensable, il n'en demeure pas moins affligeant par l'exiguïté de ses locaux, surtout pour les grands animaux. Avant tout conçu pour les riverains et les groupes d'écoliers, le parc ne manque pourtant pas de charme, notamment lorsque l'on a la chance d'y flâner en solitaire, le matin en semaine.

Juste au nord, au fond du parc, le **Spyrogyra Jardín de Mariposas** Ⓚ (jardin Spyrogyra de papillons ; ouv. tlj. de 8h à 16h ; entrée payante) vous ouvre ses portes. Tout proche à vol de papillon, son entrée vous oblige à un long détour, et vous aurez tout intérêt à prendre un taxi pour gagner ce jardin secret. L'un des principaux objectifs du Spyrogyra consiste à proposer aux femmes une alternative aux travaux agricoles avec l'exportation des cocons de papillons vers l'Europe et les États-Unis. Mais les lépidoptères ne sont pas seuls à égayer ces superbes jardins de leurs ailes colorées – venez par temps ensoleillé, quand ils se montrent en pleine activité – : des colibris leur tiennent compagnie.

Arts, histoire et culture

À proximité de l'INS, la **Fábrica Nacional de Licores** Ⓛ (ou FANAL) occupe toute une *cuadra* ; fondé en 1856, le complexe a été converti en un centre culturel et artistique qui porte également le nom de Centro Nacional de la Cultura y de la Ciencia, ou CENAC (ouv. du mar. au sam. ; entrée libre sauf expositions exceptionnelles ; consultez le *Tico Times* pour plus d'informations). Pénétrez dans la charmante cour d'entrée et l'amphithéâtre, qui vous conduit à une autre section : le **Museo de Arte y Diseño Contemporáneo** (musée d'Art et de Design contemporain ; ouv. du lun. au sam. de 10h30 à 17h30 ; entrée payante, gratuit le lun.), où s'enchaînent expositions d'art, de sculpture ou de photographie. Une *cuadra* au sud-est, le **Parque Nacional** Ⓜ offre le plus vaste espace vert de la capitale

Ci-dessus : iguane des Fidji, Parque Zoológico.
Ci-dessous : Correos et Museo Postal.

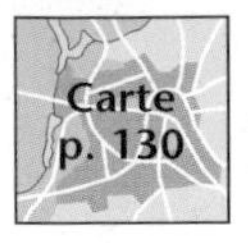

aux amoureux qui s'enlacent sur ses bancs et aux employés de bureau qui avalent leur déjeuner sous les ombrages de quelque 50 espèces d'arbres indigènes. Un endroit à fréquenter sans modération de jour, mais à éviter seul la nuit, même s'il est bien éclairé. Au centre du parc, un monument commémore la victoire des Costaricains contre leur ennemi juré, le flibustier William Walker (*voir p. 45*).

Deux *cuadras* plus au sud, Calle 17, le **Museo Nacional** Ⓝ (ouv. du mar. au ven. de 8h30 à 16h30, les sam. et dim. de 9h à 16h30; entrée payante) occupe l'ancienne forteresse de Bellavista, qui porte encore les traces de balles de la guerre civile de 1948. Construit en 1870, l'édifice servit de caserne jusqu'à l'abolition de l'armée en 1949. Cérémonies funéraires, trésor de monnaies en or et mobilier rustique de la période coloniale, les salles d'exposition brossent un panorama de l'histoire et de la culture du Costa Rica. Dans la cour reposent des canons et quelques-unes des très mystérieuses sphères en pierre découvertes au sud du pays (*voir p. 28 et p. 251*). De la terrasse, vous aurez une excellente vue sur la ville et la Plaza de la Democracia, dont l'amphithéâtre accueille parfois des concerts en plein air. Des artisans y vendent leurs articles et autres souvenirs sous une galerie marchande couverte.

Ci-dessus : plat en or, Museo del Oro.
Ci-dessous : pommes de terre, pour changer du riz.
Ci-contre : couleurs nationales.

Parque La Sabana et Pueblo Antiguo

Les vastes étendues herbeuses du Parque La Sabana recouvrent l'ancien aéroport international. De style néocolonial espagnol, le bâtiment héberge aujourd'hui le **Museo de Arte Costarricense** Ⓞ (ouv. du mar. au dim. en période d'exposition; entrée payante sauf le dim.), qui organise des expositions tournantes de grands peintres et sculpteurs costaricains des XIXe et XXe siècles, mais aussi d'artistes de renom international. Dans le Salón Dorado (Salon doré, niveau supérieur), le Français Louis Ferron a représenté l'histoire costaricaine sur un étonnant panneau mural en bronze et en stuc.

Face à l'angle sud-ouest du parc, le Museo de Ciencias Naturales, ou **Museo La Salle** (ouv. tlj.; entrée payante), renferme une énorme collection d'animaux naturalisés – dont un cygne suspendu au plafond –, des serpents, des batraciens et des poissons en bocaux, et une maquette de la navette spatiale américaine; l'ensemble dégage une impression vraiment singulière.

Le week-end, les familles vont volontiers se promener dans le parc, y pique-niquer, faire du vélo, du roller, nourrir les canards du lac, jouer au football ou au tennis, s'ébattre dans la piscine (ouv. occasionnellement). Une bonne petite brise, et les vendeurs de cerfs-volants se frottent les mains. Mais, une fois la nuit tombée, mieux vaut éviter l'endroit.

À quelques stations de bus au nord-ouest du Parque La Sabana, vous pénétrez dans le quartier de La Uruca, où un **"Pueblo Antiguo"** Ⓟ idyllique (Village ancien; ouv. les mer. et jeu. de 9h à 17h, les ven. et sam. de 9h à 21h, et le dim. de 9h à 18h; entrée payante) a été recréé dans le Parque de Diversiones. Des acteurs s'y livrent à des démonstrations de techniques artisanales et agricoles disparues, tandis qu'un restaurant propose une cuisine locale. Venez là de préférence un dimanche, pour assister au carnaval hebdomadaire, avec costumes et décors authentiques. ❑

VALLE CENTRAL

Le cœur du Costa Rica héberge 60 % de sa population. Commerce, agriculture et modernité n'ont pas entièrement métamorphosé ses paysages, ses villes coloniales et ses trésors culturels.

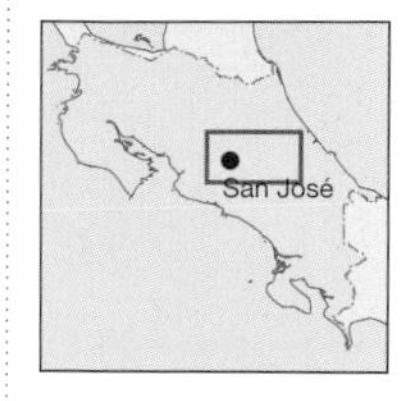

Le Valle Central, ou Meseta Central (plateau central), n'est à proprement parler ni une vallée, ni un plateau, puisqu'il présente en réalité les deux types de paysages. Le terme de hautes terres conviendrait mieux à cette région qui ne mesure que 24 km de largeur sur 64 km de longueur, et où 2 chaînes de montagne se rejoignent, creusées de vallées fluviales et bordées de collines aux riches sols volcaniques dont l'altitude atteint 1 500 m.

La belle vie

La campagne est superbe, très variée, le climat salubre, l'air doux et apaisant. Les habitants se montrent à la fois aimables et réservés. Des volcans – certains actifs, d'autres en sommeil ou éteints – émergent derrière les collines qui enserrent la vallée. Au-dessus, le ciel change constamment – grains pluvieux et charbonneux, lambeaux d'azur étincelant, gros flocons de cumulus et arc-en-ciel se succèdent à vive allure.

Des brumes tenaces baignent des lieux envoûtants tel le Valle de Orosí ; à l'image de Barva, certains évoquent un Costa Rica disparu, tandis que la vie, le bruit et la cohue reprennent leurs droits dans des villes comme Cartago ou Heredia. Toutes ces destinations sont très faciles d'accès, en voiture, en car ou lors d'une excursion de groupe organisée pour la journée.

Au fil des bourgs et villages de la Meseta Central, vous verrez les Ticos vivre dans des maisons et sur des parcelles de terre qu'ils possèdent et cultivent – phénomène très inhabituel en Amérique centrale. Dans les zones urbanisées se côtoient grandes villas cossues et humbles masures. Des mères de famille en tablier bavardent dans leur cour en surveillant les plus jeunes. Des écoliers en uniforme rentrent chez eux au début de l'après-midi. Sur le seuil des maisons, les produits s'offrent à la vente sur de petites tables ou des étals : compotes, fromages et crème aigre, oranges, pamplemousses fourrés de confiseries, mangues, tomates. Une curiosité bienveillante accueille le visiteur ; personne ne semble vraiment surpris de voir un gringo entrer dans le *soda* local pour commander un *arroz con pollo* (poulet au riz).

Quatre grandes villes dominent le Valle Central : San José, Alajuela, Cartago et Heredia. Les banlieues qui ceinturent San José ont chacune leur personnalité : Escazú est très américaine ; Rohrmoser, résidentielle et luxueuse ; Los Yoses, particulièrement élégante avec ses charmantes vieilles demeures ; San Pedro, animée avec ses restaurants, l'Universidad de Costa Rica et l'un des plus grands centres commerciaux d'Amérique centrale. Et il vous reste encore 4 parcs nationaux à explorer, 7 volcans à gravir, et le Monumento Nacional Guayabo, site archéologique majeur, à découvrir.

PAGES PRÉCÉDENTES : dans les collines qui dominent Heredia.
CI-CONTRE : plantation de café, Valle Central.
CI-DESSOUS : l'église, au cœur du moindre petit bourg.

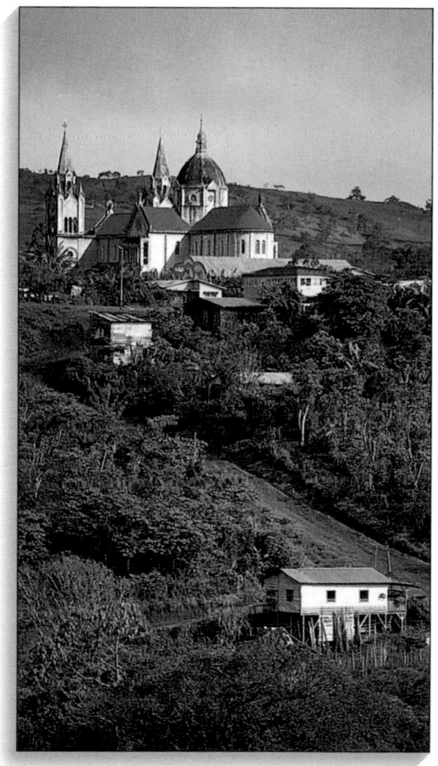

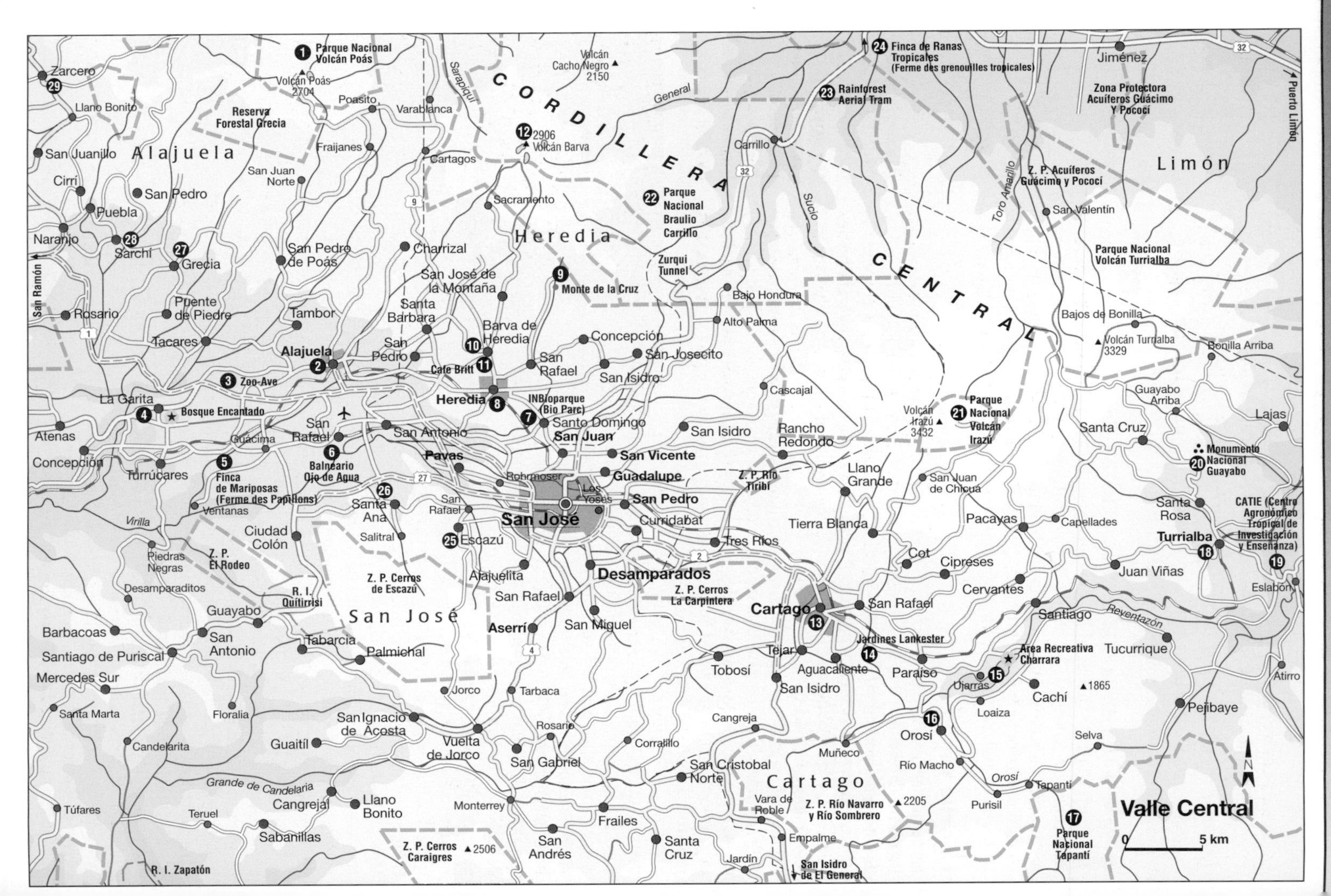
Valle Central
0
5 km
N
CORDILLERA CENTRAL
Alajuela
Heredia
San José
Cartago
Limón
Puerto Limón
San Ramón
San Isidro de El General
1 Parque Nacional Volcán Poás
Volcán Poás 2704
Reserva Forestal Grecia
Volcán Cacho Negro 2150
12 2906 Volcán Barva
22 Parque Nacional Braulio Carrillo
Zurqui Tunnel
9 Monte de la Cruz
24 Finca de Ranas Tropicales (Ferme des grenouilles tropicales)
23 Rainforest Aerial Tram
Zona Protectora Acuíferos Guácimo Y Pococí
Z. P. Acuíferos Guácimo y Pococí
Parque Nacional Volcán Turrialba
Volcán Turrialba 3329
21 Parque Nacional Volcán Irazú
Volcán Irazú 3432
20 Monumento Nacional Guayabo
CATIE (Centro Agronómico Tropical de Investigación y Enseñanza)
19
18 Turrialba
2 Alajuela
3 Zoo-Ave
4 Bosque Encantado
5 Finca de Mariposas (Ferme des Papillons)
6 Balneario Ojo de Agua
7 INBioparque (Bio Parc)
8 Heredia
10
11 Cafe Britt
13 Cartago
14 Jardines Lankester
15 Área Recreativa Charrara
16 Orosí
17 Parque Nacional Tapantí
25 Escazú
26 Santa Ana
27 Grecia
28 Sarchí
29 Zarcero
Z. P. Río Tiribí
Z. P. Cerros de Escazú
Z. P. Cerros La Carpintera
Z. P. El Rodeo
R. I. Quitirrisi
Z. P. Río Navarro y Río Sombrero
Z. P. Cerros Caraigres 2506
R. I. Zapatón
2205
1865
Zarcero
Llano Bonito
San Juanillo
Cirrí
San Pedro
Puebla
Naranjo
Rosario
Poasito
Varablanca
Fraijanes
San Juan Norte
Cartagos
Sacramento
San Pedro de Poás
Charrizal
San José de la Montaña
Santa Barbara
Tambor
Puente de Piedre
Tacares
San Pedro
Barva de Heredia
San Rafael
Concepción
San Josecito
San Isidro
Bajo Hondura
Alto Palma
Cascajal
La Garita
Atenas
Concepción
Turrúcares
Ventanas
Guácima
San Rafael
San Antonio
Pavas
Santo Domingo
San Juan
San Vicente
Guadalupe
San Pedro
Rohrmoser
Los Yoses
San José
Curridabat
Tres Ríos
San Rafael
Salitral
Escazú
Alajuelita
Desamparados
Ciudad Colón
Piedras Negras
Desamparaditos
Guayabo
San Antonio
Barbacoas
Santiago de Puriscal
Mercedes Sur
Santa Marta
Floralia
Tabarcia
Palmichal
San Rafael
San Miguel
Aserrí
Jorco
Tarbaca
San Ignacio de Acosta
Guaitíl
Vuelta de Jorco
Rosario
San Gabriel
Corralillo
Candelarita
Cangrejal
Llano Bonito
Monterrey
Túfares
Teruel
Sabanillas
San Andrés
Frailes
Santa Cruz
San Cristobal Norte
Cangreja
Vara de Roble
Empalme
Jardín
Tobosí
Tejar
San Isidro
Aguacaliente
Paraíso
Ujarrás
Cachí
Loaiza
Muñeco
Río Macho
Purisil
Tapantí
Selva
Pejibaye
Atirro
Tucurrique
Santiago
Cervantes
Cipreses
Cot
San Rafael
Tierra Blanca
Llano Grande
Rancho Redondo
San Isidro
San Juan de Chicua
Pacayas
Capellades
Juan Viñas
Santa Rosa
Eslabón
Santa Cruz
Guayabo Arriba
Lajas
Bonilla Arriba
Bajos de Bonilla
San Valentín
Jiménez
Carrillo
General
Sarapiquí
Sucio
Toro Amarillo
Virilla
Grande de Candelaria
Reventazón
Orosí

La plupart des voyageurs se rendent au Costa Rica entre décembre et mars ; fuyant l'hiver nord-américain et européen, ils arrivent en pleine saison sèche. Mais ceux qui connaissent la région savent que le Valle Central est à son apogée pendant la saison des pluies, lorsque les averses d'après-midi et les éclairs spectaculaires illuminent une végétation luxuriante et colorée – un bain quotidien qui nettoie et rafraîchit jusqu'à la capitale.

Carte p. 146

Parque Nacional Volcán Poás

Attraction touristique majeure, le **Parque Nacional Volcán Poás** ❶ n'est qu'à 37 km de San José par une bonne route qui traverse Alajuela. Afin d'éviter les deux principaux problèmes du Poás – le monde et les nuages –, venez de bonne heure, lorsque le ciel est dégagé, et avant l'afflux des touristes. La fraîcheur de l'air, délicieuse lors de l'ascension, peut vite tourner au froid et à la pluie glaciale – prévoyez des vêtements adaptés.

Une carte des sentiers, un café et une exposition dédiée aux insectes vous attendent au Centro de Visitantes. Au-dessus du cratère, un point de vue aménagé invite à admirer ce volcan qui cracha ses cendres à 1 500 m dans les airs en 1989. Large de 1,5 km et profond de 300 m, son cratère principal est l'un des plus vastes au monde. En outre, pour un volcan actif, le Poás offre un accès exceptionnellement facile. Un cycle de 40 ans rythme son activité, qui se manifeste actuellement par des émissions de pluies acides et de gaz sulfureux. Une marche de 20 min vous conduira à un second cratère, plus petit, où miroite un lac aux couleurs chatoyantes.

Des sentiers bien entretenus sillonnent le parc, dévoilant un superbe paysage de fleurs sauvages, poussant parmi une multitude de mousses, fougères et broméliacées. Le quetzal resplendissant (*voir p. 206*) s'y montre parfois, à certaines périodes de l'année.

CI-DESSUS : mangues d'Alajuela.

CI-DESSOUS : ruisseau, Parque Nacional Braulio Carrillo.

Descendez du parc pour rejoindre l'un des restaurants ouverts à proximité – ne manquez pas de goûter leur spécialité de *fresas en leche* (milk-shake aux fraises) –, ou arrêtez-vous à l'un des étals au bord de la route pour acheter de la confiture de fraises et des gâteaux produits sur place. Vous pouvez également poursuivre jusqu'aux Jardines Catarata La Paz et emprunter les 2 km de pistes qui traversent des jardins pleins d'orchidées et de colibris, ainsi que le plus grand observatoire au monde de papillons, pour rejoindre 4 cascades impressionnantes. Si vous voulez profiter encore de l'air des montagnes, une nuit confortable et un feu de cheminée vous attendent au Poás Volcano Lodge.

Alajuela et ses environs

La descente sur **Alajuela** ❷ (248 000 hab.), 200 m plus bas, vous plongera dans un air nettement plus chaud. Sur la place centrale, les anciens prennent le frais à l'ombre des manguiers. En avril, des jets d'eau à haute pression sont dirigés vers leurs branches pour en détacher les mangues mûres – afin qu'elles ne s'écrasent pas sur la tête des passants.

Alajuela a vu naître Juan Santamaría, le jeune Costaricain dont le courage permit de mettre en fuite William Walker et ses flibustiers en 1856 (*voir p. 45*). Dans l'ancienne prison de la ville, à une *cuadra* de la place centrale, le **Museo Juan Santamaría** (ouv. du mar. au

*Le plus célèbre des papillons du Costa Rica, le morpho bleu, est un géant qui peut atteindre 13 à 20 cm de longueur selon les espèces (*Morpho menelaus, granadensis *ou* peleides*).*

CI-DESSOUS : le Volcán Poás en action ; des panneaux enjoignent les randonneurs de ne pas s'attarder trop longtemps près du sommet.

dim. de 10h à 18h ; entrée libre) retrace son histoire. Durant toute une semaine, parades, danses et concerts commémorent l'anniversaire de sa mort, le 11 avril.

Quittant Alajuela par l'ancienne nationale en direction de Pacífico-La Garita, vous allez passer devant le **Zoo-Ave** ❸ (ouv. tlj. de 9h à 17h ; entrée payante), où vivent plus de 80 espèces d'oiseaux costaricains, des singes, des cerfs, des caïmans, des tortues géantes, quelques pumas et ocelots. **La Garita** ❹ déploie ses jardins pleins de charme, ses plantations de caféiers étincelants et ses *viveros* (pépinières). Le restaurant La Fiesta del Miáz (ouv. sam. et dim.) décline des variétés presque infinies de plats ticos à base de maïs. Quelques kilomètres au sud, près de La Guácima, la **Finca de Mariposas** ❺ (ferme aux Papillons ; ouv. tlj. de 8h30 à 17h ; visites guidées à 8h30, 11h, 13h et 15h ; entrée payante) élève quelque 57 espèces de papillons, exportées en Europe par dizaines de milliers. Vous pourrez également admirer ses cascades et ses vastes plantations d'essences tropicales.

Eau fraîche

Par temps chaud, offrez-vous une halte sur la route du retour, 6 km avant San José, au **Balneario Ojo de Agua** ❻ (ouv. tlj. de 8h à 16h ; entrée payante). Des milliers de litres d'eau jaillissent de cette source, créant 3 bassins naturels. Allez-y plutôt à la saison des pluies, lorsque le débit est à son maximum – mais attention, vous ne serez pas seul le week-end ! L'eau est également pompée jusqu'à Puntarenas (*voir p. 181*), approvisionnant une grande partie de la ville.

Au pays du café

Profitez d'une excursion d'une journée dans la province de Heredia, centre producteur du café costaricain, pour échapper à la chaleur et au brouhaha de

San José. À 24 km de la ville, vous pourrez explorer une forêt ombrophile qui présente autant d'intérêt que celles s'épanouissant dans des régions plus reculées ou difficiles d'accès. Sur la route San José-Heredia, Santo Domingo a conservé le charme du passé avec ses maisons blanches chaulées, agrémentées des touches traditionnelles bleu roi. Au sud-ouest de la ville, les 5,5 ha d'une ancienne plantation de café ont été convertis en un centre écologique, l'**INBioparque** ❼ (ouv. du mar. au sam. de 8h à 16h; entrée payante; tél. 244 4730), qui offre un bon aperçu de la biodiversité du pays. Des sentiers vous mèneront à travers 3 écosystèmes représentatifs, passant devant un serpentarium, une ferme à fourmis et des expositions consacrées aux tarentules et aux grenouilles. Des naturalistes proposent des visites guidées, d'excellentes vidéos éclairent sur le sujet, des salles d'expositions dressent un panorama des parcs nationaux ; sur place également, un restaurant agréable, un café au bord du lac, et une boutique de souvenirs où dénicher des cadeaux originaux pour les naturalistes âgés de 7 à 77 ans.

À 9 km au nord de San José, **Heredia** ❽ (115 000 hab.) fut fondée en 1706. Les magasins bien approvisionnés de "La Ciudad de las Flores" rappellent que la région bénéficie d'un très bon niveau de vie. L'**Universidad Nacional** forme les enseignants du pays et quelques-uns des meilleurs vétérinaires d'Amérique latine. Une flânerie dans le cœur historique de la ville vous fera découvrir sa Casa de Cultura coloniale, les ruines de son fort et sa charmante église. Construite en 1796, l'**Immaculada Concepción** fait sonner des cloches acheminées de Cuzco (Pérou) et son architecture de style baroque, qualifiée de "sismique", lui a permis de résister à bien des tremblements de terre.

Les quartiers récents de Heredia s'embourgeoisent rapidement, et de nombreux magasins chic surgissent, reflétant l'influence des marques nord-américaines.

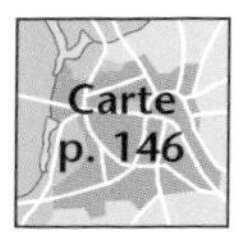
Carte p. 146

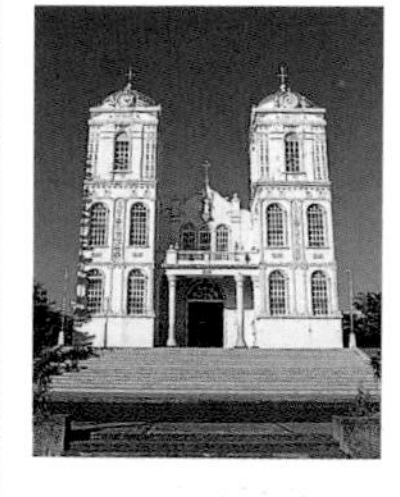

CI-DESSUS : l'église de Sarchí.
CI-DESSOUS : après la messe dominicale, le match de football.

Après votre randonnée à la Laguna Barva, l'excellente cuisine française de l'Hotel Chalet Tirol devrait vous ragaillardir.

Ci-dessous : la récolte du café, entièrement cueilli à la main, rapporte chaque année au Costa Rica 30 millions de $US en devises.

Paysages alpestres

Prenez maintenant la route de **San Rafael**, puis gagnez en altitude. Certains villages perchés affichent un caractère alpin bien marqué, souligné par les peintures tyroliennes qui décorent leurs volets. Sur cette route, vous aurez le sentiment d'avoir troqué le Nouveau Monde pour l'Autriche. Les riches Ticos des générations précédentes ont fait leurs études en Europe, avant de rentrer au pays, passionnés pour l'architecture qu'ils ont découverte de l'autre côté des mers, et dont on retrouve l'influence dans cette région montagneuse. De nos jours, beaucoup de Ticos fréquentent les universités nord-américaines et, partant, c'est toute une culture qui se transforme.

Au-dessus de San Rafael, la température chute brutalement. À 6 km de la ville, l'Hotel & Villas La Condesa (tél. 267 6000) vous offre son air merveilleusement pur, ses randonnées à cheval ou à pied dans les collines, une piscine, des chambres luxueuses et un centre de séminaires. Plus au nord, vous verrez le panneau El Castillo Country Club, dont certains équipements, payants, sont ouverts à la clientèle de passage. Au-delà d'El Castillo, la route se poursuit jusqu'à **Monte de la Cruz** ❾, où une immense croix illuminée trône dans une réserve de forêt ombrophile – destination favorite des randonneurs du dimanche qui partent de San Rafael, tout en bas.

Descendez jusqu'à la fourche et remontez en direction d'El Tirol. Les Ticos adorent marcher, surtout le dimanche, jour de la traditionnelle promenade en famille – d'ailleurs les cars se font rares ce jour-là. Si les conducteurs locaux sont habitués à partager avec les piétons ces routes sans bas-côtés, il n'en est pas toujours de même des automobilistes étrangers, décontenancés par ces conditions de circulation difficiles. Peu avant El Castillo, guettez le panneau indiquant **Bosque de la Hoja**. Là, pendant près de 2 km, une charmante route bordée d'arbres superbes vous permettra d'atteindre le site de la régie des eaux de Heredia. Vous pourrez ensuite rallier d'autres sentiers de randonnée, mais il vous faudra pour cela l'aide d'un guide. Très compétent, Rich Tandlich (tél. 267 6325) connaît le coin comme sa poche.

Au poste de garde d'El Tirol, dites que vous vous rendez à l'Hotel Chalet Tirol (tél. 267 6222) ; vous pénétrerez alors dans une zone résidentielle de villas secondaires, semées parmi les alpages. Une bonne route vous conduira au cœur d'une forêt de cyprès ; à travers leurs cimes, le soleil filtre, éclairant un tapis de fleurs sauvages.

L'Hotel Chalet Tirol est campé en pleine réserve de forêt ombrophile, au bord du Parque Nacional Braulio Carrillo. Une piste envahie de fougères serpente sous des arbres vénérables aux branches chargées d'orchidées et de broméliacées, où il vous sera tout à fait loisible de marcher plusieurs heures en lisière du parc. Un groupe de chalets en bois vous accueillera si vous décidez de passer la nuit sur place. L'occasion de faire étape au cœur d'une nature exceptionnelle.

Au fil de la descente, une tiédeur bienfaisante vous gagnera peu à peu. Bordant la route de San José de la Montaña, des champs de fleurs cultivées pour l'exportation s'épanouissent dans un air d'une limpidité surnaturelle.

Barva et ses environs

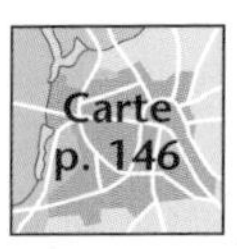

À **Barva de Heredia** ⑩, ville fondée en 1561, la place centrale a conservé une ambiance coloniale avec ses maisons en pisé. Du haut des marches de la **Basílica de Barva** – en pisé également –, laissez votre regard courir au-dessus des toits de tuile jusqu'aux montagnes en arrière-plan : vous aurez une idée de ce à quoi ressemblait probablement le Valle Central au XVIIIe siècle. La Basílica de Barva fut élevée en 1767 sur un ancien site funéraire amérindien. À proximité, une petite grotte (1913) est consacrée à la **Virgen de Lourdes**.

À la sortie de Barva, l'Aventura del Café adopte une approche originale et distrayante, utilisant le théâtre, entre autres, pour vous faire visiter la *finca* de **Cafe Britt** ⑪ (ouv. de juin à nov. tlj. à 11h ; de déc. à mai tlj. à 9h, 11h et 15h ; entrée payante ; possibilité de navette aller et retour au départ de San José ; tél. 260 2748 ; www.coffeetours.com), de la fève brute au produit aromatique final. Demandez à goûter la baie rouge qui entoure la fève ; vous serez surpris par sa saveur sucrée, mais n'en abusez pas, car elle détient des propriétés laxatives.

À **Santa Lucía de Barva**, 4 km au nord de Heredia, le **Museo de Cultura Popular** (ouv. du lun. au ven. de 8h à 17h, les sam et dim. de 10h à 17h ; entrée payante) occupe une charmante demeure rénovée, la Casa González, construite au XIXe siècle,époque où la culture du café allait changer le destin de tout un pays.

CI-DESSUS : fort espagnol de Heredia.
CI-DESSOUS : Jardines Lankester.

Volcán Barva

Une route abrupte mène au **Volcán Barva** ⑫. Elle passe au nord de Barva de Heredia, laisse derrière elle San José de la Montaña, puis continue vers Sacramento. Le volcan se dresse côté ouest du Parque Nacional Braulio Carrillo. La route d'accès est vraiment dans un état pitoyable : si vous ne disposez pas d'un

véhicule tout-terrain, vous devrez laisser votre voiture à 4 km de l'entrée du parc. Du poste de garde, une superbe randonnée traverse des alpages et une forêt ombrophile regorgeant de mousses et d'épiphytes jusqu'au cratère du lac. Un autre itinéraire (1 heure) vous conduira à la **Laguna Barva** (2 900 m), dont les eaux vertes miroitent dans un cratère éteint frangé d'arbres.

S'il vous reste quelques forces, n'hésitez pas à explorer (40 min) la Laguna Copley. Vous aurez peut-être la récompense de votre vie avec l'apparition d'un quetzal, mais ne comptez pas trop là-dessus. Quel que soit l'itinéraire choisi, emportez des vêtements de pluie, une boussole et des chaussures étanches – même pendant la saison sèche – et ne vous éloignez pas des sentiers balisés. Les routes du secteur se croisent en zigzag et sont très mal signalées. Le dimanche, même les Josefinos déambulant en voiture arrêtent les passants pour demander leur chemin.

Écrivant au roi d'Espagne, Vásquez de Coronado parlait ainsi de Cartago : "Jamais je n'ai vu de vallée plus belle, et j'ai fondé une ville entre ses deux rivières."

Cartago et le Sud

Cartago ⓭ (110 000 hab.) s'étale à 23 km au sud-est de San José. Ancienne capitale du Costa Rica jusqu'en 1823, elle a perdu beaucoup de son lustre colonial au fil des tremblements de terre et des éruptions du Volcán Irazú, qui ont démoli la plupart de ses bâtiments anciens. Tout au long de leur histoire, ses habitants n'ont cessé de vouloir construire une église dédiée à Santiago Apóstol, saint patron de l'Espagne. Il n'y avait qu'une seule autre église dans tout le pays lorsque la première fut construite en 1562-1570. Détruite, elle fut remplacée en 1580 par un édifice censé être plus solide – mais qui ne résista guère mieux. Les suivantes subirent un sort identique, et lorsque la puissante cathédrale de Cartago, élevée au début du XXe siècle, fut ravagée par le séisme de 1910, les fidèles renoncèrent à tout effort de reconstruction. Ses murs sans toit percés de fenêtres gothiques

Ci-dessous : bougainvillées en fleur devant les ruines de Nuestra Señora de la Limpia (XVIIe siècle).

béantes tiennent encore debout. Appelé **Las Ruinas**, ce site romantique est agrémenté d'un jardin et d'un petit lac.

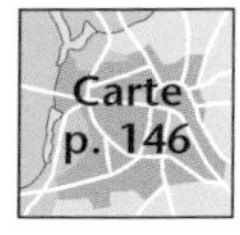

Ancien centre culturel du pays, Cartago a maintenu son influence religieuse. À des kilomètres à la ronde, on peut apercevoir la monumentale **Basílica de Nuestra Señora de los Ángeles**, édifice néobyzantin élevé en hommage à La Negrita, sainte patronne du Costa Rica.

De Cartago, un court trajet vous conduira aux **Jardines Lankester** ⓮ (ouv. tlj. de 8h30 à 16h30 ; entrée payante) de Paraíso de Cartago. Ce nom de Paraíso (paradis) aurait été donné par les Espagnols, qui remontaient de la côte atlantique ; épuisés, ils s'enthousiasmèrent pour la fraîcheur du site et son absence de moustiques. Envoyé par une compagnie britannique pour mettre sur pied une plantation de café, le botaniste Charles Lankester arrive au Costa Rica en 1900, âgé de 21 ans. Son entreprise échoue, mais il décide de rester et achète 15 ha de terres pour protéger la flore locale, en particulier les orchidées et les broméliacées, et conserver une forêt naturelle. Les Jardines Lankester sont aujourd'hui entretenus par l'Universidad du Costa Rica. Leurs centaines d'espèces d'orchidées attirent les passionnés du monde entier, notamment durant la haute saison de floraison, de janvier à avril. Les amoureux des oiseaux devraient également être comblés.

L'Hotel Sanchiri Mirador & Lodge se dresse sur les collines, à 2 km de Paraíso, non loin des Jardines Lankester : son restaurant déroule une vue sublime sur tout le Valle de Orosí.

Ujarrás

Au sud de Cartago, les paysages se font plus verdoyants, imprégnés de brumes et auréolés de magie, surtout durant la saison des pluies. À **Ujarrás** ⓯, admirez la plus ancienne église du Costa Rica, Nuestra Señora de la Limpia, édifiée au XVIIe siècle.

Un premier lieu de culte est construit dans la région, en hommage à La Virgen del Rescate de Ujarrás apparue en 1565 à un pêcheur amérindien, sur les berges du Río Reventazón, au creux d'un petit arbre. L'indigène en porte le tronc, mais, une fois parvenu au centre d'Ujarrás, 12 hommes ne suffisent plus à le soulever. Les pères franciscains y voient un signe : la Vierge demande la construction sur les lieux d'un sanctuaire destiné à la fois aux Espagnols et aux Amérindiens.

Un siècle plus tard, en 1666, une flotte menée par les célèbres pirates Edward Mansfield et Henry Morgan débarque sur la côte atlantique, bien décidée à mettre le pays à sac. Le gouverneur espagnol, Juan López de la Flor, rassemble tous les hommes valides et envoie les autres prier pour eux à la mission. Les pirates progressent jusqu'à Turrialba, puis, mystérieusement, font soudain demi-tour. Selon certaines sources, López de la Flor aurait piégé les pirates en postant les quelques hommes et armes dont il disposait à des points stratégiques dans les collines, puis en faisant courir la rumeur qu'une embuscade attendait les assaillants ; quelques coups de feu tirés ici et là auraient achevé de persuader ces derniers de rebrousser chemin. Selon une autre version, la Vierge serait seule responsable de ce miracle. Les habitants reconnaissants élèveront l'église d'Ujarrás pour commémorer l'évènement, mais elle

Ci-dessous : torrents en furie bouillonnant dans le déversoir du barrage de Cachí.

sera détruite un siècle plus tard par un séisme. Ses vestiges se dressent au milieu des bougainvillées et d'arbres drapés de "mousse espagnole" (*Tillandsia usneoides*).

Près d'Orosí, le restaurant La Casona del Cafetal ouvre ses portes dans l'hacienda d'une grande plantation de café donnant sur le Lago Cachí. Le week-end, somptueux buffets et longue table de desserts parfumés au café.

Valle de Orosí

Quelques kilomètres après Orosí, la **Represa Hidroeléctrica** de Cachí filtre les eaux du lac de barrage des *ríos* Reventazón et Orosí en un immense déversoir. Sa digue en béton contraste violemment avec le terrain luxuriant qui l'encadre, tout comme la furie des eaux déversées avec le calme de la rivière qui les accueille.

À l'ouest du barrage, la **Casa del Soñador** (maison du Rêveur) dresse sa structure en canne, ornée de sculptures en bois sur deux niveaux. Macedonio Quesada, célèbre artiste naïf costaricain, vécut et travailla ici jusqu'à sa mort en 1995. Ses œuvres sont exposées dans les galeries de la région de San José, mais elles ne sauraient trouver meilleur cadre que cette charmante bicoque où ses fils continuent de sculpter des *campesinos* (paysans) mélancoliques et des figurines religieuses en bois de caféier. Les visiteurs sont les bienvenus.

La ville d'**Orosí** ⓰ a été épargnée par les tremblements de terre qui ont rasé les bâtiments coloniaux de Cartago ; elle a ainsi conservé le charme d'un Costa Rica disparu, avec ses larges rues et ses maisons en bois aux vérandas peintes. Arrêtez-vous d'abord à l'office de tourisme de la ville, dans le centre, où vous pourrez glaner quelques informations utiles. Puis faites un tour du côté de l'église coloniale San José de Orosí, la plus ancienne en service dans le pays. Au nord de l'édifice, un ancien monastère franciscain, reconverti en **Museo de Arte Religioso** (ouv. du mar. au sam. de 13h à 17h, le dim. de 9h à 17h ; entrée payante) présente des pièces datant de l'ère coloniale. Au cours de votre flânerie, prenez un en-cas dans l'un des *sodas* du bourg, ou laissez-vous tenter par son grand *balneario* (bain) chauffé.

Ci-dessous : un lieu sacré entre tous, la Basílica de Nuestra Señora de los Ángeles, Cartago.

La Negrita

Les origines de la Basílica de Nuestra Señora de los Ángeles de Cartago sont auréolées d'une légende miraculeuse. En 1635, une jeune fille cheminant à travers la forêt découvre une statue noire de la Vierge. Un prêtre emporte la statue dans son église, la baptise La Negrita, mais, mystérieusement, celle-ci retourne deux fois à son ancien emplacement dans la forêt.

En 1926, l'Église catholique décide de construire une basilique sur place pour abriter la fameuse statue. Aujourd'hui, des vitrines remplies de béquilles abandonnées, de plâtres et d'offrandes votives (certaines en or) représentant les diverses parties du corps témoignent des miracles opérés par La Negrita, sainte patronne du pays. L'eau de source qui s'écoule derrière l'église aurait également des vertus curatives, et les fidèles en remplissent leurs bouteilles.

Le 2 août, fête de La Negrita, des milliers de pèlerins se rassemblent à la basilique. Beaucoup ont fait à pied les 22 km de la route de San José ; les plus dévots parcourent la dernière partie du trajet sur les mains et les genoux ; certains viennent du Nicaragua, d'autres du Panamá. Un cortège accompagne la statue de la Vierge noire dans une autre église, puis en lente procession à travers les rues de la ville jusqu'à son sanctuaire.

Au-dessus de la vallée, vous trouverez un mirador (point de vue) et un parc gérés par l'ICT (Instituto Costarricense de Turismo). Ses vastes pelouses en pente ouvrent des perspectives spectaculaires sur le Río Reventazón, avec Cachí à gauche et Orosí à droite ; un endroit idéal pour pique-niquer ou faire une petite balade.

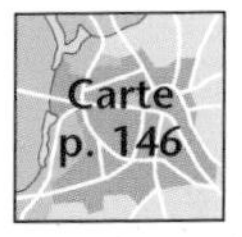

Parque Nacional Tapantí

Le cours supérieur du **Valle de Orosí** recueille d'énormes précipitations qui le rendent impropre à l'agriculture, et lui ont permis de conserver sa splendide forêt pluviale. Le **Parque Nacional Tapantí** ⓱ protège les rivières qui approvisionnent San José en eau et en électricité. Vous pourrez également y observer les oiseaux à loisir, pêcher ou nager dans les cours d'eau. Les amateurs d'ornithologie devront se lever très tôt pour arriver dès 7h, à l'ouverture du parc. Si vous partez de San José à l'aube, le trajet vous réservera un spectacle de toute beauté. Passé les vallées plongées dans la brume et les verdoyantes plantations de café, les derniers 10 km empruntent une piste relativement éprouvante. Dans la partie inférieure de la réserve, les pistes sont bien balisées. Des colonies d'*oropendolas*, ou cassiques de Montezuma (*Gymnostynops montezuma*), nichent dans le parc. Ces oiseaux noirs à la queue jaune, de la taille d'un corbeau, suspendent leurs nids par groupes de 30 aux branches d'un arbre. Les femelles y pondent 2 œufs, puis les vachers géants (*Molothrus oryzivorus*) vont à leur tour y déposer leurs propres œufs, laissant aux cassiques le soin d'élever leurs petits. Un service en valant un autre, les petits vachers, qui se nourrissent de mouches *Dermatobia hominis*, débarrassent leurs hôtes de ces parasites. Vous entendrez généralement les cassiques avant de les découvrir : les mâles émettent un chant de gorge liquide, puis font une courbette et claquent des ailes devant les femelles qu'ils cherchent à séduire.

Ci-dessus : église coloniale, Orosí.
Ci-dessous : Casa del Soñador, près d'Orosí.

La piste Oropendula suit un ruisseau semé de gros rochers tièdes et lisses : difficile de résister à l'envie de tremper vos pieds dans l'eau fraîche, quitte à faire une petite sieste matinale au soleil. Mais n'oubliez pas d'emporter des vêtements chauds et imperméables.

Turrialba

Turrialba ⓲ (25 000 hab.) ne manque pas d'animation, et vous y croiserez toujours des habitants en train de bavarder, crier à tue-tête, vendre, acheter ou marchander quelque chose. Bordant les trottoirs le long des berges, un marché en plein air étale des fruits et légumes d'une fraîcheur exceptionnelle, la plupart provenant directement des collines qui dominent la ville. La réputation internationale de Turrialba commence à attirer rafters et kayakistes, impatients de se mesurer aux rapides des *ríos* Reventazón et Pacuare (*voir p. 98-99*).

Quelques kilomètres après Turrialba, la nationale vous mènera au CATIE, le **Centro Agronómico Tropical de Investigación y Enseñanza** ⓳ (Centre de recherche agronomique tropicale et d'enseignement). Sur cette plantation de 800 ha, des chercheurs de toutes nationalités expérimentent l'introduction de 5 000 variétés et de 335 espèces de semences. Quelque 2 500 variétés de café et 450 de cacao côtoient d'innombrables sortes de bananes et de palmiers *pejibaye* dans la banque de semences du CATIE. Les experts y réfléchissent également sur les problèmes du déboisement, du surpâturage et de l'écologie fragilisée des bassins fluviaux. Des guides vous éclaireront sur la culture, la gestion et la récolte des palmes, du café, du cacao et des orchidées ; si vous voyagez à titre individuel, appelez à l'avance pour réserver votre visite (tél. 556 2700). Dans les environs, vous pourrez séjourner dans le modeste Hotel Wagelia de Turrialba, ou à l'Hotel

CI-DESSUS : Turrialba, centre de rafting réputé.
CI-DESSOUS : symbiose paisible entre buffles d'eau et aigrettes.

Geliwa (tél. 556 1029), plus confortable et jouissant d'un cadre de verdure au nord de la ville. Plus luxueuse encore, la Casa Turire (tél. 531 1111) s'élève au cœur d'une plantation de canne à sucre, de café et de noix de macadamia sur la route de Siquirres, à 5 km de Turrialba. Non loin de là, perché dans les montagnes qui surplombent la vallée, le Turrialtico (tél. 538 1111) propose de belles chambres avec vue sur le Volcán Irazú.

Carte p. 146

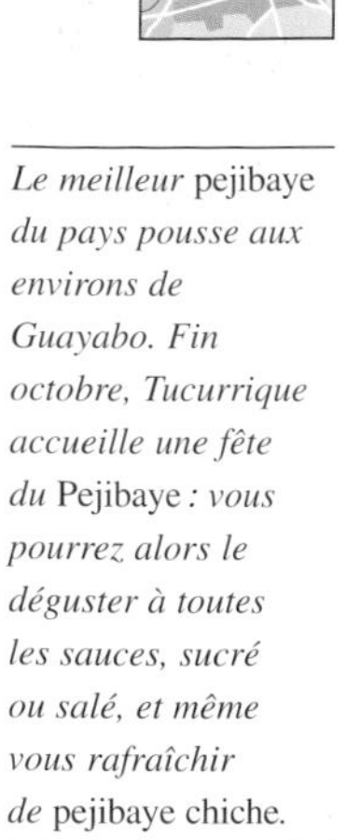

Le meilleur pejibaye *du pays pousse aux environs de Guayabo. Fin octobre, Tucurrique accueille une fête du* Pejibaye *: vous pourrez alors le déguster à toutes les sauces, sucré ou salé, et même vous rafraîchir de* pejibaye chiche.

Monumento Nacional Guayabo

Baptisé **Monumento Nacional Guayabo** ⓴, un vaste centre précolombien occupe les pentes du Volcán Turrialba, à 18 km de la ville du même nom. S'agissait-il d'un site purement cérémoniel, d'un centre à la fois cérémoniel et administratif, les archéologues n'ont toujours pas tranché. Les ruines en pierre et les vestiges d'impressionnantes routes pavées qui rayonnent vers les environs couvrent une période estimée entre 1000 av. J.-C. et 1400 ap. J.-C., date à laquelle le site fut abandonné pour une raison inconnue – épidémie ou famine.

Une visite guidée vous conduira par une piste forestière jusqu'au secteur des fouilles : un réseau complexe d'aqueducs, de fondations et de routes éparpillés au milieu des goyaviers, des impatientes sauvages et des nids suspendus des casiques. Des tombes bordées de pierres, aujourd'hui vides, indiquent aux archéologues qu'un site cultuel se trouvait à proximité. Plusieurs grands pétroglyphes n'ont pas encore révélé tous leurs secrets.

À 20 km au nord de Guayabo, le Volcán Turrialba Lodge (tél. 273 4335) égrène ses confortables bungalows en bois, chauffés par des poêles car les nuits sont fraîches. À pied ou à cheval, vous pourrez rejoindre le cratère éteint du volcan, une excursion magique dans cet air limpide.

CI-DESSOUS : terres agricoles volcaniques, Meseta Central.

Sur la route de retour vers Cartago, une petite halte et un rafraîchissement vous attendent à La Posada de la Luna (tél. 534 8330), au village de Cervantes.

Des problèmes de sécurité affectent le Parque Braulio Carrillo et le Parque Volcán Irazú. Ne laissez aucun objet de valeur dans votre véhicule, et si vous avez l'intention de partir en randonnée, renseignez-vous d'abord auprès des autorités du parc sur les conditions de sécurité.

Parque Nacional Volcán Irazú

D'accès facile au départ de Cartago, le **Parque Nacional Volcán Irazú** ㉑ vous ouvre la voie de son sommet, à quelque 3 300 m d'altitude. Par temps dégagé, vous distinguerez peut-être les deux océans – la mer des Caraïbes et le Pacifique. Le plus haut volcan du Costa Rica, qui porte également le surnom d'El Coloso (le colosse), rompit le 8 décembre 1994 une période de 30 années de silence par une seule et tonnante éruption. La précédente, le 19 mars 1963, jour de l'arrivée du président John F. Kennedy, avait été encore plus puissante. Pendant 2 ans, l'Irazú vomit ses cendres sur une grande partie du Valle Central. Les habitants ne sortaient jamais sans leur parapluie. Les cendres engorgèrent le Río Reventazón, provoquant une inondation et détruisant 300 maisons. Les toits ployaient sous le fardeau et San José disparut sous un ciel d'encre.

Une excursion d'une demi-journée suffira à vous faire découvrir l'Irazú. Vous pourrez gagner la crête sommitale, marcher au bord du cratère principal et contempler le spectacle fantastique d'un lac vert émeraude et de pentes charbonneuses, ponctuées par les jets de vapeur blanche qui s'échappent des fissures de la roche. De merveilleux sentiers de randonnée et d'observation ornithologique sillonnent le secteur Prusia du parc.

Ci-dessous : point de vue imprenable sur le Valle de Orosí.

Parque Nacional Braulio Carrillo

Le **Parque Nacional Braulio Carrillo** ㉒ n'est qu'à 45 min en voiture de San José. Prenez la route de Limón et, avant le tunnel de Zurquí, tournez aux

panneaux qui indiquent la partie Barva du parc (*voir p. 151*). Autre possibilité, continuez 17 km après le tunnel jusqu'à l'entrée de la Quebrada Gonzales où la piste de La Botella, moins raide, demande moins d'efforts. Les ornithologues amateurs devront arriver tôt. Attention : les pistes sont souvent boueuses et les serpents se montrent parfois – chaussures de marche confortables, pantalon et lotion antimoustiques vivement conseillés.

Le Parque Nacional Braulio Carrillo couvre 445 km² de forêts essentiellement primaires. Il doit sa naissance, en 1978, à la pression des écologistes qui craignaient que l'ouverture d'une route nationale entre San José et Guápiles ne livre une forêt vierge en voie d'extinction aux entreprises forestières et immobilières. Le déboisement avait déjà accompagné la percée de nombreuses autres routes à travers le pays. Un compromis vint mettre un terme au conflit : la route serait tracée, mais les 32 000 ha de forêt vierge qui l'encadraient seraient protégés en un parc national.

Le Braulio Carrillo compte 5 habitats forestiers distincts, dominés par la forêt tropicale humide. Des centaines de variétés de fougères et d'orchidées, et la plupart des espèces d'oiseaux indigènes du Costa Rica y prospèrent. Pour mieux comprendre les cycles biologiques, débusquer la faune à travers ses multiples camouflages – et ne pas manquer quelques points de vue spectaculaires –, vous aurez tout intérêt à réserver un guide auprès des Parques Nacionales ou d'un opérateur d'écotourisme. Le parc est vaste, mais peu de pistes le traversent dans sa totalité et les randonneurs en solo peuvent ainsi errer pendant des jours. Les canyons gigantesques, les brumes qui nappent les pentes et les feuilles énormes de l'omniprésente *sombrilla del pobre* (parapluie du pauvre, *Gunnera insignis*) renforcent encore cette sensation d'immensité.

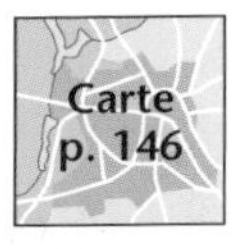
Carte
p. 146

CI-DESSUS : orchidée *Guaria morada*, fleur nationale.

CI-DESSOUS : dans la nacelle du Rainforest Aerial Tram.

Le quartier de San Pedro est l'un des plus vivants de la capitale grâce à la présence de son université. Vous y trouverez plusieurs bons restaurants, bars et night-clubs.

La forêt pluviale en un coup d'œil

Avoir la même vision qu'un singe, un perroquet ou un paresseux sur la canopée de la forêt ? Rien de plus simple : rendez-vous à 5 km au nord de Río Sucio, sur la route de Puerto Limón (50 min de San José), et offrez-vous une petite balade d'une heure et demie à bord du **Rainforest Aerial Tram** ㉓ (ouv. tlj. ; réservations conseillées ; tél. 257 5961 ; entrée payante comprenant trajet en nacelle, vidéo et brève promenade). Vous pourrez glisser parmi les cimes, à 35 m du sol, respirer un air chargé d'humidité, sentir l'inoubliable parfum des troncs couverts de mousse et, si vous avez beaucoup de chance, entrevoir quelque animal farouche.

Les amateurs d'amphibiens ne manqueront pas la **Finca de Ranas Tropicales** ㉔, 6 km après l'Aerial Tram. Ils y découvriront plus de 200 petits dendrobates, ces grenouilles toxiques aux couleurs éblouissantes, mais difficiles à repérer dans la forêt, en compagnie de leurs grandes cousines nocturnes, les charmantes rainettes aux yeux rouges (*Agalychnis callidrias*). La ferme aux grenouilles (entrée payante) qui jouxte le Restaurante Rancho Roberto propose également des œuvres d'artistes consacrées aux fameuses grenouilles.

Faubourgs de San José

À l'ouest de San José s'étendent les faubourgs d'Escazú, Santa Ana, **Rohrmoser** et **Pavas**. Ces deux derniers ne se distinguent guère que par la présence de l'ambassade des États-Unis. Le personnel diplomatique réside le long des larges rues de Rohrmoser, dans des villas protégées par des grilles.

À l'origine, **Escazú** ㉕ se tenait à un carrefour de pistes reliant plusieurs villages amérindiens. Comme l'eau y était abondante, les voyageurs y passaient souvent la nuit et baptisèrent Escazú, "lieu de repos".

CI-DESSOUS : Fiesta Día del Boyero, San Antonio de Escazú.

Les colons espagnols apprécièrent également Escazú ; ils s'installèrent dans les collines alentour qu'ils cultivèrent. C'est à cette époque que la bourgade prend le surnom de "ville des sorcières". La légende a survécu, mais les maisons en pisé, peintes en bleu et blanc pour éloigner les êtres maléfiques, cèdent peu à peu le terrain à des complexes luxueux.

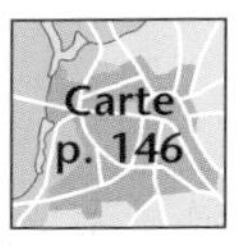
Carte p. 146

Escazú mêle les traits de l'ancien Costa Rica à ceux d'une communauté cosmopolite à forte dominante nord-américaine – d'où son sobriquet de "Gringolandia". Le centre-ville a conservé des bâtiments en pisé, une charmante église néobyzantine et, naturellement, un terrain de football. Autour poussent comme des champignons des enclaves résidentielles conçues pour des Nord-Américains, des Européens ou de riches Ticos, attirés par le climat et les superbes paysages d'Escazú. Malheureusement, la circulation, les grands complexes, les chaînes de fast-foods et les enseignes de mode défigurent l'artère principale.

Dans les collines qui s'élèvent à l'est de la ville, d'élégantes demeures anciennes et leurs jardins agrémentent le secteur de **Bello Horizonte**. Une petite excursion parmi ces collines vous mènera aux **Biesanz Woodworks** (tél. 289 4337 ; www.biesanz.com), atelier où Barry Biesanz travaille les essences de bois durs. Remarquables par leurs lignes fluides et gracieuses, ses bols et boîtes sont exposés dans un bel espace, entouré par un charmant jardin d'herbes.

CI-DESSUS : maison en pisé, Valle Central.

CI-DESSOUS : Escazú ne renie pas ses sorcières.

Nouveau faubourg ayant poussé le long de la nationale menant à Santa Ana, **San Rafael de Escazú** compte plusieurs centres commerciaux flambant neufs ; les privilégiés vont y faire leur shopping, attirés par les supermarchés, les restaurants chic et les boutiques vestimentaires les plus huppées.

Sur la vieille route de Santa Ana, de l'autre côté du nouveau centre commercial Los Laureles, vous apercevrez un vaste périmètre clos de murs, sévèrement gardé. Il ne s'agit pas d'une prison de haute sécurité, mais de la résidence de l'ambassadeur des États-Unis.

Santa Ana

Grands ensembles, villas de luxe et centres commerciaux étendent leurs tentacules sur la ville, mais **Santa Ana** ㉖ a pourtant su préserver une atmosphère provinciale. Ainsi, les tresses d'oignons qui firent sa réputations pendent toujours aux auvents et linteaux des restaurants rustiques égrenés le long de la route. Côté ouest de la ville, des artisans vendent encore poteries et vanneries confectionnées dans les environs.

Durant la deuxième semaine de novembre, un festival de musique baroque met en valeur l'excellente acoustique de l'église locale.

Au-dessus de Santa Ana, le **Museo Histórico Agrícola** (ouv. du lun. au ven. de 8h à 16h, les sam. et dim. de 9h à 17h ; entrée payante ; tél. 282 8434) présente des outils de ferme du XIXe siècle, un moulin à sucre traditionnel et divers animaux.

Le Rancho del Macho (tél. 282 9295 ; ouv. du mar. au dim.) est perché sur les hauteurs qui surplombent Santa Ana. Là, vous vous attablerez sous les étoiles, contemplant les lumières de la ville et savourant la brise embaumée des collines – avant de déguster la délicieuse spécialité du lieu, les brochettes de bœuf et poulet aux oignons grillés.

Près d'Escazú, à San Antonio de Escazú, le Día de los Boyeros, fête des chars à bœufs, a lieu le deuxième dimanche de mars. Une bonne centaine de chars y rivalisent de couleurs, et des milliers de spectateurs côtoient leurs superbes bœufs.

Dans un cadre plus récent mais très confortable, à mi-chemin sur l'ancienne route Escazú-Santa Ana, l'Hotel Alta (tél. 282 4160) propose également un excellent restaurant.

Les amateurs de shopping feront sans doute un crochet par le **Multiplaza**, l'un des plus grands centres commerciaux d'Amérique centrale – accessible par la voie rapide, direction Santa Ana, en face de l'Hotel El Camino Real.

De Santa Ana, vous avez le choix entre les routes secondaires qui filent à travers les collines ou la voie rapide pour rejoindre Ciudad Colón. L'agglomération s'est surtout fait connaître pour son **Universidad para la Paz** (suivez les panneaux à la sortie de la ville). Financée par les Nations unies, cette université hors normes dispense un enseignement qui prône le règlement pacifique des conflits, offrant un contrepoint aux collèges militaires qui prédominent un peu partout ailleurs et attirant des étudiants du monde entier. Des sentiers de randonnée et des parcours d'ornithologie sillonnent le campus, et vous trouverez des aires de pique-nique devant un lac où s'ébattent oies et canards.

De retour à Santa Ana par les routes secondaires, vous pourrez vous arrêter à **El Rodeo** (ouv. les sam. et dim. uniquement), restaurant qui loue des chevaux. Si la cuisine servie n'a rien d'exceptionnel, les collines environnantes, en revanche, se prêtent à de magnifiques randonnées à cheval.

Sarchí et les villages voisins

CI-DESSOUS : l'église métallique de Grecia, importée de Belgique en 1897.

Pour partir à la découverte des villages du Valle Central et de leur artisanat, prenez la direction de Sarchí, au nord d'Alajuela, et arrêtez-vous en chemin à **Grecia** ㉗. Ce petit bourg d'allure helvète a été élu "village le plus propre de toute l'Amérique latine". Ne manquez pas son église rouge sombre, tout en métal. Quelques minutes à pied vous mèneront au **Mundo de las Culebras** (ouv. tlj. de 8h à 16h; visites guidées; tél. 494 3700), où se prélassent plus de 150 couleuvres originaires du monde entier.

Inutile de chercher les panneaux de signalisation pour vous assurer que vous approchez de **Sarchí** ㉘ : des motifs hauts en couleur indiquent cette ville de montagne à peu près partout – sur les arrêts de bus, les bars, les boulangeries, les restaurants et les maisons.

Sarchí a fait de son artisanat son principal argument touristique, forte de ses peintres de charrettes à bœufs *(voir p. 164-165)* et de ses artisans ébénistes. Selon la légende, un paysan traversait le Beneficio la Luisa quand lui vint l'idée de décorer ses roues de charrette en utilisant des motifs inspirés par les ornements mauresques.

Curieusement, cette forme d'art fit école. À l'origine, chaque département du Costa Rica avait ses propres motifs : ainsi pouvait-on deviner au premier coup d'œil d'où venait le charretier. On dit même que chaque charrette émettait son propre "*chirrido*" (bruit de roues), de telle sorte que chacun savait qui passait, sans même lever les yeux.

Jusque dans les années 1960, le char à bœufs est demeuré le mode de transport dominant : c'était le seul véhicule à pouvoir transporter les produits agricoles à travers ce pays accidenté. Le père du président Oscar Arias Sánchez fit fortune en transportant du café en char à bœufs jusqu'à Puntarenas. Ces derniers circulent encore aujourd'hui dans des villages comme San Antonio de Escazú, pourtant très proche de la capitale.

À la lisière de Sarchí, des étals longent la route, proposant bonbons aux fruits, miel et caramels. À l'opposé des grandes boutiques d'artisanat qui envahissent Sarchí, ces petits étals ont quelque chose de convivial, et sont autant d'occasions de bavarder un moment avec les gens du pays.

Parcourez 15 km de plus, et vous arriverez à **Zarcero** ㉙ : lorsque les nuages de la *meseta* tourbillonnent au-dessus de la ville, ou si le brouillard et la bruine enveloppent toutes choses dans une lumière diffuse, vous aurez la vague impression de pénétrer dans un monde irréel.

Sans doute unique au monde, le **Parque Central** de Zarcero présente toutes les caractéristiques d'un musée de l'art topiaire. Son paysagiste, Evangelisto Blanco, a taillé et retaillé haies et buissons de cyprès en une réplique végétale du jardin du Facteur Cheval : oiseaux, lapins, bœufs, éléphants aux yeux sertis d'ampoules, taureau dans son arène avec ses spectateurs, Christ portant sa croix, homme coiffé d'un haut-de-forme, chat déployant sa queue, chevauchant une moto sur une haie…

Evangelisto sculpte ses arbustes seul et ce depuis 40 ans, 7 jours sur 7, jours fériés inclus. La vitalité et l'énergie exceptionnelles de son œuvre ont été comparées aux créations d'Antonio Gaudí à Barcelone et à celles de Simón Rodía, auteur des Watts Towers de Los Angeles. Privé de marbre ou de pierre, Evangelisto a trouvé dans les plantes un support qui lui permet d'exprimer sa sensibilité artistique.

Environ 8 km après l'embranchement de Sarchí, le long de la Panaméricaine, empruntez la sortie en direction de **Palmares**. Le tourisme a épargné cette cité coloniale vieille de 2 siècles ; promenez-vous dans ses rues, et vous y découvrirez un art de vivre totalement préservé. Pour combien de temps encore ? ❑

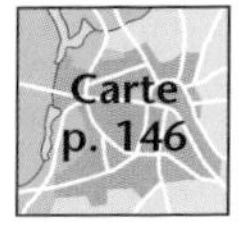
Carte p. 146

CI-DESSOUS : petite pause photo lors de la plantation de jeunes caféiers.

POTIERS, SCULPTEURS ET ORFÈVRES

Les Amérindiens du Costa Rica nous ont laissé de l'or, des poteries et des statuettes en pierre, traditions balayées par les conquistadors.

Placés à un carrefour commercial et culturel, les Amérindiens du Costa Rica absorbent et modifient les techniques de la céramique, du travail de l'or et du jade, du tissage et de la sculpture sur pierre. Ces premiers habitants, particulièrement dans le port précolombien de Nicoya (dans la province de Guanacaste), commercent avec les navigateurs jusque vers le Mexique et l'Équateur. Ils développent également leur propre style de poterie : hommes-oiseaux, figurines aux parties génitales accentuées suggérant un rite de la fertilité. Des exemples de ces poteries, très largement diffusées, ont été retrouvés dans toute l'Amérique centrale.

Une visite au Museo del Oro, au Museo del Jade et au Museo Nacional vous permettra de découvrir les plus belles pièces et de mieux connaître leur histoire.

ARTISANS ET ARTISTES

Les Espagnols ne mirent jamais la main sur les gisements d'or de la "Côte Riche", mais les anciens Costaricains travaillaient l'or et l'argent (importés) pour confectionner des statuettes et des pièces décoratives. Ces traditions ont été perdues, comme celles de la sculpture de la pierre et du tissage en coton, mais la poterie et l'art de la décoration des chars à bœufs connaissent un nouvel essor, grâce au tourisme. Pour la poterie, rendez-vous à Guatil et à Nicoya, et à Sarchí pour les autres artisanats.

D'autres types d'artisanat local, moins touchés par le tourisme, prospèrent au sud du pays : les *molas* (tissus appliqués inversés, cousus main) autour de Bahía Drake, et les superbes masques grotesques en balsa des Boruca.

▷ **"MAISON DU RÊVEUR"**
Le sculpteur autodidacte Macedonio Quesada (mort en 1997) a laissé de charmantes statues naïves sculptées en bois de caféier. Dans le Valle de Orosí, ses deux fils perpétuent la tradition. Certaines pièces sont en vente.

▽ **POTERIES MAISON**
Les sols costaricains, riches en argile, fournissent une excellente terre de poterie. De nombreuses familles du Guanacaste possèdent un four extérieur, et façonnent leurs pièces sans l'aide d'un tour.

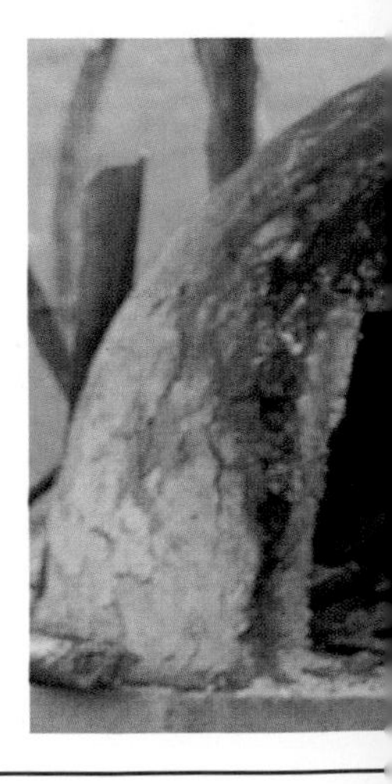

◁ **DUR TRAVAIL DE LA PIERRE**
Les Précolombiens du Costa Rica utilisaient l'andésite et autres pierres sédimentaires qu'ils sculptaient avec des outils en bois. On pense qu'ils fendaient la roche en insérant des goujons dans les fissures et en les arrosant. Le bois des goujons, en gonflant, faisait alors éclater la pierre.

◁ **MERVEILLEUX HOMMES-OISEAUX**
Belle idée de cadeau, la copie d'une figurine en or précolombienne.

▷ **TRADITIONS VIVANTES**
Les Amérindiens boruca appliquent des motifs traditionnels à leurs tissages et gourdes gravées.

◁ **PEINTURE EN POTS**
La culture des Chorotega a disparu, mais leurs descendants emploient des pigments à l'eau pour décorer leurs poteries bon marché d'animaux fantaisistes et autres motifs précolombiens.

▷ **CHANT DES ROUES**
Les villageois distingueraient un char à bœufs d'un autre au bruit de ses roues…

CHARS À BŒUFS DÉCORÉS

Utilisés exclusivement – et très récemment encore – pour le transport du café et d'autres produits agricoles, ces chars à bœufs peints sont typiquement costaricains et symbolisent l'indispensable autonomie du paysan.

Parfaitement adaptés au relief montagneux du Costa Rica et à ses pistes sommaires, les chars à bœufs sont encore très répandus à travers le pays, mais tous sont fabriqués à Sarchí, capitale artisanale du bois. Les sculpteurs ont commencé à peindre leurs chars au début du XXe siècle. Vous en verrez de toutes les tailles (certains pas plus grands qu'un jouet) et de toutes les couleurs, mais les motifs géométriques traditionnels cèdent aujourd'hui le pas aux scènes de jungle, aux animaux sauvages, aux fleurs et autres figurations nouvelles.

À Sarchí, vous pourrez essayer de peindre vous-même un char à l'aide de pinceaux très fins, ou confier ce travail à un expert et commander un modèle personnalisé ; certains se retrouvent convertis sous forme de bars ou de décors d'hotels et dans les maisons de campagne des riches Ticos.

PACÍFICO CENTRAL

Quelques plages superbes frangent le Pacífico Central, tandis que le Parque Nacional Manuel Antonio a tout du rêve tropical.

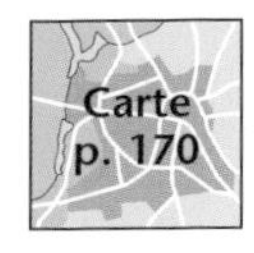

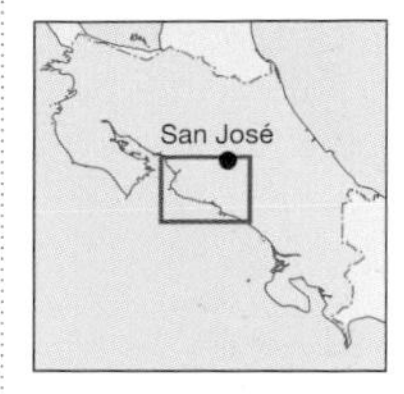

De San José, 2 heures de route à peine vous séparent de Jacó, la plage la plus proche de la côte pacifique. Et d'autres, bien plus belles encore, dans le Parque Nacional Manuel Antonio, vous attendent à 1 heure de Jacó. Pour les plus pressés, il reste encore l'avion ; des vols bon marché relient San José à Quepos (à côté de Manuel Antonio) – pensez à réserver votre billet longtemps à l'avance lors de la saison sèche.

Vers la côte

Si vous vous déplacez en voiture, et souhaitez rallier la côte au plus vite, quittez la route principale en direction d'Atenas, passez devant l'aéroport Juan Santamaría, puis prenez la direction de La Garita de Alajuela. La route serpente ensuite vers Orotina, longeant les plantations de café qui escaladent les pentes abruptes, presque verticales, des montagnes.

En approchant du **Puente Río Tárcoles** ❶, vous apercevrez des groupes de touristes agglutinés le long du parapet, appareils photo et jumelles pointées vers le bas. Objets de leur attention, des crocodiles – énormes monstres antédiluviens, certains atteignant 7 m de longueur – se dorent au soleil le long des berges vaseuses ou patrouillent lentement le fleuve, ne laissant émerger que leur mufle et leur crête dorsale. La plupart des crocodiles du Costa Rica appartiennent aux espèces des caïmans, plus petites. Le Río Tárcoles permet d'observer facilement les grands specimens américains *(Crocodylus acutus)*. Une vingtaine d'individus peuvent se réunir ici, à l'embouchure.

Le **Parque Nacional Carara** ❷ borde la nationale entre Playa Jacó et Puntarenas, au sud du pont. Ce parc occupe une zone de transition entre forêt sèche et forêt humide, offrant à la faune de multiples habitats : terrains montagneux, forêts primaires et secondaires, lagons et marais du Río Tárcoles. La végétation couvre un éventail tout aussi large, des feuillus persistants aux épiphytes et autres figuiers étrangleurs. Parmi les oiseaux le plus souvent observés, les toucans et les aracaris voisinent avec les pénélopes, les canards et les aras macao. Singes hurleurs et écureuils, atèles et capucins-moines se montrent volontiers, contrairement aux félins, toujours très discrets – chats margays, jaguarundis, ocelots et jaguars , sans oublier les paresseux, coatis et agoutis, les reptiliens et les magnifiques papillons morpho. Un guide pourra vous aider à mieux comprendre cet univers : renseignez-vous à l'entrée du parc ou, à l'avance, auprès des Parques Nacionales.

Quelque 200 couples d'aras macao fréquentent le Carara. Ces énormes perroquets rouge, jaune et bleu vivent unis durant les 30 années de leur existence. Ils nichent en décembre, et, 11 mois plus tard, les petits demeurent encore au nid. Ils constituent alors une

PAGES PRÉCÉDENTES : Parque Nacional Manuel Antonio. **CI-CONTRE :** cascade tropicale. **CI-DESSOUS :** ara macao, Parque Nacional Carara.

proie facile pour les braconniers qui les revendent au marché noir. Selon les ornithologues, il y aurait de 1 500 à 2 000 aras macao au Costa Rica – deux fois plus qu'il y a 10 ans, et ce grâce aux programmes de protection mis en œuvre. Des campagnes ont été lancées pour décourager les acheteurs de jeunes aras ; le nombre d'oiseaux captifs a probablement diminué, même si les statistiques fiables font défaut.

En soirée, lorsque l'air des basses terres se fait moins lourd, les couples d'aras descendent des reliefs où ils s'alimentent. Au coucher du soleil, garez votre véhicule le long de la route principale, près du Puente Río Tárcoles, devant l'entrée du parc : vous entendrez leurs appels rauques tandis qu'ils volent vers leurs nids, dans la mangrove littorale. Vous verrez sans doute aussi les oiseaux de mer et les échassiers qui fréquentent l'estuaire. Le plumage des spatules rosées s'embrase aux rayons du couchant ; les crocodiles qui se prélassent sur les rives, apparemment assoupis, ne dédaigneront pas pour autant une proie aussi tentante.

Plages

Si vous espériez fouler le sable immaculé de rivages léchés par les eaux cristallines des brochures touristiques, les plages du Pacífico Central risquent fort de vous décevoir – Jacó se contente ainsi d'un sable gris sale. Leur intérêt réside principalement dans leur proximité avec San José, leurs belles vagues de surf et leur vie nocturne. Mais, en vous éloignant un peu des grandes routes et du brouhaha des sites les plus fréquentés, vous devriez découvrir plusieurs endroits propres et vraiment agréables. À 5 min au nord de Jacó, **Playa Herradura** vous offre ses vagues paisibles et l'ombre de ses arbres, où accrocher un hamac, à son extrémité nord ; le vaste complexe du Marriott Los Sueños et sa marina défigurent

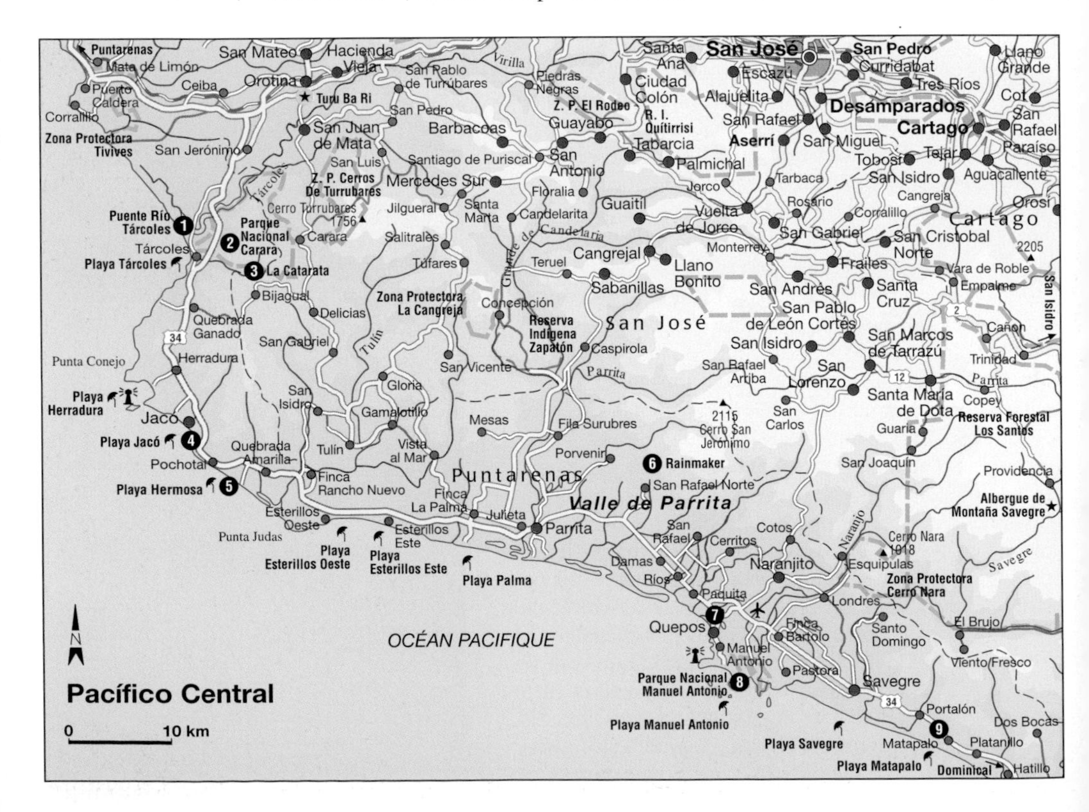

Carte p. 170

en revanche la partie sud. À 10 km au sud de Jacó, **Playa Esterillos** vous réserve 11 km de littoral pratiquement vierge : prudence toutefois, les contre-courants sont dangereux. Évitez Playa Tárcoles, très polluée.

Des circuits "crocodiles" empruntent le Río Tárcoles – mais attention, ne vous engagez pas avec les opérateurs irresponsables qui distribuent de la viande à leurs clients pour attirer ces grands reptiles. Une fois que l'animal a associé la nourriture à un être humain, il devient dangereux.

À plusieurs kilomètres de la route Jacó-San José, 17 km avant Playa Jacó, **La Catarata** ❸ déverse ses chutes d'une hauteur de 300 m. La randonnée (comptez 1 heure) qui vous y conduit exige une excellente forme physique – n'oubliez pas d'emporter de l'eau en quantité suffisante. Autre solution, la randonnée à cheval organisée par le Complejo Ecológico La Catarata (tél. 661 8263), au sommet des chutes. À proximité, l'Hotel Villa Lapas (tél. 637 0232) propose un forfait randonnée et circuit "canopée" empruntant des ponts suspendus, incluant une nuit dans une chambre confortable.

Playa Jacó

Hamacs accrochés aux cocotiers et bière fraîche en toute occasion illustrent l'ambiance balnéaire et festive de **Playa Jacó** ❹. D'un coût très abordable, les *cabinas* sont généralement propres et souvent posées sur la plage. Vous aurez également le choix entre plusieurs hôtels avec piscine, bar, air conditionné et forfaits excursion vers les autres centres d'intérêt de la côte. Pour nager, préférez la piscine d'un hôtel, plus adaptée que la plage, d'une propreté douteuse et balayée de contre-courants dangereux. À Jacó, vous aurez le choix parmi tout un éventail de distractions – équitation, moto, scooter ou kayak. Location de planches et leçons

Ci-dessus : logo de tee-shirt.

Ci-dessous : iguane bien camouflé.

de surf possibles chez Chuck's Surf Shop, où l'on vous renseignera volontiers sur les conditions de surf. Les noctambules trouveront leur bonheur au Club Olé, les joueurs de billard au Jungle Bar, au-dessus du snack-bar Subway. Sachez toutefois que nombre de prostituées arpentent ces lieux fréquentés par les touristes.

Tranchant sur l'ambiance frelatée de Jacó, l'élégant Hotel Poseidon (tél. 643 1642) se dissimule dans l'oasis d'une rue tranquille, au centre-ville. Son restaurant propose une cuisine délicate aux parfums du Pacifique. À l'extrémité sud de la plage, l'Hotel Club del Mar Resort (tél. 643 3194), calme et confortable, est tout aussi raffiné.

À 3 km de Playa Jacó, **Playa Hermosa** ❺ se distingue par ses breaks de plage très puissants ; un spot de surf accessible, qui vous permettra également d'observer une belle variété d'échassiers : grande aigrette (*Ardea alba*), aigrette neigeuse (*Egretta thula*), grand héron (*Ardea herodias*), aigrette bleue (*Egretta caerulea*), héron strié (*Butorides striatus*) et aigrette tricolore (*Egretta tricolor*). Vous apercevrez peut-être un jacana fouler les tapis de nénuphars de ses immenses pattes jaunes, et des dendrocygnes à ventre noir (*Dendrocygna autumnalis*).

En suivant la route côtière vers l'est pendant 40 km, vous arriverez à **Parrita**, petite ville dominée par l'immense complexe agricole de palmiers à huile créé en 1985. D'origine africaine, ces arbres se sont très bien acclimatés. Les ouvriers vivent près de la route, dans des maisons à un étage peintes de couleurs vives, organisées autour du terrain de football, cœur de tout village tico.

À 10 km à l'est de Parrita, tournez vers l'intérieur au village de Pocares, puis continuez sur 6 km environ pour rejoindre **Rainmaker** ❻ (tél. 288 0654). Ce passionnant programme écologique vous proposera d'explorer la canopée de la forêt pluviale en minimisant l'impact environnemental. Des passerelles en bois relient 6 ponts suspendus ; l'un d'eux a une portée de 90 m, et au point culminant du parcours, vous vous retrouverez suspendu à quelque 25 étages au-dessus du sol. Une expérience à réserver longtemps à l'avance auprès des opérateurs de Quepos et de Manuel Antonio (*voir ci-dessous*).

Ci-dessous : les routes costaricaines engendrent rarement la mélancolie.

Parque Nacional Manuel Antonio

Port bananier jadis très actif, **Quepos** ❼ est devenue la ville-dortoir de Manuel Antonio, à 7 km. Vous y trouverez des restaurants, des boutiques, de bons hôtels, une vie nocturne animée et l'ambiance nostalgique de la grande époque de la pêche et de la banane – mais sachez que ses plages sont polluées. En période de vacances, il vous faudra absolument réserver, à Quepos comme à Manuel Antonio.

La première mission du Costa Rica fut fondée à proximité en 1570, puis abandonnée en 1751. Vous découvrirez ses ruines en amont du Río Naranjo ; vous verrez des vestiges du cimetière, tout comme du verger, qui se régénère à partir des souches d'origine.

Le **Parque Nacional Manuel Antonio** ❽ (ouv. du mar. au dim. de 7h à 16h ; tél. 777 5185) s'étire sur 3 longues franges d'un sable blanc magnifique, entre la jungle et le Pacifique. Au-dessus des plages, vastes et propres, une épaisse végétation drape les falaises. Ce parc est l'un des rares endroits du pays où la forêt primaire vient occasionnellement border le rivage, permettant parfois aux baigneurs de nager à l'ombre. Dans un souci de préservation de l'environnement, les gardes du parc n'autorisent que 600 visiteurs par jour de semaine, et 800 le week-end – période à éviter, car vous risquez de ne pas être seul sur les plages. Privilégiez le matin tôt : les touristes se font encore rares et les animaux se montrent plus facilement. Des guides naturalistes confirmés sont toujours disponibles à l'entrée du parc.

À la lisière de l'extrémité nord du parc, la belle **Playa Espadilla** attire beaucoup de monde, en dépit de ses contre-courants capricieux. Vous pénétrerez dans le parc en franchissant un estuaire, et il vous faudra prendre un bateau à marée haute. Pour rejoindre **Playa Espadilla Sur**, première plage du parc, vous suivrez une piste dans la jungle à travers un long *tombolo* (langue de sable). **Playa Manuel Antonio** et **Playa Puerto Escondido** se gagnent moins facilement, mais cette dernière, accessible uniquement à marée basse, est la plus paisible. Toutes vous garantissent une baignade sans grand risque. Attention quand même aux rochers dissimulés par la haute mer !

Pour de simples randonnées, d'excellentes pistes vous attendent. Les 4 espèces de singes du pays peuplent les lieux : les capucins, qui ne demandent qu'à chaparder votre pique-nique – prudence, les risques de morsure sont bien réels ; les grands atèles, ou singes-araignées (*colorados*), qui se tiennent à distance ; les hurleurs (*monos congos*), sédentaires et grands amateurs de feuilles ; enfin les petits singes-écureuils (*titís*), qui déboulent à travers les branchages. Plus de 200 espèces d'oiseaux cohabitent : fous, frégates, pélicans, sternes... Les serpents et les iguanes abondent et, avec un œil exercé, vous repérerez sûrement un paresseux tapi sous les feuillages palmés du *cecropia*. Vous pouvez également nager, faire du body-surf ou de la plongée libre – pensez à apporter votre matériel. Les plages Espadilla Sur et Manuel Antonio disposent de quelques cabines

Carte p. 170

Attention aux singes, trop peu farouches, en quête de nourriture au Parque Manuel Antonio. Ne leur donnez rien, vous risqueriez de les habituer – et de contracter une maladie s'ils vous mordent.

CI-DESSOUS : vue aérienne du Parque Nacional Manuel Antonio.

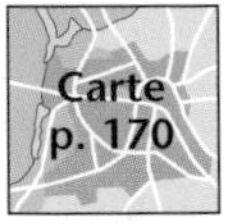

de repos et de douches froides très rudimentaires. À l'extérieur du parc, Equus Stables (tél. 771 0001) organise des randonnées à cheval en forêt, tandis que Sunset Sails (tél. 777 1304) embarque pour une croisière de 4 heures. Toujours en dehors du parc, Ríos Tropicales propose sorties en VTT, descentes en rafting et excursions en kayak de mer.

Au nord du village de Manuel Antonio, près de la plage, La Buena Nota, outre des livres et journaux en anglais, vend de l'artisanat local. N'hésitez pas à solliciter ses propriétaires, ils vous renseigneront volontiers sur la région.

À la lisière nord du parc, dans les collines qui remontent de la plage, une multitude de panneaux publicitaires signalent un nombre toujours croissant d'établissements hôteliers, de restaurants et de *cabinas*. À quelques rares exceptions près, les hébergements longent la route côté Océan, sur le sommet de la falaise, et offrent une vue sur les flots plutôt qu'un accès direct à la plage – l'une des plus belles étant réservée à l'Hotel Sí Como No (tél. 777 0777 ; www.sicomono.com), établissement écologique qui a remporté de nombreuses distinctions pour la qualité de ses services.

CI-DESSUS ET CI-DESSOUS : bord de plage à Manuel Antonio et bord de piscine à l'Hotel Costa Verde de Quepos. **CI-CONTRE :** *pavoncillo* en fleur.

Vous pouvez rejoindre Manuel Antonio en voiture, en car ou en avion. La route est goudronnée jusqu'à Quepos, et de nouveaux ponts ont remplacé les anciennes passerelles vétustes. Vous longerez quelques paysages de toute beauté, mais la section côtière traverse d'interminables palmeraies, vite monotones. De San José, comptez environ 2 heures de trajet, 4 en car et 20 min en avion (liaisons quotidiennes SANSA et NatureAir). Un dernier mot sur Quepos et Manuel Antonio : la petite criminalité y est en augmentation. Ne laissez pas vos effets sans surveillance sur la plage et conservez vos objets et papiers de valeur dans le coffre de votre hôtel.

Ancienne route du Pacifique

Pour gagner Manuel Antonio, un autre itinéraire part de San José direction ouest, via Ciudad Colón et Puriscal. L'essentiel du trafic passe par Orotina, laissant l'ancienne grande route du Pacifique à ceux qui préfèrent voyager à leur rythme ; 6 km à l'ouest de **Ciudad Colón**, vous traverserez la réserve guayabo des Quitirrisí, qui vendent leurs paniers tressés sur le bord de la route.

Dernier signe de civilisation avant Quepos, le bourg agricole de **Santiago de Puriscal** possède une belle église, endommagée par un tremblement de terre mais toujours debout. Peu après Puriscal, la route n'est plus goudronnée ; elle serpente à travers d'époustouflants paysages de montagnes et de vallées tapissées de caféiers, de champs de canne à sucre, de bananeraies et d'orangeraies. Hormis une portion cahoteuse juste après Puriscal, la piste gravillonnée est plutôt bonne et vous n'y croiserez pas grand monde. Après le village de La Gloria, elle descend rapidement, direction sud, vers Parrita, puis Quepos et Manuel Antonio.

À 25 km au sud de Manuel Antonio par la Costanera Sur (15 km au nord de Dominical), vous arrivez à **Matapalo** ❾. Une grande plage tranquille et des rouleaux puissants ont fait la renommée de cette station balnéaire. Au nord et au sud se déploient respectivement **Playa Savegre** et **Playa Barú**, aussi belles que peu fréquentées – toutes deux à découvrir à marée basse. ❑

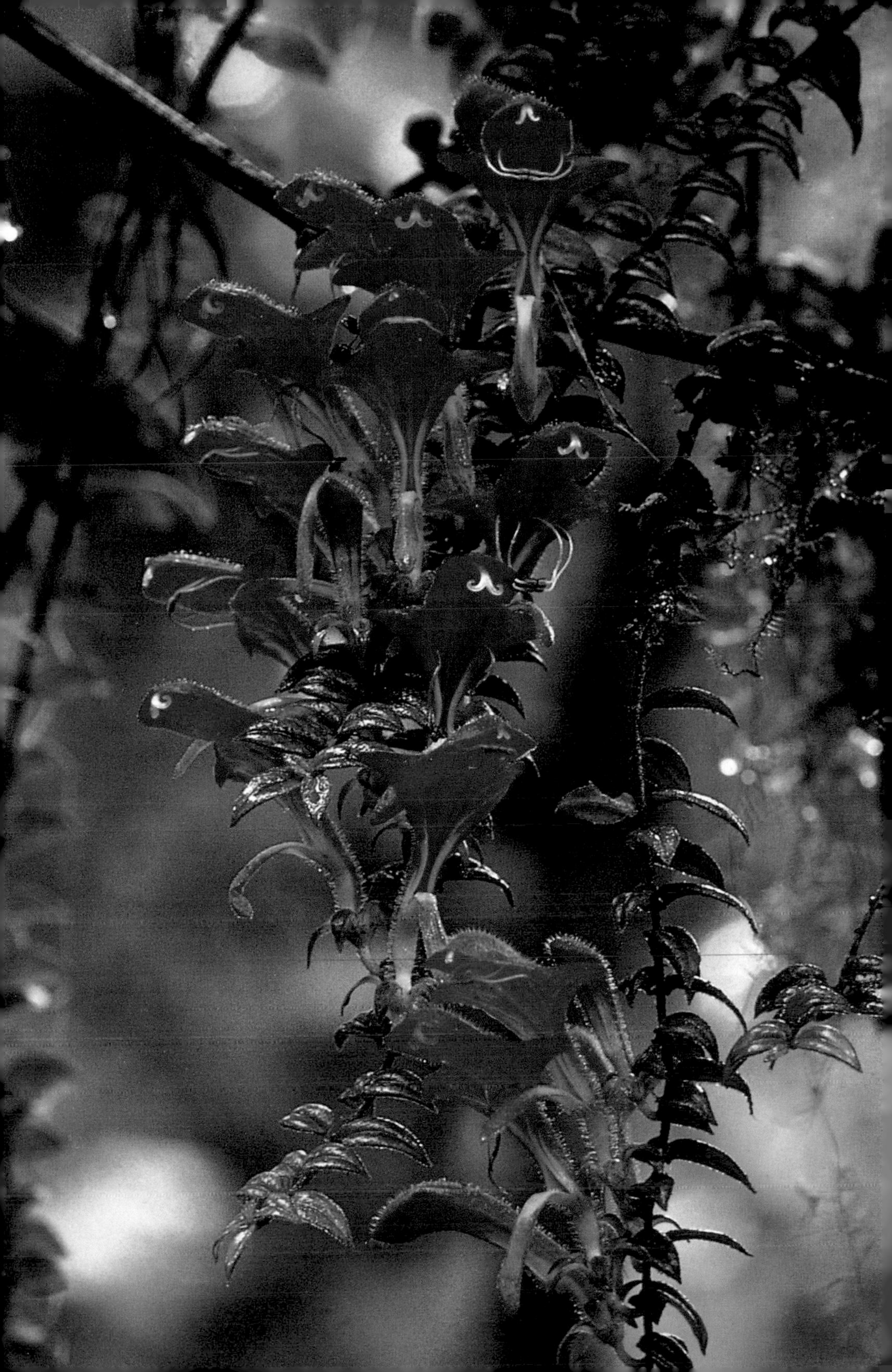

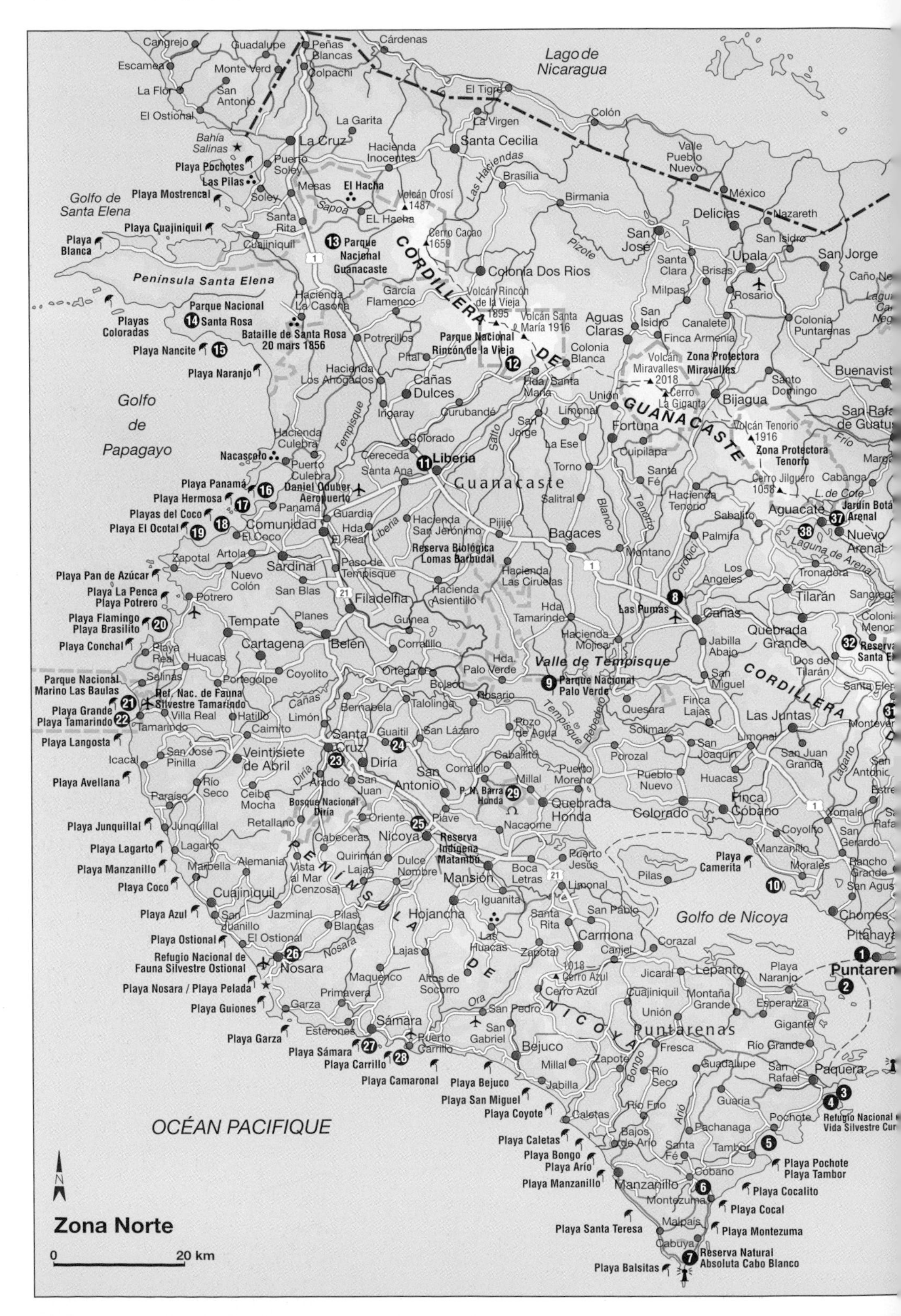
Zona Norte
0 20 km
OCÉAN PACIFIQUE
Lago de Nicaragua
Golfo de Santa Elena
Golfo de Papagayo
Golfo de Nicoya
Península Santa Elena
CORDILLERA DE GUANACASTE
PENÍNSULA DE NICOYA
Guanacaste
Puntarenas
Valle de Tempisque
Liberia
Nicoya
Santa Cruz
La Cruz
Upala
Cañas
Bagaces
Tilarán
Parque Nacional Guanacaste
Parque Nacional Santa Rosa
Bataille de Santa Rosa 20 mars 1856
Parque Nacional Rincón de la Vieja
Parque Nacional Palo Verde
Parque Nacional Marino Las Baulas
Reserva Biológica Lomas Barbudal
Zona Protectora Miravalles
Zona Protectora Tenorio
Reserva Natural Absoluta Cabo Blanco
Refugio Nacional de Fauna Silvestre Ostional
Daniel Oduber Aeropuerto
Las Pumas
Volcán Orosí 1487
Volcán Rincón de la Vieja 1895
Volcán Santa María 1916
Volcán Miravalles 2018
Volcán Tenorio 1916
Cerro Cacao 1659
Playa Pochotes
Playa Mostrencal
Playa Cuajiniquil
Playa Blanca
Playas Coloradas
Playa Nancite
Playa Naranjo
Playa Panamá
Playa Hermosa
Playas del Coco
Playa El Ocotal
Playa Pan de Azúcar
Playa La Penca
Playa Potrero
Playa Flamingo
Playa Brasilito
Playa Conchal
Playa Grande
Playa Tamarindo
Playa Langosta
Playa Avellana
Playa Junquillal
Playa Lagarto
Playa Manzanillo
Playa Coco
Playa Azul
Playa Ostional
Playa Nosara / Playa Pelada
Playa Guiones
Playa Garza
Playa Sámara
Playa Carrillo
Playa Camaronal
Playa Bejuco
Playa San Miguel
Playa Coyote
Playa Caletas
Playa Bongo
Playa Arío
Playa Santa Teresa
Playa Balsitas
Playa Pochote
Playa Tambor
Playa Cocalito
Playa Cocal
Playa Montezuma
Playa Camerita
Playa Naranjo

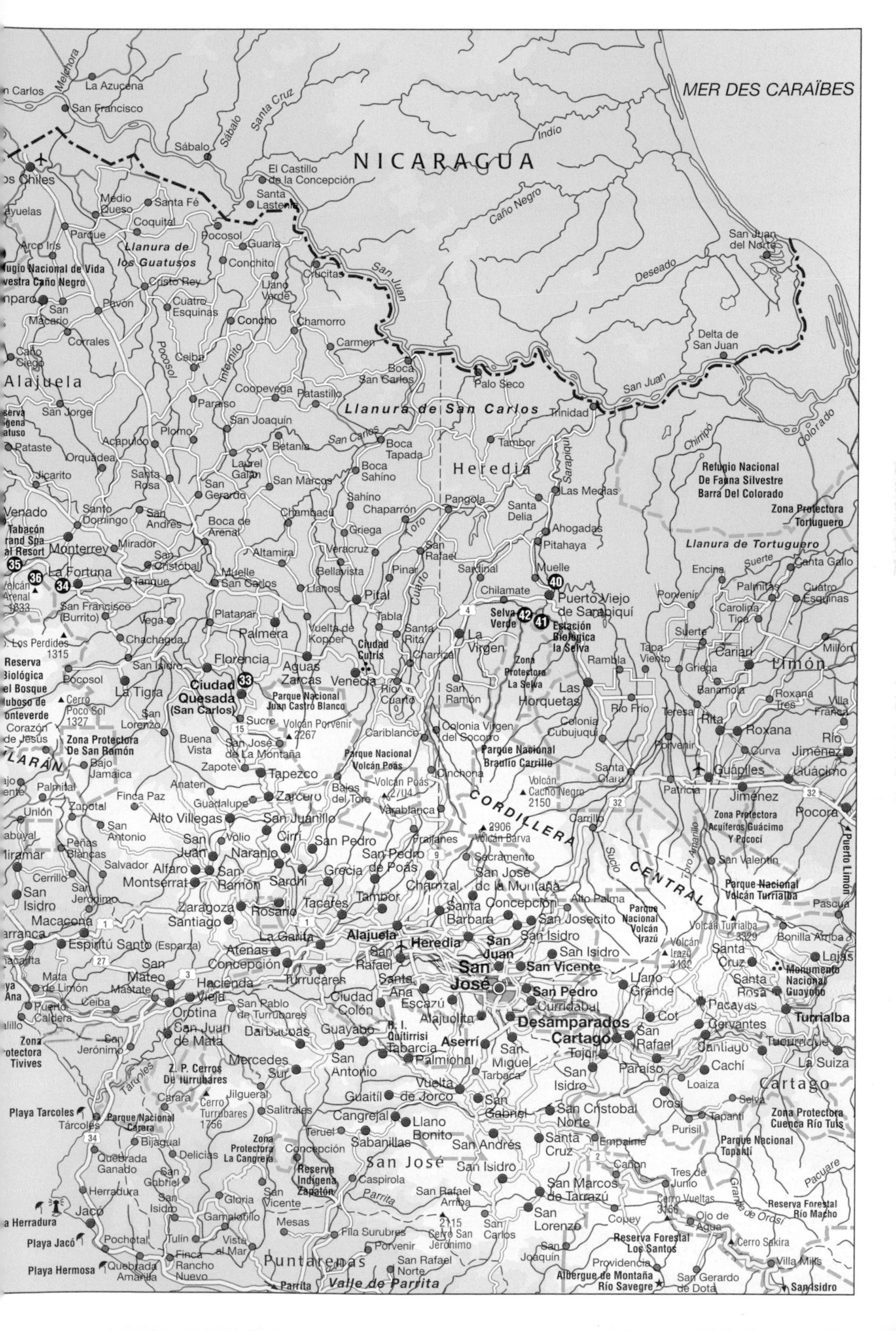
MER DES CARAÏBES
NICARAGUA
La Azucena
San Francisco
Melchora
Sábalo
Santa Cruz
Indío
El Castillo de la Concepción
Santa Lastenia
Caño Negro
Medio Queso
Santa Fé
Coquital
Parque
Arco Iris
Llanura de los Guatusos
Pocosol
Guaria
Conchito
Crucitas
San Juan
Deseado
San Juan del Norte
Cristo Rey
Llano Verde
Pavon
Cuatro Esquinas
San Macario
Concho
Chamorro
Corrales
Carmen
Delta de San Juan
Caño Ciego
Pocosol
Ceiba
Infiernito
Boca San Carlos
Palo Seco
Alajuela
Coopevega
Patastillo
San Juan
San Jorge
Paraíso
Llanura de San Carlos
Trinidad
San Joaquín
Plomo
San Carlos
Boca Tapada
Tambor
Chimpó
Colorado
Pataste
Acapulco
Betania
Orquídea
Laurel Galán
Boca Sahíno
Heredia
Sarapiquí
Refugio Nacional De Fauna Silvestre Barra Del Colorado
Jicarito
Santa Rosa
San Gerardo
San Marcos
Las Medias
Sahíno
Chaparrón
Pangola
Santa Delia
Venado
Santo Domingo
San Andrés
Chambacú
Zona Protectora Tortuguero
Boca de Arenal
Griega
Ahogadas
Toro
Monterrey
Mirador
Veracruz
San Rafael
Pitahaya
Llanura de Tortuguero
San Cristóbal
Altamira
Sardinal
Muelle
Encina
Suerte
Canta Gallo
La Fortuna
Bellavista
Pinar
Palmitas
Tanque
Muelle San Carlos
Llanos
Pital
Chilamate
Puerto Viejo de Sarapiquí
Porvenir
Cuatro Esquinas
San Francisco (Burrito)
Platanar
Cuarto
Selva Verde
Estación Biológica la Selva
Carolina Tica
Vega
Tabla
Palmera
Vuelta de Kopper
Santa Rita
La Virgen
Suerte
Chachagua
Ciudad Cutris
Tapa Viento
Rambla
Cariari
Millón
Florencia
Aguas Zarcas
Charrizal
Zona Protectora La Selva
San Isidro
Venecia
Grieta
Limón
Pocosol
La Tigra
Ciudad Quesada (San Carlos)
Parque Nacional Juan Castro Blanco
Río Cuarto
San Ramón
Las Horquetas
Banamola
Roxana Tres
Villa Franca
Cerro Poco Sol 1327
San Lorenzo
Sucre
Volcán Porvenir 2267
Río Frío
Teresa
Rita
Roxana
Zona Protectora De San Ramón
Buena Vista
San José de La Montaña
Cariblanco
Colonia Virgen del Socorro
Colonia Cubujuquí
Porvenir
Río Jiménez
Bajo Jamaica
Zapote
Parque Nacional Volcán Poás
Parque Nacional Braulio Carrillo
Curva
Tapezco
Cinchona
Santa Clara
Guápiles
Guácimo
Palmital
Anateri
Volcán Poás 2704
Volcán Cacho Negro 2150
Patricia
Jiménez
Finca Paz
Zarcero
Bajos del Toro
Zapotal
Guadalupe
Varablanca
CORDILLERA CENTRAL
Pocora
Unión
Alto Villegas
San Juanillo
Carrillo
Zona Protectora Acuíferos Guácimo Y Pococí
San Antonio
Volio
Cirrí
2906 Volcán Barva
Peñas Blancas
San Juan
Naranjo
San Pedro
Frailanes
Sucio
Toro Amarillo
Puerto Limón
San Pedro de Poás
Sacramento
San Valentín
Salvador
Cerrillo
Alfaro
San Ramón
Sarchí
Grecia
San José de la Montaña
Parque Nacional Volcán Turrialba
Montserrat
Chanrzal
San Isidro
San Jerónimo
Tambor
Alto Palma
Pascua
Zaragoza
Rosario
Tacares
Santa Bárbara
Concepción
Parque Nacional Volcán Irazú
Santiago
San Josecito
Volcán Turrialba 3329
Macacona
La Garita
Alajuela
San Isidro
Bonilla Arriba
Espíritu Santo (Esparza)
Heredia
San Juan
Volcán Irazú 3432
Santa Cruz
Lajas
Atenas
San Rafael
San Isidro
Monumento Nacional Guayabo
San Mateo
Concepción
San José
San Vicente
Llano Grande
Mata de Limón
Mastate
Turrucares
Santa Ana
San Pedro
Santa Rosa
Hacienda Vieja
Ciudad Colón
Escazú
Curridabat
Pacayas
Ceiba
Puerto Caldera
San Pablo de Turrubares
Orotina
Alajuelita
Desamparados
Cot
Turrialba
San Juan de Mata
Barbacoas
Guayabo
R. I. Quitirrisi
Aserrí
Cartago
San Rafael
Cervantes
Zona Protectora Tivives
San Jerónimo
Tabarcia
San Miguel
Tobosi
Santiago
Tucurrique
Palmichal
Cachí
La Suiza
Mercedes Sur
San Antonio
Tarbaca
Paraíso
Z. P. Cerros De Turrubares
Tárcoles
Vuelta de Jorco
San Isidro
Loaiza
Cartago
Carara
Jilgueral
Guaitil
Cerro Turrubares 1756
San Gabriel
San Cristobal Norte
Orosi
Selva
Playa Tarcoles
Parque Nacional Carara
Salitrales
Cangrejal
Llano Bonito
Tapantí
Zona Protectora Cuenca Río Tuis
Tárcoles
Teruel
Purisil
Bijagual
Zona Protectora La Cangreja
Sabanillas
San Andrés
Santa Cruz
Empalme
Parque Nacional Tapantí
Delicias
Concepción
Quebrada Ganado
San José
San Isidro
Cañón
Pacuare
Reserva Indígena Zapatón
Tres de Junio
San Gabriel
Caspirola
Herradura
San Marcos de Tarrazú
Grande de Orosi
Parrita
San Rafael Arriba
Cerro Vueltas 3156
Reserva Forestal Río Macho
Jacó
San Isidro
San Vicente
Gloria
San Lorenzo
Gamalotillo
Copey
Ojo de Agua
La Herradura
Mesas
2115 Cerro San Jerónimo
San Carlos
Pochotal
Tulín
Vista al Mar
Fila Surubres
Reserva Forestal Los Santos
Cerro Sakira
Playa Jacó
Porvenir
San Joaquín
Finca Rancho Nuevo
Puntarenas
San Rafael Norte
Providencia
Villa Mills
Playa Hermosa
Quebrada Amarilla
Albergue de Montaña Río Savegre
San Gerardo de Dota
Parrita
Valle de Parrita
San Isidro
Zona Protectora
Tabacón
Volcán Arenal 1633
Los Perdidos 1315
Reserva Biológica del Bosque Nuboso de Monteverde
Corazón de Jesús
Miramar
San Isidro
33
34
35
36
40
41
42
1
3
4
9
15
27
32
34
2

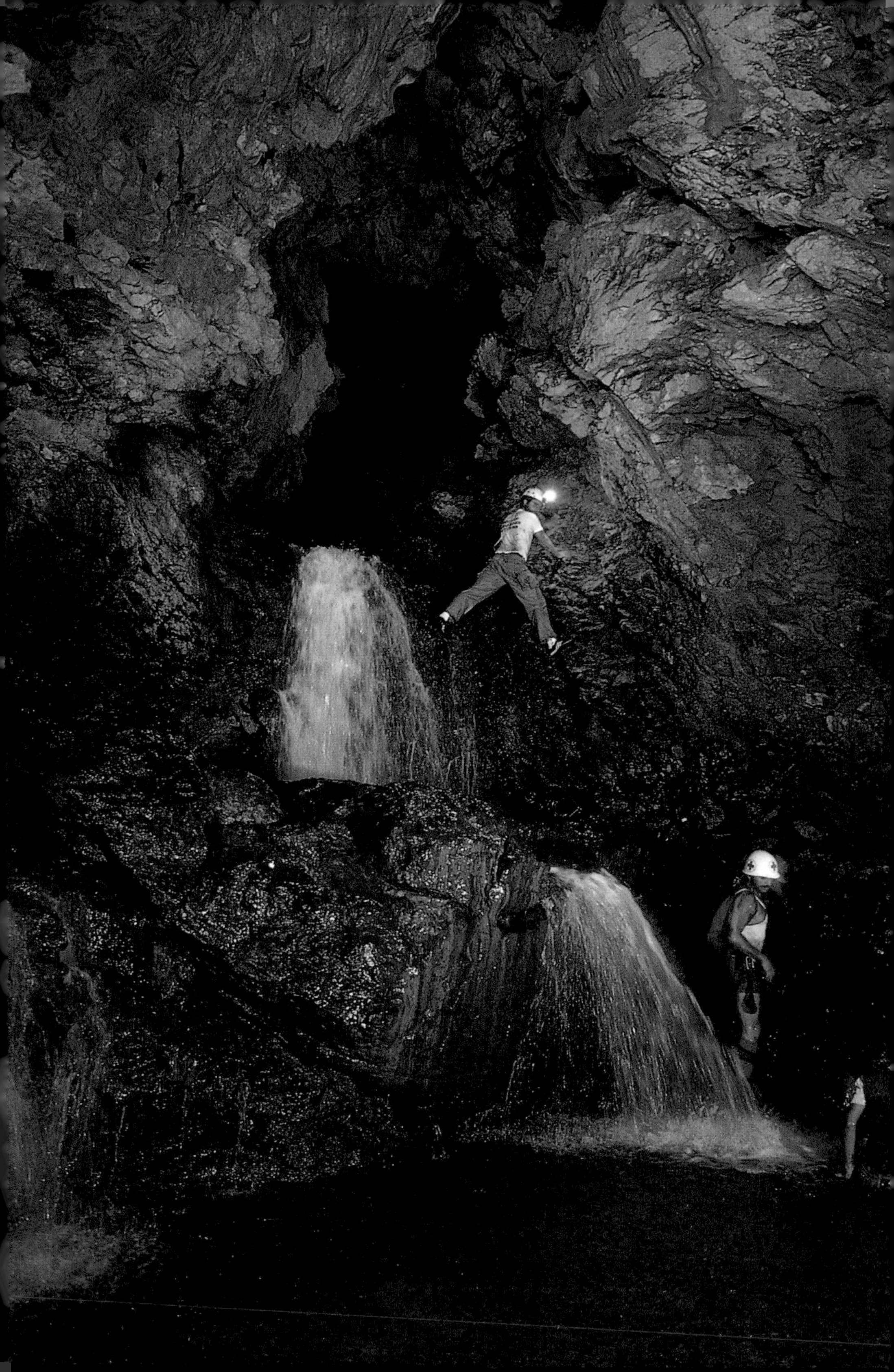

NORDOESTE

La plupart des merveilles naturelles du pays se concentrent dans cette région : des kilomètres de plages et de rouleaux, des milliers d'hectares de forêt tropicale, une faune et une flore exceptionnelles.

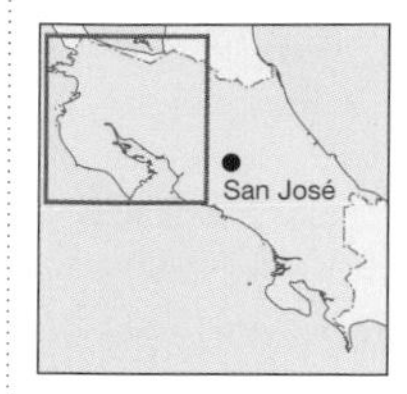

Le Nordoeste (Nord-Ouest) se divise en deux provinces. Le Guanacaste en occupe la plus grande partie, avec ses immenses prairies ponctuées ici et là d'énormes guanacastes où les zébus se réfugient au plus fort de la chaleur. Durant la saison des pluies, une mer verte baigne l'horizon, mais, à la saison sèche, la savane se mue en parcelles dorées, cuites par le soleil. Pays traditionnel d'élevage, le Guanacaste s'est tourné vers le tourisme, et de vastes complexes hôteliers jalonnent dorénavant ses plages. L'aéroport international de Liberia dépose directement à destination des voyageurs en quête de sable et de soleil.

La province de Puntarenas, synonyme de vastes plages immaculées, de flots turquoise et de palmiers, chevauche le Golfo de Nicoya et couvre le sud de la Península de Nicoya. Le Nordoeste comprend également la magnifique forêt ombrophile du Monteverde, région rattachée à la province d'Alajuela.

PAGES PRÉCÉDENTES : *Tabebuia chrysotricha.*
CI-CONTRE : basse voltige, Barra Honda.
CI-DESSOUS : *sabanero*, cow-boy du Guanacaste.

Guanacastecos

Peuple traditionnellement indépendant, les Guanacastecos descendent pour une grande part des Amérindiens Chorotega, comme en témoignent leur peau ocrée, leurs yeux d'un brun châtaigne, leur chevelure noire et bouclée – et leur grâce naturelle, souriante.

En 1787, la Capitanía General de Guatemala, qui gouverne alors le Costa Rica, décide de rattacher le Guanacaste au Nicaragua. La situation demeure en l'état jusqu'en 1821 : la Capitanía dissoute, les habitants de la province doivent décider de leur appartenance nationale. Les avis sont très partagés : les gens du Nord, autour de Liberia, veulent intégrer le Nicaragua, tandis que ceux du Sud, dans la Península de Nicoya, se sentent naturellement proches du Costa Rica. La loi des urnes fait pencher la balance en faveur de ces derniers.

Puntarenas

On ne séjourne pas à **Puntarenas** ❶ (11 000 hab.), on y transite tout au plus, pour rejoindre les îles du Golfo de Nicoya ou les ferries qui traversent le golfe et rallient la partie sud de la Península de Nicoya.

Pourtant, Puntarenas a connu son heure de gloire : principal port du pays, les dockers y ont longtemps côtoyé les marins en bordée, les prostituées et les négociants qui arrivaient par train de San José pour traiter leurs affaires d'import-export. Mais la croissance du port de Limón et, plus récemment, la création toute proche d'un port en eaux profondes à **Puerto Caldera** ont signé la mort économique de Puntarenas.

Étirée le long de son étroite langue de sable – *punta de arenas* signifie "pointe de sables" –, la ville ne manque pas d'intérêt. Un moyen pittoresque pour vous y rendre consiste à emprunter l'antique train diesel qui circule le week-end, quittant l'Estación del Pacífico de San José à 6 h pour arriver en gare de Puntarenas à 11 h (*Paseo en Tren a la Tica* ; réservation nécessaire ; tél. 233 3300).

Principale activité économique de Puntarenas, la pêche alimente un marché haut en couleur. Fréquentez-le de bon matin si vous voulez assister au ballet des écaillers. Le tourisme demeure embryonnaire, hormis quelques grands complexes hôteliers récemment sortis de terre. À l'extrémité est de la ville, le **Parque Marino del Pacífico** (ouv. du mar. au dim. de 8h à 16h ; entrée payante ; tél. 661 5275) a réuni dans la vie marine du Golfo de Nicoya 28 aquariums. Une plage superbe s'incurve le long du golfe, dégageant de belles perspectives sur la côte et des couchers de soleil spectaculaires. Jadis très polluées, les eaux sont aujourd'hui limpides, et Puntarenas peut fièrement arborer sa Bandera Azul (drapeau bleu), gage d'une plage propre et régulièrement inspectée. Évitez toutefois de vous baigner dans les rivières et les estuaires alentour.

Partant de l'embarcadère Calypso de Puntarenas, le luxueux Manta Ray, *catamaran de 21 m de longueur, vous embarque sur les eaux somptueuses du Golfo de Nicoya.*

Centre-ville

À trois *cuadras* à l'est de la plage, le centre de Puntarenas s'anime comme une fourmilière dès le matin, et les citadins se rendent souvent à leurs bureaux à vélo. Tout le monde paraît soudain bien pressé – peut-être pour profiter au maximum de la fraîcheur matinale, avant que ne s'abatte la chaleur étouffante de l'après-midi. Comme San José, Puntarenas s'est laissé submerger par la déferlante du béton, mais la ville conserve de nombreux bâtiments anciens, telles ces maisons munies de claires-voies sous les toits pour laisser passer la brise. Les constructions en bois peintes déploient une palette de couleurs bien particulière, turquoise et rouge vif

CI-DESSOUS : baigneurs, plage de Puntarenas.

par exemple ; quelques demeures anciennes de négociants et une magnifique église en pierre parviennent aussi à évoquer encore le vieux Puntarenas.

Dans le bâtiment qui abritait autrefois la prison municipale, la **Casa de la Cultura** (ouv. du lun. au sam. ; fermé de 12h à 13h ; entrée libre) retrace l'histoire, la géographie et l'histoire naturelle de la région, dont elle expose les artisanats indigènes. Quant au **Museo Histórico Marino** (ouv. du mar. au dim. ; entrée payante), il vous offrira un bon aperçu de l'histoire maritime de la ville.

Mais c'est le soir que vous saisirez le mieux l'âme de Puntarenas. En fin d'après-midi, prenez un *refresco* à l'un des *sodas* (snacks) qui bordent le long **Paseo de los Turistas**, face à la plage, et regardez le soleil plonger derrière les montagnes de Nicoya, de l'autre côté du golfe. Au choix, commandez un jus de fruits frais ou un cocktail tropical, ou bien le maté local – ou encore goûtez au *pinolillo*, froid et crémeux, à base de maïs moulu et grillé, ou au “Churchill”, boisson glacée et très sucrée à base de fruits et de lait condensé.

Hôtels et restaurants de poisson longent le front de mer. La plupart sont climatisés, ou reçoivent la brise marine. Les hôtels du bord de l'estuaire proposent également un mouillage (gratuit) et des excursions en voilier. Très vaste, bien protégé et bien géré, le Yacht Club constitue l'une des premières escales des grands voiliers transocéaniques qui partent de la côte californienne.

Au sud de Puntarenas, l'ICT (Instituto Costarricense de Turismo) a créé une petite station à **Playa Doña Ana** : bar, restaurant, douches et parking y donnent sur une anse bien abritée, enserrée entre deux pointes rocheuses spectaculaires. Le deuxième plus gros break du Costa Rica tonne un peu plus loin au large ; les surfeurs disposeront d'excellents services sur place, de locations et de réparations notamment.

Ci-dessus : stand de granités.
Ci-dessous : en kayak de mer sur le golfe.

Golfo de Nicoya

Des car-ferries ainsi qu'une *lancha* (vedette) pour passagers (à pied uniquement) vous conduiront de Puntarenas à Paquera, sur la **Península de Nicoya**. La traversée du golfe dure 2 heures et passe devant quelque 40 îles, dont **Isla San Lucas ❷**, ancien bagne du Costa Rica. La colonie pénitentiaire a été fermée en 1991 et l'île reste déserte, en dehors de la présence des gardes affectés à sa surveillance. Mais aucun règlement ne vous empêche de l'explorer, si le cœur vous en dit ; vous y découvrirez des vestiges troublants sur les conditions de vie des bagnards condamnés à perpétuité.

Calypso Tours embarque pour des croisières à bord de son catamaran de 21 m, avec à la clé la visite des îles du Golfo de Nicoya : vous poserez ainsi le pied sur **Isla Tortuga ❸** (île de la Tortue), cadre paradisiaque d'eaux turquoise et de sable blanc où vous attendent un somptueux buffet de produits de la mer, de la musique folklorique et autres distractions séduisantes. Vous aurez tout le temps de nager, de faire de la plongée ou de vous dorer au soleil. Calypso, l'un des plus anciens tour operators du Costa Rica, a mis au point plusieurs circuits intéressants, notamment des sorties de pêche (tél. 256 2727).

Que vous soyez passionné de golf ou d'équitation, vous trouverez votre bonheur dans plusieurs stations de la Península de Nicoya.

Península de Nicoya

Le ferry qui traverse le Golfo de Nicoya vous plongera dans un tout autre monde : savane sèche, immenses arbres parasols, prairies à bétail plus vastes encore, bordées par des baies et des plages remarquables.

Du débarcadère des ferries de Paquera, vous gagnerez rapidement Tambor, et Montezuma se trouve à 1 heure de route. Des cars vous emmeneront à Montezuma, mais il n'existe en revanche aucune liaison directe avec Playa Naranjo. En

CI-DESSOUS : Catarata La Cangreja, Parque Nacional Rincón de la Vieja.

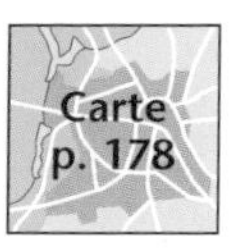

quittant Paquera en direction du sud, les routes sont rarement goudronnées et presque dépourvues de panneaux de signalisation – mais les passants vous renseigneront bien volontiers.

La route qui longe la péninsule, certes éprouvante, vous récompensera de vos efforts. Au fil de kilomètres de prairies, entre bourgs et villages, vous croiserez des gens à cheval et des habitations de toutes sortes – une perspective s'ouvrant ici ou là sur les baies azurées du Pacifique.

À 7 km au sud de Paquera s'étend le **Refugio Nacional de Vida Silvestre Curú** ❹ (Refuge national de faune forestière de Curú). Malgré sa faible superficie, ce parc englobe 5 habitats différents et offre un sanctuaire à un éventail étonnamment diversifié de plantes, d'animaux – dont le capucin moine – et de plus de 200 espèces d'oiseaux. Ses 3 belles plages raviront les amateurs de baignade ou de plongée libre. L'hébergement proposé est certes sommaire, mais la palette de randonnées à pied ou à cheval et d'excursions en kayak de mer jusqu'aux îles voisines plus qu'alléchante. Pour organiser votre séjour et vous informer sur les activités possibles, n'hésitez pas à réserver suffisamment à l'avance (tél. 710 8236) auprès de la famille Schutt, propriétaire de ce refuge.

Bahía Ballena

Aussi vaste que large, **Bahía Ballena** ❺ (baie de la Baleine) émerveillera les visiteurs les plus blasés par son calme et sa beauté. De grandes colonies de pélicans en quête de poisson plongent dans ses flots tièdes. Si vous venez en janvier, vous aurez plus de chances d'apercevoir des baleines. La baie abrite deux plages, **Playa Pochote** et **Playa Tambor**. Dans les années 1990, la construction d'un gigantesque complexe hôtelier, l'Hotel Barceló Playa Tambor, est venue

Ci-dessous : corrida à la costaricaine : seuls les *sabaneros* risquent leur peau.

bouleverser ce havre de paix. Le projet provoque un débat enflammé sur l'avenir du tourisme au Costa Rica : faut-il soutenir des programmes monumentaux tels que celui-là ou, au contraire, encourager de petites entreprises qui reflètent l'esprit des lieux ? Au bout du compte, les gros investisseurs l'emporteront. Mais, au village de **Tambor**, vous trouverez encore des logements bon marché, une cuisine traditionnelle et un art de vivre qui semblent résister au rouleau compresseur de l'industrie touristique. Continuant ensuite en direction du sud-est vers Cóbano, vous arriverez à Montezuma.

Montezuma

Montezuma ❻ vous donnera sans doute l'impression d'un cul-de-sac. Goudronnée en partie, la route dévale une colline puis s'arrête brusquement face à une haie d'hôtels, de bars et de restaurants branchés, doublée de celle des *cantinas* (snack-bars) alignées devant la plage. Il y en a pour toutes les bourses, du plus rudimentaire au grand luxe. Les jeunes Nord-Américains et Européens sont ici largement majoritaires, mais la population locale les accepte sans problème apparent. Durant la saison sèche et les périodes de vacances, les hôtels se remplissent rapidement et mieux vaut réserver longtemps à l'avance.

Au nord de la ville s'étirent de vastes plages de sable aux eaux limpides. Un sentier de 6 km chemine vers le nord, jusqu'à une fabuleuse cascade qui se déverse dans un bassin sur la plage. Au sud, les rouleaux claquent sur des roches volcaniques, et si vous remontez les berges d'une rivière un peu plus loin, un autre bassin vous attend. Au nord de Montezuma, les deux premières baies rocheuses sont balayées par des courants puissants, mais **Playa Grande** ne présente aucun danger.

CI-DESSOUS : dès qu'ils savent marcher, les jeunes Guanacastecos montent en selle.

Vous pourrez louer, au choix, des vélos et des boogie-boards en ville, ou des chevaux à la Finca Los Caballos (à l'extérieur de Montezuma), ainsi qu'auprès des tour operators. Mais la plupart des habitués passent leur temps à nager, à se dorer au soleil, ou simplement à flâner dans cet endroit à l'ambiance résolument décontractée. Niché dans une anse rocheuse, à quelques minutes à pied au sud de la ville, le restaurant Playa de los Artistas sert une cuisine de la mer, à déguster en terrasse sur des tables en bois flotté : un site romantique en diable, éclairé la nuit par des bougies et la lueur des étoiles (tél. 642 0920 ; fermé le dim.).

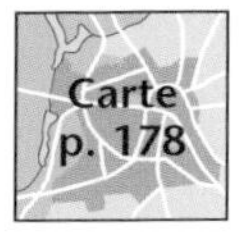

Cabo Blanco

Parallèle au rivage, une route non goudronnée de 11 km, peu fréquentée, mène de Montezuma à la **Reserva Natural Absoluta Cabo Blanco** ❼ (ouv. du mer. au dim. de 8h à 16h). Le bourg de Cabuya abrite une poignée de petits hôtels et de *cabinas*. Fondée en 1963 grâce à l'énergie inlassable d'un Suédois, Nils Olaf Wessberg, cette réserve est la plus ancienne du pays. Wessberg fut assassiné alors qu'il tentait de fonder une autre réserve sur la Península de Osa. Ce pionnier aura marqué l'histoire de l'écologie costaricaine.

À l'origine, le public ne pouvait accéder à Cabo Blanco ; la vie sauvage devait impérativement y être protégée et maintenue à l'abri de toute interférence humaine. Aujourd'hui, environ un tiers de la réserve est ouvert aux visiteurs. Recélant des paysages de toute beauté, ce secteur couvre une forêt tropicale humide à la pointe de la péninsule. Attention, il y fait aussi particulièrement chaud – prévoyez beaucoup d'eau. Une importante population d'oiseaux marins fréquente les lieux, qui hébergent également nombre de mammifères. Au poste de garde, vous trouverez des cabines de repos et des tables de pique-nique ; les pistes sont bien entretenues, et l'une d'elles vous conduira à une merveilleuse plage solitaire où vous pourrez nager, mais pas faire de plongée.

CI-DESSUS : agave, Cabo Blanco. **CI-DESSOUS :** Península de Nicoya.

Tous les visiteurs doivent se plier à un règlement très strict, à commencer par l'enregistrement, puis l'écoute des instructions données au centre administratif. Pour vous rendre en voiture à la réserve, vous devrez franchir deux ruisseaux (4x4 conseillé). La réserve est fermée les lundi et mardi afin de réduire l'impact du tourisme.

Au-delà de Cabo Blanco, la piste se fait plus accidentée, voire boueuse à la saison des pluies, et vous ne pourrez franchir certains cours d'eau qu'en véhicule tout-terrain. La saison sèche n'améliore guère les choses, les roues soulevant alors une poussière fine et brune qui recouvre absolument tout.

Les surfeurs et les amoureux de la nature ont récemment découvert **Malpaís** et **Santa Teresa**, deux plages distantes de 6 km au nord de Cabo Blanco. Quelques hôtels y ont surgi presque du jour au lendemain, accueillant une clientèle jeune et cosmopolite ; de luxueux paradis y ont également vu le jour.

Interamericana, cap au nord

De San José, l'Interamericana (C1) file en direction du nord-ouest, coupant le Guanacaste via Liberia, sa capitale, pour rejoindre le Nicaragua.

Dès **Cañas**, vous aurez le sentiment de pénétrer dans un autre pays, coincé entre le Costa Rica et le

Fondée voici 20 ans par un Suisse ami des bêtes, Las Pumas fournit un refuge aux chats sauvages et autres animaux en péril. Depuis la mort de son créateur, la fondation Hagnauer est aux commandes (dons bienvenus).

Nicaragua. Avec ses *sabaneros* (cow-boys), Cañas a d'ailleurs des allures de petite ville frontière mexicaine ; son nom lui vient des champs de canne sauvage qui couvraient les environs de leurs fleurs blanches.

À environ 4 km au nord de Cañas par la C1, la réserve privée de **Las Pumas** ❽ (ouv. tlj. de 8h à 17h ; participation requise) offre un refuge aux grands félins qui ne peuvent se réadapter à la vie sauvage.

À proximité, **Safaris Corobicí** (tél. 669 6191) propose des descentes du Río Corobicí sur de grands rafts de 6 m – une merveilleuse occasion d'observer la faune fluviale, notamment les oiseaux, macaguas rieurs (*Herpetotheres cachinnans*), hérons, trogons, tantales, momots, perroquets, balbuzards et aigrettes. Les singes hurleurs et autres capucins moines résident tous le long des berges du Corobicí. Prévoyez un départ de bon matin pour voir le plus grand nombre possible d'oiseaux.

Parque Nacional Palo Verde

Proche de l'embouchure du Río Tempisque, le **Parque Nacional Palo Verde** ❾ constitue l'une des plus grandes zones naturelles protégées d'Amérique centrale. Pour vous y rendre, quittez Bagaces et l'Interamericana vers le sud-ouest. Un véhicule 4x4 s'avérera bien utile, surtout à la saison des pluies. Si vous voyagez par vous-même, sachez que l'entrée sud du parc, près de Cañas, peut être fermée – appelez les Parques Nacionales (tél. 200 0125) pour vérifier quelles routes sont ouvertes et vous renseigner sur leur état. Vous pouvez également effectuer un circuit avec l'un des nombreux tour operators qui travaillent en collaboration avec le parc.

Les oiseaux migrateurs d'Amérique centrale ont élu domicile dans l'écheveau de lacs, marécages, bois, prairies et forêts du Palo Verde. Les fluctuations des

CI-DESSOUS : père et fils au rodéo, environs de Liberia.

marées et les crues saisonnières attirent là 300 espèces d'oiseaux terrestres et aquatiques – parmi lesquelles des hérons, des dendrocygnes, des ibis et l'immense jabir. Les grands mammifères et les reptiles abondent, particulièrement visibles à la saison sèche, lorsqu'ils se rapprochent des points d'eau. Les coatis, les tatous, les iguanes et les crocodiles – certains mesurant jusqu'à 5 m – ne sont pas rares non plus. Vous pourrez passer la nuit dans le refuge-dortoir du parc, ou lui préférer le lodge confortable géré par l'Organization for Tropical Studies (OTS ; tél. 240 6696).

Carte p. 178

Il y a 25 ans, les courants et les sédiments déversés par le Río Guanacaste ont façonné une barre sablonneuse qui s'est ensuite stabilisée en formant une île au milieu du Río Tempisque, près de l'entrée du Golfo de Nicoya. Pour vous rendre sur cette île, **Isla de Pájaros** ⑩, la location d'un bateau et les services d'un guide seront à votre disposition. Ce site paisible offre un lieu de séjour apprécié à de nombreux oiseaux aquatiques. Seuls l'ibis blanc et une espèce d'aigrette y nichent régulièrement, mais les spatules rosées, les tantales et les anhingas s'y installent aussi occasionnellement.

Liberia

Capitale de la province du Guanacaste fondée voici 2 siècles, **Liberia** ⑪ porte également le surnom de Ciudad Blanca : ses premiers habitants recueillaient la terre volcanique et le gravier blanc des pentes voisines du Rincón de la Vieja et du Miravalles pour édifier leurs maisons traditionnelles en pisé. Adoptant le style "Puertas del Sol", ces bâtisses étaient conçues pour recevoir la lumière par un angle ouvert côté nord. Nombre de ces constructions ont survécu, donnant sur des ruelles au sud de la place centrale. Certaines sont en cours de restauration, et leurs propriétaires vous laisseront volontiers jeter un coup d'œil sur les travaux. La plupart d'entre elles s'organisent autour d'un patio, peintures murales du XIXe siècle et hauts plafonds caractérisant leurs pièces imposantes. À l'arrière de la demeure, la cuisine ouvre également sur une cour où l'on faisait sécher le maïs et autres récoltes.

CI-DESSUS : à cheval !
CI-DESSOUS : boue volcanique, Rincón de la Vieja.

Levez-vous tôt pour profiter au mieux de votre balade dans le centre-ville. Ne manquez pas l'**Iglesia de la Agonía** (au bout de la rue principale), édifice en pisé bâti en 1852. Toutefois, en dehors de ces vestiges de l'ère coloniale, Liberia ressemble de plus en plus à un centre commercial géant, avec son cinéma multiplexe implanté en périphérie.

Parque Nacional Rincón de la Vieja

Au nord-ouest de Liberia, le **Parque Nacional Rincón de la Vieja** ⑫ couvre 14 000 ha et abrite 4 écosystèmes différents. Il doit son nom au volcan protégé par le parc ; selon la légende, une vieille femme vécut jadis sur ses pentes, et sa maison s'appelait le Rincón de la Vieja, ou "coin de la vieille".

Las Pailas

Pour gagner le parc, quittez l'Interamericana à 5 km au nord-est de Liberia. Passant par le bourg de Curubandé, la piste qui mène à l'entrée de Las Pailas vous réserve 17 très longs kilomètres de nids-de-poule ; sa blancheur n'a rien à voir avec de la neige, bien sûr – il s'agit d'un calcaire crayeux, celui des maisons de Liberia, la "Ciudad Blanca". Quelques perspectives spectaculaires vous attendent en chemin, comme les pentes verdoyantes et le cône volcanique dressé côté nord, et, à l'ouest, une vallée dont les prairies longent l'océan Pacifique, loin en contrebas.

À la sortie de Liberia, au croisement de l'Interamericana, le restaurant Bramadero mêle effluves de vieux cuir en salle et de viande de bœuf en cuisine. Sur des tables en bois, des *sabaneros* au visage tanné sirotent leur bière.

Après vous avoir enregistré, les gardes du poste de Las Pailas vous remettront une carte du parc et des pistes de randonnée. À quelques pas de là, débute une zone volcanique impressionnante, **Las Pailas** – les "poêles", ou "cuisinières". Un itinéraire en boucle –bien balisé– fait le tour de ces 8 ha de sources chaudes, de boues volcaniques, de lacs de soufre et de geysers qui colorent les roches alentour en rouge, vert et jaune éclatant. Les chercheurs ont identifié un nouvel organisme vivant dans ces boues en ébullition. Il pourrait s'avérer utile en aidant la flore à s'adapter au réchauffement climatique. Attendez-vous à respirer des effluves nauséabonds –forte odeur d'œufs pourris– exhalés par le soufre. Les boues chaudes des *"sala de belleza"* (salons de beauté) servent à confectionner d'excellents masques. Mais vous devrez marcher avec la plus extrême prudence et ne jamais quitter la piste : passer le pied à travers la surface du sol, très friable, ou prendre un jet de vapeur en pleine figure vous exposeraient à de graves brûlures.

Catarata La Cangreja

De Las Pailas, une randonnée de 2 heures vous mènera à la **Catarata La Cangreja**. Cette chute de 40 m de hauteur forme un bassin bleu à sa base, invitation à une baignade et à une expérience merveilleuses, dans des eaux où se mêlent différentes températures. Marchez discrètement, et vous découvrirez une faune passionnante. Tendez l'oreille pour surprendre l'hôte le plus célèbre du parc, le manaquin fastueux (*Chiroxiphia linearis*), oiseau rouge, bleu et noir dont le chant, transcrit "to-le-do", lui a valu le nom de *toledo* en espagnol.

CI-DESSOUS : le 4x4 peut s'avérer bien utile, voire indispensable.

Deux possibilités d'hébergement s'offrent à vous à proximité du parc : le **Rincón de la Vieja Lodge** (tél. 200 0238), un ensemble de cabines rustiques d'où rayonnent de bonnes pistes de randonnée jusqu'aux sources chaudes voisines, à proximité d'un circuit passionnant au cœur de la canopée ; l'**Hacienda Guachipélin** (tél. 666 8075), plus luxueux (excellente cuisine). L'hacienda est en activité, et vous y profiterez de chevaux superbes, de kilomètres de pistes de randonnée et de parcours ornithologique, ainsi que d'activités "aventure", notamment un circuit "canopée" et descente de rivière en tubing.

Vers la frontière nicaraguayenne

Au terme d'une journée dans la région, rassemblez vos dernières forces et poussez au nord jusqu'au village de Santa Cecilia – essayez d'arriver à temps pour voir le soleil se coucher sur le **Lago de Nicaragua**, "el Mar Dulce" (la mer douce), comme l'appellent les Nicaraguenos. Vous aurez peut-être la chance d'y apercevoir des requins dits "d'eau douce" – ils remontent le Río Colorado.

Durant la guerre civile au Nicaragua, de nombreux jeunes de la région se trouvèrent impliqués dans les combats, aux côtés ou face aux guérilleros de la Contra

– soutenus par les États-Unis – qui cherchaient à renverser le régime sandiniste. À proximité, dans l'annexe nord du Parque Nacional Santa Rosa, la CIA avait aménagé un aéroport clandestin pour acheminer le matériel nécessaire aux contras, en violation des lois costaricaines de neutralité. Construite avec la bénédiction du président Alberto Monge, la piste fut démantelée sous le mandat d'Oscar Arias en 1986. L'administration Reagan le prit fort mal et réduisit considérablement son aide financière au Costa Rica *(voir p. 195)*.

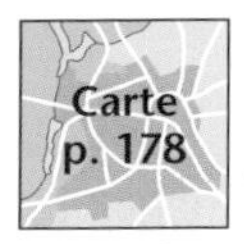

Continuez 8 km après Santa Cecilia : l'immense mer intérieure du Lago de Nicaragua s'étale sous vos yeux. L'aventurier William Walker *(voir p. 45)* avait envisagé d'envahir le Nicaragua et d'employer ses habitants comme main-d'œuvre pour percer un canal entre le lac et le Pacifique, puis le relier à une voie navigable rejoignant l'Atlantique. Aux États-Unis, de riches investisseurs appuyèrent son projet. Mais la défaite de Walker au Costa Rica, puis au Nicaragua et au Honduras, mit définitivement un terme à ses ambitions.

Pour rejoindre la baie de **Puerto Soley**, plage la plus au nord de la côte pacifique, vous devrez traverser la petite ville de La Cruz, étape obligée pour ceux qui continuent vers le nord de l'Amérique centrale et pour les travailleurs migrants du Nicaragua qui franchissent continuellement la frontière, en quête de travail au Costa Rica.

De La Cruz, une vue superbe, balayée par le vent, embrasse la vallée et Bahía Salinas en contrebas. Si vous suivez la route qui épouse le flanc de la vallée, vous passerez devant une hacienda fondée par Anastasio Somoza, l'ex-dictateur du Nicaragua, avant de gagner Puerto Soley, baie bordée par un ensemble de villas récentes. Le vent souffle ici vraiment fort – pour le plus grand bonheur des funboarders confirmés qui trouveront des conditions rivalisant avec celles du Lago

CI-DESSOUS : baignade sous la cascade, Parque Nacional Rincón de la Vieja.

Dans le Parque Nacional Santa Rosa, le Monumento a los Héroes commémore la bataille de Santa Rosa en 1856 ; si cette grande arche en béton n'a rien d'une beauté, la vue y est magnifique.

CI-DESSOUS : plage sauvage sur la côte pacifique.

Arenal. À Playa Copal, une école de kitesurf (tél. 826 5221) vous initiera à cette activité en plein essor.

Parque Nacional Guanacaste

En 1989, des subventions étrangères accordées aux fondations costaricaines Neotrópica et Parques Nacionales permirent la création du **Parque Nacional Guanacaste** ⓭, voué à la protection des couloirs migratoires des animaux vivant dans le Parque Nacional Santa Rosa voisin (*voir ci-contre*). Le premier de ces couloirs couvre un large ruban de terres déboisées qui s'étire des *volcános* Orosí et Cacao jusqu'à la côte pacifique. La forêt tropicale sèche domine cette vaste bande, qui recèle également d'autres habitats – marais de mangrove, plages, forêts pluviales et ombrophiles. Depuis plusieurs siècles, un cycle complexe de déboisement, de pâtures, de cultures sur brûlis et d'agriculture a découpé les paysages du Guanacaste en une mosaïque de zones biologiques.

Écologiste et naturaliste visionnaire, l'Américain Dan Janzen a consacré sa vie à la préservation et au reboisement du Guanacaste. Selon lui, le parc retrouvera un jour son aspect originel : "Les forêts sèches ont été détruites, mais elles sont résistantes, peuvent supporter 6 mois de sécheresse par an et se régénèrent très facilement." Les vastes espaces nécessaires à une régénération forestière sont placés maintenant sous la protection et le contrôle de l'administration du parc national. Durant les périodes de sécheresse estivale, d'importantes populations d'animaux vont y chercher refuge, migrant librement entre des îlots de zones boisées.

Ces animaux se nourrissent de graines d'arbres et les dispersent, créant euxmêmes les conditions du reboisement. Les insectes de la forêt pluviale, essentiels à la pollinisation des plants de forêt sèche, sont attirés par les pentes

montagneuses voisines. D'ici 20 ans, une canopée conséquente se sera développée ; et, en 2 ou 3 siècles, des forêts tropicales sèches matures domineront à nouveau les paysages du Guanacaste.

Parque Nacional Santa Rosa

Le **Parque Nacional Santa Rosa** ⓮ réunit pratiquement tous les habitats de la région. Un réseau de pistes presque infini vous conduira à travers des forêts de feuillus tropicaux caduques, de reliefs arides plantés de cactées et de buissons épineux, le long de rivières noyées dans la végétation, ou d'estuaires couverts de mangrove, près des plages. Les tortues viennent pondre sur 2 de ces plages isolées, Nancite et Naranjo. Ailleurs, les mammifères, singes et pécaris notamment, voisinent avec quelque 20 espèces de chauves-souris.

Durant ses longues années de recherches scientifiques à Santa Rosa, Dan Janzen s'est également consacré à l'instruction des populations locales, leur enseignant à mieux apprécier la forêt. Ce travail de longue haleine a porté ses fruits : les Guanacastecos savent maintenant lutter contre le feu, maîtriser chevaux et bétail, identifier les plantes et affronter les défis "biotiques" comme les tiques, les maladies, la soif ou les blessures diverses. Des emplois d'assistants de recherche, de guides ou de gardes forestiers leur assurent un savoir-faire et une source de revenus stable et durable.

Si vous empruntez le **Sendero del Indio Desnudo** (boucle de 1,5 km), vous traverserez une forêt qui perd une grande partie de ses feuilles en saison sèche – une excellente occasion pour observer la faune. D'immenses iguanes multicolores se montrent fréquemment dans les arbres qui longent la piste : en direction du Duende et de la grotte aux chauves-souris, vous les verrez se dorer au soleil sur les branches.

CI-DESSUS : pilon et mortier, La Casona.
CI-DESSOUS : potière au travail, Guaitil.

L'histoire de Santa Rosa, site de la bataille menée contre William Walker (*voir p. 45*), a joué un rôle déterminant dans la décision d'en faire un parc national. Cet ultime combat eut lieu devant l'hacienda **La Casona** (La Grande Maison). Coïncidence ou non, lors des 3 invasions subies par le pays, les assaillants furent chaque fois repoussés à cet endroit précis.

Aujourd'hui, une tout autre bataille se livre à Santa Rosa : celle qui oppose les gardes du parc aux braconniers. La chasse est certes interdite, mais les premiers sont trop peu nombreux pour faire respecter la loi. Mal payés, rarement armés, ils risquent bien souvent leur vie au cours de violentes escarmouches.

En 2002, ce conflit atteignit un sommet lorsque 2 chasseurs mécontents mirent le feu à La Casona, qui partit en fumée. Reconstruite depuis, cette demeure historique (ouv. de 8h à 16h) livre à nouveau un témoignage précieux sur la vie coloniale au Costa Rica.

Une piste mène de la maison à un mémorial dédié aux hommes tombés durant la bataille. Vous y lirez, gravé sur une plaque, le discours célèbre du président Juan Rafael Mora qui exhorta ses compatriotes à prendre les armes contre William Walker.

Secrets militaires

La partie nord du parc a été agrandie pour intégrer l'hacienda de l'ancien dictateur nicaraguayen Anastasio

Somoza, lequel avait choisi le site pour mieux pouvoir franchir la frontière clandestinement. Le gouvernement costaricain cherchait à élargir la superficie du Santa Rosa pour stabiliser la population de certaines espèces vivant dans le parc, et l'image du pays se trouvait quelque peu ternie par la présence d'un dictateur militaire déchu près de la frontière : en 1979, un décret ordonne l'expropriation de l'**Hacienda Murcíelago**, propriété de la famille Somoza, et son rattachement à l'administration des Parques Nacionales. L'hacienda donne sur **Bahía Santa Helena** et les sables d'une blancheur immaculée de **Playa Blanca**. Autre ajout récent au Parque Nacional Santa Rosa : le secteur jadis occupé par la piste d'atterrissage secrète de **Santa Helena**, une initiative d'Oliver North pour soutenir les contras (*voir ci-contre*).

Plages du Parque Santa Rosa

Une piste de randonnée de 13 km, accessible en 4x4 durant la saison sèche, vous conduira du poste de garde de Santa Rosa à **Playa Naranjo**. Sables blancs, eaux limpides, et un très beau break près de Roca Bruja (*Rocher de la Sorcière, voir p. 100*), monolithe dressé à 2 km au large, font de Naranjo une destination de choix pour les surfeurs, malgré son isolement. Vous pouvez louer un bateau de Playa del Coco à Naranjo – et également camper, à Naranjo comme à Nancite (tél. 666 5051).

La très sauvage **Playa Nancite** ⓯ s'étire au nord-ouest de Naranjo. Tous les mois, habituellement au premier quartier de la lune décroissante, les tortues viennent pondre sur le rivage par dizaines de milliers. Cet événement, appelé ici l'*arribada*, réserve un spectacle aussi grandiose qu'émouvant (*voir p. 240*). Comme tout phénomène naturel, le moment exact de cette "arrivée" est impossible à

CI-DESSOUS : ce garde rejoint à vélo son lieu de travail – Playa Nancite, grand site de ponte des tortues (ouv. d'août à déc.).

prévoir. Sachez également que des tortues solitaires vont assez souvent pondre sur Playa Nancite et Playa Naranjo.

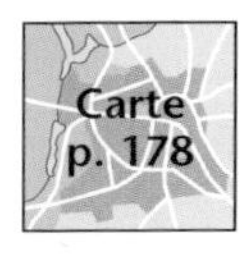

De Papagayo à Playa Ocotal

Envie de sable blanc, de soleil et d'activités en tout genre ? Les plages se succédant au sud-ouest de Liberia répondront sans aucun doute à votre attente. En 5 ans, cette partie de la côte s'est imposée comme le centre touristique du Guanacaste, dopée par l'expansion de l'aéroport international Daniel Oduber, à 45 min de là. D'immenses ensembles hôteliers offrent des forfaits tout compris aux groupes de touristes qui fuient les rigueurs de l'hiver septentrional.

Le Proyecto Península Papagayo leur propose déjà un golf 18 trous et son Four Seasons Resort Costa Rica, palace moderne de grand luxe – d'autres hôtels et villas sont prévus. Autour de **Playa Panamá** ⓰, une demi-douzaine de complexes touristiques accueillent en haute saison des visiteurs qui ne quittent que rarement leur domaine réservé.

Au sud, **Playa Hermosa** ⓱ creuse son anse en demi-lune caressée par les rouleaux. En dépit d'une urbanisation menée tambour battant à son extrémité nord, le charme opère, rehaussé de quelques excellents restaurants et hôtels. Diving Safaris (tél. 672 0012) s'est implanté de longue date sur ce spot de plongée, devenu incontournable. Lové dans un jardin luxuriant, ombragé par de grands arbres, le petit Hotel Playa Hermosa (tél. 672 0046) est l'un des rares qui donnent directement sur la plage.

À proximité, **Playa del Coco** ⓲ a su préserver une importante flotte de pêche. Si la plage n'est pas particulièrement séduisante, elle sert toutefois de point de départ à un large éventail de sorties de plongée, de surf ou de pêche. La ville en

La piste de Santa Elena fut financée par une société écran panaméenne montée par Oliver North. Sa confiscation par le gouvernement costaricain provoqua une vive tension entre le pays et les États-Unis.

CI-DESSOUS : couleurs de rêve pour une baignade idyllique, Península de Nicoya.

elle-même frappe le visiteur par sa personnalité, volontiers anarchique, avec ses bars de plein air, ses discothèques et ses étals de souvenirs de pacotille. Mais vous y dénicherez aussi d'excellents restaurants de poisson, accessibles à toutes les bourses.

La pointe nord de la plage attire une clientèle plus haut de gamme dans ses bed & breakfast et son très chic Hotel La Puerta del Sol (tél. 670 0195), dont le restaurant El Sol y La Luna sert une cuisine italienne en terrasse.

À Playa Hermosa, l'Hotel El Velero tient son nom du voilier qui conduisit jusque-là ses propriétaires du Canada. Cette goélette de 12 m peut vous embarquer vers des plages isolées ou pour d'autres croisières.

À 2 km au sud de Coco apparaît une saisissante plage de sable noire frangée de falaises, **Playa Ocotal** ⓳. Haut perché, l'Hotel El Ocotal Beach Resort domine un paysage d'anses sablonneuses, de pointes rocheuses et d'îles semées au large. Vous pourrez gagner l'une d'elles en bateau, y nager et y faire de la plongée libre, vous offrir une sortie de plongée en bouteilles dans les environs ou vous aventurer jusqu'à Isla del Caño.

Playa Flamingo

En partant de Comunidad, direction sud, par la route principale, vous arriverez à Belén, tout près d'un ensemble de plages – **Playa Brasilito**, **Playa Flamingo** et **Playa Potrero**. Durant la saison sèche et au volant d'un bon 4x4, si vous vous sentez l'âme baroudeuse, empruntez un raccourci par la "piste du singe", qui part de Sardinal pour aboutir près de **Playa Pan de Azúcar**. N'hésitez pas à demander votre chemin aux passants.

Au sud de Flamingo, **Playa Conchal** fait miroiter ses dépôts de coquillages multicolores : un paradis pour les amateurs de plongée libre, jadis désert, aujourd'hui écrasé par l'énorme **Paradisus Playa Conchal Beach & Golf Resort** qui le surplombe, bloquant l'accès par la route. Mais libre à vous aussi de rejoindre

Ci-dessous : marina de Playa Flamingo.

la plage publique en marchant vers le sud pendant 1 km à partir de **Brasilito**, station très animée, dotée de quelques restaurants et du modeste **Hotel Brasilito** (tél. 654 4237), vénérable bâtiment en bois proche de la plage. Son restaurant, Gecko's at the Beach, vous régalera de pâtes et plats de la mer.

À 7 km au nord de Brasilito, **Playa Flamingo** ⑳ déroule à l'infini sa magnifique plage de sable blanc. Bahía Flamingo forme un port naturel qui accueille une flotte considérable de bateaux-charters. La marina est fermée depuis plusieurs années, les autorités locales tardant à départager les éventuels concessionnaires, mais bateaux de pêche et voiliers mouillent toujours dans la baie.

La ville s'accroche aux pentes d'une colline menant au **Mar y Sol Restaurant & Bar** (tél. 654 5222) : vue miraculeuse de sa terrasse et cocktail réussi de cuisines tropicale et française.

Charmant hôtel haut de gamme tourné côté baie, le **Flamingo Marina Resort** (tél. 654 4141) donne sur une plage de sable brun, îles et récifs parsemant l'horizon. Côté Océan, l'établissement **Flamingo Beach Resort** (tél. 654 4444) vise une clientèle plutôt familiale avec son immense piscine, à quelques pas de la plage.

Au nord, des cocotiers bordent **Playa Potero**, anse parfaite pour une halte pique-nique avant une baignade dans ses eaux paisibles. Quelques hôtels récents jalonnent la plage, du plus simple au plus extravagant. En poursuivant vers le nord le long de la côte, l'état de la route empire mais la vue, elle, devient vraiment superbe.

Vous voilà maintenant à **Pan de Azúcar**, et vous n'irez pas plus loin dans cette direction. L'**Hotel Sugar Beach** (tél. 654 4242), le seul qui se dresse sur la plage, vous réserve un panorama fabuleux ; vous pourrez y prendre un verre, déjeuner, ou juste faire quelques mètres et nager.

Carte p. 178

CI-DESSUS : goût et couleurs des tropiques.
CI-DESSOUS : photographie sportive.

Playa Tamarindo

Traversant Brasilito en direction de Huacas, si vous continuez pendant 13 km au sud, puis tournez à droite, vous arriverez à **Playa Grande** ㉑ et **Playa Tamarindo** ㉒. Cette dernière abrite une réserve nationale de vie sauvage – mais il faut le savoir : la faune locale semble bien plus concentrée dans les nombreux bars et clubs de la ville que dans l'estuaire voisin. Sur la plage, l'accueillant Capitán Suizo détient la palme du luxe et du plus bel emplacement, mais vous dénicherez aisément d'autres hébergements meilleur marché. En quelques années, la station a connu un essor impressionnant, centres commerciaux et complexes immobiliers sortant de terre comme des champignons.

On surfe également beaucoup à Tamarindo, à en juger par le nombre de boutiques spécialisées ; Iguana Surf loue planches, kayaks et matériel de plongée libre, et propose aussi des excursions, notamment une sortie guidée en kayak dans l'estuaire (2 heures), un moyen original de découvrir les oiseaux et la faune sauvage.

Pour rejoindre **Playa Grande**, excellent spot de surf, vous aurez le choix entre une traversée de l'estuaire en bateau (5 min), ou 1 heure de voiture par des pistes en terre.

Parque Nacional Marino Las Baulas

Les tortues luth, quant à elles, débarquent sans planche à Playa Grande, la plus importante aire de ponte au monde pour l'espèce ; leur venue oppose écologistes et promoteurs immobiliers. Si ces derniers semblent bien devoir l'emporter, la plage demeure protégée par le **Parque Nacional Marino Las Baulas**, créé en 1991. Lors de son extension en 1995, les experts estimaient que, sur une population mondiale de 35 000 tortues luth, environ 900 avaient choisi Playa Grande pour y pondre leurs œufs. Malheureusement, leur nombre a diminué de façon spectaculaire, en dépit de tous les efforts menés par les parcs nationaux et les scientifiques. Durant la longue saison de ponte (d'août à février), vous aurez peut-être la chance d'en apercevoir quelques-unes remonter péniblement la plage pour creuser un nid dans le sable. Mais vous ne pourrez accéder au site que dans le cadre d'une visite guidée – et sachez que les photographies au flash sont strictement interdites.

Donnant sur Playa Grande, l'Hotel Las Tortugas (tél. 653 0423) ne s'éclaire que parcimonieusement la nuit, afin de ne pas troubler les tortues. Un lieu idéal pour respirer la brise du Guanacaste dans un hamac confortable au bord d'une piscine – en forme de tortue ! –, bavarder avec votre hôte – intarissable –, Lewis Wilson, qui a participé à la création du Parque Marino, ou partir avec un guide pour une excursion en kayak dans la mangrove de l'estuaire – sans doute l'option la plus paisible, pour vous comme pour les oiseaux.

Juste au sud de Tamarindo, dissimulée derrière une pointe rocheuse incontournable à marée haute, **Playa Langosta** attire les surfeurs venus se mesurer aux vagues qui brisent face à l'estuaire, à son extrémité sud. Moins tapageuse que sa voisine, elle se contente d'accueillir quelques charmants bed & breakfast. Au sud toujours, une route défoncée mène à **Playa Avellanas**

CI-DESSOUS : loin des plages et des stations, la vie quotidienne se meut à son rythme.

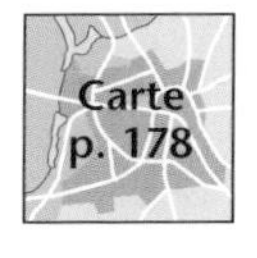

et **Playa Negra** : elles font également le régal des surfeurs. Pour l'instant, toutes deux ont échappé à la fièvre immobilière qui a emporté Tamarindo. À **Playa Avellanas**, les palmiers ombragent un café idyllique, Lola's on the Beach (tél. 658 8097) ; en face des Cabinas Las Olas, un sentier s'enfonce dans la mangrove. Les surfeurs ne sont pas les seuls à succomber au charme de l'**Hotel Playa Negra** (tél. 658 8034), à sa piscine ronde et à ses cases au toit de chaume ouvrant sur l'Océan.

Au départ de Tamarindo, prenez la direction de l'intérieur pendant 18 km. Au croisement de l'école 27 de Abril, tournez vers la côte pour rejoindre **Playa Junquillal**, 12 km plus loin. Devant cette vaste plage sauvage et ses rouleaux démesurés, vous aurez sans doute l'impression de découvrir un vrai coin de paradis.

Pour en savoir plus sur les tortues, voir l'encadré p. 202 et le Zoom sur... p. 240.

Direction Santa Cruz

Quittant la côte à Paraíso pour pénétrer vers l'intérieur, vous rencontrerez bien peu de zones habitées au fil des collines et des vallées, toutes plus belles les unes que les autres. Un hameau surgit parfois, formé de 3 ou 4 maisons. Des poulets, des canards ou un cycliste occasionnel monopolisent la route ; plus rare, un troupeau mugissant de zébus, suivis par leurs nonchalants *sabaneros* à cheval, bloquent le passage à l'occasion. Les cow-boys *guanacastecos* ne vous faciliteront pas la tâche : ils vous laisseront tout bonnement vous frayer un chemin parmi ces vaches indiennes aux yeux magnifiques, qui, par ailleurs, ne semblent pas particulièrement inquiètes, ni même curieuses.

La place centrale de **Santa Cruz** ㉓ (20 000 hab.), ombragée, constitue un excellent poste d'observation pour appréhender le mode de vie d'un bourg typique

CI-DESSOUS : coucher de soleil sur Nicoya.

Les vampires du Guanacaste

Il existe plus de 100 espèces de chauves-souris réparties sur l'ensemble du Costa Rica. Elles sont absolument partout, des millions de battements d'ailes stridents qui s'envolent des grottes du Barra Honda aux quelques individus paisibles tapis dans les recoins frais de La Casona (Parque Santa Rosa). Inoffensives pour la plupart, ces bestioles se nourrissent de nectar, de fruits et d'insectes. Mais dans le Parque Santa Rosa, à l'intérieur d'une grotte proche du Sendero del Indio Desnudo, vit un groupe de *Desmodus rotundus*, ou vampires communs.

Les chauves-souris sont utiles, voire indispensables, car elles pollinisent et dispersent les graines dans des régions déboisées. Les chercheurs estiment que ces nectarivores sont propres, dociles et même le plus souvent amicales. Grégaires, elles se suspendent aux plafonds des grottes en rangs serrés.

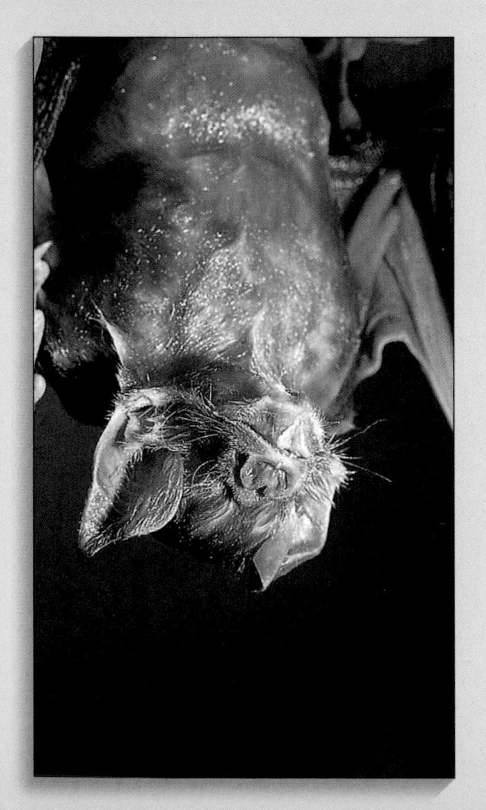

Le soir, elles chassent les insectes le long des routes ou des cours d'eau à sec pour traquer leur subsistance. La nuit, elles recherchent le nectar des fleurs blanches à floraison nocturne, qu'elles pollinisent.

Les chauves-souris contribuent fortement à réduire la population des insectes : on estime en effet qu'une colonie de 1 million d'individus consomme plus de 4,5 t d'insectes chaque nuit.

Seules 3 espèces sont effectivement sanguinaires, n'en déplaise aux écrivains et scénaristes d'Hollywood qui ont largement diffusé le mythe du vampire se nourrissant de sang humain.

Certains facteurs ont toutefois contribué à la légende qui entoure cette créature : le vampire possède de gros pouces qui dépassent de ses ailes, appendices utilisés pour approcher silencieusement sa victime ; il présente une sorte de groin de couleur rouge, de grands yeux, des dents proéminentes, des oreilles petites et pointues – bref, une apparition de cauchemar.

Né de l'imagination du romancier irlandais Bram Stoker, le personnage de Dracula a beaucoup puisé dans les légendes de Transylvanie et d'ailleurs. Mais s'il est vrai que l'espèce se nourrit bel et bien au plus sombre de la nuit, avant le lever de la Lune, se posant sans bruit sur sa victime et pratiquant une incision indolore avec ses dents effilées, en revanche, le vampire ne suce pas le sang, mais le lape – comme un chat.

Un vampire ne saigne pas sa victime à mort ; ses proies meurent de maladies, rage ou autres, contaminées par le biais de leurs blessures ouvertes. Chaque année, plus de 1 million d'animaux meurent ainsi. Les hommes peuvent également être touchés.

Les éleveurs de bétail font la guerre aux vampires, dynamitant ou gazant les grottes avec des substances toxiques. Ces méthodes, irrationnelles, ne tuent pas exclusivement les chauves-souris, mais tous les animaux vivant à proximité.

Système plus précis, mais tout aussi radical, le piégeage des vampires, que l'on enduit de poison. Une fois relâchée, chaque chauve-souris infecte mortellement jusqu'à près de 20 congénères. ❑

Ci-contre : les vampires infligent chaque année des pertes financières colossales en infectant des milliers de têtes de bétail.

Carte p. 178

du Guanacaste. L'église, récente, se dresse à côté d'un clocher de style colonial, seul vestige de l'ancien édifice, détruit par un tremblement de terre en 1950.

Si votre estomac crie famine, profitez-en pour goûter la cuisine locale chez Coopetortillas (tél. 680 0688) – 200 m après l'église, puis à droite. Dans une immense et unique pièce en tôle ondulée, les membres d'une coopérative féminine utilisent un foyer ouvert pour cuire les grandes tortillas *guacanastecas*, les haricots au riz et autres plats traditionnels – tous bon marché et délicieux. Un panneau indiquant *"ambiente familiar"* (ambiance familiale) donne d'emblée le ton. Et si vous désirez passer la nuit à Santa Cruz, l'Hotel Diriá (tél. 680 0080) vous offrira tout le confort : air conditionné et piscine. Vous trouverez également de nombreuses *cabinas* en ville, sommaires mais vraiment économiques.

Dans cette partie du Guanacaste, le bourg de **Guaitil** ㉔ bénéficie d'une certaine renommée, due en partie à ses poteries de style précolombien. Cette production a beaucoup souffert de la Conquête, peut-être parce que l'Église catholique considérait comme païens les motifs qui en ornaient les parois. On assiste aujourd'hui à un renouveau de cet artisanat, et vous verrez fréquemment ces superbes céramiques trôner dans les halls et salles à manger des hôtels du Guanacaste. À Guaitil ou dans les environs, la plupart des maisons possèdent un four, et des poteries en vente s'alignent dans les cours. Si vous êtes intéressé, rendez-vous du côté du terrain de football, face à l'église : vous n'aurez que l'embarras du choix.

CI-DESSUS : poteries guaitil.

CI-DESSOUS : sables et mangrove, Tamarindo.

Nicoya

De Guaitil, une route au revêtement impeccable vous laissera tout le loisir d'apprécier la beauté des paysages pendant les 20 min qui vous séparent de

Nicoya ㉕, considérée comme la capitale culturelle du Guanacaste. Sur sa place centrale se dresse une église coloniale en pisé, toute blanche, aujourd'hui convertie en musée (ouv. de 8h à 12h et de 14h à 18h, fermé le dim. et le mer. ; participation requise). L'achèvement du **Puente La Amistad** (pont de l'Amitié), qui enjambe le Río Tempisque, a fait de Nicoya une porte d'accès privilégiée aux plages du centre de la péninsule, et la ville se développe à une vitesse folle.

Nosara ne vous suffit pas, vous souhaitez plus de calme encore, plus de détente ? Vous trouverez peut-être votre bonheur à la Nosara Retreat, haut lieu de l'accomplissement de soi, tant physique que spirituel.

Playa Nosara

Les vacanciers nord-américains et européens sont de plus en plus nombreux à fréquenter Nosara et sa voisine Sámara. **Nosara** ㉖ en elle-même n'est qu'une petite ville sans intérêt. Mais les surfeurs ne s'y trompent pas : sur des kilomètres, de très bonnes vagues fouettent les sables de **Playa Pelada** et **Playa Guiones**, frangées de goémon et de forêt. À savoir : les derniers 18 km de la route de Nicoya sont pratiquement infranchissables durant la saison des pluies, il est alors indispensable de vous y rendre en avion de San José.

En dépit de ces difficultés d'accès, le secteur de Nosara connaît un essor immobilier sans précédent. Villas, petits hôtels et restaurants voient le jour, financés par une diaspora cosmopolite, dont nombre de ressortissants suisses épris de nature. Sur place, les amateurs de New Age seront comblés : cours de yoga, thérapies alternatives et régimes végétariens font recette. Une bonne partie de Nosara a été classée en réserve naturelle – ce qui explique un couvert forestier plus étendu et une faune plus riche qu'ailleurs. Aussi, les coatis, les tatous, les perroquets, les toucans et les singes abondent. En outre, les conditions de plongée libre sont excellentes et les mares recèlent des trésors. De plus, le camping est autorisé.

CI-DESSOUS : si ses chances de survie restent infimes, ce bébé tortue devrait au moins atteindre l'Océan.

ARRIBADA

Créé pour protéger la tortue olivâtre *(Lepidochelys olivacea)*, espèce menacée, le Refugio Nacional de Vida Silvestre Ostional est chaque mois le théâtre d'un phénomène spectaculaire, l'*arribada* – arrivée de milliers de tortues venues pondre sur la plage.

Durant cette période, environ 100 000 tortues olivâtres abordent cette plage sauvage et déserte, laissant derrière elles des millions d'œufs. Les *arribadas* surviennent à peu près toutes les 4 semaines, entre le troisième quartier et la pleine lune, d'avril à décembre, avec un pic d'intensité qui s'étend de juillet à septembre.

Actuellement, les habitants du village voisin ont l'autorisation de récolter autant d'œufs qu'ils le souhaitent durant les 36 heures suivant chaque *arribada* ; conçue pour freiner le braconnage, cette loi reste sujette à controverses.

Si vous souhaitez assister au spectacle – absolument sidérant ! – de ces animaux portés par les vagues jusqu'à la plage, battant laborieusement le sable de leurs nageoires et creusant des trous pour y pondre et abriter leurs œufs, renseignez-vous auprès du poste de garde situé avant la plage.

Enfin, sur place, n'oubliez pas de vous faire aussi discret que possible.

Menace sur les œufs

À la lisière nord de Nosara, l'Hotel Lagarta Lodge (tél. 682 0035), bâti sur un nid d'aigle, domine les sentiers de randonnée de sa propre réserve, la Reserva Biológica Nosara, et le **Refugio Nacional de Vida Silvestre de Ostional**, important site de ponte pour les tortues. En saison, il est malheureusement possible d'acheter les œufs de ces espèces menacées, beaucoup les considérant comme aphrodisiaques.

Certains sont pillés par des aventuriers, d'autres, en vente dans les *sodas* près de la plage, sont recueillis par les *hueveros* (récolteurs d'œufs) qui en font leur gagne-pain. Enfin, mentionnons l'existence légale d'un stock appartenant aux Costaricains qui détiennent une licence leur permettant de prélever des œufs durant les 36 heures suivant l'*arribada* *(voir p. 202)*.

Playa Sámara et au sud

Playa Sámara ㉗, à près de 1 heure de voiture de Nosara par des routes assez éprouvantes, vous récompensera de vos efforts par sa belle plage de sable blanc, son récif, idéal pour pratiquer la plongée libre et bien pratique pour vous abriter de la houle : vous pourrez nager sans crainte dans ces eaux cristallines, calmes et peu profondes. Si, hors saison, on se sent là un peu au bout du monde, en saison, en revanche, les Ticos débarquent et les résidences secondaires s'animent.

Tous les hôtels des environs peuvent vous organiser des sorties de plongée (libre ou avec bouteilles), de pêche ou de kayak, des randonnées à vélo ou à cheval. Côté sud de la plage, l'Hotel Las Brisas del Pacífico exploite une situation imprenable avec sa piscine orientée face à l'Océan. Au nord de la plage, des bungalows plus sommaires côtoient des petits hôtels et quelques excellents

CI-DESSUS : grande aigrette *(Egretta alba)*.
CI-DESSOUS : Península de Nicoya.

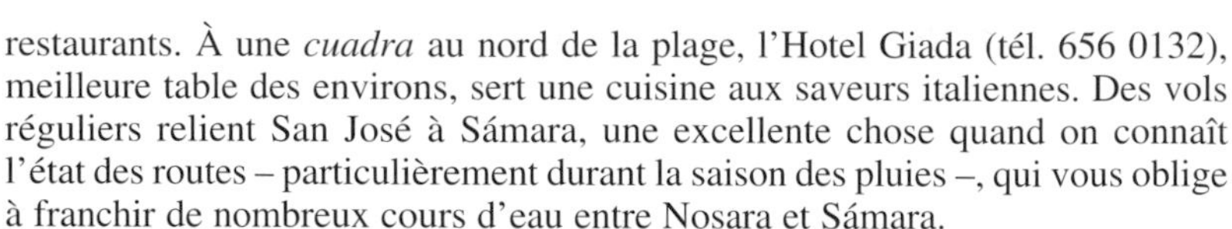

restaurants. À une *cuadra* au nord de la plage, l'Hotel Giada (tél. 656 0132), meilleure table des environs, sert une cuisine aux saveurs italiennes. Des vols réguliers relient San José à Sámara, une excellente chose quand on connaît l'état des routes – particulièrement durant la saison des pluies –, qui vous oblige à franchir de nombreux cours d'eau entre Nosara et Sámara.

NOTEZ-LE

Les contre-courants tuent plusieurs personnes chaque année : renseignez-vous sur la plage avant de vous baigner. Si vous êtes emporté par le courant, ne paniquez pas, n'essayez pas de lutter. Tentez de nager parallèlement au rivage ; les rouleaux finiront par vous y ramener.

Un peu au sud de Sámara, un récif protège les flots et les sables presque immaculés de **Playa Carrillo** ㉘. Au-delà, d'autres plages extraordinaires vous attendent – isolées, sauvages, parfois alimentées en eau douce. Un peu au sud de Carrillo, le vent du large pousse de superbes rouleaux vers **Playa Caletas**, accessible par des pistes tout justes repérables. Plus au sud encore se détache **Punta Islita**. Niché dans sa vallée, l'Hotel Punta Islita Resort & Spa (tél. 661 3332) vous promet une vue fabuleuse sur l'Océan, une belle piscine à débordement, des terrasses privatives avec baies panoramiques et hamacs. Un petit avion achemine le plus gros de la clientèle dans cet hôtel ultraluxueux, mais, pendant la saison sèche, vous pourrez venir de Sámara en voiture.

Parque Nacional Barra Honda

Situé 21 km à l'est de Nicoya, le **Parque Nacional Barra Honda** ㉙ couvre un vaste réseau de grottes. Pour accéder à ces lieux peu fréquentés, suivez les panneaux placés sur la route menant au Puente La Amistad, sur le Río Tempisque. Des sentiers balisés vous conduiront au *mirador* (point de vue) aménagé sur une crête à 300 m au-dessus des grottes. De là, le spectacle est grandiose : vous entendrez le tonnerre assourdissant d'une énorme cascade, les cris perçants des oiseaux, les appels déchirants des singes hurleurs ; des iguanes immobiles se fondent parmi les feuillages, tandis qu'au loin s'étend la vaste Península de Nicoya.

Ci-dessous : oreilles d'éléphant *(Alocasia macrorrhiza).*

Inutile d'être un spéléologue confirmé pour apprécier Barra Honda, même si certaines grottes, assez profondes, nécessitent de grandes descentes verticales. Des noms comme La Trampa (la trappe), ou Terciopelo (vipère fer-de-lance) ne les rendent pas franchement attirantes, mais le jeu en vaut largement la chandelle : admirez ces extraordinaires concrétions, notamment El Órgano, qui produit des tonalités mélodieuses quand on l'effleure.

Ossements humains, salamandres aveugles, chauves-souris vampires, entre autres étranges volatiles, se partagent ce monde des ténèbres. Les grottes de Barra Honda doivent à leur difficulté d'accès d'avoir échappé au vandalisme et à l'exploitation. Seuls les membres d'une communauté voisine détiennent le droit exclusif de les faire visiter. Logement sommaire et bonne cuisine *campesina* – essayez le retaurant Las Delicias – vous seront proposés sur place. Durant la saison sèche (de décembre à avril), il fait vraiment très chaud – n'oubliez pas de vous munir d'eau en quantité suffisante et d'un chapeau à larges bords.

Il vous faudra encore parcourir 185 km pour rejoindre San José, par la côte puis à travers les montagnes. Le long de la route principale, vous aurez l'occasion de faire provision de fruits tropicaux, de miel et de confiseries artisanales.

Forêt ombrophile de Monteverde

Couronnant la ligne de partage des eaux, la **Reserva Biológica del Bosque Nuboso de Monteverde** **30** se déploie à 180 km au nord-ouest de San José. Si l'état des routes permettant de s'y rendre s'est quelque peu amélioré, le site demeure encore difficile d'accès, et vous devrez compter 4 bonnes heures au départ de San José. Prenez la direction de Puntarenas par l'Interamericana, poursuivez jusqu'à l'embranchement de Rancho Grande, tournez à droite et suivez cette route (via Sardinal). Goudronnée sur 3 km, elle se transforme en piste gravillonnée avant d'en rejoindre une en terre défoncée à Guacimal. En tout, comptez au moins 1 heure pour gravir les 37 km qui séparent la route du Monteverde.

Mais il en faudrait plus pour décourager les visiteurs, qui se rendent par dizaines de milliers dans la réserve. Afin de protéger la flore et la faune, mais aussi les pistes, le nombre de randonneurs est limité à 100 personnes à la fois – ce qui peut entraîner un peu d'attente. Pensez à réserver au moins une nuit sur place ; et sachez que pour vraiment découvrir le parc, 3 jours ne seront pas de trop.

Si la forêt ombrophile de Monteverde attire autant de monde – bien plus que toute autre au Costa Rica –, il y a une bonne raison à cela : le quetzal resplendissant (*Pharomachrus moccino*), l'oiseau le plus coloré, le plus spectaculaire des tropiques, y réside. Quoique classés parmi les espèces menacées d'Amérique centrale, un millier de quetzals auraient élu domicile dans le Monteverde. L'oiseau ne se laisse pas observer facilement. Hormis son ventre rouge cramoisi, presque fluorescent, son plumage vert émeraude se fond aisément parmi la luxuriance de la forêt. La meilleure période d'observation se situe entre

CI-DESSOUS : de nombreuses cascades animent le Parque Monteverde, arrosé par 760 cm de pluies annuelles.

Le quetzal resplendissant

Peu d'oiseaux rivalisent de beauté avec le quetzal resplendissant, hormis les paradisiers de Nouvelle-Guinée. Sur les quelque 40 espèces qui habitent les tropiques, 10 vivent au Costa Rica.

De la taille d'un pigeon, le mâle doit son élégance à l'intensité et aux contrastes étincelants de ses couleurs, au lustre et au scintillement de son plumage, à l'éclat de ses parures et à son allure unique.

Le rouge cramoisi de son plastron tranche sur le vert iridescent de sa tête, de son jabot et de ses ailes. Sa tête est couronnée d'une fine crête de plumes hérissées qui remontent de son petit bec jaune vif à sa nuque.

Les extrémités en pointe des longues plumes largement échancrées qui couvrent ses ailes présentent un contraste saisissant avec ses flancs cerise. Spectaculaires, les plumes centrales couvrant sa queue se prolongent loin en arrière et ondulent gracieusement en vol, tels des pendentifs en filigrane. Comme en témoignent nombre de sculptures antiques et de peintures contemporaines, les nobles aztèques et mayas accordaient une très haute valeur ornementale à ces plumes caudales.

Figure nationale du Guatemala, le pacifique quetzal est à 100 lieues des prédateurs féroces et autres monstres cracheurs de feu que d'autres nations ont choisis pour emblème. Les anciens Guatémaltèques pensaient que ce symbole de liberté mourrait en captivité, mais les aviculteurs ont depuis appris à les soigner en cage, faisant ainsi mentir un mythe séculaire.

Une fois n'est pas coutume, le ramage du quetzal se rapporte à son plumage. Plus grave que celui des autres trogons, son chant ne se décompose pas distinctement mais se fond en une coulée sonore, douce et mélodieuse, d'une beauté inoubliable.

Monogames, les couples de quetzals nichent dans des troncs d'arbres, parmi les forêts montagneuses ou les proches clairières. Le trou, comme celui du pic-vert, descend de l'ouverture pratiquée au sommet, suffisamment profondément pour pouvoir dissimuler tous les oiseaux, sauf les pointes de la traîne du mâle. La femelle y dépose 2 œufs bleu clair. Elle couve la nuit et en milieu de journée. Le mâle prend son tour le matin et l'après-midi. Sa queue sort alors du nid, déployée en arc, frissonnant dans la brise. Sur un arbre chargé d'épiphytes, ses pointes se confondent alors avec les feuilles de fougères émeraude.

Parfois, lorsque l'un des deux partenaires vient prendre la relève, il s'élève droit dans les airs, jusqu'au-dessus des arbres, lançant un appel qui résonne comme "téli-touu, téli-touu". Au sommet de son ascension, il plane en cercle, puis plonge brusquement à l'abri des feuillages. Ces parades en vol illustrent à merveille la vitalité de l'oiseau.

Les quetzals resplendissants demeurent relativement nombreux dans les zones sauvages des forêts montagneuses. Tant que ces dernières restent protégées, ils ne courent aucun danger, mais, dans le cas contraire, l'Amérique centrale perdrait définitivement un trésor naturel sans égal. ❑

À GAUCHE : le quetzal et son menu préféré, l'*aguacatillo*, sorte de petit avocat.

janvier et septembre, et plus particulièrement durant la saison des amours, de mars à juin. Mais l'intérêt du Monteverde ne se résume pas au seul quetzal. Cette forêt d'altitude baignée de brumes et de nuages héberge une multitude de créatures diverses : 400 espèces d'oiseaux, 490 espèces de papillons, 2 500 espèces de plantes et 1 000 espèces de mammifères. Vous trouverez une liste et un plan au Centro de Visitantes (circuits guidés possibles). Avant de quitter le parc, ne manquez pas de faire un tour à la **galerie des Colibris**, en face de l'entrée. Les biologistes Michael et Patricia Fogden ont passé plus de 20 ans à étudier la faune de la réserve de Monteverde, et ils exposent là leurs plus belles photographies.

Les quakers de Monteverde

Monteverde ㉛ est fondée par un groupe de quakers qui débarquent d'Alabama en 1951, fuyant le service militaire. Pour subsister, ils fabriquent du fromage à partir du lait que les fermiers des environs leur apportent chaque matin. D'artisanale, leur entreprise est devenue industrielle, et les quakers produisent aujourd'hui plusieurs tonnes de fromage par jour : le fromage de Monteverde, spécialité costaricaine, se vend sur tous les marchés d'Amérique centrale. Sur la route du parc, vous pourrez faire une courte halte à leur **Fábrica de Queso** (visites guidées du lun. au sam. et le dim. mat. ; entrée payante), ou observer la production à travers les fenêtres de l'usine. Mais vous ne verrez pas beaucoup de quakers ailleurs à Monteverde même. Ils vivent en autarcie dans leurs fermes, évitant de fréquenter cette ville désormais bien trop commerciale à leur goût.

Un peu plus au nord, la coopérative artisanale du CASEM (Comité de Artesanías Santa Elena-Monteverde) a été créée en 1982 par 8 femmes. Aujourd'hui,

CI-DESSUS : flore du Monteverde.
CI-DESSOUS : lever de soleil dans le brouillard au-dessus de la canopée.

plus de 140 artisans y participent, et leurs articles se vendent moins cher ici qu'en ville. En face, un café sympathique, Stella's Bakery, côtoie Meg's Stables (tél. 645 5419), qui propose des randonnées à cheval.

Pour les rois mayas, la traîne émeraude du quetzal avait plus de prix que l'or. Ils pensaient également que cet oiseau majestueux, symbole suprême de liberté, ne pouvait vivre en captivité.

Environs de Monteverde

Deux réserves, de superficie beaucoup plus réduite, jouxtent celle du Monteverde. La **Reserva Sendero Tranquilo** (réserve du Sentier tranquille) offre de bonnes conditions d'observation de la faune : 200 ha ouverts à des groupes restreints, encadrés par des guides confirmés et parlant anglais (de déc. à août). Il vous faudra seulement réserver suffisamment longtemps à l'avance en contactant l'Hotel El Sapo Dorado (tél. 645 5010).

Sur la route de Santa Elena, face à l'Hotel Heliconia, tournez à gauche (dir. ouest) pour rejoindre **El Jardín de las Mariposas** (jardin des Papillons ; ouv. tlj. de 7h à 16h ; entrée payante ; tél. 645 5512), qui présente toutes les espèces de lépidoptères de la région. La visite guidée vous fera découvrir les étapes de la vie de cet insecte, puis pénétrer dans un jardin protégé où des centaines d'individus s'ébattent librement – le spectacle est encore plus féerique à la lumière du soleil, qui favorise leur activité. Vous verrez également une exposition sur les colonies de fourmis coupeuses de feuilles. À côté du jardin des Papillons, une petite réserve privée, le **Santuario Ecológico** (tél. 645 5869), propose 4 pistes en boucle. La plus longue s'effectue aisément en 2h30. Agoutis, coatis et paresseux s'y montrent volontiers, ainsi que les singes et les porcs-épics. Les amateurs d'oiseaux ne devraient pas être déçus non plus – on aurait même observé des quetzals. Le sanctuaire organise également des randonnées nocturnes (téléphonez pour réserver).

CI-DESSOUS : un tapir, rarement visible à l'état sauvage.

Autre attraction très appréciée, **Sky Walk** (tél. 645 5238/479 9944) consiste en un réseau de pistes de 2,5 km où 6 ponts suspendus relient par des lianes diverses des plates-formes aménagées dans la canopée. Rien de tel pour parcourir et scruter la forêt à vol d'oiseau – jusqu'à 46 m au-dessus du sol. Pour les plus aventureux, le même opérateur a conçu **Sky Trek**, un circuit "canopée" à effectuer à vive allure : équipé d'un harnais d'escalade, vous filez à travers les arbres, solidement arrimé à des câbles.

Par ailleurs, Monteverde réunit une communauté artistique remarquable, parmi laquelle peintres naturalistes, sculpteurs et tisserands d'art conjuguent leurs talents. Un festival international de musique s'y tient en février-mars. Musiciens costaricains ou natifs d'autres pays visitent un répertoire allant du jazz au latino en passant par le classique. Les recettes du festival financent des programmes d'éducation musicale.

CI-DESSUS : au Serpentario Monteverde, Santa Elena.
CI-DESSOUS : papillon camouflé...

Reserva Santa Elena et ses environs

À quelque 5 km au nord-est de Monteverde la **Reserva Santa Elena** ㉜ est née à l'initiative d'un lycée de la région en 1992. Cette réserve abrite forêt de montagne et forêt naine ; en tout, 766 ha sillonnés par plusieurs kilomètres de sentiers bien entretenus et dotés d'un centre de visiteurs. Par temps clair, une vue splendide se dégage vers le volcan Arenal, au nord.

Les circuits sont bien organisés et moins chers qu'au Monteverde, la flore et la faune –quetzals, jaguars et singes hurleurs notamment–, tout aussi remarquables. Les 4 pistes principales sont suffisamment courtes pour être parcourues dans la journée. Autre excellente nouvelle : il y a aussi beaucoup moins de monde, et, en réglant votre droit d'entrée, vous participerez au soutien d'écoles de Monteverde.

Avec le Canopy Tour (tél. 645 5390), vous vous hisserez en haut des arbres au moyen de poulies, puis vous vous déplacerez d'une plateforme à l'autre au moyen de câbles. Selvatura (tél. 645 5929) et Sky Trek (*voir plus haut*) proposent en outre la prise en charge de votre hébergement dans les hôtels du secteur.

Un peu plus loin, sur le versant atlantique, à l'est de la Reserva de Monteverde, découvrez **El Bosque Eterno de los Niños** (la forêt éternelle des Enfants ; tél. 645 5003). En 1987, un groupe de jeunes Suédois réussit à collecter suffisamment d'argent pour acheter environ 6 ha de forêt. Aujourd'hui, avec le soutien actif de jeunes du monde entier, ils sont propriétaires de plus de 22 000 ha, couvrant un large éventail de forêt ombrophile, humide et saisonnière persistante. Une partie de la forêt est ouverte au public sur plusieurs kilomètres de piste et un centre éducatif a été créé sur place.

À 12 km au sud-est du Monteverde, l'**Estación Biológica San Luis** (tél. 645 8049) se présente comme un modèle écologique de premier ordre. Programme intégré d'écotourisme et de recherche mis en œuvre par des biologistes, San Luis vous permet d'aborder et de comprendre la vie rurale du pays, le reboisement, les différentes techniques de photographie en forêt ombrophile, mais aussi d'observer les oiseaux en compagnie de guides expérimentés. ❑

DES P'TITS OISEAUX DE TOUTES LES COULEURS...

Avec plus de 850 espèces d'oiseaux, le pays se coiffe d'une couronne de plumes pour les ornithologues et les amateurs du monde entier

En dépit de sa taille lilliputienne, le Costa Rica héberge environ le même nombre d'oiseaux que toute l'Amérique du Nord, et nettement plus que l'Europe ou l'Australie. Une abondance et une diversité extraordinaires, qui s'expliquent par la situation du pays : dans les tropiques, et sur l'une des grandes voies migratoires des oiseaux entre Amérique du Nord et du Sud.

Mais pour les ornithologues, les espèces résidentes du Costa Rica sont encore plus passionnantes et pouvoir observer un quetzal resplendissant est le rêve de tout amoureux des oiseaux. Il faut beaucoup de patience pour localiser ce frugivore paisible et discret qui vit dans les hautes forêts de brouillard de la Meseta Central. Les toucans s'expriment bien plus volontiers, tandis que les couples d'aras macao ne passent pas inaperçus, rasant les cimes d'arbres à grands cris rauques.

Plus de 50 espèces de colibris habitent le Costa Rica. Minuscules mais pugnaces, ces oiseaux-mouches se nourrissent de nectar et d'insectes. Des leurres suffisent à les attirer, déclenchant un ballet féerique de couleurs et d'ailes frémissantes.

▷ **SNACK AU VOL**
Ce colibri, infime boule de nerfs et d'énergie combative, se nourrit d'une *Cheline lyonii* "hotlips", dans le Monteverde. Aussi agiles qu'efficaces, les colibris attrapent aussi des insectes pour alimenter leurs petits.

▽ **QUETZAL RESPLENDISSANT**
À découvert, sa somptueuse parure le trahit, mais parmi les feuillages, des plumes vert émeraude lui offrent un excellent camouflage. Les plumes de traîne du mâle peuvent mesurer jusqu'à 1 m, et il doit les enrouler autour de son corps quand il entre dans son nid.

△ **BEC XXXL**
Apparemment bien encombrant, le bec du toucan est très délicat, des cavités internes réduisant son poids.

▷ **NIDS SUSPENDUS**
Les Montezuma oropendolas suspendent leurs drôles de nids à la cime des branches d'arbres isolés.

ESPÈCES MENACÉES

En dépit des efforts menés par le Costa Rica, la destruction de l'habitat a eu un grave impact sur certains oiseaux.

Le quetzal est particulièrement vulnérable car il ne peut survivre qu'en forêt de brouillard, tout comme l'araponga tricaronculé (*Procnias tricarunculata*), également menacé àcause de l'extension des pâtures. Parmi les aras, l'ara de Buffon (*Ara ambigua*) est le plus en danger. Sur la côte caraïbe où il vit exclusivement, les fermiers sont encouragés à préserver le dypterix, arbre essentiel à son alimentation. Leur nombre se stabilise actuellement autour de 150 à 200 individus. Des parcs nationaux et réserves comme le Monteverde leur permettent de survivre.

En tête de liste des oiseaux menacés plane le plus grand prédateur volant du Costa Rica, la harpie féroce (*Harpia harpyja*). Ce géant habite les forêts de la Península de Osa, où il se nourrit de singes, mais il est exceptionnel de pouvoir l'observer. Quelques espèces, en revanche, comme le héron garde-bœufs (*Bulbucus ibis*) ou la buse à gros bec (*Buteo magnirostris*) ont bénéficié des mutations de l'environnement.

△ **AU FIL DE L'EAU**
Des cours d'eau comme les canaux du Tortuguero facilitent l'observation quand les oiseaux quittent leur perchoir à l'aube ou reviennent à la nuit tombante.

△ **GOURMAND**
Le motmot houtouc vit dans les forêts et les plantations de café. Là, il guette ses proies, insectes ou petits batraciens.

▽ **SOUS-MARIN PIQUANT**
L'Anhinga d'Amérique (*Anhinga anhinga*) se nourrit dans les lacs et les lagunes littorales, et nage un peu comme le cormoran.

ZONA NORTE

Attraction majeure de la région, le Volcán Arenal et son lac ne sauraient pourtant éclipser la magie du Río Sarapiquí et de modèles écologiques comme la réserve de La Selva.

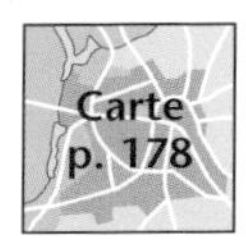

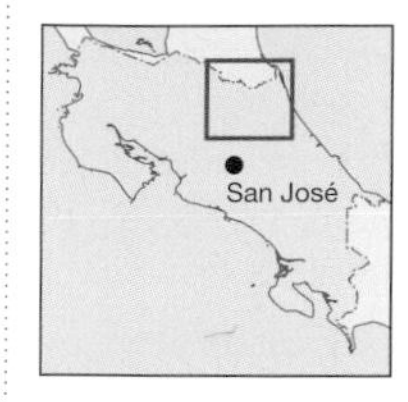

On appelle Zona Norte la région qui s'étend au nord-est de San José. Ses paysages verdoyants et fertiles sont essentiellement voués à l'agriculture. Mais vous serez sans doute plus séduit encore par son spectaculaire Volcán Arenal, ses sources thermales et ses extraordinaires réserves sauvages de forêts pluviales.

Environs de Ciudad Quesada (San Carlos)

Au pied de la Cordillera Central, **Ciudad Quesada** ㉝ – souvent désignée sous son ancien nom San Carlos,–, est la porte d'accès privilégiée à la Zona Norte. Cœur agricole et commercial de la région, cette ville de 40 000 habitants produit bétail, agrumes et canne à sucre, et compte plusieurs hébergements intéressants à proximité.

À 15 km au nord de Ciudad Quesada, juste après Platanar, La Garza (tél. 475 5222) regroupe ses charmantes *cabinas* parmi de superbes jardins donnant sur le Río Platanar. Cette grande hacienda propose toutes sortes d'activités à ses hôtes – équitation, tubing, nage ou pêche au *guapote* dans le *río* –, qui sont invités à participer à la vie de l'exploitation.

Près de Muelle, à 22 km au nord de Ciudad Quesada, le luxueux Tilajari Hotel Resort (tél. 469 9091) est entouré d'immenses pelouses vallonnées face aux eaux brunes du Río San Carlos ; cette excellente base d'exploration offre également tennis, natation, racquet-ball, équitation et randonnée à travers 300 ha de forêt pluviale. En poussant plus loin, vous pourrez partir en expédition "pêche et découverte de la jungle" dans le Refugio Nacional de Vida Silvestre Caño Negro (*voir p. 220*).

Serendipity Adventures a choisi le Tilajari comme point de départ de fabuleuses ascensions en montgolfière au-dessus de la **vallée de San Carlos** (autres sites possibles ; tél. 558 1000). Debout dans une nacelle traditionnelle en osier, sous l'enveloppe multicolore du ballon, vous vous éleverez dans les airs à l'aube, pour apercevoir singes hurleurs et toucans qui s'éveillent parmi les cimes des arbres. Plus loin, survolant les pâturages, les champs de canne à sucre et d'ananas, les troupeaux de chevaux et de bétail, vous assisterez au lever du soleil sur la campagne.

La Fortuna

De Muelle, faites 25 km en direction de l'ouest et vous arriverez à **La Fortuna** ㉞ (ou Fortuna de San Carlos). Ce bourg animé, brûlé par le soleil, s'étale au pied du Volcán Arenal, accueillant tour operators, hôtels et restaurants en tout genre.

À 5 km à l'est de La Fortuna, un embranchement vous mènera aux **Cataratas del Río Fortuna**. Au

PAGES PRÉCÉDENTES : Volcán Arenal.
CI-CONTRE : cascade, région du Sarapiquí.
CI-DESSOUS : ibis blancs.

départ de La Fortuna, ces chutes sont aisément accessibles en 1 heure de randonnée à cheval à travers pâtures et plantations de gingembre, de maïs, de bananes et de poivrons – par la route, il vous faudra un véhicule tout-terrain. Arrivé aux chutes, un chemin traître et boueux descend jusqu'au bassin, dont l'eau fraîche et limpide vous paraîtra d'autant plus miraculeuse.

Le Tabacón Grand Spa n'est pas donné et souvent bondé, surtout le week-end : choisissez plutôt un jour de semaine, si possible hors saison.

Tabacón Grand Spa

Si vous vous rapprochez encore du volcan, entre La Fortuna et le Lago Arenal, vous atteindrez le **Tabacón Grand Spa Thermal Resort** ㉟, l'une des destinations les plus touristiques du pays. Dans cette petite vallée, les pentes du volcan arrêtent le regard, tout comme ses cascades de pierres rougeoyantes. Inquiétante proximité, et pourtant le volcan produit un effet apaisant. L'Arenal donne aux eaux de Tabacón une température idéale : des torrents d'eaux chaudes et des jardins verdoyants encadrent pentes, cascades et bassins carrelés aux degrés divers. Jacuzzi et massages vous seront même proposés. Si vous en avez l'occasion, dînez dans la salle de restaurant du Tabacón, au bord d'un bassin tranquille, en regardant le volcan flamboyer sous le ciel étoilé : si la pleine lune est au rendez-vous, cette soirée-là justifiera à elle seule votre voyage au Costa Rica.

À l'ouest de La Fortuna, vous pourrez vous détendre dans les eaux minérales de Baldi Thermae (tél. 479 9651), nettement plus abordables : un bain chaud et la vue sur le volcan ne vous coûteront guère plus de 25 $US.

Après le Tabacón Thermal Resort, une piste en terre part sur la gauche de la grand-route ; elle mène à l'**Arenal Observatory Lodge** (tél. 290 7011), ancienne station de recherche pour la Smithsonian Institution, l'Earth's Watch et l'Universidad Nacional du Costa Rica, entre autres. Ce lodge, le seul du Parque Nacional

CI-DESSOUS : le panache du Volcán Arenal, un spectacle magique.

Arenal, s'élève dans son propre et immense domaine de forêts primaire et secondaire, sillonné de cascades et de pistes de randonnée, à parcourir à pied ou à cheval. Pour y accéder, suivez la piste gravillonnée pendant 9 km – attention : il vous faudra traverser deux cours d'eau. Sur place, vous ne serez qu'à un petit kilomètre du volcan. La nuit, les vers luisants éclairent l'obscurité et les singes hurleurs vocifèrent à qui mieux mieux.

Carte p. 178

Volcán Arenal

Jusqu'en ce début du mois de juillet 1968, le **Volcán Arenal** 36 n'était qu'une colline densément boisée parmi d'autres, près de La Fortuna. Puis, un matin, quelques tremblements agitent le sol. Soudain, la forêt se met à cracher vapeurs et fumées. Les femmes qui lavaient leur linge s'émerveillent devant l'eau chaude qui s'écoule des ruisseaux. Et brusquement, le 29 juillet, l'Arenal entre en éruption. Des nuées ardentes, des fontaines de lave et des blocs rougeoyants s'abattent sur les environs. Les estimations officielles avanceront le chiffre de 62 morts, mais, à La Fortuna, on évalue plutôt à 80 personnes le nombre de disparus. Pâturages paisibles jusqu'alors, les terres proches du volcan se sont métamorphosées sur 5 km² en un enfer dantesque. Depuis lors, l'Arenal est demeuré en activité constante, offrant l'image archétypique du volcan : un cône parfait émergeant abruptement d'un paysage de plaines. Surtout, ne tentez pas son ascension : les laves qui dévalent son flanc ouest atteignent une température de 926°, et d'imprévisibles éruptions de pierres accompagnent une chaleur intense et des émissions de gaz toxiques. Tous les 2 ans environ, un voyageur ignore les panneaux qui signalent le danger, et le volcan fait une nouvelle victime. Un véhicule tout-terrain vous sera sans doute nécessaire pour emprunter la piste – éprouvante – qui

Au pied du Volcán Arenal, un panneau avertit les visiteurs : "Zone d'influence volcanique. Si vous remarquez une activité anormale, quittez la zone en courant et prévenez les autorités les plus proches."

CI-DESSOUS : jardins de rêve, Tabacón Grand Spa.

mène à Nuevo Arenal, en direction de l'ouest. En 1973, l'ancien village fut noyé dans les eaux pour créer le lac. Ainsi est né **Nuevo Arenal**, où vous attendent restaurants animés et bon marché, ainsi qu'un bon choix de petits hôtels et d'établissements agréables sur la route de Tilarán. Quelques kilomètres à l'est, le **Jardín Botánico Arenal** ㊲ (ouv. nov.-mai tlj. de 9h à 17h, juin-oct. du lun. au sam. de 9h à 17h ; entrée payante) est l'œuvre de Michel Le May, infatigable horticulteur amateur. Son millier d'espèces indigènes et exotiques attirent là une ribambelle de papillons et de colibris, spectacle plus magnifique encore en fin d'après midi ; mais soyez prévoyant car le nombre de visiteurs est limité.

Laguna de Arenal

Aux passionnés de pêche en eau douce, la **Laguna (ou Lago) de Arenal** ㊳ réserve de grands moments de bonheur, notamment son *guapote*, très apprécié des connaisseurs (*voir p. 105*). Mais, que vous soyez pêcheur ou non, la location d'un bateau avec guide s'impose pour découvrir le lac. Partez de préférence tôt le matin : si le temps le permet, vous verrez le volcan se refléter sur les flots comme en un miroir. Vous apercevrez quelques pêcheurs des environs ; assis sur une chaise juchée en travers de deux rondins en balsa, ils taquinent le poisson avec de simples cannes à pêche.

De décembre à mars, généralement l'après-midi, les vents de nord-est soufflent presque tous les jours. Des brises soutenues de 40 à 50 nœuds n'ont rien d'inhabituel, faisant moutonner les eaux. Attirés par ces conditions extrêmes, les véliplanchistes confirmés ont fait du lac l'une de leurs destinations favorites. À Nuevo Arenal, Tico Wind (ouv. du 1er déc. au 15 avr. ; tél. 692 2002) loue du matériel et propose des cours.

Ci-dessus : bétail à La Fortuna.
Ci-dessous : pont sur le Río Sarapiquí, près de Selva Verde.

La partie ouest du lac se prête mieux au short-board, tandis que plusieurs stations de planche à voile se sont ouvertes près de **Tilarán** (8 500 hab.), vieille ville costaricaine dont le nom, d'origine chorotega, signifie "vent et pluie". Autre possibilité d'hébergement, à 9 km au nord de Tilarán, l'étonnant Hotel Tilawa (tél. 695 5050) abrite dans son pseudo-palais crétois une école de planche à voile bien équipée (accès facile au lac) ; véliplanchiste ou pas, vous pourrez choisir d'y passer la nuit, pour profiter de la fraîcheur qui baigne ces collines ondulant au-dessus des plaines du Guacanaste. La ville repose en pleine campagne, égayée par les troupeaux de vaches qui émaillent les pâturages en hauteur. Ses habitants vous trouveront très facilement bateau et guide pour pêcher sur le lac.

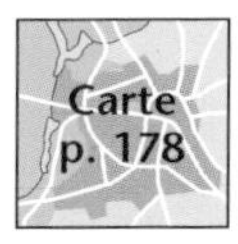

Mythique, le lac ne pouvait se passer d'un monstre. Voici quelques années, des pêcheurs se trouvaient sur leur radeau en début de soirée, lorsqu'ils entendirent un étrange grondement sortir des flots. Soudain, juste devant eux, un énorme serpent velu et cornu creva la surface en rugissant, vomissant une haleine fétide. Quelques secondes plus tard, il disparaissait dans les profondeurs, traînant une queue de plus de 2 m. Les hommes rentrèrent précipitamment et racontèrent leur histoire, laquelle se répandit, bientôt amplifiée par la découverte de carcasses de chevaux à demi dévorées flottant à la surface de l'eau : avec le temps, le monstre du lac Arenal n'a fait qu'enflammer l'imagination des habitants. Au-dessus du lac, le paisible Lago Coter borde la Lake Coter Ecolodge (tél. 289 6060), où vous pourrez parcourir des kilomètres de pistes de randonnée, chevaucher dans les collines au-dessus du Lago Arenal, ou vous accrocher à des câbles et jouer les Tarzans dans la forêt primaire.

Dans la région de l'Arenal, le tourisme est en plein essor, et la concurrence fait rage. Une brochure promotionnelle décrit Tilarán comme "une ville aux pluies fertiles et aux vents vivifiants qui cultive l'amitié et le progrès".

Arenal via San Ramón

De San José, un autre itinéraire pour gagner Arenal passe par **San Ramón**. Ce peut être l'occasion de faire étape au Villa Blanca Cloud Forest Hotel (tél. 461 0300), inscrit dans la **forêt humide de Los Angeles** – 800 ha et des kilomètres de pistes de randonnée. Confortablement meublés, ses bungalows sont tous dotés d'une cheminée.

De San Ramón, poursuivez en direction du nord, via San Lorenzo, jusqu'à La Tigra. Sur la piste gravillonnée qui relie La Tigra à Chachagua, l'Hotel Bosques de Chachagua (tél. 468 1010) propose 22 *cabinas* à ses clients. Dans cette hacienda, vous pourrez assister au travail à la longe de superbes chevaux *criollos*, et, si vous avez le cœur bien accroché, partir en randonnée sur l'une de ces fougueuses montures.

Direction Caño Negro

De Ciudad Quesada (ou San Carlos), prenez la direction nord-est, traversez le Río Platanar, puis continuez jusqu'à Aguas Zarcas. L'Hotel El Tucano Occidental ne lésine pas sur le confort et le luxe – sources chaudes naturelles, piscine de taille olympique et jacuzzi alimentés par des eaux thermales, courts de tennis, minigolf et sauna naturel en pierre. Les bassins, payants, sont ouverts à la clientèle de passage. À côté, l'Hotel Termales del Bosque (tél. 460 1354), plus abordable, permet de se baigner dans des sources chaudes au cadre plus naturel que celles du Tabacón. Au nord d'Aguas

Ci-dessous : un plein d'émotions sur le Río Sarapiquí.

Zarcas, à la sortie de Pital, un lodge isolé (4x4 recommandé), la **Laguna del Lagarto**, propose hébergement, randonnées à cheval ou à pied, canoë et excursions sur le Río San Carlos jusqu'à la frontière nicaraguayenne. Le site se prête admirablement à l'observation des oiseaux. N'oubliez pas de vous munir de bottes.

Rara Avis propose de vous héberger dans les arbres, sur un mirador de 33 m de hauteur, si vous n'avez pas le vertige. L'ascension – guidée – s'effectue encordé et avec baudrier.

Au nord d'Arenal, non loin de la frontière nicaraguayenne, le **Refugio Nacional de Vida Silvestre Caño Negro** ㊴ (réserve de vie sauvage de Caño Negro), magnifique et peu fréquenté, est le lieu idéal pour observer les oiseaux, dont de vastes bandes d'anhingas, de spatules rosées, d'ibis blancs et de jabirus. Ce dernier, le plus grand volatile de la région, se voit gravement menacé d'extinction. Plusieurs espèces de mammifères, notamment de grands félins, fréquentent aussi les parages. Au cœur de cette région, le **Lago Caño Negro** étend ses eaux sur environ 800 ha durant la saison humide, puis s'assèche presque complètement. Pour rejoindre le Caño Negro, d'assez bonnes routes partent de La Fortuna, de Los Chiles ou d'Upala – au nord-ouest de Cañas. Mais seul le bateau vous permettra d'observer en toute tranquillité la diversité de sa vie animale, particulièrement pendant la saison humide. Quelques hébergements sommaires vous attendent à Los Chiles, tandis que le village de Caño Negro s'est enrichi de deux établissements haut de gamme, un lodge de pêche et un hôtel. À La Fortuna, plusieurs tour operators, notamment Sunset Tours, organisent des excursions d'une journée à Caño Negro.

Région du Sarapiquí

La jungle tropicale qui borde la région du **Río Sarapiquí**, côté caraïbe de la Cordillera Central, se trouve à moins de 100 km de San José, mais s'y aventurer revient à pénétrer un autre continent. Réserves privées avec hébergement (*voir ci-dessous*), l'Estación Biológica La Selva, le Selva Verde Lodge et la Rara Avis ponctuent un itinéraire en boucle – sur routes goudronnées – qui débute et s'achève à San José.

Ci-dessous : piste de jungle, direction Rara Avis.

En passant par Heredia pour revenir par le Parque Braulio Carrillo, comptez environ 5 heures de route. Les voyageurs au budget limité trouveront au Rancho Leona (tél. 761 1019), à La Virgen, une cuisine très honnête, un hébergement bon marché, et des sorties en kayak sur le Río Sarapiquí, le tout en pleine jungle.

De San José, prenez la direction de Heredia. La route principale escalade bientôt les pentes du Volcán Poás jusqu'à Varablanca, où elle croise la petite route d'accès à Poás. Changement complet de décor si vous décidez de passer la nuit à l'Albergue Colbert (tél. 482 2776), auberge de montagne typiquement française, avec cheminée, croissants frais et omelettes. En repartant de bon matin, vous aurez tout le temps de découvrir le volcan, avant de franchir la crête et de descendre des pentes tapissées de forêts, admirant au passage une cascade spectaculaire. Vous rejoindrez ensuite la forêt pluviale des plaines côtières caraïbes.

Plus facile mais tout aussi remarquable, un autre itinéraire menant à Sarapiquí emprunte la route de Braulio Carrillo, à l'est de San José, et traverse le parc du même nom. Évitez de rouler après le coucher du soleil, car un épais brouillard recouvre alors le bitume.

Puerto Viejo de Sarapiquí et Rara Avis

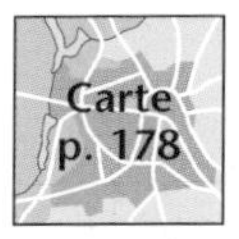

Carte p. 178

De **Puerto Viejo de Sarapiquí** ⓮, petite bourgade fluviale, des bateaux rallient des villages implantés le long des cours d'eau, dans une jungle autrement inaccessible. Chargées de marchandises et de passagers, des pirogues à moteur partent régulièrement faire leur navette d'une journée, remontant le Río Sarapiquí jusqu'au **Río San Juan**, à la frontière nicaraguayenne, puis obliquant à l'est vers Barra del Colorado et la mer des Caraïbes.

La réserve **Rara Avis** ("oiseau rare" ; tél. 764 3131) couvre 600 ha de forêt pluviale. Son point d'accès, Las Horquetas, se trouve à 17 km au sud de Puerto Viejo de Sarapiquí. De là, que vous choisissiez le cheval ou la remorque tirée par tracteur, mieux vaut être en excellente santé – tant physique que mentale : 4 heures d'un voyage épuisant vous attendent, entre marais, ornières et cours d'eau. En chemin, le spectacle des haciendas qui gagnent peu à peu sur la jungle profonde illustre les effets dévastateurs de la déforestation bien mieux qu'un manuel ou un film. Le tracteur et sa remorque brinquebalent sur un sentier défoncé, traversant des terres d'élevage jonchées d'arbres morts. Le bétail lui-même se montre rare et dispersé. Ces sols brûlants, asséchés et poussiéreux, recouverts d'une croûte cuite par le soleil, dégagent une atmosphère de profonde désolation. La zone déboisée prend fin à El Plástico Lodge : ultime étape avant les 6 derniers kilomètres qui mènent aux hauteurs forestières du Waterfall Lodge, cette ancienne colonie pénitentiaire doit son nom étrange aux bâches en plastique qui abritaient les détenus. La route s'enfonce ensuite dans la pénombre d'une végétation aux allures de cathédrale. Privée de soleil, la terre se résume à un amas de racines, de troncs et de feuilles détrempées, baignant dans la boue. Seule une équipée organisée à l'avance peut vous permettre d'accéder à ces lieux sauvages et reculés.

CI-DESSUS : cul-de-sac.
CI-DESSOUS : les abeilles africanisées se montrent très agressives.

Estación Biológica La Selva

À 7 km au sud de Puerto Viejo, des panneaux annoncent "OES" (Organización para los Estudios Tropicales) et une piste gravillonnée mène à La Selva. La diversité des organismes vivants que recèle cette forêt tropicale du Río Sarapiquí attira les biologistes sur les lieux voici plus de 30 ans. Ils y fondèrent l'Organización para los Estudios Tropicales et l'**Estación Biólogica La Selva** ㊶.

Une fois par semaine, les paresseux descendent sur le sol afin de déféquer – curieux comportement, peut-être pour ne pas trahir leur habitat par leur odeur.

En 1986, l'État costaricain apporte une contribution majeure à la protection de la forêt pluviale avec l'extension du Parque Nacional Braulio Carrillo, qui partage désormais sa frontière avec la Reserva La Selva et ses 600 ha. Aujourd'hui, un total de 21 000 ha de forêt vierge protège ainsi les couloirs migratoires et les vastes territoires nécessaires à la survie de plusieurs espèces d'oiseaux et de mammifères rares et menacés.

La plupart des biologistes tropicaux ont séjourné à La Selva en tant qu'étudiants, enseignants ou chercheurs. Deux fois par an, l'Organización para los Estudios Tropicales organise un stage de 8 semaines ouverts aux étudiants en écologie : les biologistes ne sont pas seuls concernés ; de nombreux guides naturalistes du Sarapiquí ont été formés à La Selva avant de travailler dans les lodges d'écotourisme.

La réserve se consacre essentiellement à la recherche et à l'éducation, mais d'excellentes randonnées guidées y sont proposées quotidiennement (tél. 240 6696 ou 766 6565). Un vaste réseau de pistes sillonne la forêt, certaines empruntant des passerelles en bois pour permettre de circuler durant la saison humide. Amélioration appréciable, des *cabinas* confortables accueillent aujourd'hui les visiteurs mais il vous faudra partager vos repas avec les étudiants et les chercheurs, qui se contentent, eux, de dortoirs.

CI-DESSOUS : cours d'eau dans la forêt pluviale des basses terres.

Selva Verde

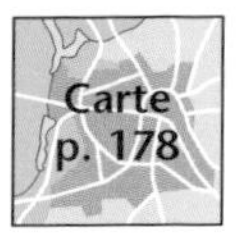

En 1986, deux écologistes passionnés originaires de Floride, Giovanna et Juan Holbrook, achètent **Selva Verde** ㊷ (tél. 766 6800) – 200 ha de forêts tropicales primaire et secondaire tapissant les basses terres qui longent les berges du Río Sarapiquí – afin de sauver cette zone du déboisement. Ils s'installent au bord du fleuve, dans un lodge conçu pour avoir le minimum d'impact sur l'environnement : fiché au-dessus du sol sur ses pilotis, il rappelle par sa forme les grandes araignées de la jungle.

Les visiteurs résident dans des chambres toutes de bois tropical, à l'extrémité de galeries couvertes qui rayonnent dans la forêt à partir de la salle de conférences centrale. Les groupes y font également souvent étape pour le déjeuner. Le lodge de Selva Verde affiche le logo du CST (Certification for Sustainable Tourism) : ce plan bénévole propose aux lodges un label de viabilité, notamment en termes d'impact écologique sur l'environnement et la communauté indigène.

Les oiseaux les plus spectaculaires se montrent volontiers à Selva Verde : les toucans de Swainson ou à carène se nourrissent des noix des muscadiers qui poussent près du porche du lodge. Faites quelques pas le long du chemin qui mène au bâtiment principal : vous serez ébloui par les couleurs irisées de plusieurs espèces de colibris. À proximité, les cassiques de Montezuma font entendre leurs gloussements, qui se fondent en une symphonie continue avec les chants, coassements et stridulations d'autres oiseaux et d'innombrables grenouilles et insectes. Plus de 100 espèces de volatiles fréquentent Selva Verde. Leur dynamisme contraste avec la lenteur sidérante des paresseux, dont le métabolisme n'atteint pas la moitié de celui d'un animal de même taille. ❑

CI-DESSUS : le toucan à carène, très répandu à Selva Verde. **CI-DESSOUS :** observation de la canopée, Rara Avis.

IMPÉTUEUSES ÉMINENCES

Cinq volcans actifs (contre 122 en sommeil ou éteints), fumerolles, laves, boues, gaz et nuées : les vulcanologues ne chôment pas au Costa Rica.

Éruptions volcaniques et tremblements de terre ont façonné ce pays où les touristes au temps compté, les randonneurs et autres fans de montagne peuvent escalader les pentes des 4 volcans actifs de la Meseta Central en 2 jours, à peine. Mais rappelez-vous qu'un volcan actif exige le respect des consignes de sécurité et un équipement adapté (de bonnes chaussures, et pour le Rincón de la Vieja, une boussole). Pour une sécurité optimale, partez avec un groupe guidé. Les Ticos sont fiers de leur géologie explosive, et ils ont fait du Poás et de l'Irazú les deux parcs les plus visités du pays.

Le cône parfait du Volcán Arenal se dresse dans toute sa majesté, à 1 633 m au-dessus des campagnes d'Alajuela, au bord de son lac. Le spectacle est saisissant, surtout lorsque des coups de tonnerre ébranlent le ciel, annonçant une éruption à grand renfort de nuages toxiques et de vapeurs rougeoyantes. Un événement devenu si banal pour les habitants qu'ils ne lèvent même pas les yeux – contrairement aux visiteurs de la réserve !

UN PASSÉ MOUVEMENTÉ

En sommeil pendant des siècles, l'Arenal paraissait éteint lorsqu'une série de séismes ébranle le secteur en juillet 1968. Le 29 juillet, le volcan entre en activité, ravageant et décimant une zone de 5 km² environ, avec des ondes de choc qui se propagent jusqu'à Boulder, Colorado. Plus de 80 personnes meurent asphyxiées par les nuées ardentes ou frappées par les blocs projetés dans les airs.

Depuis lors, le volcan ne cesse de gronder et d'entrer en éruption, mais à une plus petite échelle, plusieurs fois par jour durant certaines périodes, vomissant des nuées ardentes et des coulées de lave par blocs énormes.

▽ **BULLES DE FEU**
Le Rincón de la Vieja domine de ses 1 900 m les forêts du Guanacaste. L'un de ses 9 cratères est actif, et des fumerolles y brassent des mares de boues brûlantes.

▽ **VUE DE L'IRAZÚ**
Par temps clair, on aperçoit les deux océans, Pacifique et Atlantique, du haut du Volcán Irazú. Les légumes prospèrent sur ses pentes fertiles.

POÁS VOLCANO IS IN ACTIVITY
YOU ENTER UNDER YOUR OWN RISK
SPN – MIRENEM

◁ **BEAUTÉ FATALE**
L'Arenal est encore plus beau la nuit, lorsque ses coulées de lave et de blocs incandescents dévalent la pente nord, presque entièrement dénudée. Des explosions résonnent régulièrement durant les phases actives du volcan, qui peut sommeiller ensuite pendant des mois. Des nuages voilent souvent le sommet.

▽ **SUR LA LUNE**
Si le cratère du Poás ressemble à la Lune, dans le reste du parc des pistes de randonnée sillonnent une forêt de brouillard naine de haute altitude et une forêt humide de montagne fréquentée par le quetzal resplendissant.

◁ **TONIQUE POÁS**
Le Volcán Poás sort tout juste d'une phase active, dont témoignent des fumerolles visibles au-dessus du cratère. Mais les émissions sulfureuses gênent souvent la visibilité.

▷ **SOURCES DE PLAISIR**
La plus belle piscine du monde ? Le Tabacón Grand Spa Thermal Resort.

AU PIED DES VOLCANS

Pour observer l'Arenal dans le luxe et la tranquillité de jour comme de nuit, rien de tel que le Tabacón Grand Spa Thermal Resort, construit dans le style colonial espagnol, sur le site d'une ancienne avalanche volcanique qui réchauffe les sources depuis 1975. Les vulcanologues n'écartent pas tout risque de nouvelles avalanches, mais cela n'empêche pas les Ticos et les touristes d'affluer, de s'émerveiller devant l'activité du volcan, et de ressusciter dans ces eaux réputées excellentes pour les problèmes de peau et l'arthrite. Deux bassins de diverses profondeurs et températures (jusqu'à 38°C), un jacuzzi, une cascade, des toboggans et une baignoire individuelle nichée dans ces jardins paradisiaques ne peuvent qu'enchanter les familles, des tout petits aux personnes âgées.

Le spa propose ses masques de boue, consignes, serviettes en location et douches. L'hôtel est très chic, mais cher (réservez longtemps à l'avance).

Les budgets plus serrés trouveront presque aussi bien aux Baldi Termae, à l'ouest de La Fortuna, ou aux modestes mais luxuriants Termales del Bosque, près de San Carlos.

soy feliz así...
sin drogas.
IAFA
90-137

LA CÔTE CARAÏBE

Flots paisibles à l'éclat d'aigue-marine ou de turquoise, ciels somptueux et cocotiers frémissant dans la brise : bienvenue sur le littoral caraïbe du Costa Rica.

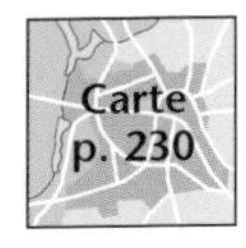

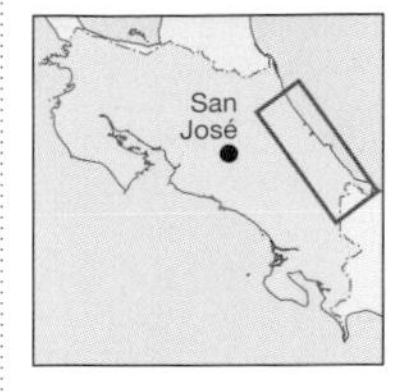

Une route goudronnée – mais sinueuse – vous conduira de San José à la côte caraïbe, traversant les canyons, montagnes, cascades et forêts vierges du Parque Nacional Braulio Carrillo. Au fil de la descente menant aux forêts tropicales des plaines caraïbes, vous quitterez la fraîcheur des nuages pour plonger dans un air plus lourd et plus chaud.

Puerto Limón

Caraïbe à 100 % avec son cocktail entêtant de couleurs, de sons et de parfums, **Puerto Limón** ❶ (102 000 hab.) baigne dans une chaleur humide où la décontraction s'impose. Prononcez son nom, et les Ticos du Valle Central feront volontiers la grimace, tandis que les voyageurs occidentaux évoqueront la magie, réelle ou imaginaire, des lieux.

Dans le centre, pas de cathédrale ni de terrain de football ouvert sur la place comme dans les villes du Valle Central, mais, à **Parque Vargas**, nommé après un ancien gouverneur local, les Limonenses attendent leur bus à l'ombre d'immenses banians dont les racines contreforts leur servent de sièges.

L'activité commerciale de Limón prend son essor au XVIIe siècle avec les plantations de cacao, cultivées par les esclaves. Mais les pirates de la Jamaïque attaquent continuellement la région, et la production s'arrête au début du XIXe siècle, délaissant pendant plusieurs décennies ces terres épouvantablement humides, marécageuses et torrides.

PAGES PRÉCÉDENTES : la route de Cahuita.
CI-CONTRE : rivière, Barra del Colorado.
CI-DESSOUS : paresseux et heureux, Aviaros del Caribe.

Café, bananes et chemin de fer

La croissance du marché du café nécessite un débouché maritime pour l'exportation vers l'Europe. En 1871, un port est créé sur un site appelé “El Limón”, hameau de pêcheurs noirs constitué de quelques cabanes. La même année, le gouvernement signe un contrat pour la construction de la ligne du chemin de fer atlantique, qui doit relier San José et la côte caraïbe. Importés de Jamaïque, d'Italie et de Chine, des ouvriers sont engagés pour les travaux, et ceux qui survivent s'installent dans le secteur.

Parallèlement, l'ingénieur américain Minor Keith, directeur du chantier, a la brillante idée de planter des bananes le long de la voie pour recueillir les fonds nécessaires au financement des travaux fort coûteux du chemin de fer. Limón devient ainsi ville ferroviaire et bananière, essentiellement peuplée d'immigrants afro-caraïbes et chinois. Depuis 1872, elle a connu bien des hauts et des bas : booms de la banane – qui ont souvent excédé la valeur des exportations de café –, conflits sociaux et grèves violentes, chômage et misère lorsque la United Fruit Company abandonne la côte caraïbe.

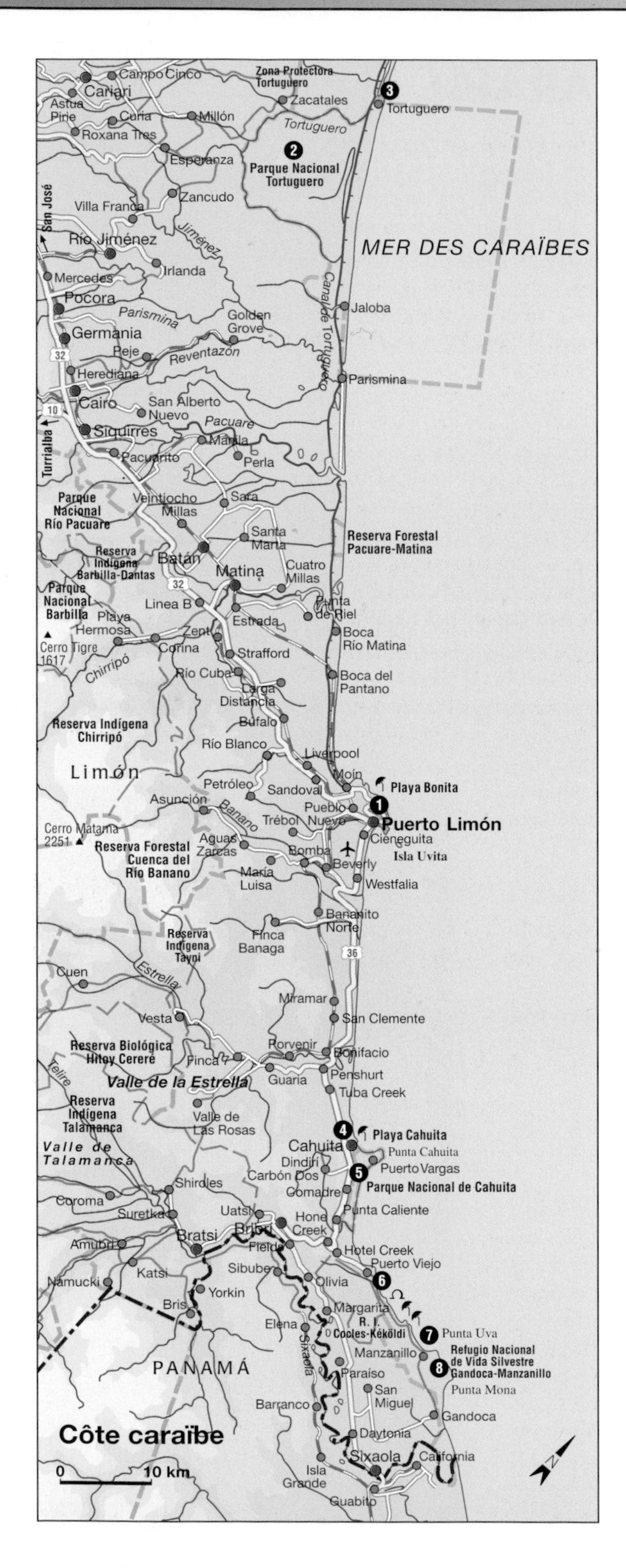

Pendant ce temps, l'administration costaricaine, basée à San José, continue d'ignorer Limón. Les ouvriers noirs et leurs familles n'ont aucun droit civique, et ne sont autorisés à travailler ni dans le Valle Central ni dans la Zona Pacífica.

Depuis la guerre civile de 1948, les conditions de vie se sont tout de même améliorées pour les résidents noirs de la ville. Désormais citoyens costaricains à part entière, ils peuvent voyager et travailler où ils le souhaitent.

Zones d'ombre

Vous trouverez peu d'hôtels corrects à Limón. La plupart des voyageurs séjournent à l'Hotel Park ou dans les établissements plus haut de gamme situés au nord ou au sud du centre ; vous ne ferez pas forcément un mauvais calcul en payant un peu plus cher votre hébergement, la ville n'étant pas épargnée par le vol –particulièrement dans les voitures– et les agressions.

Principal centre d'intérêt local, l'immense quai pour bateaux de croisière débarque des milliers de touristes chaque année.

Carnaval

Un événement attire ainsi les foules à Puerto Limón : le carnaval, fêté pendant la deuxième semaine d'octobre. Cette manifestation est née en 1949, à l'initiative d'un barbier nommé Albert Henry King, qui voulut faire coïncider les festivités avec l'anniversaire du débarquement de Christophe Colomb près de Limón, le 18 octobre 1502. El Día de la Raza, "le Jour du peuple", tombait la même semaine et incluait traditionnellement la présence des indigènes vivant dans la région ; s'il a été rebaptisé Día de las Culturas, c'est d'une part que tout le monde ne chérit pas la mémoire de Colomb avec une égale ferveur, et puis pour rendre hommage à l'apport des autres cultures costaricaines.

La semaine du carnaval atteint son apogée lorsque des milliers de Limonenses et de visiteurs se mêlent dans les rues à la grande parade de danses et de musiques. Les tambours, la chaleur, les rythmes, les corps des danseurs et des batteurs parés de costumes étincelants invitent les spectateurs à s'abandonner à la magie caraïbe, les uns comme les autres plongent dans un irrésistible tourbillon, tandis que le roulement des tambours en acier fait trembler l'air moite et hypnotise les participants.

Carte p. 230

Parque Nacional Tortuguero

Naviguez sur les **canaux du Tortuguero**, au nord de Limón, et vous aurez un peu l'impression de revivre l'*African Queen*, ou de descendre l'Amazone ; en tout cas, vous ferez l'une des plus merveilleuses expériences qui se puissent rêver. À dériver paresseusement parmi les fragrances de fleurs de gingembre, d'ylang ylang et de jacinthes d'eau couleur lavande, l'esprit totalement apaisé, vous profiterez ainsi pleinement de ces instants exceptionnels.

Regardez bien autour de vous : avec l'aide d'un guide expérimenté, vous entrapercevrez peut-être un paresseux, des crocodiles ou des tortues d'eau douce. Plus haut perchés dans cette végétation luxuriante, des aras verts et des perroquets multicolores bavardent à grand bruit, tandis que les agiles singes hurleurs secouent les branchages. Le **Parque Nacional Tortuguero** ❷ couvre 19 000 ha de littoral et de terres intérieures. Il existe bien des façons de découvrir ce dédale de cours d'eau : en pratiquant le bateau-stop, en louant une pirogue ou une vedette – avec l'assistance d'un guide, toujours précieuse. Vous pourrez également opter pour un circuit incluant la chambre en lodge et les repas. Tous les hôtels de Tortuguero proposent des excursions guidées au fil des canaux avec transport en bus ou en petit avion au départ de San José. Les *lanchas* qui remontent jusqu'au Tortuguero partent des quais de Moín, à quelques kilomètres au nord de Limón. NatureAir et SANSA opèrent des liaisons régulières entre San

CI-DESSUS : sur la côte, on mange aussi végétarien.
CI-DESSOUS : couleurs de carnaval à Limón.

José, Tortuguero et **Barra del Colorado**, au nord, près de la frontière nicaraguayenne. Vous pourrez ensuite louer un bateau pour redescendre vers le sud à travers les canaux.

Le Refugio de Vida Silvestre de Barra del Colorado comblera les amateurs de pêche sportive. Certains circuits sont possibles, mais tenez compte de l'humidité et de la chaleur, extrêmes, sans parler des moustiques, insatiables. Et sachez que les pistes sont rares.

Tortues vertes

Tortuguero constitue la principale aire de ponte pour les tortues vertes de la mer des Caraïbes (*tortuga* signifie "tortue" en espagnol). Ces dernières sont classées parmi les espèces menacées depuis les années 1950, et la CCC (**Caribbean Conservation Corporation**) s'est implantée à Tortuguero dans le but d'étudier et de protéger ces créatures hautement vulnérables.

La CCC gère un **centre d'histoire naturelle** (www.cccturtle.org) entre le village et l'Estación Biológica John H. Phipps Biological, sur le Río Tortuguero. Le centre dresse un vaste panorama, bourré d'informations, sur la flore et la faune régionales, et notamment, bien sûr, la tortue verte. Dès le milieu du XVIe siècle, le secteur est fréquenté par les chasseurs de tortues, qui feront commerce de leur viande, des carapaces et des œufs jusqu'en 1970, date de la création du parc national. De nos jours, les tortues vertes de passage ainsi que leurs cousines les tortues-luths bénéficient d'une certaine protection.

Si possible, rendez-vous à Tortuguero durant la saison de ponte. Et demandez à vous faire accompagner par un guide confirmé, capable de vous conseiller sur ce qu'il convient de faire et ne pas faire – pour mieux comprendre et ne pas déranger ces splendides reptiles. Le meilleur moment pour assister au rite préhistorique de la ponte des tortues vertes se situe entre juillet et octobre, tandis que celle des tortues-luths a lieu de février à juillet. Même la nuit et sous un ciel noir d'orage, vous distinguerez aisément les profondes traces de tracteur imprimées par les femelles

CI-DESSOUS : Tortuga Lodge, sur les canaux du Tortuguero.

sur le sable quand elles se hissent laborieusement en haut de la plage pour y creuser leurs nids. Suivre des traces toutes fraîches pour observer une tortue s'installer, voilà une expérience qui devrait émouvoir le voyageur le plus blasé.

Entre Puerto Limón et Tortuguero, la plage de Parismina vous offrira une occasion passionnante d'en savoir plus sur cet animal. Uniquement accessible par bateau de Siquirres ou par petit avion de location, ce village caraïbe isolé a créé une nursery pour participer à la protection des tortues vertes et luths. La communauté locale accueille chaleureusement les touristes, qui peuvent aider leur Save the Turtles of Parismina Project (www.costaricaturtles.org) ; vous trouverez quelques *cabinas* et chambres au village, ainsi qu'un lodge de pêche haut de gamme (*voir Hébergement p. 279*).

Tortuguero

Plus au nord, en remontant les canaux, vous rejoindrez **Tortuguero** ❸, étiré sur son étroite langue de terre flanquée entre la mer des Caraïbes et le Río Tortuguero. Près du terrain de football, un kiosque d'informations vous délivrera un bref historique des lieux. Les rues du village serpentent à travers une végétation exubérante, coiffée par les palmiers qui bruissent au-dessus de votre tête. Des restaurants, des boutiques et des *cabinas* ont récemment vu le jour, mais la vie locale n'en semble pas affectée – et encore moins accélérée – le moins du monde.

Propriétaire de Casa Marbella, le naturaliste canadien Daryl Loth répondra volontiers à toutes vos questions sur Tortuguero. Et, pour goûter le riz aux haricots et lait de coco, plat typiquement caraïbe, vous aurez le choix entre plusieurs restaurants, dont Miss Junie's (tél. 709 8102).

CI-DESSUS : sur le Tortuguero, optez pour un circuit guidé.

CI-DESSOUS : en pirogue, Talamanca.

Talamanca

Les voyageurs qui descendent sur la côte caraïbe ne passent généralement que peu de temps à Puerto Limón, pressés de filer au sud vers la région de Talamanca. La route court parallèlement au rivage, entre quelques aperçus de rivières à droite, et la mer à gauche.

La région de **Talamanca** débute aux abords du Río Tuba ; elle s'étend du littoral aux montagnes qui partent de la Meseta Central et rejoignent le Panamá, au sud-est. Bien des indigènes fuyant les conquistadors ont trouvé refuge dans leurs vallées alors inaccessibles.

Jusque dans les années 1970, la région de Talamanca est essentiellement peuplée de Bribrí et de Cabécar, qui vivent dans les montagnes, tandis que les descendants des immigrants afro-caraïbes, de langue anglaise, se sont implantés sur le littoral. Fermiers ou pêcheurs, ces nouveaux colons conservent leurs vieilles traditions importées de Jamaïque. Ils concoctent une cuisine locale à base d'ingrédients qu'ils font pousser eux-mêmes, et plantent les cocotiers qui bordent encore les plages. Lorsqu'ils ont besoin d'un peu d'argent, ils vendent de l'huile de coco, des carapaces de tortues à écailles et de l'amidon de cassave.

Ils parlent un anglais créole, jouent au cricket, dansent le quadrille, sculptent des pirogues dans les troncs d'arbres et déclament des tirades de Shakespeare en public. Isolés par la mer et les montagnes – aucune

Amis des animaux, ne manquez pas le Refugio Aviarios del Caribe, au nord de Cahuita. Consacré à la recherche et à la réintroduction dans la nature de paresseux orphelins ou blessés, ce sanctuaire vous accueille avec une présentation vidéo et une excursion en pirogue sur les canaux, idéale pour observer les oiseaux et la vie sauvage (tél. 750 0775).

CI-DESSOUS : sables noirs, Puerto Viejo.

route ne les relie au Costa Rica hispanophone –, ils demeurent longtemps dans la paix et l'indépendance. Les choses ont bien changé depuis l'ouverture d'une voie rapide et d'autres routes qui rattachent, bon gré mal gré, les bourgs somnolents de Talamanca à San José et au reste de la planète.

La plupart des Noirs qui vivent sur la côte parlent aujourd'hui l'anglais et l'espagnol, mais il vous faudra une oreille exercée pour saisir leur anglais très particulier, véritable patois caraïbe. Parmi quelques-unes des expressions les plus répandues : "Wh'appen ?" ("What's happening ?"), forme usuelle de bienvenue, remplace ici le traditionnel "Adios" du Valle Central. "How de morning ?" signifie "Good morning", et "Go good" l'emporte sur le "Take care" des British ou le "¡ Qué le vaya bien !" habituel. La politesse veut que l'on utilise le prénom, précédé de Mr ou Miss. En général, les indigènes de la région parlent à la fois l'espagnol et la langue de leurs ancêtres – et il en existe plusieurs ; ils participent à la vie économique et politique locale, tout en conservant leurs croyances et coutumes traditionnelles. Trois *reservas indígenas* ont été créées dans la province : Talamanca-Bribrí, la plus vaste, Talamanca-Cabécar, et Keköldi, la plus petite. L'accès à ces réserves est en principe interdit aux non-indigènes, et il vous faudra une autorisation pour y pénétrer. Organisés par une association locale, les circuits dans la réserve **Keköldi Wak Ka Koneke** (tél. 884 2671) vous permettront de découvrir histoire et culture, plantes médicinales, artisanat et aliments traditionnels, ainsi que l'avifaune au cours de randonnées en montagne.

Cahuita

En 1828, selon la légende, un vieux marin nommé William Smith, ou "Old Smith", aurait pris sa barque et quitté sa maison du Panamá pour aller chasser des

tortues plus au nord. Découvrant une baie paisible abritée par un récif corallien près de Punta Cahuita, il décide de s'y installer avec sa famille. En ces jours heureux, les tortues vertes et à écailles abondent : elles constituent une proie facile, car elles n'ont pas appris à craindre l'homme. Le "Vieux Smith" serait le premier Afro-Caraïbe de langue anglaise à s'être implanté dans cette région, alors uniquement peuplée d'Amérindiens, et fréquemment visitée par les pirates.

Cahuita ❹ n'est plus qu'une bourgade aux maisons en bois fatiguées mais encore dignes, dont les couleurs jadis éclatantes ont viré aux pastels les plus doux, avec quelques touches caraïbes excentriques. Les jeunes voyageurs fraîchement débarqués d'Europe, du Canada ou des États-Unis, peu soucieux des coutumes locales, arpentent plages et bords de route en maillots aussi chatoyants qu'avares en tissu. The Snorkeling House (tél. 361 1924), voisin du restaurant Miss Edith's, loue, comme son nom l'indique, du matériel de snorkeling et organise des promenades dans le parc national. Et vous devriez aisément trouver un guide qui vous aidera à découvrir les environs. Sachez cependant que Cahuita connaît des problèmes de drogue, et que les touristes sont l'objet de toutes les convoitises, même si les autorités y opèrent des rafles de temps à autre.

CI-DESSUS : le vélo, pour se déplacer le long du littoral.

CI-DESSOUS : rainette aux yeux rouges assoupie.

Parque Nacional de Cahuita

Au sud de Cahuita, une superbe plage de sable et un récif corallien signalent le **Parque Nacional de Cahuita** ❺. De Punta Cahuita, le récif déploie sur 500 m au large son magnifique spot de snorkeling, bien qu'un séisme en ait brutalement déplacé la pointe. Vous y découvrirez quantité de poissons tropicaux, de crabes, de homards, de gorgones, d'anémones, d'éponges et d'algues, parmi d'innombrables créatures marines. Vous pourrez les admirer les pieds au sec à bord d'un bateau à fond panoramique, ou partir à la nage de Puerto Vargas. Cette plage surveillée par des maîtres-nageurs est le principal accès au parc (5km au sud de Cahuita). Vous disposerez de tout l'équipement nécessaire en location à Cahuita même.

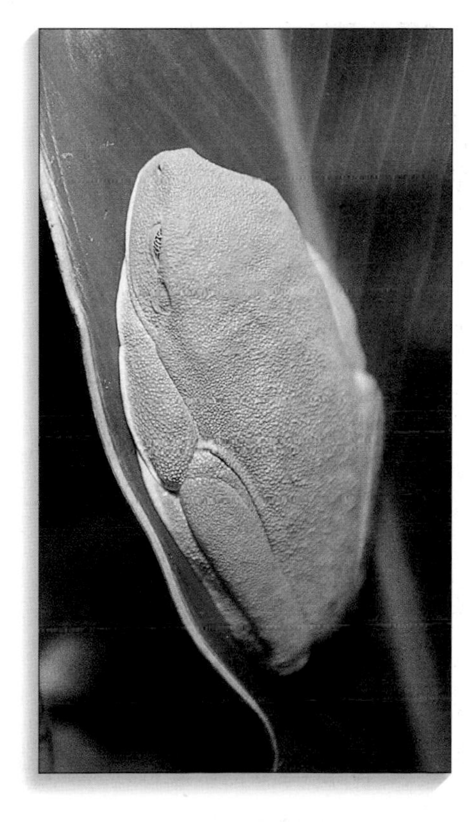

Les coatis et les ratons laveurs fréquentent volontiers les campements, en quête de fruits et autres comestibles, et ne répugnent pas à l'occasion à saccager une tente pour parvenir à leurs fins. Sur place, eau potable, abris et tables de pique-nique faciliteront la vie des randonneurs. De **Puerto Vargas**, une piste vous conduira dans la jungle ; vous pourrez également partir à la découverte d'une épave de navire négrier britannique dont les canons, les boulets, les épées et les chaînes ont été remontés.

Au nord de Cahuita, les vagues lèchent doucement le littoral de sable noir apprécié par les baigneurs. Sur la plage même et en ville, vous trouverez à vous loger – certains hébergements sont équipés d'une cuisine. Mais il vous faudra réserver pour Noël, Pâques, et le carnaval (seconde semaine d'octobre). Cahuita livre le meilleur d'elle-même de février à avril, et en octobre. Pour vous restaurer convenablement, deux incontournables : Cha Cha Cha, au centre-ville, et Miss Edith's. Tout le monde saura vous en indiquer le chemin : l'endroit bénéficie d'une très grande notoriété pour sa cuisine caraïbe. L'Hotel Jaguar n'est pas mal non plus, mêlant les influences française et caraïbe.

Coco et cacao

En direction du sud vers Puerto Viejo, au fil d'une bien belle route goudronnée, parallèle à la plage, vous longerez des maisons aux styles les plus variés ; et où vous respirerez un air magique, celui des Caraïbes, le moindre cabanon semble un spectacle quand il surgit au milieu des cocotiers. Dans les cours, vous apercevrez souvent des séchoirs en bois coiffés de tôle, utilisés pour le cacao et les noix de coco. Ces toits s'ouvrent quand il fait beau, et se ferment par temps de pluie.

En bord de route, vous verrez des stands affichant "Hay pipas". Armé de son effrayante machette, le vendeur vous ouvrira une noix de coco verte emplie d'un jus rafraîchissant. Divin.

Juste avant l'embranchement de Puerto Viejo, vous voici à **Hone Creek**. Le *hone* est un petit palmier aux fortes racines. Dans les années 1890, lorsque les Jamaïcains vinrent travailler sur le chantier du chemin de fer de la côte de Talamanca, ils déformèrent le nom en Home Creek, et, encore aujourd'hui, vous verrez des panneaux annonçant soit Hone Creek, soit Home Creek. Un poste de contrôle tente d'y freiner le trafic de contrebande qui transite du Panamá.

Pour vous rendre à Puerto Viejo, prenez la piste gravillonnée qui part sur la gauche. De chaque côté se dressent des cacaoyers, vestiges de plantations abandonnées. Le fruit pousse sur le tronc de l'arbre et revêt une couleur extraordinaire à maturité : certains se parent d'une douce nuance turquoise, d'autres ressemblent au corail le plus éclatant. Les graines du fruit mûr ont une saveur légèrement sucrée et indéniablement chocolatée.

Pour suivre le parcours du chocolat, de la fève à la plaquette, rien de tel que le Chocolate Tour (tél. 750 0075), visite de 2 heures d'une plantation biologique de cacao exploitée par un couple de Suisses. N'oubliez pas de goûter le produit fini !

CI-DESSOUS : plage près de Punta Uva après un gros coup de vent.

Puerto Viejo

Si Cahuita parvient à conserver une certaine allure, **Puerto Viejo** ❻ a depuis longtemps abandonné la partie. Semées parmi les herbes folles, ses maisons en bois font triste figure, mais ne manquent pas de charme. À l'entrée du bourg, vous passerez devant un chaland mangé de rouille, ancré devant la plage de sable noir.

Il n'y a pas si longtemps, aucune route ne menait à Puerto Viejo : ni voitures, ni touristes, ni argent. Aujourd'hui, *cabinas*, hôtels et constructions diverses attestent l'avènement du tourisme.

Les surfeurs du monde entier connaissent bien Puerto Viejo et sa **Salsa Brava**, un break rapide et redoutable qui explose sur le récif entre décembre et avril, puis de juin à juillet. Le reste de l'année, la mer se montre calme, particulièrement à l'intérieur du récif, parfaite pour effectuer quelques brasses ou s'adonner aux joies de la plongée libre.

Au nord de la ville, un ensemble de *cabinas*, Chimuri Beach Cottages, adopte le style traditionnel bribrí – bambou coiffé de chaume. Mauricio, le patron, propose des randonnées guidées ; il a récemment ouvert le Chimuri Jungle Lodge (tél. 750 0506) pour ceux qui voudraient vivre à la mode indigène. À droite, aux abords de la ville, El Pizote Lodge (tél. 750 0088) vous séduira avec ses charmantes *cabinas* et ses quelques chambres, son domaine bien entretenu et ses pistes, sans compter ses petits plats tico-californiens.

Au restaurant Támara et au Soda Miss Sam's voisin, un bon choix de boissons vous permettra d'arroser poisson à la caraïbe et riz aux haricots. Sur la plage, Stanford's est réputé pour ses dîners de poisson et son animation nocturne. Les végétariens, quant à eux, seront bien reçus chez Chile Rojo, dans Main Street, qui s'est spécialisé dans la cuisine thaïe et orientale. Envie d'un petit déjeuner sur le pouce, de pains et de viennoiseries ? Essayez Pan Pay.

Au sud de la ville, *cabinas* et hôtels élégants longent la route, face à de superbes plages de sable blanc frangées de palmiers et d'amandiers. À Playa Cocles, les Bungalows Cariblue (tél. 750 0035) se sont bâti une réputation d'excellence pour leur service et leur cuisine gastronomique italienne. Autre importation italienne, Pecora Nera (tél. 750 0257) figure parmi les meilleures tables du pays.

Enjambant les rivières, des ponts en bois d'allure précaire se révèlent pour le moins angoissants par temps de pluie. Des panneaux signalent la location de vélos – sans doute la meilleure manière de circuler aux environs de Puerto Viejo et jusqu'aux plages voisines.

Si vous souhaitez en savoir un peu plus sur la région de Talamanca, l'ATEC (**Asiociación Talamanqueña de Ecoturismo** ; tél. 750 0398) propose des circuits à thèmes écologique et culturel menés par des guides parlant espagnol et anglais. Vous pourrez opter pour des sorties snorkeling, pêche, ornithologie, trek d'aventure, avec visite des réserves et repas chez l'habitant.

Ci-dessus : Puerto Viejo sait renseigner les touristes.

Punta Uva et Manzanillo-Gandoca

Au sud de Puerto Viejo s'étale la fabuleuse **Punta Uva** ❼, l'une des plages les plus séduisantes de toute la côte caraïbe costaricaine. Des eaux aigue-marine, cristallines et paisibles, viennent lécher ces vastes étendues de sable ourlées de

Ci-dessous : porc-épic préhensile *(Sphiggurus mexicanus).*

Ci-dessus : repas sur le pouce, un mode de vie typiquement tico. **Ci-dessous :** convoi de bananes de la United Fruit, vers 1916.

palmiers ; l'air et la température de l'eau y sont constamment fixés à un 27°C idyllique. Vous pouvez venir à vélo de Puerto Viejo, et vous trouverez de multiples hébergements confortables et charmants le long de la route. Au cœur d'une ancienne plantation de cacao, Almonds & Corals Lodge (tél. 272 2024) a dressé des tentes confortables, abritées par de grandes toiles montées sur des plates-formes, avec électricité, douches chaudes et vraies toilettes : de quoi combler ceux qui apprécient les avantages du camping – sans ses inconvénients.

Plus au sud, toujours sur la plage, une balade de 2 heures le long du rivage vous conduira de Punta Uva à **Manzanillo** ; vous y arriverez en 20 min de voiture si vous empruntez la piste de terre et de gravillons qui s'achève à ce petit village. Sur place, 2 bars ticos vous offriront plats locaux et vue imprenable. Les récifs coralliens forment une baie naturelle ; au-delà, un break rapide attend les surfeurs. Et dès qu'ils apprennent l'arrivée de bancs de petits poissons, suivis par leurs prédateurs, les pêcheurs viennent de Puntarenas pour capturer ces prises de choix.

Une poignée de maisons, un restaurant, un bar, une épicerie, des plages désertes et quelques *cabinas* vraiment bon marché complètent le tableau. Les gamins jouent dans les vagues ou se baignent dans la rivière, les jeunes pêchent en pirogue, les anciens bavardent tranquillement assis à l'ombre – il ne se passe pas grand-chose d'autre. Vous touchez là au cœur le plus profond du Costa Rica. Les femmes vous prépareront à manger chez elles si vous le leur demandez, tandis que pêcheurs ou paysans vous parleront volontiers de leur travail et de leur pays.

Au sud de Manzanillo, le **Refugio Nacional de Vida Silvestre Gandoca-Manzanillo** ❽ protège une zone de marais, des récifs coralliens, des aires de ponte de tortues et la seule forêt de mangrove de la côte caraïbe costaricaine. L'estuaire du Río Gandoca sert de nursery aux tarpons. La plus grande partie du

refuge est plane ou légèrement ondulée, tapissée de forêts et relativement peu cultivée. Les randonnées se limitent au littoral – pensez à emporter des réserves d'eau, car vous ne trouverez absolument rien sur place.

Carte p. 230

Banana Land

Sixaola, la ville de la banane, jouxte la frontière panaméenne. Pour vous y rendre de Hone (ou Home) Creek, continuez en direction du sud au lieu de tourner vers Puerto Viejo et Manzanillo. La route est goudronnée jusqu'à la sortie de Bribrí, ensuite, vous trouverez un gravier de bonne qualité.

Au début du XXe siècle, la United Fruit Company étend ses bananeraies, déjà prospères côté panaméen, de l'autre côté du Río Sixaola, côté costaricain ; la compagnie a depuis longtemps plié bagages, mais la zone comprise entre le village de Bribrí et la frontière demeure fortement imprégnée de culture "Banana Land".

Des unités de conditionnement jalonnent régulièrement la route : en vous arrêtant devant l'un de ces sites en plein air, vous verrez les ouvriers manier les énormes *racimos* (régimes), arracher les fleurs sèches de chaque banane, séparer les régimes de leurs tiges, les trier, les laver et les conditionner dans des boîtes qui ne sont plus étiquetées "United Fruit", mais "Chiquita".

Les bananes vertes, comestibles cuites, mais qui ne correspondent pas aux demandes du marché nord-américain et européen, s'empilent en montagnes près de l'aire de tri. Elles serviront de nourriture pour animaux, de pâte à papier, de fibre dans les aliments pour bébés ou de paillis – quand elles ne pourriront pas sur place. Ici, tout le monde est habitué à l'odeur de fermentation des bananes, même si le fruit s'utilise de bien des façons, de la *ceviche* à la banane verte aux compresses au vinaigre de banane, remède populaire contre les entorses. ❑

CI-DESSUS : les bananes se récoltent encore vertes.
CI-DESSOUS : bananeraies près du Panamá.

RÉPUBLIQUE BANANIÈRE CARAÏBE

À l'origine, la culture de la banane n'est qu'une retombée du chemin de fer de l'Atlantique. Les plantations qui longent la voie ferrée doivent aider à financer sa construction. Mais leur succès attire bientôt les capitaux étrangers, et l'exportation de la production connaît un essor inespéré. En 1899, Minor Keith fonde la United Fruit Company, en association avec la Boston Fruit Company : le Costa Rica devient ainsi la première république bananière d'Amérique centrale.

La United Fruit symbolise rapidement la domination étrangère et son contrôle sur l'économie locale, dégageant d'immenses bénéfices au profit de quelques individus. Ses méthodes brutales ont marqué l'histoire ouvrière. En 1913, les plantations produisent 11 millions de régimes et le Costa Rica se hisse au premier rang mondial des exportateurs de bananes.

Dans les années 1930, une épidémie dévaste la côte caraïbe. La United Fruit abandonne la province de Limón, laissant derrière elle une terre désolée, et il faudra attendre les années 1970 pour que la région connaisse le renouveau économique. Aujourd'hui, la production de bananes a repris à grande échelle, exportant pour plus de 450 millions de dollars US chaque année.

Les tortues de mer

Les tortues de mer rappellent plus leurs cousins, à la fois proches et très lointains, les dinosaures, que les animaux actuels. Une remarquable adaptation aux conditions marines leur a permis de survivre presque sans modifications depuis plus de 150 millions d'années. Les tortues volent littéralement dans l'eau, utilisant leurs nageoires avant comme des ailes. Mais elles demeurent terrestres, remontant à la surface pour respirer et rampant sur les plages pour pondre leurs œufs.

Le Costa Rica accueille pas moins de 5 espèces de tortues marines : verte, à écailles, olivâtre, luth et caouanne. Elles s'observent ici plus que partout ailleurs sur la planète, venant nicher sur plusieurs plages bien connues des côtes pacifique et caraïbe.

Durant la saison de ponte, si vous vous trouvez au bon endroit et au bon moment, vous assisterez peut-être au spectacle stupéfiant de l'*arribada*, quand quelque 100 000 tortues olivâtres débarquent simultanément (*voir p. 202*). Tout aussi étonnant, l'échouage d'une tortue-luth extirpant des vagues ses 700 kg et remontant la plage pour enfouir ses œufs dans le sable.

Étirée sur 35 km, Playa Tortuguero constitue la plus importante aire de ponte des tortues vertes des Caraïbes occidentales. Vous y observerez aussi les superbes tortues à écailles et olivâtres.

Les tortues vertes s'accouplent et pondent plusieurs fois entre septembre et novembre. Avec le crochet de ses nageoires avant, le mâle monte sur la femelle et s'y maintient. Sexuellement agressif, s'il ne peut localiser une partenaire, il grimpera sur tout objet flottant à sa portée : épaves, tortues mâles, plongeurs, même, ne sont pas toujours à l'abri de ses attentions passionnées.

La femelle fécondée attend l'obscurité au large avant d'entreprendre sa longue remontée sur la plage vers un site de ponte. Durant le trajet, toute perturbation, bruit ou lumière, peut interrompre le processus et pousser la femelle à retourner chercher refuge en mer. Mais, une fois qu'elle a commencé à creuser, rien ne peut la distraire.

Utilisant ses nageoires arrière, elle façonne un grand bol de 1 m de profondeur environ. Une centaine d'œufs de la taille d'une balle de golf, enduits d'un mucus protecteur, se dispersent dans le sable. Puis la femelle recouvre son nid, tasse le sable et regagne péniblement la mer, laissant sa progéniture à la merci des coatis, des chiens, des ratons laveurs et des hommes – les *hueveros*, qui pillent les œufs pour les revendre dans les *sodas* locales.

Si tout se passe bien, les bébés tortues éclosent en 2 mois. À l'aide d'une dent provisoire, ils brisent leur coquille. Toute la nichée est bientôt prête à remonter à la surface – il faut compter environ 100 individus pour venir à bout du mètre de sable qui les recouvre.

Avant l'aube, ils feront tous irruption sur la plage, chercheront le point le plus lumineux de l'horizon, et crapahuteront, à travers des hordes de crabes ocypodes et une multitude d'oiseaux, pour tenter de gagner les vagues où les guettent requins et autres prédateurs. Ils sont ainsi des centaines de milliers à se ruer vers la mer, et moins de 3 % vont survivre. Ceux-là s'accrochent à des bancs d'algues sargasses où ils trouvent refuge et nourriture pendant leurs premiers mois au large.

Durant plusieurs décennies, les jeunes tortues vont vivre une existence nomade, migrant sur de vastes distances pour se nourrir d'herbe à tortue (*Thalassia testudinum*), au large du Nicaragua, dans les Cayos Miskitos, ou sur la côte de Talamanca, à Cahuita. Certaines parcourent plusieurs milliers de kilomètres jusqu'aux Windward Islands, sans repères ni indices visuels apparents. On pense que leur cerveau contient des cristaux de magnétite servant peut-être de boussole intérieure, à moins qu'elles ne s'orientent grâce à des odeurs ou des substances spécifiques.

Sans certitude absolue, les biologistes estiment qu'il faut de 15 à 30 ans pour que ces tortues atteignent leur maturité sexuelle ; elles s'en retournent alors sur la plage qui les a vues naître, s'y accouplent, pondent, et achèvent ainsi cet extraordinaire cycle reproducteur.

Pour les anciens navigateurs, nourris de bœuf salé et de biscuits, l'animal constituait un apport vital en viande fraîche. Les peuples tropicaux ont conservé une passion pour la chair de la tortue de mer. Mais celle-ci est encore plus menacée par son exploitation commerciale : 6 ou 7 espèces sont en voie d'extinction.

Dans les bars, des Caraïbes au Sri Lanka, leurs œufs sont gobés crus pour leurs supposées vertus aphrodisiaques. Leur carapace se vend très cher, tout comme les articles dérivés : bijoux, peignes ou montures de lunettes en écaille. Leur peau sert même de substitut au cuir de crocodile dans la confection des chaussures et sacs de luxe.

Des programmes de protection sont pourtant mis en œuvre à l'échelle planétaire. Aux États-Unis et dans d'autres pays, l'importation de produits à base de tortue est sévèrement réprimée. Mais les animaux adultes se font prendre accidentellement dans les traînes des crevettiers, et certains continuent à les pêcher en toute impunité, sans se soucier le moins du monde de ce problème écologique.

Près de Tortuguero, les sols des forêts déboisées illégalement déposent leurs alluvions sur les plages, favorisant la propagation d'herbes qui réduisent l'aire de ponte des tortues. De plus, les projecteurs des hôtels et autres complexes de bord de mer effrayent les femelles prêtes à nicher, et désorientent les bébés qui cherchent la mer.

Les perspectives sont plutôt sombres, en dépit de la création en 1991 du Parque Nacional Marino Las Baulas ("Les tortues-luths") à Playa Grande, sur la Península de Nicoya. Et les parcs nationaux ont adopté une attitude très ferme à l'encontre des braconniers. Ces efforts, alliés à de nombreuses initiatives bénévoles et aux exigences de l'écotourisme, pourraient encore sauver la situation.

Cet animal, guère photogénique au premier abord, nous séduit pourtant par son train de sénateur et sa nature pacifique. Il occupe une place prééminente dans les légendes sacrées ou populaires de nombre de cultures.

Certaines sectes hindoues le vénèrent comme un dieu vivant, réincarnation de Shiva, créateur et destructeur de toute vie. Un mythe n'affirme-t-il pas en effet qu'une tortue venue de la mer apporta le monde bouddhiste sur son dos... ❑

CI-CONTRE : la lente remontée vers l'aire de ponte.

À DROITE : la tortue caouane, habituée du littoral caraïbe.

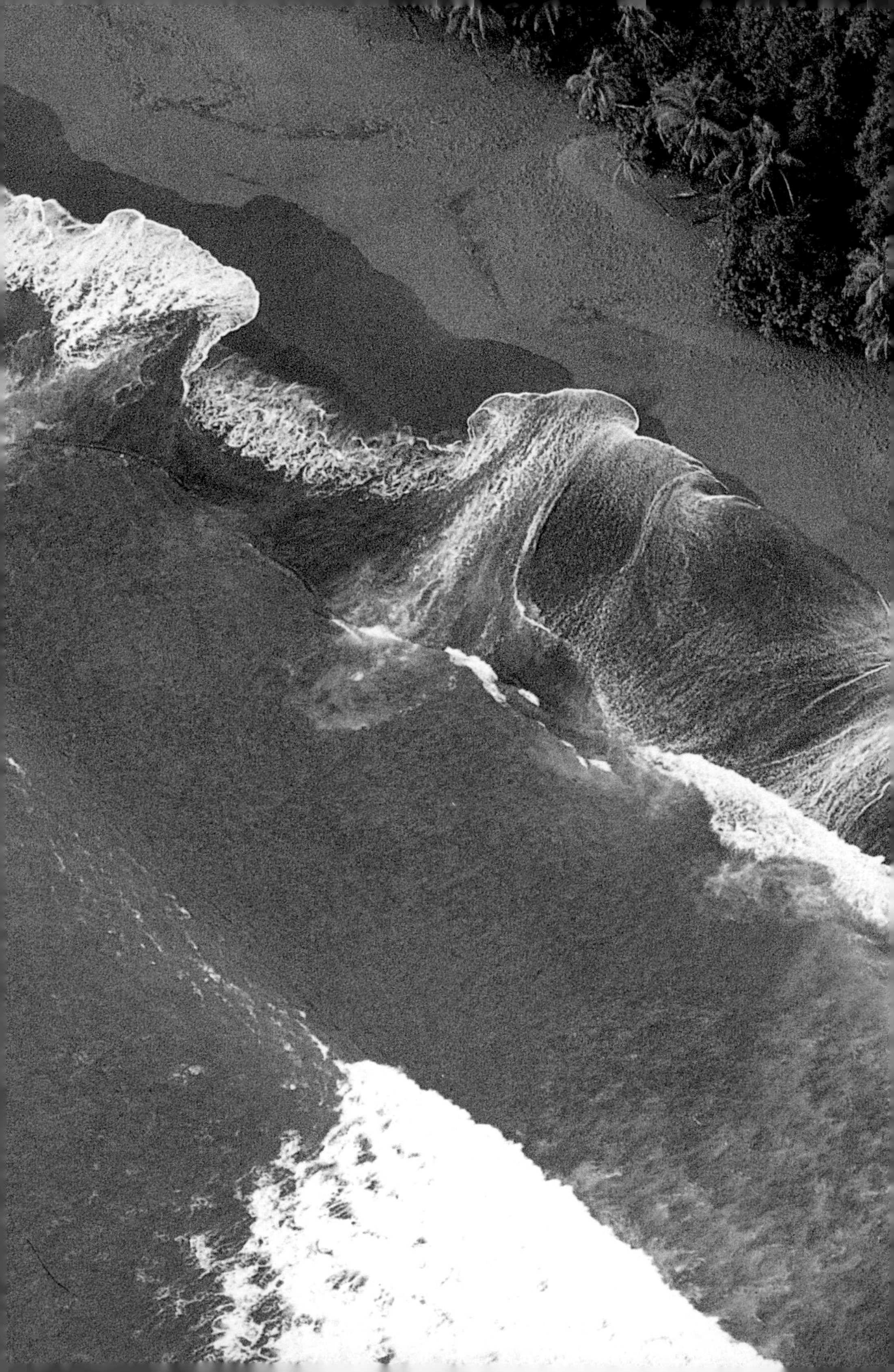

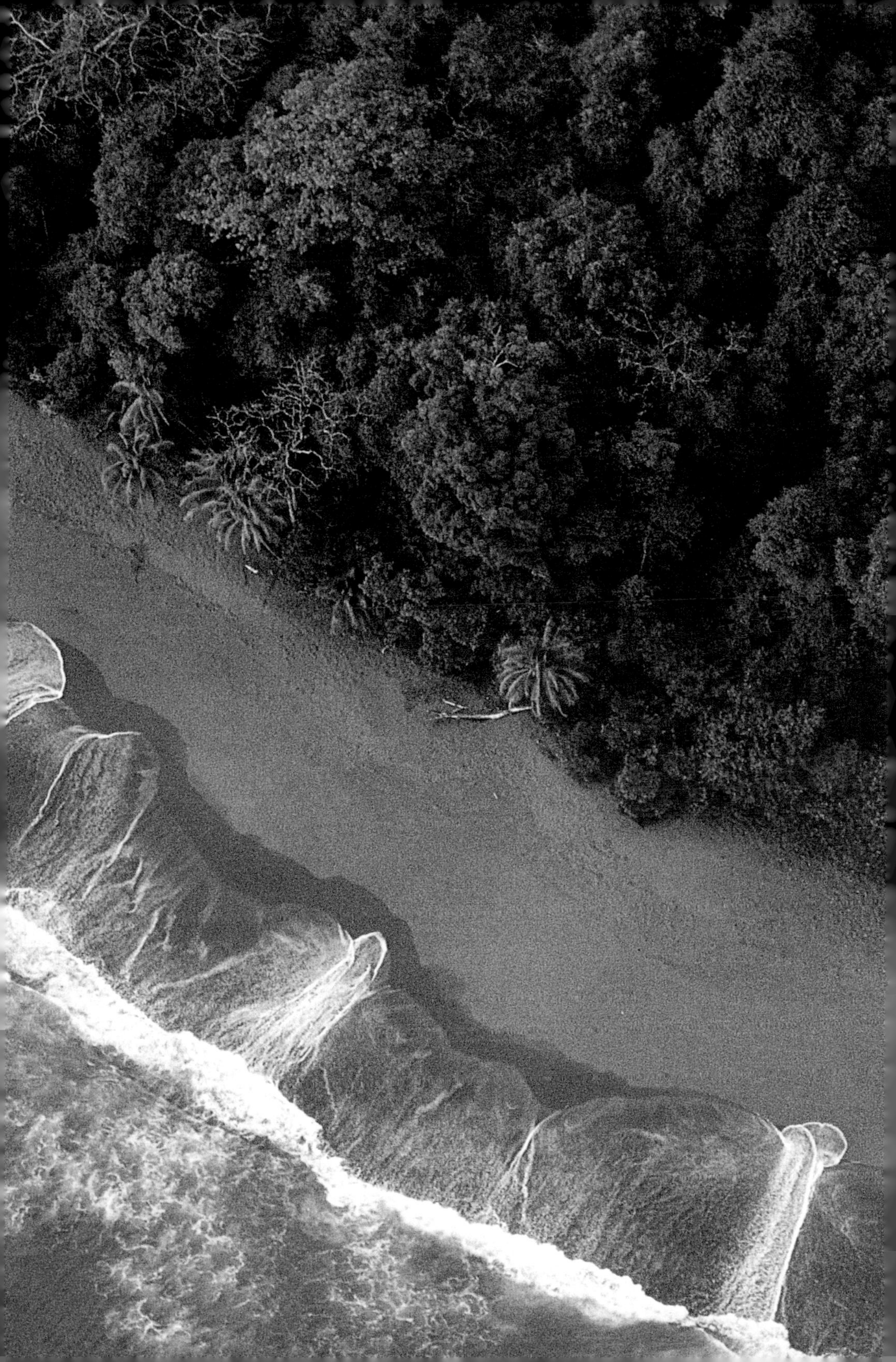

VM

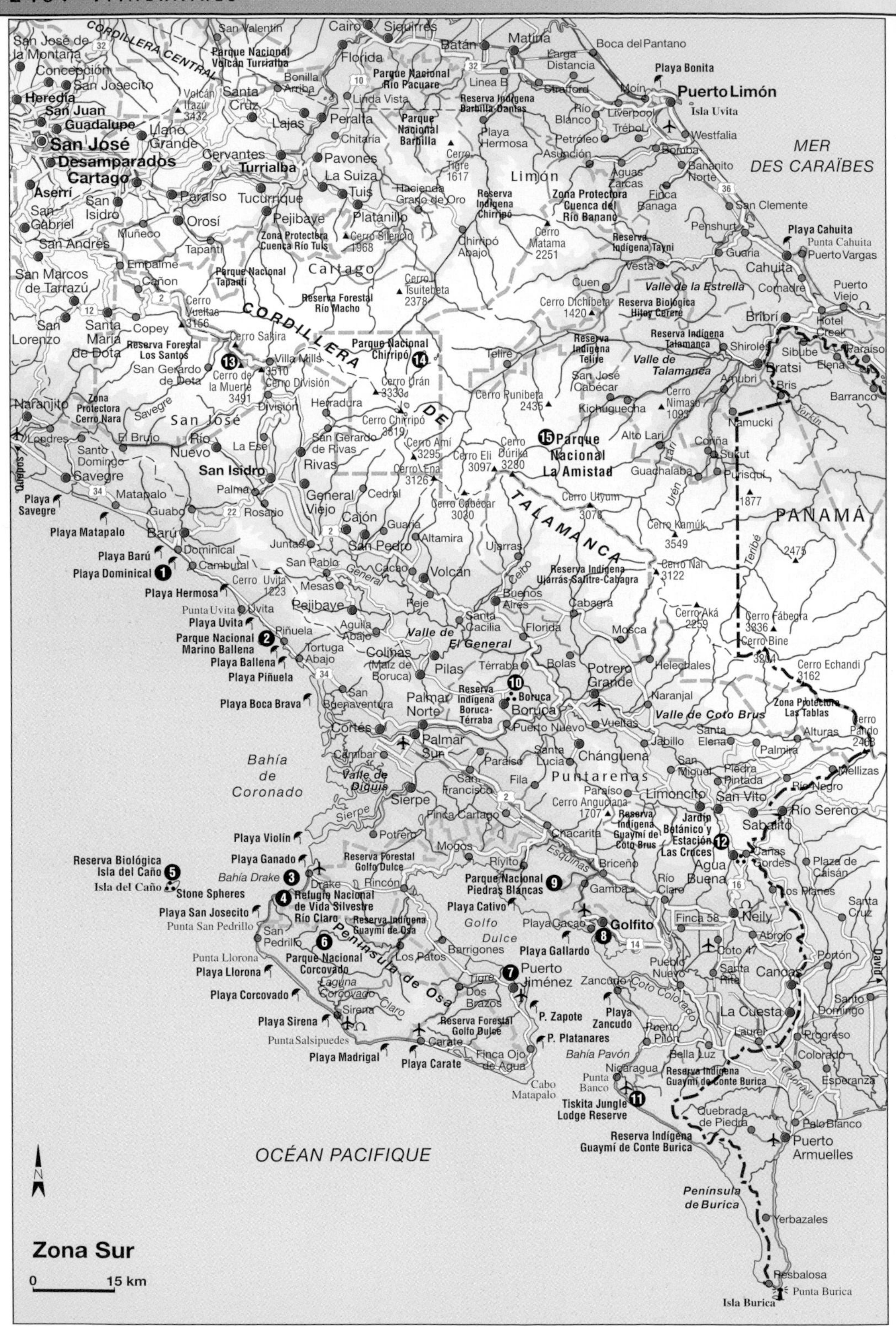
Zona Sur
0 15 km
N
MER DES CARAÏBES
OCÉAN PACIFIQUE
PANAMÁ
CORDILLERA CENTRAL
CORDILLERA DE TALAMANCA
San José
Cartago
Heredia
Desamparados
Turrialba
Puerto Limón
Isla Uvita
Limón
Cartago
San José
Puntarenas
San Isidro
Golfito
Puerto Jiménez
Palmar Norte
Palmar Sur
Ciudad Neily
San Vito
Sabalito
Río Sereno
Puerto Armuelles
Bahía de Coronado
Golfo Dulce
Bahía Drake
Península de Osa
Península de Burica
Isla Burica
Punta Burica
Isla del Caño
Stone Spheres
Reserva Biológica Isla del Caño
Parque Nacional Volcán Turrialba
Parque Nacional Río Pacuare
Parque Nacional Barbilla
Reserva Indígena Barbilla-Dantas
Reserva Indígena Chirripó
Zona Protectora Cuenca del Río Banano
Reserva Indígena Tayni
Reserva Biológica Hitoy Cerere
Reserva Indígena Talamanca
Reserva Indígena Telire
Parque Nacional Chirripó
Parque Nacional Tapantí
Reserva Forestal Río Macho
Zona Protectora Cuenca Río Tuis
Reserva Forestal Los Santos
Zona Protectora Cerro Nara
Parque Nacional La Amistad
Reserva Indígena Ujarrás-Salitre-Cabagra
Reserva Indígena Boruca-Térraba
Zona Protectora Las Tablas
Reserva Indígena Guaymí de Coto Brus
Jardín Botánico y Estación Las Cruces
Parque Nacional Piedras Blancas
Parque Nacional Marino Ballena
Refugio Nacional de Vida Silvestre Río Claro
Reserva Indígena Guaymí de Osa
Parque Nacional Corcovado
Reserva Forestal Golfo Dulce
Reserva Indígena Guaymí de Conte Burica
Tiskita Jungle Lodge Reserve
Playa Bonita
Playa Cahuita
Playa Savegre
Playa Matapalo
Playa Barú
Playa Dominical
Playa Hermosa
Playa Uvita
Playa Ballena
Playa Piñuela
Playa Boca Brava
Playa Violín
Playa Ganado
Playa San Josecito
Playa Llorona
Playa Corcovado
Playa Sirena
Playa Madrigal
Playa Carate
Playa Cativo
Playa Gallardo
P. Zapote
P. Platanares
Playa Zancudo
Valle de la Estrella
Valle de Talamanca
Valle de El General
Valle de Coto Brus
Valle de Diquís
Cerro Chirripó 3819
Cerro Kamúk 3549
Cerro Fábegra 3836
Cerro Echandi 3162
Cerro de la Muerte 3491
Volcán Irazú 3432
Cerro Dúrika 3280
Cerro Urán 3333
Cerro Uvita 1223
Cerro Matama 2251
Cerro Tigre 1617
Cerro Silencio 1968
Cerro Tsuitebeta 2378
Cerro Dichibeta 1420
Cerro Nimaso 1093
Cerro Pando 2468
Cerro Anguciana 1707
Cerro Aká 2259
Cerro Nai 3122
Cerro Utyum 3078
Cerro Cabécar 3030
Cerro Eli 3097
Cerro Amí 3295
Cerro Ena 3126
Cerro Bine 3204
Cerro Punibeta 2435
Cerro Vueltas 3156
Cerro Sakira
Bratsi
Bribrí
Cahuita
Puerto Viejo
Sixaola
Cabo Matapalo
Punta Uvita
Punta Llorona
Punta Salsipuedes
Punta Banco
Punta San Pedrillo
Punta Cahuita
David

ZONA SUR

Le Sud couvre l'une des régions les plus sauvages de la planète, couronnée par un sommet de 3 800 m et protégée par une immense réserve de biosphère, pratiquement inaccessible.

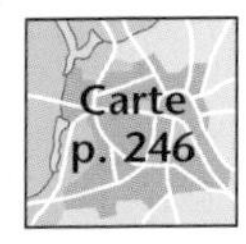

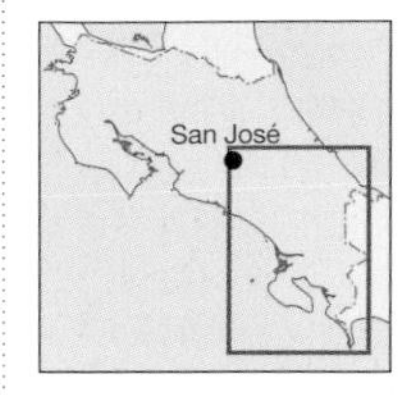

La Zona Sur (Zone sud) débute dans les reliefs montagneux du Cerro de la Muerte, couvre les terres cultivées du Valle de El General, puis s'achève dans la jungle tropicale de la frontière panaméenne. L'Interamericana parcourt toute la région comme une dorsale, rejoignant la route littorale de la Costanera à Palmar Sur. Ce territoire réserve ses beautés secrètes aux randonneurs passionnés, aux amoureux de la nature et de l'aventure qui aiment sortir des sentiers battus.

Playa Dominical et Parque Nacional Marino Ballena

Quittant San Isidro en direction de l'ouest, une belle route goudronnée de 35 km serpente à travers brumes et montagnes jusqu'à **Playa Dominical ❶**. (De San José à Dominical via San Isidro, comptez 4 heures, haltes comprises.) Si vous êtes équipé d'un 4x4, vous pourrez également rejoindre Dominical par la côte au départ de Quepos. Cette route, la Costanera Sur, a conservé des tronçons de piste en terre, mais les paysages qu'elle dévoile sont fabuleux. Faites étape pour la nuit aux Pacific Edge Cabins (tél. 771 4582), isolées sur leur crête boisée, qui ménagent une vue spectaculaire sur l'Océan. À moins que vous ne préfériez séjourner quelque temps à la Hacienda Barú (tél. 787 0003), au cœur d'une réserve sillonnée par des kilomètres de sentiers forestiers et littoraux.

PAGES PRÉCÉDENTES : jungle, sable et rouleaux, Parque Nacional Corcovado ; carriole à bœufs, côte pacifique.
CI-DESSOUS : vénérables racines contreforts.

Un long ruban de sable brun et de vases tapisse la plage de Dominical ; si les surfeurs apprécient ses vagues, soyez prudent, les courants sont assez dangereux. Plusieurs sites de camping agréables et ombragés ont été aménagés sur la plage. À "Town", des restaurants côtoient des boutiques de surf et un magasin diététique, tandis que quelques hôtels confortables voisinent avec des *cabinas* sommaires et des auberges fréquentées par les jeunes surfeurs. À la saison sèche, la végétation grille littéralement, et l'air devient oppressant.

Deux heures de randonnée à cheval vous mèneront aux **Cataratas de Nauyaca** (ou del Santo Cristo o Don Lulo). Ces deux cascades de 65 m s'effondrent dans un bassin de nage aux eaux délicieusement tièdes. Le Don Lulo's Waterfall Tour organise les randonnées aux chutes ; de son côté, Finca Bella Vista propose des chevauchées sur la plage au crépuscule. Plusieurs tour operators se chargent des réservations, dont Selva Mar à San Isidro d'El General (tél. 771 4582).

Au sud de Dominical, **Playa Dominicalito** réserve de bons point-breaks aux surfeurs. Les nageurs profiteront mieux de la plage à marée basse, quand elle se découvre au-delà des récifs coralliens, dévoilant une vue superbe sur les collines.

La Costanera Sur a été récemment élargie et goudronnée pour faciliter l'accès au **Parque Nacional Marino Ballena ❷**, 17 km au sud de Dominical. Cette petite réserve se caractérise par ses belles plages,

Pour avoir une vue plongeante sur le Parque Marino Ballena, gravissez la colline menant au Cristal Ballena, hôtel de luxe doté d'une énorme piscine. Les patrons étant autrichiens, les escalopes viennoises côtoient les produits de la mer sur la carte du restaurant.

ses palétuviers fréquentés par les caïmans, les ratons laveurs et les lézards, et ses récifs coralliens. En saison, baleines et dauphins se montrent volontiers.

Inscrites dans le parc, les **Islas Ballenas** fournissent un refuge aux jubartes (baleines "à bosse") et à leurs petits entre décembre et avril. Deux plages de sable s'incurvent et se rejoignent à Punta Uvita ; à marée basse, leurs eaux extraordinairement calmes raviront les plongeurs. Si vous le souhaitez, les pêcheurs pourront vous emmener jusqu'au récif pour faire du snorkeling, taquiner le poisson ou observer les oiseaux ; à l'extrémité nord du parc, la basse mer découvre d'excellents sites de plongée accessibles à pied.

Une poignée de *cabinas* et de *sodas* signalent **Bahía Uvita**, porte d'entrée du parc. Des bateaux sont disponibles pour partir pêcher, plonger ou se promener en mer. Au sud du parc, du côté est de la Costanera, un panneau indique Ojochal, enclave franco-canadienne dotée de quelques bons restaurants.

Plus au sud, la Costanera vous conduira à **Playa Piñuela** et à **Playa Ventanas**. À Bahía, juste à l'entrée du parc, vous n'aurez que l'embarras du choix entre les excursions avec masque et palmes organisées par Delfin Tours, et celles proposées par le Mystic Dive Center (tél. 788 8636), cette fois avec bouteilles. De son côté, Skyline Ultra Flight (tél. 743 8037) vous fera prendre de la hauteur : c'est à bord d'un ULM que, bien au sec, vous pourrez survoler les flots.

Península de Osa

La Península de Osa recourbe son gros pouce sur 50 km dans le Pacifique, protégeant le Golfo Dulce des houles du large et créant ainsi un magnifique port naturel. Plages et caps rocheux sculptent ces reliefs sillonnés par les cours d'eau et les rivières qui cascadent par-dessus les falaises volcaniques avant de rejoindre

CI-DESSOUS : à la pagaie, dans la baie.

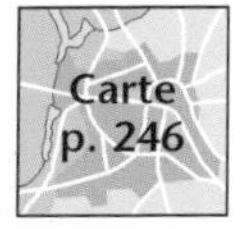

l'Océan. Les forêts les plus majestueuses du pays couvrent les pentes et frangent les vallées de la péninsule ; dans bien des cas, elles offrent un ultime habitat à une flore et à une faune menacées, endémiques de la Zona Sur. Une contrée sauvage, mystérieuse, souvent grandiose.

Les Amérindiens du Diquis sont les premiers à habiter la péninsule, qu'ils baptisent Osa, du nom de l'un de leurs chefs. Orfèvres accomplis, ils façonnent des objets religieux et cérémoniels avec l'or qu'ils recueillent dans les *ríos* El Tigre et Claro. Les Espagnols lancent des incursions répétées dans leurs territoires, exterminant la population, pillant l'or et cherchant les mines légendaires de Veragua. L'or n'a pas fini d'empoisonner la vie des habitants de la péninsule : dans les années 1980, la découverte d'une pépite de 11 kg provoque une ruée qui met sens dessus dessous le Parque Nacional Corcovado. Des paysans convertis en prospecteurs envahissent la région, dévastant ruisseaux et rivières pour quelques paillettes d'or, détruisant la vie sauvage et brûlant la forêt sur des milliers d'hectares pour planter leurs cultures. Corcovado découvre l'alcoolisme et la prostitution, entre autres fléaux. L'administration fermera le parc national pendant plusieurs années, le temps de déloger les intrus. Un semblant de guerre civile éclate alors, et le gouvernement doit accepter de verser une indemnité aux prospecteurs pour qu'ils lèvent le camp. Aujourd'hui, le Corcovado est devenu le fleuron des parcs nationaux costaricains, et si ses offres d'hébergement n'ont rien de somptueux, ses pistes compenseront largement ce manque de confort.

CI-DESSUS : énigmatique pierre sphérique géante (*voir p. 251*).
CI-DESSOUS : petit, mais gourmand, bruyant et coloré.

Bahía Drake

En 1573, le pirate et grand circumnavigateur sir Francis Drake débarque sur l'actuelle **Bahía Drake ❸**, du côté nord de la péninsule. Il y a peu de temps encore, vous n'auriez pu y accéder qu'en bateau ou en avion-taxi ; tracée pour alimenter le village en électricité, une piste de terre relie aujourd'hui la baie à Rincón. Plages sauvages, flots cristallins et forêt vierge vous attendent en ces lieux privilégiés. Votre lodge saura organiser votre voyage au départ de San José : vol pour Palmar, transfert à Sierpe, puis navigation en bateau à moteur jusqu'au lodge. Les vols directs de San José à la piste de Drake passent au-dessus du Parque Manuel Antonio, ménageant une vue grandiose sur la côte pacifique jusqu'au Corcovado. Ouvrez l'œil à l'atterrissage, vous apercevrez peut-être des aras macao sur la piste d'herbe. Vous pourrez également prendre la voiture ou le car (trajet de 5h30) ou encore l'avion jusqu'à Palmar, puis un taxi jusqu'à Sierpe.

Au sud de Bahía Drake, le long d'un merveilleux sentier côtier, le Delfín Amor Ecolodge (tél. 847 3131) égrène ses jolies *cabinas* à flanc de colline. Au programme : kayak de mer, snorkeling, yoga et observation des dauphins.

Un peu plus au sud, le Punta Marenco Ecolodge (tél. 234 1308) s'est implanté dans les 500 ha du **Refugio Nacional de Vida Silvestre Río Claro ❹**. Des *cabinas* coiffées de chaume, rustiques mais confortables, la vue plonge jusqu'à Isla del Caño ; sous la véranda, les brises du Pacifique rafraîchiront votre hamac. Au nord de Marenco, le Bahía Drake Wilderness Camp (tél. 770 8012), posé pratiquement sur la

La planète fourmis

Si quelqu'un vous désigne un *cornizuelo*, ou acacia de Collins, octroyez-vous une pause pour étudier ce curieux arbuste mesurant de 1,5 m à 3 m. Le long de ses branches poussent des paires d'épines rougeâtres ressemblant à de longues cornes de vache – d'où son nom en espagnol.

Les fourmis et les plantes tropicales entretiennent des relations multiples, mais celles de l'*Acacia collinsii* et de *Pseudomyrmex ferruginea* sont exemplaires.

Secouez – précautionneusement – l'extrémité d'une branche : les fourmis forent à la pointe des épines, creusent l'intérieur de la branche et y installent une colonie où elles élèvent leurs rejetons. Lorsque la plante est dérangée – ce que vous faites en secouant malencontreusement cette branche –, elles chargent aussitôt par les épines, prêtes à mordre pour défendre leur hôte. Une seule piqûre vous fera très vite comprendre que ces amazones belliqueuses ne plaisantent pas.

Elles repoussent ainsi les herbivores éventuels, de la chenille au bovin, mais elles nettoient également le sol au pied de l'acacia, éliminant totalement les pousses d'autres plantes. En effet, ces dernières pourraient priver leur hôte de l'espace vital nécessaire dans une forêt tropicale comptant quelque 1 200 espèces d'arbres en compétition et d'innombrables autres végétaux.

L'acacia ne se montre pas ingrat : non seulement il abrite ses gardiennes, mais il les nourrit. De minuscules spores en forme de saucisse pendent au bout de ses petites feuilles. Chargées en sucre et en protéines, elles font le délice des fourmis.

Sur le tapis forestier, lors de vos randonnées, vous croiserez certainement les traces des processions de fourmis coupe-feuilles (*Atta cephalotes*) qui sillonnent la jungle en quête de jeunes pousses. Imaginez des milliers de personnes rentrant chez elles par l'autoroute, chacune portant au pas de course une planche de contreplaqué de 1,5 m à 2,5 m sur son dos, et vous aurez une idée des proportions de ce trafic gigantesque. Les coupe-feuilles font preuve d'une incroyable opiniâtreté. Elles peuvent ainsi dénuder intégralement un manguier adulte en une nuit, découpant des ronds de feuilles de 1 cm de diamètre, les descendant patiemment au pied du tronc, et les acheminant jusqu'à la fourmilière, qui se trouve parfois à plus d'un kilomètre de là.

Plusieurs "autoroutes" mènent à cette dernière, souvent disposée autour des racines contreforts d'un grand arbre. À l'intérieur, par millions, par milliards peut-être, les fourmis mâchent leurs fragments de feuilles et les mêlent à leur salive, concoctant une sorte de bouillie. Sur cette bouillie poussent les champignons qui les nourrissent.

De grandes colonies peuvent couper et broyer près de 45 kg de feuilles par jour. Durant la durée de vie d'une colonie (jusqu'à plusieurs décennies), des tonnes de végétation décomposée retournent au terreau forestier. Les pluies continuelles et la chaleur dégradent rapidement la surface, et ce vaste entrepôt de nutriments et de compost créera une oasis de fertilité, condition indispensable à la survie de l'espèce. ❑

À GAUCHE : fourmis coupe-feuilles dans la jungle costaricaine.

plage, propose canoë, kayak de mer, sorties de pêche au large ou observation des baleines (jan.-fév.). Quant à la Paloma Lodge (tél. 239 2801), ses bungalows accueillants, également coiffés de chaume, se fondent à merveille dans la forêt environnante, tout en réservant une vue panoramique sur l'Océan. Le lodge organisera pour vous des croisières de pêche ou de plongée, de fabuleux parcours en kayak, ou la découverte du Corcovado et d'Isla del Caño.

Carte p. 246

Les habitants de Palmar sont très fiers de leurs sphères en pierre ; dans les années 1980, le gouvernement de San José voulut en déplacer 2 pour les exposer dans la capitale, mais des manifestations étudiantes l'en empêchèrent.

Isla del Caño et Parque Nacional Corcovado

La Reserva Biológica **Isla del Caño** ❺ se dessine tout juste à l'horizon, 15 km au large de la côte du Corcovado, à une heure en bateau de Marenco ou de Bahía Drake. L'île aurait d'abord servi de cimetière aux Amérindiens, puis de refuge aux pirates. Dauphins tachetés et poissons volants vous accompagneront peut-être jusqu'à elle. Entre décembre et avril, les jubartes descendent de leurs eaux nourricières en Alaska. Les mâles font entendre leurs chants envoûtants pour attirer les femelles, accomplissant des bonds prodigieux durant leur parade amoureuse. Eaux turquoise, petites plages et vastes récifs tapissés de coraux frangent l'île. Les amateurs de snorkeling découvriront tout un univers de poissons tropicaux à seulement 15 m de la rive, au quartier général du parc. Des sentiers abrupts mais parfaitement entretenus se frayent un passage à travers une forêt submergée d'épiphytes et de philodendrons gigantesques.

D'une superficie de 44 500 ha, le **Parque Nacional Corcovado** ❻ protège la diversité biologique et la vie sauvage menacée d'une bonne partie de la **Península de Osa**. Les animaux habitent le couvert forestier et les gigantesques arbres drapés de lianes, dont les énormes racines aériennes plongent dans un sol grouillant de vie. Littéralement noyée par 6 m de précipitations par an, cette zone est classée "forêt

L'ÉNIGME DES SPHÈRES

Au point culminant d'Isla del Caño, la forêt se fait plus dense et silencieuse, les feuilles mortes craquent sous vos pas : vous approchez du cimetière précolombien des Boruca.

Deux boules de pierre reposent sous les arbres. Verdies par la mousse, éclairées par les rais de lumière qui tombent de la canopée, ces 2 objets semblent étrangement symétriques dans cette végétation. Des milliers de sphères semblables ont été découvertes au Costa Rica, quelques-unes au nord du Panamá. Elles posent une énigme insoluble. Leur origine exacte et leur signification donnent lieu à toutes les hypothèses ; on estime aujourd'hui qu'elles ont dû être taillées sur la Península de Osa, près de Palmar Norte, acheminées en pirogue jusqu'à Caño, et sans doute roulées jusqu'au sommet de l'île, choisi pour cimetière.

Les plus petites ont la taille d'une orange et servaient peut-être de jouets ; quant aux plus grandes, qui dépassent 2 m de diamètre, elles pourraient indiquer le statut social ou politique du défunt. Dans les tombes surmontées de pierres, orientées à l'est, des compartiments secrets cachaient les ornements précieux, recouverts de sable, de corail et de galets. La position de certains alignements de sphères reflèterait celle des étoiles.

CI-DESSOUS : relique extra-terrestre ou pierre tombale ?

tropicale humide", appellation qui ne saurait rendre compte des particularismes locaux. On dénombre ici 13 habitats différents, à la flore, à la faune et à la topographie uniques. En tout, 500 espèces d'arbres – soit un quart de toutes les espèces costaricaines –, 10 000 d'insectes, des centaines d'oiseaux, de batraciens, de lézards et de tortues, et quantité de mammifères comptant parmi les plus menacés et les plus spectaculaires de la planète ont élu domicile sur ce territoire.

Le Corcovado bénéficie d'un atout majeur : sa difficulté d'accès le réserve à ceux qui sont prêts à lui consacrer un temps et une énergie considérables. Il existe plusieurs façons de découvrir ses trésors et ceux de la Península de Osa, de l'avion-taxi avec logement en lodges écologiques de luxe aux épuisantes randonnées avec passages de rivières, batailles contre les insectes et nuits sous la tente. À un bout de l'échelle, le complexe écologique de **Lapa Ríos** dresse ses luxueux bungalows aux toits de chaume sur les pentes d'une réserve de 400 ha, en surplomb d'une plage paisible. Comme tous les lodges de la zone sud du parc, Lapa Ríos est dépourvu d'électricité : pas de télévision, donc, et peu de téléphones satellites ou cellulaires. Il ne vous reste plus qu'à décompresser… Au **Bosque del Cabo**, les singes, les aras macao, voire un puma distrait, semblent apprécier le luxe du site. **Corcovado Lodge Tent Camp**, à portée des rouleaux qui explosent près de La Leona, à l'entrée du parc, propose des tentes confortables. On vous conduira de Puerto Jiménez par la piste, ou en avion-taxi de Carate, et vous parcourrez le reste du trajet à pied, vos bagages voyageant en carriole à cheval.

Si vous optez pour la randonnée et le camping, mieux vaut venir à la saison sèche, de décembre à avril, et passer 2 nuits dans chacune des 3 *estaciones* du parc, avec 1 ou 2 jours de marche de l'une à l'autre – les *estaciones* sont reliées par des pistes, chacune demandant 10 heures de marche. Précaution essentielle, armez-

Dans le Parque Corcovado, vous ne pourrez compter que sur vous-même face à un serpent corail ou une vipère fer-de-lance. Les rencontres sont rares, certes, mais portez de solides chaussures montantes, un pantalon ample et long et, surtout, regardez où vous mettez les pieds.

Ci-dessous : plage déserte, Isla del Caño.

vous efficacement pour lutter contre les insectes : tente, moustiquaire, lotion et chaussettes montantes. Outre le matériel de camping traditionnel, pensez à emporter une machette. Avant de partir, prenez contact avec l'administration du parc (à côté de l'aéroport de Puerto Jiménez, *voir p. 254*). Accessible par avion-taxi, marche à pied ou bateau, l'**Estación Sirena** offre chambres et repas très sommaires (à réserver une semaine à l'avance). Les autres *estaciones* ne disposent que d'aires de camping, et vous devrez marcher ou prendre le bateau pour les rejoindre.

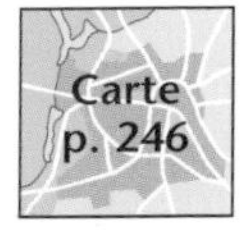
Carte p. 246

Estaciones du Parque Corcovado

De l'**Estación Sirena**, située près du littoral, des pistes féeriques vous entraîneront en forêt et le long de la plage. Quel plaisir de vous rafraîchir en nageant dans le Río Claro, mais restez prudent : ne vous approchez pas trop de l'embouchure, elle est parfois visitée par les requins. Malheureusement, vous ne trouverez sur place qu'un hébergement et une cuisine très rudimentaires. Une marche de 11 km vous conduira à l'**Estación Los Patos** par un sentier qui suit le cours du Río El Tigre. Assez large, la piste favorise l'observation de la vie sauvage. Même au cœur de cette jungle épaisse, vous aurez quelque chance de repérer au moins des traces de jaguars, d'ocelots ou de tapirs. Près de Los Patos, Danta Corcovado Lodge (tél. 378 9188) dispose de dortoirs et de chambres particulières (pas de téléphone). Encore 8 km et vous franchirez l'entrée du parc nommée Los Patos. Pendant la saison sèche, une piste praticable en 4x4 vous donnera accès à la station.

Le *sendero* (sentier) menant à l'**Estación San Pedrillo** et à la **Catarata Llorona** exige une bonne préparation. Durant cette randonnée de 10 heures, il vous faudra franchir deux *ríos* à marée basse. Les gardes de Sirena vous fourniront des informations sur les temps de trajet et la hauteur des marées. Le zoologiste et naturaliste irlandais Mike Boston s'est spécialisé dans les itinéraires de grande randonnée à travers le parc (Osa Aventura ; tél. 735 5670). À toutes fins utiles, emportez une table des marées, des provisions, de l'eau et du matériel de camping. Vous ne pourrez gagner San Pedrillo que par une piste de 2 heures au départ de Punta Marenco.

La plupart des quelque 200 jaguars – ou moins – qui subsisteraient dans le pays habitent les forêts du Corcovado, du Tortuguero et de la Cordillera de Talamanca. Un jaguar adulte a besoin d'un territoire immense, abondamment peuplé d'animaux tels que pécaris, cerfs et agoutis pour subvenir à ses besoins alimentaires. Depuis la création du Parque Corcovado, leur population a plus que triplé. Faciles à identifier, leurs traces s'observent fréquemment sur de nombreuses pistes. Leurs empreintes sont plus larges que longues, avec des coussinets arrière et 4 orteils dénués de marques de griffes.

Des hordes de pécaris à lèvres blanches *(Tayassu pecari)* arpentent la forêt, quêtant leur nourriture sous le tapis de feuilles. Vous n'aurez pas de mal à repérer leur passage : un bulldozer semble avoir labouré la piste.

Environ 300 espèces d'oiseaux vivent dans le Corcovado, à commencer par les spectaculaires aras macao. Ils annoncent leur arrivée à grand renfort de cris rauques. Et si vous entendez comme un jappement, cherchez à voir le toucan et son invraisemblable

CI-DESSUS : *Achnea chantinii*, broméliacée.
CI-DESSOUS : pélican brun.

bec jaune. Le magnifique poitrail rouge du trogon de Baird (*Trogon bairdii*) et le mélodieux troglodyte des ruisseaux (*Thryothorus semibadius*) enchantent également ces forêts. Graines ou cosses chutant à travers la canopée trahissent souvent la présence de singes-écureuils ou d'atèles. Pour augmenter vos chances de les apercevoir, soyez sur la piste avant l'aube.

NOTEZ-LE

Les pécaris ne sont pas aussi féroces qu'on le prétend parfois. Malgré tout, s'ils vous approchent en groupe ou, pire, s'ils vous encerclent, faites le singe : grimpez à l'arbre le plus proche.

Orchidées, broméliacées, philodendrons et fougères s'épanouissent sur les branches les plus hautes, là où se trouvent la lumière, l'eau et les nutriments portés par le vent. Le riche humus créé par ce jardin d'épiphytes est souvent exploité par un arbre étrangleur, qui puise sa nourriture en altitude. Cette dense végétation aérienne compose un habitat où prospèrent les petits dendrobates rouge et bleu, grenouilles arboricoles friandes de l'eau captée par les feuilles des broméliacées. Les femelles pondent leurs œufs au sol, puis emportent leurs têtards sur leur dos, escaladant 30 m et plus jusqu'aux flaques où les œufs non fertiles serviront de nourriture à leur progéniture.

Champignons et polypores aux formes étranges et aux couleurs extraordinaires festonnent les troncs des arbres en décomposition. Des grenouilles de la taille d'une noisette et des salamandres lilliputiennes cohabitent dans leurs creux détrempés ou à l'abri de l'humus des feuilles.

De Puerto Jiménez à Sierpe

Principale ville de la Península de Osa, **Puerto Jiménez** ❼ s'étend à l'est du Parque Nacional Corcovado. Cette bourgade chaleureuse et animée s'est offert un embryon d'infrastructure touristique ; sa "chambre d'écotourisme" vous recommandera des guides et vous aidera dans votre exploration de la péninsule. En ville, vous trouverez où vous loger et vous restaurer sans vous ruiner, tandis que

CI-DESSOUS : entomologiste à la chasse aux papillons, Reserva Forestal Golfito.

plusieurs lodges et centres écotouristiques – pour tous les budgets – parsèment les environs. Puerto Jiménez est à 7 heures de car ou de voiture de San José, et la plupart des lodges organisent le transfert.

Pour quitter la péninsule, les esprits les plus aventureux pourront louer un bateau de l'un des lodges implantés près de Bahía Drake et remonter le Río Sierpe jusqu'à la petite ville de **Sierpe**. Le luxueux Casa Corcovado Jungle Lodge (tél. 256 8825) achemine tous ses clients par bateau (aller-retour) de Sierpe. Sachez tout de même que la *boca* (embouchure) du *río* secoue assez durement. Vérifiez que votre embarcation est équipée de gilets de sauvetage et, par précaution, enfilez le vôtre à l'approche du fleuve. Des palétuviers bordent les berges. De nombreuses espèces de petits poissons vivent là. Quant aux grands hérons et aux aigrettes neigeuses, ils s'envolent de leur perchoir au passage du bateau. Pourtant, cette mangrove littorale n'est pas épargnée par le déboisement. Les palétuviers coupés servent à la fabrication de charbon de bois, ou bien, une fois écorcés, produiront le tanin utilisé dans la préparation du cuir. Heureusement, les dégâts restent pour l'instant limités.

Sillonnant le Río Sierpe, de vieilles pirogues chargées de bananes et des chalands à vapeur croisent les *lanchas* et les embarcations des lodges avoisinants. Au terme de 2 heures de navigation, vous atteindrez Sierpe, d'où vous pourrez prendre un car pour Golfito, plus au sud.

Golfito

Sur la rive orientale du Golfo Dulce, **Golfito** ❽ est abrité du large par un chapelet d'îles et de presqu'îles formant une baie parfaitement protégée à l'intérieur du golfe. En 1938, prenant conscience du potentiel de Golfito, la United Fruit Com-

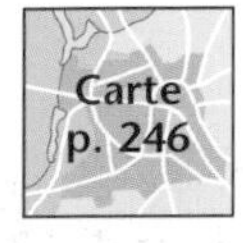

CI-DESSUS : les *mapaches* (ratons laveurs) font volontiers la manche.
CI-DESSOUS : papillons accouplés.

Les gros chats du Costa Rica

Une demi-douzaine de félins habitent le Costa Rica. Secrets, nocturnes, ils comptent parmi les animaux les plus menacés du pays.

Grands ou petits, tous craignent énormément l'homme, et bien peu de voyageurs ont eu la chance de pouvoir en observer. Même s'ils sont aujourd'hui protégés, leur prudence se comprend : au fil des années, la chasse et la déforestation ont dramatiquement réduit leur population.

Comme tous les félins, ces animaux se comportent en prédateurs élégants et efficaces. Ils chassent généralement en solitaire, restant cachés durant la journée, camouflés par la splendide fourrure tachetée qui en a fait, ironie du sort, une proie si convoitée. Leur taille varie considérablement, du jaguar, ici appelé *el tigre*, qui peut dépasser les 100 kg sur la balance, au *tigrillo*, ou *oncilla* (*Leopardus tigrinus*), plus petit que bien des chats domestiques. Pour un félin, le jaguar manifeste un goût de l'eau assez inhabituel. Il apprécie tout particulièrement des habitats comme les marais de mangrove et les berges boisées des rivières, et semble prendre beaucoup de plaisir à nager. Si le gigot de pécari constitue l'un de ses mets favoris, il ne dédaigne pas pour autant les poissons, ni même les tortues, dont il broie la carapace entre ses mâchoires puissantes. Malheureusement, il s'attaque aussi au bétail, notamment lorsqu'une nouvelle prairie vient occuper une zone forestière. Conséquence logique, bien des paysans costaricains considèrent le jaguar non comme un trésor national, mais comme un fléau dangereux. Il fut un temps où l'animal sillonnait tout le pays : aujourd'hui, ses bastions se limitent aux parcs nationaux, notamment le Santa Rosa, le Tortuguero et le Corcovado. Vous ne le verrez sans doute pas en chair et en os, mais vous aurez peut-être l'occasion de vous faire montrer ses traces.

Presque aussi grand que son cousin, le puma est l'un des deux félins du Costa Rica à ne pas porter de livrée tachetée. Il se rencontre le long d'un arc immense, des Rocheuses canadiennes aux forêts de Patagonie. Autre félin dépourvu de taches, le petit *jaguarundi* présente des pattes courtes et un front curieusement aplati. Il vit dans un large éventail d'habitats mais, contrairement au puma, préfère les basses terres.

Trahies par la beauté de leur fourrure, les trois autres espèces ont payé un lourd tribut aux chasseurs. Mais les mentalités ont évolué, et, depuis l'interdiction du commerce des fourrures, leur avenir semble plus souriant. L'ocelot, peut-être le plus beau de tous, chasse essentiellement à terre, même s'il grimpe et nage bien. Le margay, sorte de petit ocelot à longue queue, monte aux arbres comme un singe et capture presque toutes ses proies en hauteur. C'est le seul félin à pouvoir descendre d'un arbre tête en bas, et non à reculons en s'agrippant avec ses griffes.

Le *tigrillo* vit également en forêt, parfois à une altitude dépassant les 3 000 m. On sait très peu de chose sur les habitudes de ce petit animal jadis très chassé. En tout cas, sa taille ne semble pas le gêner : confronté à des chats domestiques, il l'emporte le plus souvent. ❑

À gauche : jeune puma sur le qui-vive, Refugio Las Pumas, près de Cañas.

pany décide d'y créer un grand port. En 1955, les navires bananiers y embarquaient plus de 90 % des bananes exportées du Costa Rica. Les marins affluaient par bateaux entiers, et 15 000 immigrants *guanacastecos* vinrent travailler dans les plantations. Les uns et les autres firent rapidement de Golfito un repaire de prostituées, de contrebandiers et d'ivrognes. Quant à la United Fruit, ou "Mamita Yunai", elle écoulait l'essentiel de ses bénéfices dans les poches des riches actionnaires nord-américains, et son nom devint le symbole détesté de l'impérialisme yankee. Après une série de grèves dures, la United Fruit abandonnera la région en 1985. Une sévère dépression économique s'installe alors ; les anciens employés de la compagnie quittent la ville, ou cherchent à se reconvertir dans la pêche ou l'agriculture. La population actuelle ne dépasse pas les 12 000 habitants. Depuis quelque temps, Golfito semble vouloir renaître de ses cendres, et le **Pueblo Civil** (vieille ville) retrouve un peu de l'atmosphère exotique qui faisait son charme. Bars et prostituées animent les petites rues, et, sur le quai, des terrasses de café envahissent la grand-rue. Sur le front de mer, dans la *zona libre* (zone franche) d'El Depósito, les produits de consommation durable coûtent 40 % moins cher qu'à San José. Si ce genre d'affaires vous intéresse, faites un tour du côté de l'immense galerie bordée de boutiques climatisées – mais vous devrez séjourner au minimum 24 heures à Golfito pour pouvoir y effectuer vos achats. Une ambiance feutrée de faubourgs chic imprègne la **Zona Americana** et ses vastes maisons de style colonial sur pilotis, avec porches ajourés et toits pentus.

Dans Barrio Invu, face au stade de football de la Plaza Deportes, un panneau indique la route de la **Reserva Forestal Golfito**. Le long de cette abrupte piste gravillonnée, vous apercevrez peut-être des toucans ou des paresseux dans les arbres. Le sommet vous réservera un panorama spectaculaire sur le **Golfo Dulce**. Au nord de la ville s'étendent le Parque Nacional Piedras Blancas et le Refugio Nacional de Vida Silvestre Golfito, importants couloirs de faune où les amoureux de la nature et des oiseaux peuvent parcourir des kilomètres de pistes. Des vols réguliers desservent Golfito ; renseignez-vous auprès des bureaux de la compagnie pour connaître les horaires. Le voyageur moins pressé appréciera sans doute à sa juste valeur le trajet San José-Golfito en car : 7 heures d'un voyage inoubliable.

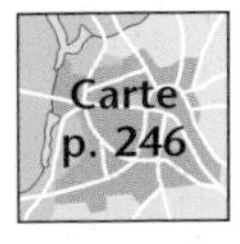
Carte p. 246

Pour en savoir plus sur les conditions de travail dans les bananeraies de la province de Limón durant les années 1930-1940, il faut lire *Mamita Yunai*, le chef-d'œuvre de Carlos Luis Falla, pionnier du syndicalisme costaricain.

CI-DESSOUS : philodendrons géants.

Nord de Golfito

Sur le Golfe Dulce – accessible uniquement par bateau –, de superbes plages de galets bordent une jungle épaisse. Partant de Golfito, une vedette rapide vous débarquera en 20 min devant le luxueux Playa Nicuesa Rainforest Lodge (tél. 735 5237). Huit essences de bois différentes, assemblées à la main, composent les *cabinas*, éparpillées autour d'un merveilleux jardin tropical. À quelques pas du lodge, vous aurez le choix entre kayak, snorkeling, pêche ou observation des dauphins ; et non loin derrière, s'ouvrent les portes de la forêt de montagne, avec ses pistes de randonnée, ses oiseaux et ses cascades. Dans la crique voisine, **Casa Orquideas** (ouv. tlj. ; visite guidée 1 heure ; entrée payante ; tél. 775 1614), vous découvrirez un ensorcelant jardin où poussent gingembres, cacaoyers, papayers, orchidées et autres essences exotiques.

En 1991, 1 200 ha de forêt pluviale, côté ouest du Golfo Dulce, ont été classés en **Parque Nacional Piedras Blancas** ❾. Mais, l'État ne disposant pas des fonds nécessaires pour dédommager les propriétaires terriens, ceux-ci pouvaient toujours récupérer leurs titres et reprendre l'exploitation forestière. Propriétaire d'une maison à Golfito, le violoniste autrichien Michael Schnitzler sollicite le soutien financier de ses compatriotes, et, le parc de Piedras Blancas a pu poursuivre son aventure. Intégré au Parque Nacional Corcovado, il ne s'en différencie pas sur les cartes. On l'appelle aussi Parque Nacional Esquinas, du nom de la rivière qui le traverse, ou Bosque Lluvioso de los Austríacos (forêt pluviale des Autrichiens). L'université de Vienne détient et gère en effet une station biologique qui accueille des étudiants et chercheurs du monde entier. Vous trouverez un hébergement plus luxueux à l'Esquinas Rainforest Lodge (tél. 775 0901). N'hésitez pas à demander un guide pour explorer le parc, car il n'est pas toujours aisé d'en suivre les pistes.

Avec un peu de chance, vous assisterez peut-être aux étonnantes prouesses du basilic, un lézard semi-aquatique qui se dresse sur ses pattes arrière et semble courir sur l'eau lorsqu'il prend peur. Ce comportement lui a valu le surnom de "Jesús Cristo".

Si vous continuez en direction du nord par l'Interamericana via Palmar Norte, une piste sommaire (à la sortie de Puerto Nuevo) vous conduira à **Boruca** ❿, petit village niché dans une vallée près de Buenos Aires. La vie s'écoule ici à un rythme paisible, seulement interrompu par la Fiesta de los Diablitos (Fête des petits diables), qui met en scène la guerre des Espagnols contre les Amérindiens – lesquels obtiennent enfin leur revanche.

Sud de Golfito

Entre l'embouchure du Río Coto Colorado (au sud de Golfito) et Punta Blanco, dernier grand cap avant la frontière panaméenne, plusieurs plages se succèdent, parfaitement sauvages et isolées. Prenez d'abord le bac pour traverser le *río*, puis, à Pueblo Nuevo, tournez à droite en direction de **Playa Zancudo**, croissant sableux de 8 km où vous pourrez nager, surfer et vous loger agréablement. L'accueillant Cabinas & Restaurant Sol y Mar (tél. 776 0014) sert une cuisine savoureuse. Restez sur la route qui longe la côte jusqu'à **Pavones**, avant Río Claro. Si les surfeurs apprécient ce spot, les nageurs peuvent l'éviter. Outre quelques logements rudimentaires, et des chambres plus confortables aux Cabinas La Ponderosa (tél. 824 4145), des surfeurs installés sur les lieux ont ouvert plusieurs restaurants dignes d'intérêt, dont le charmant Café de la Suerte, végétarien.

Ci-dessous : l'habit ne fait pas le (capucin) moine.

Une succession interminable de nids-de-poule, de fondrières et autres tôles ondulées vous acheminera vaille que vaille à **Punta Banco**, au bout de 30 min. Tandis que les déferlantes pilonnent en continu ses vastes dalles volcaniques et sédimentaires, une vie marine bouillonnante peuple les mares.

À l'extrémité de la pointe, une prairie et un portail sur la gauche marquent l'entrée du **Tiskita Jungle Lodge** ⓫ (tél. 296 8125), réserve privée de forêt pluviale et ferme expérimentale de fruits tropicaux. Si vous voulez vous épargner l'éprouvante piste d'accès (4x4 indispensable) prenez un forfait incluant la location d'un avion-taxi qui atterrit près du lodge. Non loin de là, des *cabinas* isolées donnent sur l'Océan. Sillonnant astucieusement cette forêt de 162 ha, des pistes conduisent à des cascades, des bassins de nage paradisiaques et plusieurs sites naturels remarquables. On cultive là plus de 100 espèces d'arbres fruitiers tropicaux, pour le plus grand bonheur des singes et des oiseaux.

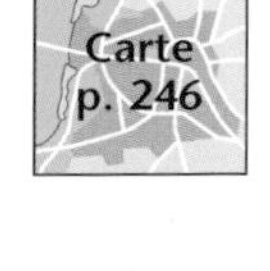

Jardín Botánico y Estación Biológica Las Cruces

Les amateurs de botanique ne devraient manquer sous aucun prétexte le **Jardín Botánico y Estación Biológica Las Cruces** ⓬ (ouv. tlj. de 8h à 16h ; entrée payante), à 6 km au sud de San Vito par la nationale 16. Centre de recherches, d'éducation scientifique et publique géré par l'OTS (Organization for Tropical Studies), ces jardins ont été conçus par un architecte italien ; les sentiers serpentent à travers de vastes collections d'heliconias "pince-de-homard", de broméliacées, de fougères arborescentes, d'orchidées et de palmiers, avant d'accéder à la réserve de forêt sauvage. Les paysages de montagne sont splendides, tout comme les randonnées jusqu'aux bassins rocheux du Río Jaba. La station propose un hébergement simple, en dortoirs, ainsi que des chambres particulières confortables, munies d'une véranda pour mieux profiter des oiseaux. Vous pourrez bavarder avec les chercheurs en résidence ou assister à des séminaires de sociétés horticoles du monde entier.

Axe stratégique protégeant l'ouest du canal de Panamá, la **route Villa Neily-San Vito** fut construite en 1945 par les États-Unis. La pente s'accentue dans les montagnes fraîches et ombragées qui mènent à San Vito, juchée à 960 m au-dessus du niveau de la mer. La ville fut fondée après guerre par des immigrants italiens invités par le gouvernement costaricain. Perchée dans une haute vallée, cette agglomération de 18 000 habitants ne manque pas de bons petits restaurants, notamment Pizzería Liliana, au centre-ville. Les habitants parlent encore l'italien dans les rues.

CI-DESSUS : broméliacée géante,.
CI-DESSOUS : dans la jungle.

Le domaine de l'ancien président don Pepe (José) Figueres donne sur la carretera, *au début de l'ascension du Cerro de la Muerte. Son hacienda fut baptisée La Lucha Sin Fin (La Lutte sans fin), car il y formula les exigences politiques qui menèrent à la guerre civile de 1948.*

Valle de El General

Dès la Conquête, les Espagnols tentent de trouver un passage à travers la Cordillera de Talamanca pour passer du Valle Central aux territoires inconnus situés de l'autre côté du Cerro El Dota. Mais il faudra attendre les années 1860 et l'attrait d'une prime gouvernementale pour que don Pedro Calderón découvre ce passage. L'ouverture de la route permet la colonisation du **Valle de El General**, et, plus tard, la construction de l'Interamericana, qui relie San José et le Valle Central à la Zona Pacífica Sur. Pour vous rendre dans le Valle de El General, partez de bon matin : vous éviterez ainsi le brouillard et la pluie qui tombent souvent en fin d'après-midi. De San José, prenez l'Interamericana en direction de Cartago, puis tournez à droite vers San Isidro.

La route du Valle de El General passe par le majestueux **Cerro de la Muerte** ⓭ (3 491 m). Quelques voyageurs y moururent de froid – d'où son nom –, et l'on imagine les épreuves qui attendaient les pionniers lors de ce trajet d'une semaine. La pluie, le froid et le brouillard peuvent vous accompagner pendant la première partie de l'itinéraire ; après quoi les choses s'arrangent, la route s'élève au-dessus des nuages pour baigner dans un azur clair et revigorant, à travers prairies en fleurs et champs cultivés.

Digitales, azalées, hortensias et arums poussent ici à l'état sauvage. Des nuées flottent au-dessus des vallées et s'écharpent sur les sommets.

Si vous n'avez pu observer de quetzal jusque-là, l'Albergue Mirador de Quetzales (grand-route, Km 70 ; tél. 381 8456), comme son nom l'indique, devrait combler votre attente. Pour un prix raisonnable, vous logerez dans de petits chalets avec douches chaudes et bouillottes (les nuits sont fraîches). Des kilomètres de pistes sillonnent la forêt, et vous pourrez également camper.

Ci-dessous : Cerro Chirripó, point culminant du sud de l'Amérique centrale.

Bourgs de la vallée

En redescendant d'Empalme, vous apercevrez sur votre droite **Santa María de Dota**, bourgade traditionnelle agrémentée d'un charmant petit parc. Goudronnée – mais prévoyez tout de même un 4x4 –, la **Ruta de los Santos** traverse ensuite plantations de café et bourgs pittoresques aux noms de saints, San Marcos de Tarrazú, San Pablo de Léon Cortes et San Cristóbal Sur. À **Copey**, village de montagne à l'ouest de Santa María, vous pourrez vous détendre devant une cascade et un lac, pêcher la truite dans l'une des nombreuses fermes piscicoles alentour, ou passer une nuit confortable à El Toucanet Lodge (tél. 541 1435). En continuant sur l'Interamericana, à 30 min d'Empalme, un panneau indique San Gerardo. Partiellement asphaltée, cette route longe le Río Savegre pour vous conduire jusqu'à **San Gerardo de Dota**, à 9 km. Au milieu de la vallée, don Efráin Chacón et sa famille proposent d'agréables *cabinas* et une délicieuse cuisine maison dans leur Albergue Montaña de Savegre. Vous apercevrez près d'un pont ses bâtiments blancs immaculés peints de pommes rouges, sur la gauche au-dessus du *río*. Couvert par une belle forêt de brouillard, le secteur offre l'une des meilleures occasions au monde d'observer le quetzal resplendissant, qui vient se nourrir du fruit de l'*aquacatillo* pratiquement dans le jardin de don Efráin.

Des pistes de grande randonnée sillonnent la forêt, l'une d'elles menant à une somptueuse cascade. Pensez à emporter des vêtements chauds, car il peut faire très froid durant la nuit. Une fois le Cerro de la Muerte enfin découvert, la route de **San Isidro de El General** ménage de superbes paysages. Carrefour commercial de cette région agricole, San Isidro et sa vaste place centrale vous replongeront brusquement dans l'effervescence de la civilisation. De nombreuses pépinières, des plantations de café et des prairies d'élevage quadrillent les pentes environnantes.

Carte p. 246

NOTEZ-LE

Sur la Ruta de los Santos, découvrez une coopérative de café : la Coopedota Santa Maria (tél. 541 2828 ; visite payante), et achetez du café au prix de gros dans la boutique. Pour déguster le meilleur du Tarrazú, arrêtez-vous à La Ruta del Café, à Empalme, sur la *carretera*.

CI-DESSOUS : plantation d'ananas, Valle de El General.

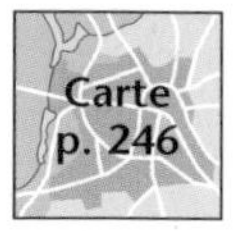

Parque Nacional Chirripó

À 150 km au sud de San José, le **Parque Nacional Chirripó** ⓮ englobe 43 700 ha et une diversité stupéfiante de paysages : *páramo* (haut plateau à végétation naine), forêts de chênes, bosquets de fougères, forêts de brouillard, marécages, lacs glaciaires limpides, et, enfin, le plus haut sommet (3 819 m) du sud de l'Amérique centrale. Mais il vous faudra avoir le cœur bien accroché pour défier le froid, et peut-être la pluie, d'une longue journée de randonnée jusqu'au sommet du **Cerro Chirripó**. Un lodge et plusieurs pistes bien balisées rendent au moins cette ascension praticable. Les températures diurnes atteignent 27°C, mais tombent à 0°C durant la nuit. Si la meilleure période d'ascension du Chirripó se situe en février-mars, la flore atteint son plein épanouissement durant la saison des pluies. Pour explorer le Chirripó, réservez votre entrée à l'avance, via le bureau du parc à **San Isidro de El General** (tél. 771 3155), ou au poste de garde installé près de **San Gerardo** (en basse saison). La randonnée complète du Chirripó, avec une journée au sommet, demande au minimum 4 jours. Comptez 10 $US pour pénétrer dans le parc et 10 $US supplémentaires par jour.

Vous pouvez passer votre première nuit à San Gerardo, où vous aurez le choix entre plusieurs *cabinas* bon marché – le patron de la Posada del Descanso connaît parfaitement la région. Avant d'entrer dans le parc, faites-vous inscrire à la station de San Gerardo. Les plans fournis sont assez succincts (vous trouverez à San José des cartes à grande échelle) ; si les gardes n'ont pas toujours les informations nécessaires pour une randonnée, ils vous mettront volontiers en contact avec des propriétaires de chevaux qui chargeront votre sac jusqu'à votre prochaine étape. La Río Chirripó Retreat a implanté ses *cabinas* tout près des flots tumultueux du Río Chirripó : stages de yoga et de méditation se déroulent dans ce décor naturel. La région de San Gerardo mérite d'être connue, même si vous ne tentez pas l'ascension du Chirripó. Les oiseaux se montrent volontiers, y compris les quetzals, et vous apprécierez les balades dans un environnement de toute beauté, semé de sources chaudes et de cascades.

CI-DESSUS : en pleine nature, certes, mais avec le confort.

CI-DESSOUS : feuillages noyés sous les brumes du Cerro de la Muerte.

Parque Nacional La Amistad

Ce parc "de l'Amitié" couvre à lui seul 12 % du territoire costaricain. Attenant au Chirripó, inscrit à l'intérieur de la Reserva de la Biosfera La Amistad, le **Parque Nacional La Amistad** ⓯ est en grande partie inaccessible. La diversité de sa faune et de sa flore, ainsi que sa valeur scientifique inestimable, lui ont valu d'être classé réserve de biosphère et inscrit au patrimoine mondial. On y a recensé plus de 20 espèces d'oiseaux-mouches et des sauterelles de 7 cm. Plus de la moitié du parc reste encore à explorer. De belles pistes vous attendent près de la **Reserva Forestal Las Tablas**, mais seuls les randonneurs expérimentés en matière de treks en milieu tropical pourront se risquer à l'intérieur. À l'entrée Altamira, vous trouverez un bureau de gardes et un camping (tél. 200 5355). Des excursions d'une journée sont proposées au départ de San Isidro ou de San Vito ; vous pouvez également séjourner à la Hacienda La Amistad Lodge (tél. 200 5037), au-dessus de San Vito. Ce lodge écologique s'est doté d'un vaste réseau de pistes, avec la possibilité de camper en forêt. ❑

Isla del Coco

La plus lointaine des terres costaricaines flotte en plein Pacifique, à près de 600 km au sud-ouest du continent, sur la même latitude que la Colombie. En raison de son isolement, elle n'accueille guère que quelques centaines de visiteurs, mais des millions de spectateurs ont découvert ses paysages durant les premières minutes de *Jurassic Park*.

Une épaisse forêt de conifères émaillée de sources et de rivières couronne son sommet. Ceinturant toute l'île, des falaises vertigineuses de 100 m de hauteur arborent une somptueuse végétation tropicale, d'où des cascades écumantes – on en dénombre 200 – plongent droit dans l'Océan. Lionel Wafer, médecin pirate qui débarqua sur Isla del Coco voici 3 siècles, écrivait : “Ce qui contribue le plus à la séduction des lieux, c'est le nombre de sources limpides qui emplissent toute la partie inférieure de l'île.” Des arêtes rocheuses, de fantastiques îlots sculptés rendent hommage aux vents et aux vagues. On comprend aisément la fascination de Steven Spielberg, qui surnomma l'île “Isla Nebular”.

Avec ses 12 km de longueur et ses 5 km de largeur, Isla del Coco est la plus vaste île inhabitée du globe. Classée parc national, elle héberge le plus grand nombre d'espèces endémiques du Costa Rica.

Et comme si ces données ne suffisaient pas, s'ajoute à cela le passé de l'île et ses histoires de pirates. Selon la légende, un trésor y serait toujours caché, mais aucune des 500 expéditions entreprises n'est encore venue à bout de son secret.

Deux baies, Bahía Wafer et Bahía Chatham, permettent d'accoster sur l'île. Une petite plage rocheuse borde Bahía Chatham, que semblent hanter les fantômes des explorateurs et des pirates d'autrefois. Ils ont aujourd'hui laissé la place aux chasseurs de trésors, aux plongeurs passionnés et aux écologistes.

Bahía Wafer offre probablement le meilleur accès à l'île. Des sentiers naturels escaladent les falaises pour gagner la partie la plus haute de la forêt humide. Broméliacées, orchidées, fougères arborescentes ombragent des fleurs non recensées, des mousses et des lichens omniprésents. D'un sommet vous découvrirez ce paysage d'un vert absolu, surplombant une mer d'un bleu immaculé, où des colombes planent et volettent doucement, tels des anges. Le moindre sentier, le moindre cours d'eau, cascade ou plage recèle un trésor rare. Le calme et le silence envoûtent littéralement le visiteur. Et le spectacle des récifs coralliens, la limpidité surnaturelle de l'eau, la luxuriance de la végétation, tout contribue à créer une atmosphère irréelle où les mystères et légendes du passé ressuscitent.

Le camping sur l'île est bien sûr formellement interdit : vous devrez passer la nuit à bord de votre bateau. Mais vous trouverez de l'eau potable et des pistes, même si elles ne sont pas balisées. Adressez-vous à l'administration des Parques Nacionales pour toute information et autorisation de débarquer. Des tour operators proposent des forfaits au départ de Puntarenas (hors de prix dans l'ensemble). Pour la plupart d'entre nous, Isla del Coco demeure un rêve totalement inaccessible : sans doute est-ce une bonne chose. ❑

À DROITE : jungle impénétrable et cascade, Isla del Coco.

CARNET PRATIQUE

Transports

Hébergement

Restaurants

Culture & Loisirs

De A à Z

Langue

Pour en savoir plus

Transports

Comment se rendre au Costa Rica et comment se déplacer

Comment s'y rendre

En avion

La grande majorité des vols internationaux atterrissent à l'Aeropuerto Juan Santamaría, situé à 16 km de San José. Pour obtenir des informations sur les arrivées/départs des vols : consultez www.alterra.co.cr (en espagnol).

À l'arrivée, prévoyez 20 min (environ 12 € en taxi) pour rejoindre San José. Les tarifs sont fixes : payez la course au comptoir de l'aéroport et non au chauffeur. Un service de bus assure aussi la liaison (environ 1 €).

À Liberia, l'Aeropuerto Internacional Daniel Oduber est desservi par 5 compagnies aériennes : American Airlines, Continental, Delta, Northwest et US Airways. Principal terminal pour les voyageurs se rendant au Pacífico Norte, Daniel Oduber accueille aussi d'autres compagnies charter.

Du Canada, des vols charters Air Canada sont sans escale depuis Toronto. TACA et Air Canada assurent des vols directs au départ de Toronto et Montréal. De Vancouver, les vols transitent en général par Houston ou Dallas.

Il n'existe pas de vol direct au départ de la France, de la Belgique et de la Suisse. Depuis l'Europe, seules les compagnies Iberia et Air Madrid proposent des vols directs (depuis Madrid).

Au retour, respectez le délai de 2h avant l'embarquement. N'oubliez pas de confirmer votre vol de retour.

Bagages

Les compagnies autorisent en général 23 kg par bagage (2 maximum). Renseignez-vous dès l'achat du billet si vous voulez emporter votre planche de surf ou votre vélo. Étiquetez vos bagages. Assurez-vous contre une perte éventuelle.

Les produits liquides (dentifrice, parfums, lotions, mousse à raser, etc.) peuvent seulement être transportés en quantité réduite dans les bagages à main. Des tubes ou des flacons de 100 ml maximum doivent être disposés dans un sac transparent fermé d'un format d'environ 20 cm x 20 cm.

Low-cost

La plupart des billets à petits prix sont en vente sur Internet. Réservez longtemps à l'avance, surtout entre décembre et février.

Taxe d'aéroport

Une taxe de 26 $US environ par personne est exigible lors du départ et payable en dollars ou en colones (pas de Travelers' Cheques).

Compagnies aériennes

Air Canada
Costa Rica *Tél. 506 243 1860*
Belgique *Tél. 32 (0)285 882 900*
Canada *Tél. 1 888 247 2262*
France *Tél. 33 (0)825 882 900*
Suisse *Tél. 41 (0)848 333 555*
www.aircanada.ca
Air Madrid
www.airmadrid.com
American Airlines
Costa Rica *Tél. 506 257 1266*
Canada *Tél. 1 800 433 7300*
www.aa.com
Belgique *Tél. 32 (0)2 711 99 69*
France *Tél. 33 (0)1 55 17 43 91*
Condor Airlines
Costa Rica *Tél. 506 243 1818*
Belgique *Tél. 32(0)70 350096*
Canada *Tél. 1 800 364 1667*
www.condor.com
France *Tél. 33(0)826 104 850*
Continental Airlines
Costa Rica *Tél. 506 (0)800 044 0005*
Canada *Tél. 1 800 231 0856*
www.continental.com
Delta Arlines
Costa Rica *Tél. 506 (0)800 056 2002*
Belgique *Tél. 32 (0)2 711 9799*
Canada *Tél. 1 800 221 1212*
www.delta.com
France *Tél. 33 (0)811 640 005*
Suisse *Tél. 41(0)844 000 074*
Iberia
Belgique *Tél. 32 (0)707 0050*
Canada *Tél. 1 800 772 4642*
France *Tél. 33 (0)825 800 965*
www.iberia.com
Suisse *Tél. 41 (0)848 000 015*
Martinair
Costa Rica *Tél. 506 232 3246*
www.martinair.com
Mexicana
Costa Rica *Tél. 506 295 6969*
Canada *Tél. 1 866-281 3049*
www.mexicana.com
Taca Costa Rica
Costa Rica *Tél. 506 (0)800 722 8222*
Canada *Tél. 1 800 722 8222*
France *Tél. 33 (0)1 44 50 58 60*
www.taca.com
United Airlines
Numéro international *Tél. (1) 800 538 2929*
www.united.com
US Airways
Costa Rica *Tél. 506 (0)800 011 0793*
Belgique *Tél. 32 (0)781 50026*
Canada *Tél. 1 800 622 1015*
France *Tél. 33 (0)810 362222`*
Suisse *Tél. 41 (0)844 805213*
www.usairways.com

En car

Liaisons entre le Panamá et le Nicaragua au Costa Rica.
Tica Bus
Paseo Colón
(200 m à l'ouest de Torre Mercedes)

Tél. 221 0006
www.ticabus.com
Liaisons fiables à travers toute l'Amérique centrale. Départs quotidiens du Nicaragua et du Panamá.
Trans Nica
Ca 22, Av 3
Tél. 223 4920
Nicaragua
Tél. 505 278 2090
El Salvador
Tél. 503 240 1212
www.transnica.com

En voiture

En venant du Nord, vous pouvez passer la frontière nicaraguayenne uniquement à Peñas Blancas, sur la côte pacifique. Si vous arrivez du Sud, le principal poste frontière se trouve également côté pacifique, à Paso Canoas. Sur la côte caraïbe, le petit poste de Sixaola vous permet de franchir le pont qui relie le Panamá au Costa Rica.

Formalités

Il vous faudra présenter un permis de conduire, la carte grise et une autorisation notariée si vous n'êtes pas le propriétaire du véhicule ainsi qu'une une *hoja de salida* (autorisation de sortie) délivrée au Panamá ou au Nicaragua. Les douanes accordent une autorisation de 3 mois. Vous pouvez sortir une fois du pays pour renouveler votre permis ; au bout de 6 mois, le véhicule est assujetti à de lourdes taxes d'importation. Informations sur le code de la route : *voir Location de voitures, p. 271*.

Un conseil, renseignez-vous sur l'ouverture des postes frontières car la situation peut changer du jour ou lendemain.

Assurance automobile

Vous devrez payer environ 10 € à la douane, assurance valable 3 mois. Le véhicule est également passé au fumigène (environ 5 €).

En bateau

Les navires de croisière font escale à Puerto Limón sur la côte caraïbe et à Puerto Caldera, sur le Pacifique. Les bateaux de plaisance accostent principalement à Playas del Coco ; mais sachez que les services d'immigration et les douanes sont également présents à Caldera et Golfito, toujours côté Pacifique. Sur la côte caraïbe, vous pouvez débarquer à Puerto Limón, mais attention, ce port n'est pas équipé d'infrastructures permettant d'accueillir les voiliers de plaisance. Avant d'accoster, Il faut présenter l'original et une copie du passeport de chaque équipier et passager, la liste complète de l'équipage, les papiers du bateau et le formulaire de départ du dernier port d'escale. Toutes les autres réglementations internationales restent valides. Il faut attendre la visite de l'immigration et des douanes avant de débarquer.

Se déplacer

Transports urbains

En ville

Les rues de San José se croisent en échiquier. Les *calles* sont orientées nord-sud, les *avenidas* est-ouest. L'Avenida Central (Av Ctl) sépare la ville selon un axe nord-sud. Elle prend le nom de Paseo Colón à l'ouest de l'hôpital San Juan de Díos. La Calle Central (Ca Ctl) divise San José d'est en ouest. Les *avenidas* sud et les *calles* ouest portent des numéros pairs ; les *avenidas* nord et les *calles* est, des numéros impairs.

Au centre-ville, l'Avenida Central devient une large artère piétonne, agréable pour faire du lèche-vitrine. En la suivant, vous vous retrouverez tout près de la plupart des lieux à visiter. Dans les autres rues, les trottoirs sont envahis par les *chimanos* (stands).

Certaines abréviations sont utilisées pour les adresses : "Av" pour *Avenida*, "Ca" pour *Calle*, "Ctl" pour *Central*, "Apto" ou "Apdo" pour *Apartado* (courrier). Lorsqu'on vous communique une adresse, la première partie signale la *calle* ou l'*avenida* où se situe le bâtiment, et la seconde indique les *calles* ou *avenidas* qui la croisent. Par exemple, l'adresse de la Catedral Metropolitana, Ca Ctl, Av 2-4, signifie qu'elle se trouve Calle Central, entre les Avenidas 2 et 4 (*voir plan de San José, p. 130*).

Mais dans la plupart des cas, vous ne verrez ni adresse, ni noms de rues. Les *avenidas* et *calles* du centre de San José sont numérotées (pas les immeubles et maisons), mais les Ticos ne s'y réfèrent pas. Habituellement, une adresse est indiquée par la distance en *metros* (mètres) au nord, à l'est, au sud ou à l'ouest d'un lieu connu. Et lorsque vous marchez, rappelez-vous que les voitures sont prioritaires, et non l'inverse : soyez vigilant en traversant.

En avion

Les vols intérieurs (*vuelos locales*) sont économiques et peuvent vous éviter des trajets éprouvants.

Si le temps vous manque pour visiter le pays, renseignez-vous sur les pass aériens couvrant les destinations des principales compagnies domestiques. Sansa propose un pass intitulé Costa Rica Air Pass (249 € pour 1 semaine, 299 € les 2 semaines). L'Adventure Pass de Nature Air est valable en basse saison (fin avr.-fin nov.) et coûte 249 € pour 1 semaine, 349 € les 2 semaines.

Sansa
Tél. 290 4100
Fax 290 3543
www.flysansa.com
Dessert Coto 47, Golfito, Puerto Jiménez, Palmar Sur, Tortuguero, Barra del Colorado, Nosara, Sámara, Tamarindo, Punta Islita, Quepos, Tambor, Liberia, Limón et Bahía Drake.
Nature Air
Tél. 299 6000
Fax 220 0413
www.natureair.com
Vols pour Liberia, Tamarindo, Nosara, Tambor, Quepos, Palmar Sur, Puerto Jiménez, Barra del Colorado, Limón, Bahía Drake, Punta Islita, Tortuguero, Bocas del Toro, Panama et Granada, Nicaragua. Planches de surf acceptées selon l'espace disponible, moyennant un supplément.
Aerotaxi Alfa Romeo
Tél. 735 5178
aerocorcovado@racsa.co.cr
Avion-taxi ralliant Puerto Jiménez à l'Estación Serena, dans le Parque Nacional Corcovado.
Paradise Air
Tél. 296 3600
Fax 296 1429
www.flywithparadise.com
Aéroport de Pavas assurant des vols vers diverses destinations d'Amérique centrale. Également vols charters.
Flying Crocodile
Tél. 656 8048
Fax 656 8049
www.flying-crocodiles.com
Basé à Crocodile Lodge, à Sámara. Vols en ULM. Cours possibles.
Skyline Ultra-Light Flights
Tél. 743 8037
www.flyultralight.com
Vols individuels au-dessus du Pacifico Sur et du Sierpe. Leçons de vol.

En car

Vous pouvez voyager dans la majeure partie du pays en bus ou en car, moyen de transport le plus utilisé par les Ticos.

Le bus de Sabana Cementerio traverse San José dans les deux sens, au nord et au sud depuis le centre ; demandez où se trouve l'arrêt le plus proche (*¿Dónde está la parada para el Sabana Cementerio?*). Tous les autres bus rayonnent vers les faubourgs au départ de leur terminus. Par exemple, ceux qui se dirigent vers l'ouest (Rohrmoser, Escazú, Santa Ana) partent du quartier de Coca Cola ; les bus rejoignant l'est (Los Yoses, San Pedro, Curridabat) partent de l'extrémité est de l'artère piétonne.

Les cars longues distances n'ont pas de gare routière, mais partent de terminaux situés dans divers quartiers. Parmi les plus importants : le terminal "Coca Cola", près de l'ancienne usine de mise en bouteilles, Ca 16, Av 1-3, rallie le Pacífico Central ; les bus à destination de la côte caraïbe partent Ca Ctrl, Av 11 (à l'est du Museo de los Niños) ; et le MUSOC, Ca Ctrl, Av 30, dessert San Isidro (point de départ des cars pour la Zona Sur). Horaires disponibles à l'ICT (Instituto Costarricense de Turismo), au Museo del Oro (www.visitcostarica.com).

Pour certains trajets, il est conseillé d'acheter son billet 24h à l'avance – et plusieurs jours avant la semaine de Pâques. Les compagnies ne vendent souvent que l'aller ; achetez votre billet retour en arrivant pour être sûr d'avoir une place. Surveillez vos bagages.

Grayline Fantasy Bus et Interbus proposent des liaisons en navette à prix raisonnable (entre 25 € et 55 €). Cars climatisés et confortables.

Grayline Fantasy Bus
Tél. 232 3681
www.graylinecostarica.com
Interbus
Tél. 283 5573
www.interbusonline.com

Situé sous la Plaza de la Cultura, l'ICT (*tél. 222 1090*) vous donnera la liste et les numéros de téléphones des compagnies.

En taxi

Le taxi est le moyen de transport le plus économique pour se déplacer à San José et dans les alentours. Vous aurez rarement à attendre, sauf aux heures de pointe. Tous les véhicules doivent être équipés d'une *maría* (compteur), mais assurez-vous qu'elle a bien été mise en marche. Sinon, n'hésitez pas à marchander le tarif annoncé avant de monter. Si le prix de la course vous paraît exorbitant, notez le nom du chauffeur, son numéro de licence, et contactez la compagnie de taxi (numéro affiché sur le véhicule).

Vous pouvez aussi réserver un taxi pour vous rendre dans les alentours de San José. Attention, les taxis stationnés en face des grands hôtels coûtent toujours plus cher, et la plupart marchent au forfait. Les voitures sont de couleur rouge et repérables au signe "taxi" sur le toit. Si elles ne sont pas rouges ou n'affichent pas de triangle jaune sur les portières, ce sont des taxis "*piratas*" (sans licence).

Compagnies de taxi

Alfaro
Tél. 221 8466
Coopetaxi
Tél. 235 9966
Coopetico
Tél. 224 7979
Coopeirazu
Tél. 254 3211
Coopeguaria
Tél. 226 1366
San José Taxis
Tél. 221 3434
Taxis Unidos
Tél. 221 6865

Aéroports

Juan Santamaría
Vols internationaux
Tél. 437 2626
Liberia, Daniel Oduber
Vols internationaux
Tél. 668 1010
Pavas, Tobias Bolaños
Vols intérieurs
Tél. 232 2820

En train

Fonctionnant à nouveau depuis peu, le réseau ferroviaire de San José vous conduit à quelques pas de certains bâtiments, mais son utilité reste théorique. L'*estación central* se trouve près de la Clínica Bíblica, au sud de la ville. Des trains de banlieue partent en direction de l'ouest vers Pavas et en direction de l'est vers San Pedro à 5h, 6h15, 7h20, 16h20 et 17h30, retours environ 40 min plus tard (en semaine uniquement). Pour traverser l'agglomération de part en part il faut 75 min. C'est bien plus long qu'en taxi, sauf aux heures de pointe. Un ticket coûte environ 0,30 €.

En bateau

Pour rejoindre la côte sud de Nicoya, vous prendrez sans doute le ferry reliant Puntarenas à Paquera (environ 90 min). Deux compagnies effectuent cette liaison. Tambor, qui est géré par l'Hotel Barceló, assure la traversée la plus agréable mais ses ferrys sont souvent pris d'assaut. Évitez le vendredi et le samedi après-midi et le soir, l'attente dure parfois des heures.

Le ferry assurant la liaison Puntarenas-Naranjo n'a pas grand intérêt, sauf pour rejoindre le nord de la péninsule (mais ces sites sont généralement plus faciles d'accès en bus ou en voiture par le Puente Tempisque). Avant de monter dans le ferry, le conducteur doit descendre du véhicule pour acheter son billet ; les passagers doivent acheter le leur séparément, puis embarquer et débarquer à pied.

Península de Nicoya de Coonatramar R.L.
Tél. 661 1069
www.coonatramar.com
Tambor
Tél. 661 2084
Puntarenas-Playa Naranjo
Dép. : 6h, 10h, 14h20 et 19h.
Playa Naranjo-Puntarenas
Dép. : 7h30, 12h30, 17h et 21h.
Paquera-Puntarenas
Tél. 641 0118
Dép. : 4h30, 8h30, 12h30, 16h30 et 20h30.
Puntarenas-Paquera
Dép. : 6h30, 10h30, 14h30, 18h30 et 22h30.

À vélo

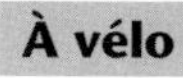

Le vélo est idéal pour découvrir l'arrière-pays, surtout sur les routes peu fréquentées qui sillonnent les zones rurales. L'absence de bas-côtés reste toutefois un problème majeur. Prévoyez un bon antivol et des pneus renforcés en kevlar, qui évitent les crevaisons dues aux bouts de verre. Renseignez-vous auprès de votre compagnie aérienne pour le transport.

Quelques notions d'espagnol et des cartes fiables peuvent suffire pour se débrouiller seul. Mais vous serez plus tranquille en faisant appel aux services d'un tour operator. Il vous indiquera les itinéraires les plus sûrs et s'occupera de la logistique.

En voiture

Routes non éclairées, défoncées, conducteurs insouciants et signalisation souvent déplorable n'encouragent pas à prendre le volant. Soyez donc extrêmement prudent.

Le port de la ceinture est obligatoire (amende de 25 €), et l'alcoolémie réprimée (amende de 30 € env. au-dessus de 0,049 %). Au-delà de 0,099 %, vous risquez le retrait de votre permis et la confiscation du véhicule.

Location de voitures

Si vous souhaitez voyager hors des sentiers battus, louer une voiture

CI-DESSUS : attention aux surprises !

présente bien des avantages. Réservez votre véhicule longtemps à l'avance, et faites-vous confirmer votre réservation par écrit. Le pré-paiement est conseillé, surtout en haute saison. Tarifs à partir de 60 €/j., 80 € pour un 4x4, assurance comprise. Le conducteur doit être âgé de plus de 21 ans, présenter un passeport valide et un permis de conduire, ainsi qu'une carte bancaire pour la caution (pas d'espèces). Les agences suivantes acceptent l'American Express, la MasterCard et la Visa.

Alamo Rent a Car
Ca 11-13, Av 18
Tél. 233 7733
Fax 290 0431
www.alamocostarica.com

Avis
Cruce San Antonio de Belén
Tél. 293 2222
Fax 293 1111
www.avis.co.cr

Budget
Paseo Colón
Tél. 436 2000
Fax 436 2002
www.budget.co.cr

Dollar
Paseo Colón
Ca 34-36
Tél. 443 2950
Fax 440 1401
www.dollarcostarica.com

Economy
Sabana Norte
Tél. 299 2000
Fax 299 2010
www.economyrentacar.com

Hertz
Paseo Colón, Ca 38
Tél. 221 1818
Fax 233 7254
www.costaricarentacar.com

National
La Uruca
Même bâtiment que Alamo
Tél. 290 8787
Fax 290 0431
Réservations : 800-car rent
www.natcar.com
Chauffeurs bilingues disponibles.

Payless
Ca 10, Av 13-15
San José
Tél. 506-257 0026
Fax 221 5671
www.paylesscr.com
Âge minimum 25 ans.

Chauffeurs

Autre possibilité : engager un chauffeur bilingue. Renseignez-vous auprès du personnel de votre hôtel, ou consultez le *Tico Times*.

Petit code tico

La *Doble tracción* (4x4) est recommandée dans de nombreuses régions en dehors du Valle Central, surtout durant la saison des pluies quand les routes sont défoncées et boueuses. Des chaînes vous permettront de rouler dans les ornières ; si vous êtes embourbé, dégonflez un peu vos pneus afin d'augmenter l'adhérence.

Permis

Conduire un véhicule sans permis est illégal et invalide votre assurance. Votre permis de conduire est valable trois mois. Ayez toujours votre passeport sur vous (une photocopie avec la page du visa d'entrée devrait suffire).

Importation

Les véhicules étrangers demeurant plus de 6 mois au Costa Rica sont lourdement taxés. Si vous entrez avec un véhicule, vous devez repartir à son volant ou présenter des papiers attestant que vous l'avez vendu.

Conduite locale

Méfiez-vous, les automobilistes zigzaguent sur la route pour éviter les ornières et les *huecos* (nids-de-poule). Si un conducteur vous fait un appel de phares, comprenez qu'il vous cède le passage (par exemple si vous tournez à gauche). À moins qu'il ne vous avertisse de la présence de la police au prochain virage. Les radars sont fréquents. Si un policier vous fait signe, n'essayez pas de filer. Vous seriez rapidement arrêté par une autre patrouille un peu plus loin.

Accidents

Les taux d'accidents corporels et mortels sont très élevés. Soyez extrêmement prudent. Ne conduisez pas un véhicule non assuré. Vous devez avoir un triangle de signalisation réfléchissant dans votre coffre. Si vous avez un accident, vous ne devez pas déplacer votre véhicule avant l'arrivée de la police et de l'INS (Instituto Nacional de Seguros, institut national des Assurances). Ne faites pas de constat, mais relevez le nom des témoins.

Stationnement

Les lignes jaunes signalent une interdiction de stationner. Même si vous vous trouvez dans le véhicule, la police peut vous empêcher de descendre et appeler une *grúa* (remorqueuse). Vous pouvez rester dans la voiture jusqu'à la fourrière, où vous devrez payer le coût du remorquage. Mieux vaut garer votre véhicule dans l'un des *parqueos* (parkings) bon marché de la ville. Les vols y sont moins fréquents.

Corruption

Certains policiers appréhendent les conducteurs étrangers pour leur soutirer quelques colones. Vous pouvez donc être arrêté sans raison apparente. Présentez tous les papiers nécessaires et restez poli. Un policier n'a pas le droit de vous demander de payer une amende sur-le-champ. Dans ce cas, s'il vous réclame un bakchich ou vous traite particulièrement grossièrement, réclamez le PV (*"Deme el parte"*) et notez l'identité du policier. Faites ensuite rapidement une réclamation auprès de la Dirección de Tránsito.

Distances

En calculant vos temps de trajet, tenez compte des routes en mauvais état et des camions. Le site www.costaricamap-online.com dresse une assez bonne liste par région de l'état des routes (goudronnée, pistes accessibles en berline ou en 4x4 uniquement) et indique les postes à essence.

San José-Quepos
192 km 3h30
San José-Tamarindo
274 km 5h
San José-Puerto Viejo
203 km 4h30
San José-La Fortuna
194 km 3h30
San José-Puerto Jiménez
332 km 6h
La Fortuna-Monteverde
136 km 4h (3h en 4x4-ferry-4x4)

Hébergement

Se loger

Choisir un hôtel

Le centre-ville de San José est bruyant et pollué ; rien ne vous oblige à y séjourner. Escazú, Santa Ana, Alajuela, Heredia et autres villes du Valle Central sont moins chères, bien plus agréables et typiques du mode de vie tico. La haute saison s'étend du 1er nov. au 30 avr., et la basse saison du 1er mai au 31 oct. Durant cette période, les tarifs des chambres peuvent baisser jusqu'à 40 %. Les prix indiqués ci-dessous sont appliqués en haute saison.

Une réservation non payée peut être annulée sans préavis, surtout en haute saison et particulièrement sur le littoral ou dans le Monteverde. Vous pouvez obtenir une réduction si vous séjournez plusieurs nuits dans le même établissement. Demandez à votre hôtel s'il baisse ses prix durant la *época de lluvia* (saison humide).

Les hôtels de catégorie supérieure (*voir encadré*) offrent le petit déjeuner, sauf mention contraire. Dans des lodges éloignées (régions comme Tortuguero ou Península de Osa), les repas sont généralement compris, ainsi que les transports et un circuit ou deux.

Office de tourisme L'Instituto Costarricense de Turismo (ICT) se trouve dans le centre de San José, sous la Plaza de la Cultura (*tél. 223 1733*, www.visitcostarica.com, ouv. lun.-ven. de 9h à 17h). Mais si vous arrivez sur place sans avoir réservé, ne comptez pas sur l'ICT pour vous aider à trouver une chambre – s'il n'est pas tout bonnement fermé par manque de personnel.

L'ICT applique un système de classification reposant sur la taille des chambres et les équipements. D'autres appellations non officielles sont également utilisées :

Apartotel Appartements avec kitchenette et salle de séjour dans un complexe de style hôtelier. Tarifs à la semaine et au mois.
Cabina Habituellement, un bungalow d'une pièce avec douche et baignoire, situé près de la plage dans les stations balnéaires. Tarifs et qualité très variables.
Bed & Breakfast Les tarifs et la qualité varient beaucoup, allant de la chambre d'hôte modeste à la guest-house avec piscines et courts de tennis.
Lodge Fréquentes surtout dans les régions reculées, près des parcs notamment. Repas généralement inclus. Activités presque toujours proposées (ornithologie, randonnées guidées à pied ou à cheval).
Villa ou Chalet Guère différents d'un hôtel.
Inn Sorte de B&B mieux équipé.
Resort Complexe hôtelier luxueux et indépendant.
Hotel Établissement comptant plus de 10 chambres.
Hostal Appartient à un petit réseau national d'auberges de jeunesse. Tarifs variables.
Albergue/Pensión Petit hôtel.

La plupart des agences de voyage proposent des forfaits hôtels/circuits. Quelques organismes sont spécialisés dans certains types d'hébergement.

Chez l'habitant

Pour mieux comprendre les habitants et la culture du pays, rien ne vaut un séjour organisé dans une famille. Vous êtes logé en chambres d'hôte et participez autant (ou aussi peu) que vous le souhaitez aux activités de la maison. Ces familles sont sélectionnées selon des critères de confort et d'hospitalité, et la plupart parlent anglais et habitent dans la région de San José. Les tarifs sont souvent très raisonnables.

Il est conseillé de contacter les écoles de langue qui vous aideront à organiser votre séjour (*voir p. 303*).

Vous recevrez un dossier d'informations avec vos réservations, comprenant des données sur le pays, une carte routière avec un itinéraire d'accès et une présentation de la famille qui va vous accueillir. Transfert possible de l'aéroport ou de l'hôtel.

Bells' Home Hospitality (*San José, tél. 225 4752, fax 224 5884*, www.homestay.thebells.org) organise des séjours chez l'habitant.

Les familles font parfois table d'hôte et proposent un service de blanchissage. Faîtes un tour du côté de l'université, consultez le tableau d'affichage du Costarican/North American Cultural Center, le *Tico Times* ou les journaux locaux.

L'**ACOPROT** (Asociación Costarricense de Profesionales en Turismo) répertorie une liste de chambres www.acoprot.org/links/camaras.htm (en espagnol).

Sites internet

Costa Rican Hotel Association
Tél. 248 0990
www.costaricanhotels.com
Bonne source infos pour les hôtels.
Costa Rica Innkeepers
Tél. 441 1157
www.costaricainnkeepers.com
Association de petits hébergements B&B.
Costa Rican Vacations
Tél. 296 7715 (Costa Rica) ou 800-606 1860 (Canada)
www.vacationscostarica.com
Location d'appartements, de *condos* et de villas.

Liste des hôtels

San José

Gran Hotel
Plaza de la Cultura
Tél. 221 4000
Fax 221 3501
www.grandhotelcostarica.com
Superbe édifice ancien, face au Teatro Nacional. D'innombrables prestations propres à satisfaire la clientèle la plus exigente. La plus belle terrasse de café de San José. **€€€-€€€€**

Hotel Grano de Oro
Av 2-4, Ca 30
San José
Tél. 255 3322
Fax 221 2782
www.hotelgranodeoro.com
Hôtel aménagé dans deux maisons anciennes, l'une datant du début du XXe siècle, l'autre des années 1950. Belle vue, excellent restaurant. **€€€**

Le Bergerac
Barrio Los Yoses
Av Central, Ca 35
Tél. 234 7850
Fax 225 9103
www.bergerachotel.com
Cet établissement français haut de gamme est l'un des plus agréables de la ville. Restaurant gastronomique servant des spécialités françaises. **€€€**

Hotel 1492 – Jade y Oro
Barrio Escalante
Av 1, Ca 31-33
Tél. 256 5913
Fax 280 6206
www.hotel1492.com
Des peintures murales de style précolombien décorent cet hôtel comprenant 10 chambres. Petit déjeuner dans le patio à la végétation luxuriante. Le soir, verre de vin et fromage offerts, hospitalité oblige. **€€-€€**

Hotel Don Carlos
Barrio Amón
Av 9, Ca 9
Tél. 221 6707
Fax 258 1152
www.doncarloshotel.com
Située en plein centre de San José, cette auguste résidence hébergea 2 familles présidentielles. Œuvres d'art dans les couloirs, jardins paisibles et chambres classiques et élégantes. Tarifs attractifs. Excellente boutique cadeaux. **€€-€€**

B & B Cinco Hormigas Rojas
Av 9-11bis, Ca 15
San José
Tél. 255 3412
Tél./fax 257 8581
www.cincohormigasrojas.com
La retraite originale et verdoyante d'un artiste. **€-€€**

Hotel la Amistad
Barrio Otoya
Av 11, Ca 15
Tél. 258 0021
Fax 258 4900
www.hotelamistad.com
À l'intérieur de ce vaste bâtiment orange, 40 chambres avec tél. direct et messagerie vocale ; chambres luxueuses et mini-suites climatisées. Accès wireless et cybercafé. **€-€**

Posada del Museo
Av 2, Ca 17
Tél. 258 1027
Fax 257 9414
www.hotelposadadelmuseo.com
Face au Museo Nacional, sur l'avenue piétonne, une maison victorienne proposant un vaste éventail de chambres au style colonial. Café au rez-de-chaussée, parfait pour glaner des infos culturelles ou déguster des pâtisseries argentines. **€-€€**

Casa Ridgeway
Av 6 bis, Ca 15
San José
Tél. 222 1400
Fax 233 6168
www.amigosparalapaz.com
Petite *pensión* très accueillante gérée par des Quakers. Salon confortable avec TV câblée. Mise à disposition de la cuisine et de la laverie. Petit déjeuner inclus. **€**

Hotel Aranjuez
Av 11-13, Ca 19
San José
Tél. 256 1825
Fax 223 3528
www.hotelaranjuez.com
Dans la vieille ville, une antique bâtisse en forme de dédale. Chambres tout confort à des prix très raisonnables. **€**

Valle Central

Alajuela

Hotel La Guaria Inn
Tél. 440 2948
Fax 441 9573
laguariahotel@netscape.net
En centre-ville, 21 chambres standard et 4 suites junior (toutes avec TV câblée). Taxes incluses si vous réglez en espèces. Proche de l'aéroport. **€€€**

Orquídeas Inn
Tél. 433 7128
Fax 433 9740
www.orquideasinn.com
Près de l'aéroport, hôtel de style hacienda, chambres spacieuses, suites et 2 chambres dominées par une coupole géodésique. Au restaurant, cuisine internationale et végétarienne inventive. Le bar, le Marilyn Monroe, est très réputé. **€€€-€€€€**

Xandari Resort and Spa
À 10 km de l'aéroport
Tél. 443 2020
Fax 442 4847
www.xandari.com
Oasis jouissant d'une vue fabuleuse sur le Valle Central. Villas spacieuses, spa, restaurant raffiné et diététique. Établissement jumeau de Xandari by The Pacific (*tél. 778 7070*) à Esterillos Este (Pacífico Central). Un cadre idéal pour une lune de miel. **€€€€**

Hotel Airport Inn
Tél. 441 7569
Fax 431 0572
larrycastillo1@hotmail.com
Situé près de l'aéroport, cet hôtel est parfait pour passer une nuit en arrivant ou avant de reprendre l'avion. Chambres avec TV câblée et balcon au même prix que les autres (demandez-en une réservant). Pas de piscine, mais parc aquatique d'Ojo de Agua à proximité. **$$**

Hotel Il Millenium
Tél. 430 5050
Fax 441 2365
www.bbmilleniumcr.com
Bed & breakfast à 1 km de l'aéroport Juan Santamaría et à proximité d'un arrêt de bus. Patron anglophone, ambiance sympathique. Tarifs au mois sur demande. Une bonne adresse. **€€**

Heredia

Finca Rosa Blanca Country Inn
Près de l'aéroport
Tél. 269 9392
Fax 269 9555
www.fincarosablanca.com
Charmant hôtel perché dans les collines de Heredia. C'est l'un des 2 seuls établissements ayant obtenu de l'ICT la

Gamme de prix

Les prix s'entendent pour une chambre double, petit déjeuner non inclus.

€	moins de 40 $US
€€	de 40 à 70 $US
€€€	de 70 à 150 $US
€€€€	plus de 150 $US

note maximum en matière de tourisme durable. Située dans une tour, la salle de bains de la suite donne l'impression d'être dans la jungle tropicale. €€€€

Hotel Bougainvillea
Santo Domingo de Heredia
Tél. 244 1414
Fax 244 1313
www.hb.co.cr
Le cadre idéal pour les amoureux de la nature et de tranquillité. 5 ha de jardins tropicaux avec piscine chauffée, sauna, courts de tennis éclairés. 80 chambres décorées avec goût. €€-€€€

Hotel Chalet Tirol
Tél. 267 6228
Fax 267 6373
www.tirolcr.com
Chalets tyroliens en pleine forêt de brouillard au-dessus de Heredia, en bordure du Parque Nacional Braulio Carrillo. €€-€€€

Hotel & Villas La Condesa
San Rafael de Heredia
Tél. 267 6001
Fax 267 6200
www.hotellacondesa.com
Hôtel de montagne aux chambres luxueuses. Centre de conférence, piscine, restaurants ; pistes de randonnées pédestres et équestres. €€€-€€€€

Naranjo

Vista del Valle Plantation Inn
Naranjo, près de Grecia
Tél. 450 0800
Fax 451 1165
www.vistadelvalle.com
La simplicité de cette architecture japonaise contraste avec la luxuriance de la forêt environnante. Chambres avec douches solaires et patios privés. Une ballade vous conduit à la cascade du domaine, de 90 m de haut. €€€

Orosí

Orosí Lodge
Tél./fax 533 3578
www.orosilodge.com
Lodge réputée à la lisière de la ville. À l'étage, chambres donnant sur la vallée et le volcan. De délicieuses pâtisseries européennes sont servies dans le café-galerie d'art. €€

Santa Ana/ Escazú

Hotel Alta
Santa Ana
Tél. 282 4160
Fax 282 4162
www.thealtahotel.com
Cet hôtel de style colonial bénéficie d'une vue superbe sur le Valle Central. Restaurant gastronomique. €€€€

Casa de las Tías
Escazú
Tél. 289 5517
Fax 289 7353
www.hotels.co.cr/casatias.html
Chaleureux et paisible, ce B & B de style victorien comprend 4 grandes chambres et une suite ; petit déjeuner royal. €€

Turrialba

Casa Turire
Tél. 531 1111
Fax 531 1075
www.hotelcasaturire.com
Hôtel situé dans une plantation de canne à sucre, de caféiers et de macadamiers, sur fond de montagnes spectaculaires. Piscine. À proximité de superbes descentes en rafting. €€€-€€€€

Turrialtico
Turrialba
Tél. 538 1111
Fax 538 1575
www.turrialtico.com
Établissement haut de gamme à prix accessible. Les chambres situées dans le bâtiment en bois sont simples mais confortables. Au restaurant, cuisine traditionnelle et vue splendide sur la vallée de Turrialba. €€

Volcán Turrialba Lodge
À 20 km de Turrialba
Tél. 273 4335
Fax 273 0703
www.volcanturrialbalodge.com
Cabinas équipées de poêles à bois. Cadre majestueux, randonnées à pied et à cheval jusqu'au cratère éteint. Tarif comprenant le petit déjeuner et 2 repas. €

PACÍFICO CENTRAL

Jacó et environs

Hotel Club del Mar Resort
Jacó
Tél. 643 3194
Fax 643 3550
www.clubdelmarcostarica.com
L'établissement le plus haut de gamme de la région offre plusieurs types de logement (le *condo* bénéficie du meilleur rapport qualité-prix). Restaurant. €€€€

AparHotel Vista Pacífico
Jacó
Tél. 643 3261
Fax 643 2046
www.vistapacifico.com
La plupart des studios et des appartements donnent sur l'Océan. 2 chambres accessibles aux voyageurs handicapés. Piscine. À 2 km de la plage. Parfait pour les familles. €€-€€€

Villa Caletas
Playa Herradura
Tél. 637 0505
Fax 637 0404
www.villacaletas.com
Perché sur une montagne, cet établissement luxueux de style victorien domine l'océan Pacifique. Piscine agréable. L'amphithéâtre accueille des manifestations culturelles. €€€€

Cabinas Las Olas
Playa Hermosa
Tél. 652 9315
Fax 652 9931
www.cabinaslasolashotel.com
Chambres avec sdb privative (eau chaude), ventilateur et kitchenette. Piscine. Repaire de surfeurs, bonne ambiance. €

Hotel Villa Lapas
Près du Parque Nacional Carara
Tél. 637 0232
Fax 637 0227
www.villalapas.com
Hôtel isolé, dont le cadre est le principal atout : randonnées dans la forêt humide et sur une passerelle suspendue. Circuit canopée. €€€

Hotel Punta Leona
Punta Leona
Tél. 231 3131
Fax 232 0791
www.hotelpuntaleona.com
Dans une réserve privée de 300 ha, vaste complexe/village hôtelier donnant accès à de belles plages en forêt humide. Plusieurs restaurants, église et activités touristiques diverses. €€€-€€€€

Encantada Hotel
(ancien Bacara Beach Resort)
Esterillos
Tél. 778 7048
www.encantadacostarica.com
Deux chambres basiques, 4 *cabinas* et un appartement face à l'Océan, tous climatisés, près de la plage. Piscine, location de planches de surf et de vélos. €-€€

La Felicidad Country Inn
Playa Esterillos
Tél. 778 6824
Fax 779 9960
www.lafelicidad.com
Un établissement orienté plein sud, confortable et aux tarifs abordables. Idéal pour admirer le coucher du soleil. €-€€

Manuel Antonio

Gaia Hotel y Reserva
Tél. 777 9797
Fax 777 9196
www.gaiahr.com
Chaîne "Small Luxury Hotels of the World." Dans une réserve de 5,7 ha, éventail d'hébergement allant du studio de 32 m² à la villa de 186 m² ; tarifs incluant service individualisé. Restaurant gastronomique La Luna. €€€€

La Mariposa
Manuel Antonio
Tél. 777 0355
Fax 777 0050
www.lamariposa.com

Hébergement spacieux et service irréprochable. Navette gratuite pour la plage. Vue magnifique. €€€€

Makanda by the Sea
Tél. 777 0442
Fax 777 1032
www.makanda.com
Dans la jungle, un complexe haut de gamme et romantique (réservé aux adultes). Villas voûtées, cuisines équipées, jardins japonais. Restaurant gastronomique vivement recommandé. Vue spectaculaire. €€€€

Sí Como No
Tél. 777 0777
Fax 777 1093
www.sicomono.com
Cet établissement luxueux aux chambres donnant sur la forêt humide et l'Océan sert de cadre à de nombreux mariages. Singes hurleurs à portée de voix, spa dans la jungle et cinéma. €€€€

Costa Verde
Tél. 777 0584
Fax 777 0560
www.costaverde.com
"Plus de singes que de gens", proclame cet hôtel perché dans une forêt en surplomb d'un croissant de sable. Studios équipés, appartements et maisons fonctionnelles. Vue superbe. 2 piscines en terrasse. Petit déjeuner non compris. €€€-€€€€

Mango Moon
Tél. 777 5323
Fax 777 5128
www.mangomoon.net
La plupart des chambres et des suites ont vue sur l'Océan. Une piste descend à la belle Playa Biesanz. €€€-€€€€

Villas Nicolás
Tél. 777 0481
Fax 777 0451
www.villasnicolas.com
Terrasses réservant de belles vues. €€€€

Hotel Karahé
Tél. 777 0170
Fax 777 1075
www.karahe.com
Neuf bungalows climatisés dans un domaine de 600 ha. Piscine, restaurant. Activités de plein air. €€€

El Mono Azul
Près de Manuel Antonio
Tél. 777 2572
Fax 777 1954
www.monoazul.com
Établissement original à l'ambiance familiale proposant des chambres et des villas équipées. Boutique-cadeaux. €€-€€€

Nature's Beachfront Apartments
Tél. 777 1473
Fax 777 1475
www.maqbeach.com/natures.html
Sur la plage, studios, suites, appartements équipés et une villa. À 15 min à pied du parc national. €€-€€€

Didi's Charming House
Tél. 777 0069
Fax 777 2863
www.didiscr.com
Trois chambres joliment décorées. Dîner sur demande. Croisières. Patrons italiens. €€

Hotel Vela Bar
Tél. 777 0413
Fax 777 1071
www.velabar.com
On a l'impression que la jungle va traverser les murs. Chambres et appartements avec kitchenette, a/c et sdb privative. Restaurant très prisé. €-€€

Cabinas Piscis
Tél/fax 777 0046
piscisjf@racsa.co.cr
Chambres modestes avec sdb privée ou commune dans une grande propriété à 600 m du parc national et à 150 m de la plage ; également maison équipée avec a/c. €-€€

Quepos

Cabinas Pedro Miguel
Quepos
Tél. 777 0035
Fax 777 2200
www.cabinaspedromiguel.com
Chambres confortables, certaines avec a/c et TV, "éco-*cabinas*" pour 4 pers. (ni a/c, ni TV). Les chambres situées plus en hauteur jouissent d'une belle vue sur l'Océan. Prix très attractifs pour la région. Patrons ticos charmants et très serviables. Une bonne adresse. €

Rafiki Safari Lodge
Quepos (30 km au sud)
Tél. 777 2250
Fax 777 5327
www.rafikisafari.com
Dix tentes safari de luxe (avec sdb) sur des pontons en bois. Rafting et kayak sur le Río Savegre, observation des oiseaux, randonnées à pied et à cheval à travers 283 ha de forêt humide. €€€€

Cabinas Doña Alicia
Tél. 777 0419
www.cabinasalicia.com
Un établissement propre et sympathique. Les plus grandes chambres avec a/c, 2 avec eau chaude, toutes avec sdb privative. €

Hotel Ceciliano
Quepos
Tél./fax 777 0192
Hôtel agréable et bien tenu. Chambres avec sdb privée ou commune, ventilateur et a/c. €

NORDOESTE

Flamingo et environs

Bahía Esmeralda
Potrero
Tél. 654 4480
Fax 654 4479
www.hotelbahiaesmeralda.com
Dans un jardin, chambres confortables avec ou sans kitchenette, villas et suites équipées, proches des plages. Petit déjeuner inclus durant la saison "verte". €€

Hotel Brasilito
Playa Brasilito
Tél. 654 4237
Fax 654 4247
www.brasilito.com
Sur la plage, hôtel en bois sans prétention, mais dont le restaurant, le Gecko, est excellent. Vue magnifique. €

Golfo de Nicoya

La Ensenada Lodge
Palo Verde
Tél. 289 6655
Fax 289 5281
www.laensenada.net
Cabinas rafraîchies par les brises du golfo. Repas, randonnées à cheval et sorties en mer incluses dans les prix. €

Golfo de Papagayo

Occidental Grand Papagayo
Playa Panamá
Tél. 672 0193
Fax 672 0191
www.occidentalhoteles.com
Village hôtelier de très grand luxe situé sur les collines dominant le Golfo de Papagayo. Décor colonial. Des carrioles font la navette entre le spa, la salle de sport, le court de tennis et les restaurants gastronomiques. Forfaits tout compris. €€€€

Hotel El Velero
Playa Hermosa
Tél. 672 1017
Fax 672 0016
www.costaricahotel.net
Fréquenté par les expatriés, cet hôtel en front de mer est une base idéale pour les croisières "coucher de soleil" et la pêche en pleine mer. €€€

Hotel Playa Hermosa Bosque de Mar
Playa Hermosa (Guanacaste)
Tél. 672 0046
Fax 672 0019
www.hotelplayahermosa.com
Sur la plage, *cabinas* avec sdb privée, eau chaude, ventilateur ou a/c. €€€

Villa Huetares
Playa Hermosa
Tél. 672 0052

GAMME DE PRIX

Les prix s'entendent pour une chambre double, petit déjeuner non inclus.

€	moins de 40 $US
€€	de 40 à 70 $US
€€€	de 70 à 150 $US
€€€€	plus de 150 $US

Fax 672 0051
www.villahuetares.com
Rapport qualité-prix imbattable en ville : bungalows familiaux de 2 chambres équipeés et 16 chambres spacieuses, les plus récentes avec a/c et TV câblée. Cuisine tica au restaurant. **€-€€**

La Puerta del Sol
Playas del Coco
Tél. 670 0195
Fax 670 0650
Le meilleur choix du secteur dans la catégorie luxe. Vastes chambres climatisées indépendantes (et une suite) à l'ambiance méditerranéenne, aménagées dans un parc doté d'une piscine. Le restaurant El Sol y La Luna est une excellente table. **€€-€€€**

El Ocotal Resort
Playa Ocotal
Tél. 670 0321
Fax 670 0083
www.ocotalresort.com
Un établissement élégant donnant sur la plage. 2 restaurants, tennis, piscines, pêche sportive. **€€€€**

Villa Casa Blanca
Playa Ocotal
Tél./fax 670 0448
www.hotelvillacasablanca.com
Suites victoriennes ultra romantiques entourées d'un luxuriant jardin tropical. Sur une colline, après l'accès au El Ocotal Beach Resort. Excellent petit déjeuner. **€€€**

Four Seasons Resort Costa Rica
Papagayo Península
Guanacaste
Tél. 696 0000
Fax 696 0500
www.fourseasons.com/costarica
En passe de devenir le meilleur établissement du pays dans sa catégorie. Cadre ou service, rien n'est assez chic ni glamour pour ce complexe haut de gamme. **€€€€**

Liberia

Casa Vieja
Liberia
Tél. 665 5826
Personnel charmant, chambres bien tenues et petit espace cuisine : très bonne adresse à 2 pas de Calle Real. **€**

Monteverde

Heliconia Hotel
Monteverde
Tél. 240 7311
Fax 240 7331
www.hotelheliconia.com
Une luxueuse lodge en bois au charme campagnard ; spa relaxant et restaurant excellent. **€€€-€€€€**

Belmar
Monteverde
Tél. 645 5201
Fax 645 5135
www.hotelbelmarcostarica.com
Un hôtel accueillant évoquant un chalet. Jolie vue. **€€€**

Arco Iris Lodge
Monteverde
Tél. 645 5067
Fax 645 5022
www.arcoirislodge.com
Petite lodge près de la forêt de brouillard de Monteverde. Chambres avec eau chaude et sdb privée. Délicieux petit déjeuner buffet. Circuits gratuits. **€€**

Montezuma et environs

Hotel Lucy
Montezuma
Tél. 642 0273
Maison reconvertie, hébergement basique mais confortable, certaines sdb communes. Pour sa situation, au sud de la ville et tout près de la plage, excellent rapport qualité-prix. Au restaurant, cuisine tica. **€**

Hotel & Restaurante La Cascada
Montezuma
Tél./fax 642 0057
www.playamontezuma.net/cascada.php
À 400 m du centre, hébergement à prix doux, 3 chambres plus agréables avec a/c, toutes avec sdb privée. Vue sur l'Océan des 2 étages (balcons agréables au 2nd). **€-€€**

Sano Banano Village Hotel
Montezuma
Tél. 642 0638
Fax 642 0636
www.elbanano.com
En centre-ville au-dessus du restaurant diététique de l'établissement, chambres relativement bien isolées du bruit, correctes et climatisées. **€€**

Ylang Ylang Beach Resort
Montezuma
Tél. 642 0636
Fax 642 0068
www.ylangylangresort.com
Au nord de la ville, 10 min par la plage. Bungalows romantiques et suites, jardins superbes. Même direction que le Sano Banano Village Hotel. **€€€-€€€€**

Hotel Amor de Mar
Montezuma
Tél./fax 642 0262
www.amordemar.com
Au sud de la ville, sur une pointe rocheuse dominant le Pacifique. **€€-€€€**

Hotel El Jardín
Montezuma
Tél. 642 0548
Fax 642 0074
www.hoteleljardin.com
Un petit hôtel près de la plage dont l'ambiance rappelle un complexe balnéaire. 15 chambres et 2 villas, certaines avec de charmants éléments décoratifs en bois et en pierre. Petit déjeuner non inclus. **€€€**

Hotel Ancla de Oro
Cabuya de Cobano
Tél. 642 0369
www.caboblancopark.com/ancla
"Jungalows" (chalets sur pilotis) près de la Reserva Cabo Blanco et de plusieurs plages. Restaurant recommandé. **€-€€€**

Nosara-Sámara

Luna Azul
Ostional
Tél. 821 0075
www.hotellunaazul.com
Excellente adresse pour assister à l'*arribada* (arrivée de milliers de tortues de mer). Patrons suisses, *cabinas* pimpantes avec a/c et douches extérieures. Restaurant avec vue sur l'Océan, piscine à débordement et centre de remise en forme. **€€€**

Lagarta Lodge Biological Reserve
Nosara
Tél. 682 0035
Fax 682 0135
www.lagarta.com
L'adresse idéale pour les amoureux des oiseaux. Belle vue sur cette réserve privée et le Refugio de Vida Silvestre Ostional. À 10 min de Playa Guiones (sentier abrupt). Petit déjeuner buffet somptueux. **€€**

Harbor Reef Lodge
Playa Guiones, Nosara
Tél. 682 1000
Fax 682 0060
www.harborreef.com
Dans un parc, chambres confortables réservées surtout par les surfeurs (bons breaks à proximité). 2 piscines, restaurant. **€€€-€€€€**

Café de Paris Residence
Playa Guiones
Tél. 682 0087
Fax 682 0089
www.cafedeparis.net
À la semaine ou au mois. Chambres climatisées, vue sur la mer, certaines avec cuisine équipée, bungalows et villas dominant la côte de Nosara. Pain et pâtisseries maison digne d'une boulangerie française. **€€-€€€€**

Hotel Giada
Playa Sámara
Tél. 656 0132
Fax 656 0131
www.hotelgiada.net
Chaleureuse ambiance méditerranéenne. Excellentes spécialités italiennes au Pizza & Pasta a Go Go. **€€**

Casa del Mar
Sámara
Tél. 656 0264
Fax 656 0129
www.casadelmarsamara.com
En centre-ville, tout près de la plage, chambres accueillantes avec a/c, sdb privée ou commune. Jacuzzi (eau fraîche) dans le patio. **€-€€€**

Hotel Belvedere
Sámara
Tél. 656 0213
Fax 682 1047
www.belvederesamara.net
Chambres et appartements équipés bien tenus, a/c. Celles situées à l'étage

possèdent de petits balcons. Jardins ombragés et grande piscine, jacuzzi. Petit déjeuner en terrasse (et vue sur l'Océan) compris. *€-€€*

Punta Islita Hotel
Punta Islita
Tél. 232 6122
Fax 231 0715
www.hotelpuntaislita.com
Le luxe sauvage. Vue fabuleuse sur le Pacifique. La clientèle arrive généralement par avion. Logement, prestations et spa répondent aux exigences les plus déraisonnables. Réputé pour son action en faveur de la communauté locale. *€€€€*

Rincón de la Vieja

Hotel Hacienda Guachipelín
Rincón de la Vieja
Tél. 666 8075
Fax 665 2178
www.guachipelin.com
Hacienda de bétail proposant des activités aventure. Les forfaits tout compris sont intéressants. Excellentes sorties canopée, tubing et volcan. *€€*

Rancho Curubandé
Rincón de la Vieja
Tél. 665 0375
Fax 665 7331
www.rancho-curubande.com
Hacienda de 134 ha, plus modeste que celle de Guachipelín. Excursion en carriole à cheval jusqu'au bassin naturel. *€-€€*

Rinconcito Lodge
Rincón de la Vieja
Tél. 666 2764
Fax 666 9178
www.rinconcitolodge.com
Lodge de montagne rustique assez proche du Parque Nacional Rincón de la Vieja et du Volcán Miravalles. *€*

Santa Elena

Manakin Lodge
Santa Elena
Tél. 645 5080
Fax 645 5517
www.manakinlodge.com
Chambres modestes (demandez celles possédant un balcon) donnant sur la montagne. Belle vue depuis la salle à l'étage. Petit déjeuner inclus. *€*

Hotel & Restaurante El Atardecer
Santa Elena
Tél. 645 5685
Fax 645 5462
hotelatardecermonteverde@hotmail.com
Chambres à prix doux dont la plupart jouissent d'une belle vue sur la forêt de brouillard et le Golfo de Nicoya. Cuisine tica. Petit déjeuner compris. *€*

Pensión Santa Elena
Santa Elena
Tél. 645 5051
Fax 645 6240
www.pensionsantaelena.com
La meilleure affaire de la région : camping (matériel non fourni), chambres avec sdb communes et *cabinas*. L'une des adresses préférées des groupes et des routards. *€*

El Sol
4 km au sud de Santa Elena
Tél. 645 5838
www.elsolnuestro.com
Deux *cabinas* douillettes en rondins avec cuisine et baignoire. La patronne, Elizabeth, est une masseuse experte et Ignacio un chef réputé pour ses petits plats méditerranéens, allemands et locaux. Petit déjeuner non inclus. *€€€*

Monteverde Lodge
8 km au nord de Santa Elena
Tél. 645 5057
Fax 645 5126
www.costaricaexpeditions.com
L'établissement haut de gamme de la région. Dans une lodge en bois, vastes chambres aux teintes ocre qui s'harmonisent avec la nature. Jacuzzi face au mur miroir ou aux jardins, superbes. *€€€-€€€€*

Santa Teresa et environs

Hotel Flor Blanca Resort
Santa Teresa
Tél. 640 0232
Fax 640 0226
www.florblanca.com
Un établissement luxueux et romantique. Baignoire et douche privées en plein air, yoga, restaurant gastronomique, atelier d'art. *€€€€*

Hotel Milarepa
Santa Teresa
Tél. 640 0023
Fax 640 0663
www.milarepahotel.com
Sur la côte sauvage et déchiquetée. Lits anciens à baldaquins drapés de moustiquaires. Le style extrême-oriental de l'hôtel se fond dans la nature, avec des bungalows (2 sur la plage) partiellement ouverts aux murs striés de bambou. *€€€*

Cabinas Playa El Carmen
Santa Teresa
Tél. 640 0179
Onze chambres à petit prix, 2 avec sdb privée, toutes avec douches communes (eau froide), à 50 m de la plage. Cuisine en commun. *€*

Blue Jay Eco-Lodge
Mal País
Tél. 640 0089
Fax 640 0141
www.bluejaylodgecostarica.com
Dans la jungle, à 200 m en surplomb de la plage, 10 *cabinas* dont celles situées le plus en hauteur donnent sur l'Océan. La végétation déborde littéralement dans les chambres, le restaurant et l'aire piscine. *€€€*

De Tamarindo à Junquillal

Sueño del Mar
Playa Langosta
Tél. 653 0284
Fax 653 0558
www.sueno-del-mar.com
On ne se lasse pas du décor de ce B&B. Chambres doubles somptueusement décorées et dotées de douches ouvrant sur le ciel, *casitas* équipées et suite "lune de miel". Excellent petit déjeuner servi dans le jardin en patio. *€€€€*

Capitán Suizo
Tamarindo
Tél. 653 0075
Fax 653 0292
www.hotelcapitansuizo.com
En bord de plage, des chambres sur 2 niveaux, des bungalows et un appartement aménagé avec goût. Piscine ombragée, restaurant recommandé. *€€€€*

Hotel Pasatiempo
Tamarindo
Tél. 653 0096
Fax 653 0278
www.hotelpasatiempo.com
Une institution locale. Peinture murale artisanale dans chaque chambre (a/c). Le bar et le restaurant se remplissent en soirée, ambiance chaleureuse et musicale. Petit déjeuner non inclus. *€€-€€€*

Hotel Las Tortugas
Playa Grande
Tél. 653 0423
Fax 653 0458
www.cool.co.cr/usr/turtle
Chez les amis des tortues, devant une superbe plage. Bon restaurant, piscine. Excellent spot de surf juste en face de l'hôtel. *€€-€€€*

Hotel Playa Negra
Playa Negra
Tél. 658 8034
Fax 658 8035
www.playanegra.com
Face à l'hôtel gronde le break rendu célèbre par le film *Endless Summer 2*. Ceux qui ne surfent pas apprécieront la plage de sable blanc, 100 m plus au sud. Bungalows ronds coiffés de chaume. Petit déjeuner non inclus. *€€*

Guacamaya Lodge
Playa Junquillal
Tél. 658 8431
Fax 658 8164
www.guacamayalodge.com
Chambres en bord de piscine, studios avec vue sur l'océan et villa équipée, tous climatisés, proche d'une plage fabuleuse. Parcours de golf à 20 min. *€€-€€€*

Iguanazul
Playa Junquillal
Tél. 658 8123
Fax 658 8124
www.hoteliguanazul.com
À flanc de falaise, complexe comprenant 24 *cabinas* (10 avec a/c), des *condos* et un pavillon de plage. Très animé à l'happy hour. Restaurant international, beach-volley et salle de jeux. *€€-€€€*

GAMME DE PRIX

Les prix s'entendent pour une chambre double, petit déjeuner non inclus.

€	moins de 40 $US
€€	de 40 à 70 $US
€€€	de 70 à 150 $US
€€€€	plus de 150 $US

Zona Norte

Arenal et environs

Hotel Tilawa
Laguna de Arenal
Tél. 695 5050
Fax 695 5766
www.tilawa.com
Les colonnades de ce "palais crétois" donnent sur la Laguna de Arenal, rendez-vous favoris des mordus de planche à voile et de kite-surf. Chambres, suites et apartements avec vue sur le lac ou les jardins. Petit déjeuner non inclus. Sources chaudes, pistes et animaux de la jungle pour toute la famille ; les enfants adoreront le skate-park. **€€-€€€**

Tabacón Grand Spa & Thermal Resort
Laguna de Arenal
Tél. 519 1999
Fax 519 1940
www.tabacon.com
Dans un parc tropical, complexe de luxe réputé pour ses sources et ses bassins d'eaux chaudes. Vue magnifique sur le volcan. **€€€**

Montaña de Fuego Hotel & Spa
La Fortuna
Tél. 479 1220
Fax 479 1455
www.montanadefuego.com
66 chambres et 18 suites climatisées dotées de baies vitrées donnant sur le volcan. Piscine, spa, jacuzzi et sauna. Excellente base pour découvrir la région. **€€€-€€€€**

Arenal Observatory Lodge
À 15 km de La Fortuna
Tél. 290 7011
Fax 290 8427
www.arenalobservatorylodge.com
Situation imbattable pour admirer le volcan. Les chambres les plus chères donnent sur l'Arenal. Nombreuses plate-formes d'observation. Piscine, jacuzzi, pistes de randonnée. Petit déj. inclus. **€€-€€€**

Las Cabanitas
La Fortuna
Tél. 479 9400
Fax 479 9408
www.hotelcabanita.com
Cabinas confortables aux toits traditionnels en tuiles. **€€-€€€**

La Catarata Lodge
À 3 km au nord de La Fortuna
Tél. 479 9522
Fax 479 9168
www.cataratalodge.com
Géré par une association locale de développement durable. Belle vue sur le volcan, jardin de papillons, accès Internet. **€€**

Hotel/Restaurante La Pradera del Arenal
La Fortuna (2 km à l'ouest)
Tél. 479 9597
Fax 479 9167
www.lapraderadelarenal.com
Pour quelques euros de plus, préférez les *cabinas* en bois, même si les chambres (en béton) ne sont pas inconfortables. Toutes avec a/c et vue sur le volcan. Piscine, jacuzzi. **€€**

Cabinas Oriuma
La Fortuna
Tél./Fax 479 9111
oriuma@racsa.co.cr
Central, apprécié des routards. Presque toutes les chambres avec a/c, balcon et vue sur le volcan. **€**

Hotel Las Colinas
La Fortuna
Tél. 479 9305
Fax 479 9160
www.lascolinasarenal.com
Rien de fascinant au premier abord, mais central et un cran au-dessus des autres pour le prix, notamment avec vue spectaculaire sur le volcan, chambres 33 et 27. Petit déjeuner inclus. **€**

Hotel Jungla y Senderos Los Lagos
À 4,5 km à l'ouest de La Fortuna
Tél. 479 1000
Fax 479 1001
www.hotelloslagos.com
Établissement moyen de gamme situé sur les premières pentes du volcan Arenal (vous l'entendrez gronder en vous endormant), à quelques kilomètres au nord-ouest de La Fortuna. Parc, terrain de camping incluant accès piscine et sources chaudes. Restaurant. Petit déjeuner compris. **€€€**

Nuevo Arenal

Villa Decary
À 15 km de Nuevo Arenal
Tél. 383 3012
Tél/fax 694 4330
www.villadecary.com
Grandes chambres et bungalows avec vue sur le lac. Idéal pour l'observation des oiseaux, petit déjeuner revigorant et service impeccable. **€€€-€€€€**

La Ceiba Tree Lodge
Près de Nuevo Arenal
Tél./fax 692 8050
Charmant B&B perché en hauteur, avec un jardin bio. Il doit son nom au majestueux ceiba âgé de 500 ans de la propriété. 5 chambres accueillantes, vue sur la Laguna de Arenal. **€€-€€€**

Lake Coter Eco-Lodge
Tél. 289 6060
Fax 288 0123
www.ecolodgecostarica.com
Cabinas confortables donnant sur la Laguna de Arenal, superbe cheminée dans la lodge. Magnifiques randonnées pédestres et équestres, kayak, circuit canopée. **€€**

Chalet Nicholas
Tél. 694 4041
www.chaletnicholas.com
Trois chambres immaculées dans une grande maison. Dans le jardin, une centaine d'espèces d'orchidées et trois (très) grands danois – parfaitement inoffensifs. Vue sur le lac et le volcan. Pas de CB. **€€**

San Carlos et environs

Hotel Occidental El Tucano
Près de San Carlos
Tél. 248 2323
Fax 460 1692
Complexe aménagé autour de sources chaudes. Piscine olympique, jacuzzis. **€€€-€€€€**

Termales del Bosque
Aguas Zarcas
Tél./Fax 460 1356
www.termalesdelbosque.com
L'adresse idéale pour se baigner dans ces merveilleuses sources chaudes naturelles et passer la nuit en pleine forêt tropicale. Les Termalesdel Bosque organisent également des randonnées écologiques dans la réserve privée et le Parque Nacional Juan Castro Blanco voisin. Petit déj. inclus et très bon rapport qualité-prix. **€€**

La Laguna del Lagarto
Près de San Carlos
Tél. 289 8163
Fax 289 5295
www.lagarto-lodge-costa-rica.com
Perdues sur les collines, lodge aux chambres confortables. Randonnées à pied et à cheval, et croisières sur le Río San Carlos. **€€**

Chachagua Rainforest Hotel
San Rafael de Peñas Blancas
Tél. 468 1010
Fax 468 1020
www.chachaguarainforesthotel.com
Hacienda de bétail et de chevaux (150 ha) proposant des *cabinas* agréables. Dans les douches, des miroirs permettent d'observer les oiseaux. **€€-€€€**

Heliconias Lodge
3 km au nord de Bijagua
Tél./Fax 466 8483
www.heliconiaslodge.org
Cabinas rustiques équipées avec jacuzzi et balcon, et chambres à bas prix au pied du Volcán Tenorio. Excellente base pour découvrir le parc national et les eaux irisées du Río Celeste. **€-€€**

San Ramón

Villa Blanca
Près de San Ramón
Tél. 461 0301
Fax 461 0302
www.villablancacr.com
Casitas bien équipées et décorées dans un style

colonial. Cheminées, grandes baignoires. Proche de la forêt de brouillard de Los Angeles. €€€€

Sarapiquí

Selva Verde Lodge
Près de Puerto Viejo de Sarapiquí
Tél. 766 6800
Fax 766 6011
www.selvaverde.com
Belle lodge près de la rivière. Un paradis pour les amateurs d'ornithologie, de randonnées nature et équestres. Repas inclus. €€

La Selva Biological Station
À 4 km au sud de Puerto Viejo de Sarapiquí
Tél. 524 0628
Fax 524 0629
www.threepaths.co.cr
Le paradis des oiseaux avec plus de 400 espèces observées. Dortoirs sommaires mais aussi 6 *cabinas* privées très confortables. Plus de 50 km de pistes conduisent au cœur de la forêt humide. Tarifs incluant la pension complète et un circuit d'une demi-journée. €€

Rancho Leona
Près de Puerto Viejo de Sarapiquí
Tél. 761 1019
www.rancholeona.com
Hébergement basique avec sdb commune, et sauna. Randonnée et Kayak. Bonne ambiance, cuisine goûteuse. €

Hotel Ara Ambigua
Puerto Viejo de Sarapiquí
Tél. 766 7101
Tél./fax 766 6401
www.hotelaraambigua.com
Dans les plus belles *cabinas*, murs en teck, meubles artisanaux en bois et sols dallés de pierre. Celles en béton sont correctes, sans plus. D'exubérants jardins de jungle entourent une grande piscine bleue. Petit déjeuner compris. €

Rara Avis
Près de Las Horquetas
Tél. 764 1111
Fax 764 1114
www.rara-avis.com
Réservé aux amateurs d'oiseaux et de nature. Après 3h de trajet en tracteur et en remorque on rejoint cette lodge rustique et son fabuleux cadre forestier. Électricité dans les restaurants uniquement. Tarifs incluant repas et circuits. €€

La Quinta de Sarapiquí Country Inn
Au nord de La Vírgen
Tél. 761 1300
Fax 761 1395
www.laquintasarapiqui.com
Chambres chic avec patio. Jardins de papillons et de grenouilles, foisonnants jardins d'heliconias. Piscine. €€-€€€

La Garza
Platanar (dominant le Platanar Río)
Tél. 475 5222
Fax 475 5015
www.hotellagarza.com
Bungalows en bord de rivière, dans une vaste hacienda de bétail et de chevaux. Jolis jardins. Randonnées à cheval, pêche. €€

Hotel Mi Lindo Sarapiquí
Tél./fax 766 6281
Petit hôtel en centre-ville offrant des chambres propres, TV et eau chaude. Réductions étudiants. €

Varablanca

Peace Lodge
26 km au sud de San Miguel à Vara Blanca
Tél. 225 0643
Fax 482 2720
www.waterfallgardens.com
Complexe luxueux dans le domaine des Jardines de la Catarata La Paz. Douches en cascade et jacuzzi sur le balcon, le grand kitsch romantique. €€€€

Poás Volcano Lodge
Varablanca, Heredia
Tél. 482 2194
Fax 482 2513
www.poasvolcanolodge.com
Lodge évoquant à la fois un cottage anglais et un chalet alpin. Cheminées et baignoires où il est agréable de se délasser après avoir observé les oiseaux. €€-€€€

Hotel Tilajari Resort
Près de Muelle
Tél. 291 1081
Fax 291 4082
www.tilajari.com
Chambres spacieuses en bordure du Río San Carlos. Tennis, spa, chevaux, piscine. €€€

GAMME DE PRIX

(Les prix s'entendent pour une chambre double, petit déjeuner non inclus.

€	moins de 40 $US
€€	de 40 à 70 $US
€€€	de 70 à 150 $US
€€€€	plus de 150 $US

CÔTE CARAÏBE

Cahuita

Alby Lodge
Cahuita
Tél./fax 755 0031
www.albylodge.com
Ces 4 *cabinas* rustiques aux toits de chaume ont été construites avec des matériaux naturels. Chambres avec ventilateur, moustiquaire, hamac sous véranda et douches (eau chaude). Cuisine et salle à manger ouvertes à tous. Pas de cartes bancaires. €

Cabinas Arrecife
Cahuita
Tél./fax 755 0081
Pratiquement en face du Restaurant Edith, chambres propres et véranda commune où sont suspendus des hamacs. €

Cabinas Iguana
Cahuita
Tél. 755 0005
Fax 755 0054
www.cabinas-iguana.com
Cabinas agréables, 2 maisons équipées, 3 chambres avec sdb commune. Verger bio, piscine avec cascade et librairie. Bon rapport qualité-prix.

Magellan Inn
Cahuita
Tél./fax 755 0035
www.magellaninn.com
Excellent choix en catégorie supérieure. Chambres simples mais élégantes, 2 avec a/c et salon extérieur couvert. Piscine creusée dans la roche. Cuisine créole française, bien épicée (le soir uniquement). €€-€€€

B & B El Encanto
Cahuita
Tél. 755 0113
Fax 755 0432
www.elencantobedandbreakfast.com
Bungalows à prix abordable, un appartement équipé et une maison (6 pers.) ; superbe jardin zen, yoga en plein air et séances de méditation *zendo* pour mieux apprécier cette paix tropicale. Petit déjeuner inclus. €€

Puerto Limón

Hotel Park
Av 3, Ca 2-3
Limón
Tél. 798 0555
Fax 758 4364
parkhotellimon@ice.co.cr
Le meilleur hôtel du centre-ville. Vue sur la mer, a/c et parking sûr. €

Puerto Viejo et environs

Samasati
Puerto Viejo
Tél. 750 0315
Tél./fax 224 5032
www.samasati.com
Retraite de luxe dans une réserve privée de 100 ha. Spa (soins naturels), yoga, méditation, circuits (visite à un chaman). Transport possible aux plages (4 km), contre un léger supplément. Tarifs incluant les repas végétariens. €€-€€€

Shawandha
Puerto Viejo
Tél. 750 0018
Fax 750 0037
www.shawandhalodge.com
Jolis bungalows en bois aux toits de chaume (l'un des patrons français est

décorateur). Restaurant. €€€

El Pizote Lodge
Puerto Viejo
Tél. 750 0088
Fax 750 0226
www.pizotelodge.com
Bungalows en bois et chambres, également *cabinas* équipées parfaites pour les familles. Plage de sable noir de l'autre côté de la route, pistes de randonnée ; volley-ball, ping-pong et piscine. €€-€€€

Cabinas Casa Verde
Puerto Viejo
Tél. 750 0015
Fax 750 0047
www.cabinascasaverde.com
Des mosaïques colorées rehaussent l'architecture originale créée par les propriétaires. *Cabinas* avec sdb privée, chambres avec sdb commune. Jardin de grenouilles, belle piscine avec cascade et cabane de massage, Reiki et autres thérapies alternatives. Réduction si paiement en espèces. €-€€

Almonds and Corals
Manzanillo
Tél.271 3000
Fax 759 9056
www.almondsandcorals.com
Au cœur d'une jungle à couper à la machette, des tentes de luxe équipées sur des pontons. Tarifs incluant dîner et petit déj. €€€€

Escape Caribeño
Près de Puerto Viejo
Tél./fax 750 0103
www.escapecaribeno.com
Cabinas près de Salsa Brava. Vérandas, sdb privatives, ventilateurs. €€-€€€

Casas Wal-Aba
Punta Uva
Tél. 750 0147
Hébergement accueillant et à prix doux : 2 *cabinas*, une pour un couple et une pour 4 pers., 2 maisons (6 et 12 pers.). Cuisine commune. €

La Costa de Pepito
Playa Cocles
Tél. 750 0704
Fax 750 0080
www.lacostadepapito.com
Face à la plage, vastes bungalows indépendants, l'un avec accès fauteuil roulant et sdb en plein air. Jardins de jungle. Soins à prix raisonnables au Pure Jungle Spa. Enfants bienvenus. Petit déjeuner non inclus. €€

Bungalows Cariblue
Cocles
Tél. 750 0035
Tél./fax 750 0057
www.cariblue.com
Bungalows en bois, chambres coiffées de chaume et maison équipée : le confort et la fraîcheur à l'abri des ardeurs caraïbes. Proche de la plage. €€€

Chimuri Beach Cottage
Playa Negra
Tél./fax 750 0119
www.greencoast.com/chimuribeach.htm
Trois charmants bungalows équipés sur une plage de sable noir, avec hamac dans la véranda. Séjour minimum 2 nuits. Ambiance familiale et chaleureuse. €€

Tortuguero

Tortuga Lodge
À 2 km de Tortuguero
Tél. 257 0766
Fax 257 1665
www.costaricaexpeditions.com
Forfait possible incluant repas et transport depuis San José. €€€€

Mawamba Lodge
Tortuguero
Tél. 293 8181
Fax 222 5463
ou 239 7657
www.grupomawamba.com
Très "touristique" et vous risquez donc d'avoir à cotoyer des groupes. Compensation : des prestations haut de gamme à prix abordables. €€€

Pachira
Tortuguero
Tél. 256 7080
Fax 223 1119
www.pachiralodge.com
Lodge moderne en bois. En saison, les tortues se donnent rendez-vous ici, au bord de ce domaine de 5 ha. Kayak, pistes de randonnée. Même direction que Evergreen Lodge. €€€

Casa Marbella
Tortuguero
Tél. 709 8011
Fax 709 8094
http://casamarbella.tripod.com
Sur le canal, B&B confortable (kitchenette) tenue par un patron canadien proposant d'excellents circuits. Parfait pour le voyageur en solo. €

ZONA SUR

Bahía Drake

Drake Bay Wilderness Resort
Bahía Drake
Tél./fax 770 8012
Fax 250 1145
www.drakebay.com
Atmosphère un peu plus sauvage que chez la concurrence. "Cabinettes" avec sdb communes un tantinet moins chères, mais autant dépenser un peu plus et profiter des *cabinas*, vastes et lumineuses. Vue superbe. €€€€

La Paloma Lodge
Bahía Drake
Tél. 239 7502
Fax 239 0954
www.lapalomalodge.com
Sur une colline, vue panoramique. Chambres ouvertes ou *ranchos*, le luxe écologique. Guides très compétents. €€€€

Delfín Amor EcoLodge
Bahía Drake
Tél. 847 3131
www.divinedolphin.com
Charmantes *cabinas* en hauteur, décoration où le dauphin est le roi. Sur la plage, yoga, observation des dauphins, kayak de mer. Repas inclus. €€€

Hotel Jinetes de Osa
Bahía Drake
Tél. 231 5806
Tél./fax 236 5637
www.jinetesdeosa.com
Chambres simples et confortables. Centre de plongée. Tarifs à la nuit (pension complète) et forfaits raisonnables. €€€-€€€€

Corcovado Lodge Tent Camp
Corcovado
Tél. 257 0766
Fax 257 1665
www.costaricaexpeditions.com
Sur des pontons, vastes tentes ouvertes donnant sur l'Océan, lits de camp confortables, belle situation sur la plage. Circuits, randonnées à cheval. Tarif demi-pension, très bonne cuisine. €€

Poor Man's Paradise
San Josecito
Tél. 771 4582
Fax 771 8841
www.mypoormansparadise.com
Réservation via Selva Mar. Tentes équipées, repas compris. Le meilleur rapport qualité-prix de la région. *Cabinas* beaucoup plus chères. Restaurant, patron sympathique. €-€€€

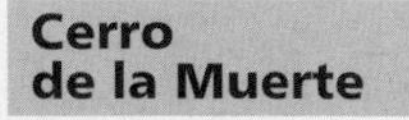

Cerro de la Muerte

Savegre Hotel de Montaña
San Gerardo de Dota
Tél. 740 1028
Fax 740 1027
www.savegre.co.cr
Dans les environs du Cerro de la Muerte, hôtel niché dans un parc de 600 ha. Idéal pour observer le quetzal et goûtez la truite fraîche pêchée à proximité. Repas compris. €€€€

Dantica Lodge and Gallery
À 4 km de l'Interamericana
Route de San Gerardo de Dota
Tél. 740 1067
www.dantica.com
Cabinas indépendantes tout confort, jacuzzis, chauffage électrique, TV

GAMME DE PRIX

Les prix s'entendent pour une chambre double, petit déjeuner non inclus.

€	moins de 40 $US
€€	de 40 à 70 $US
€€€	de 70 à 150 $US
€€€€	plus de 150 $US

satellite et baies vitrées donnant sur une vallée de montagne grandiose. Parfait pour observer les oiseaux. Galerie d'artisanat latino-américain. **€€€**

Albergue Mirador de Quetzales
Tél. 381 8456
Fax 710 1095
En altitude, chalets rustiques (eau chaude) ; superbes pistes de randonnée et d'observation du quetzal resplendissant. Repas inclus. **€€-€€€**

La Georgina
Cerro de la Muerte (Km 95)
Tél. 770 8043
Tél./fax 279 9511
Hôtel comprenant 4 *cabinas* et 5 chambres basiques. Toutes avec couvertures chauffantes, une grande *cabina* avec cheminée et cuisine. Cadre enchanteur : colibris, bassin à truites et orchidées. Excellente cuisine tica. **€**

Dominical et environs

Hacienda Barú
Au nord de Dominical
Tél. 787 0003
Fax 787 0057
www.haciendabaru.com
Écolodge réputée entourée de 330 ha. Excellente base d'activités. 6 *cabinas* équipées possédant 2 chambres. Bonne adresse pour les familles. **€€**

Cabinas San Clemente
Dominical
Tél. 787 0026
Fax 787 0158
sanclemente@dominical.com
Sur la plage, 3 maisons fréquentées surtout par des routards et des surfeurs. Dortoirs avec sdb commune ou chambres indépendantes. **€**

Posada del Sol
Dominical
Tél./fax 787 0085
posadadelsol@racsa.co.cr
Hébergement simple mais confortable. **€**

Dos Brazos

Bosque del Río Tigre Lodge
Dos Brazos del Tigre
Tél. 735 5725
Fax 735 5717
www.osaadventures.com
Paradis d'oiseaux situé dans une réserve privée de 12 ha. 4 chambres rustiques ouvertes, confortables (sdb commune) et une *cabina*. Férus de sciences naturelles, les patrons vous accueillent à bras ouverts. Tarifs comprenant 3 repas gastronomiques. Très bonne affaire. **€€€**

Golfito

Playa Nicuesa Rainforest Lodge
Golfo Dulce
Tél. 258 8250
www.nicuesalodge.com
Lodge magnifique uniquement accessible en bateau. *Cabinas* indépendantes. Pistes de randonnée, circuits, sports nautiques. **€€€€**

Las Esquinas Rainforest Lodge
Près du Piedras Blancas Parque Nacional
Tél. 775 0140
Tél./fax 741 8001
www.esquinaslodge.com
En forêt humide, *cabinas*, piscine, grandes parties communes. Excursions et activités. Une partie des revenus finance les projets communautaires mis en œuvre dans le village voisin, La Gamba. **€€**

Complejo Turístico Samoa del Sur
Golfito
Tél. 775 0233
Fax 775 0573
www.samoadelsur.com
Chambres climatisées sur l'eau. Restaurant, musée dédié à l'artisanat et aux coquillages. Yacht-club. **€€**

Hotel Las Gaviotas
Golfito
Tél. 775 0062
Fax 775 0544
www.lasgaviotasresort.com
Un peu fatigué, mais une bonne option si vous passez la nuit à Golfito. Piscine, restaurant. Croisières de pêche sportive. **€**

Pavones

Tiskita Jungle Lodge
Près de Pavones
Tél. 296 8125
Fax 296 8133
www.tiskita.com
Cabinas rustiques semi-ouvertes en bois, confortables, hamacs sous la véranda, superbe vue sur l'Océan. Une centaine de variétés de fruits tropicaux attirent singes et oiseaux. Pistes et cascades. Repas inclus. **€€€€**

Puerto Jiménez

Lapa Ríos
Puerto Jiménez/ Corcovado
Tél. 735 5130
Fax 735 5179
www.laparios.com
Sur les pentes d'une vaste réserve, luxueux bungalows coiffés de toits de chaume. Visites guidées pour la clientèle. L'un des deux hôtels gratifiés de la plus haute note de viabilité écologique par l'ICT. Et l'un des tout meilleurs du pays. **€€€€**

Bosque del Cabo
Puerto Jiménez/Corcovado
Tél./fax 735 5206
www.bosquedelcabo.com
Écolodge isolée dans une réserve de 243 ha. *Cabinas* luxueuses, douches dans le jardin, 3 maisons équipées, piscine fonctionnant à l'énergie solaire et excellent restaurant. Très bonne adresse pour les amateurs d'ornithologie. **€€€**

Cabinas Marcelina
Puerto Jiménez
Tél. 735 5007
Fax 735 5286
cabmace@hotmail.com
Huit chambres basiques mais sûres, 4 avec a/c, toutes avec sdb privée. Petit déjeuner buffet servi dans le jardin (non inclus). **€**

Iguana Lodge
4 km de Puerto Jiménez
Tél. 829 5865
www.iguanalodge.com
Cabinas à étage dotées de vastes vérandas, dont certaines ont des douches dans la végétation. Les

CI-DESSOUS : vue sur l'océan, bungalows de Lapa Ríos.

couples apprécieront les dîners à la chandelle dans le *rancho*. Même direction que Pearl de Osa, mais les chambres sont moins chères. La Villa Kula Kula, est une maison équipée en bord de plage. *€€€*

El Remanso
Matapalo
Tél. 735 5569
Fax 735 5569
www.elremanso.com
Élégant lodge situé entre la plage et la forêt. Rappel en cascade, randonnée et observation des oiseaux. *€€€-€€€€*

Lookout Inn
Carate
Tél. 644 5967
www.lookout-inn.com
En surplomb de la plage (attention aux marches raides), vous avez le choix entre des *cabinas* érigées sur des plate-formes, des *cabinas* semi-ouvertes traditionnelles ou des chambres beaucoup plus luxueuses. Au restaurant, spécialités océanes aux parfums asiatiques avec vue somptueuse sur l'Océan. Une bonne adresse. *€€€*

San Vito

Wilson Botanical Gardens
San Vito
Tél. 773 4004
ou 524 0607
Fax684 5661
www.esintro.co.cr
Dans l'Estación Biológica Las Cruces, *cabinas* simples mais spacieuses dotées de balcon et donnant directement sur les jardins botaniques. L'une des adresses préférées des amateurs d'ornithologie. Tarifs étudiants. *€€€*

Zancudo

Cabinas Sol y Mar
Playa Zancudo
Tél. 776 0014
www.zancudo.com
Cabinas tranquilles, sdb privatives, ventilateurs. *€*

GAMME DE PRIX

Les prix s'entendent pour une chambre double, petit déjeuner non inclus.

€	moins de 40 $US
€€	de 40 à 70 $US
€€€	de 70 à 150 $US
€€€€	plus de 150 $US

CAMPING ET AUBERGES

Camping

Les terrains de camping officiels sont rares. Dans les zones rurales, les propriétaires vous autoriseront souvent à camper sur leur terrain.

Certains hôtels permettent aux campeurs de passer la nuit sur leur domaine contre un petit dédommagement. Vous ne risquez guère d'être inquiété si vous plantez votre tente sur la plage, mais des conflits récents entre campeurs et complexes hôteliers rendent le sujet sensible.

Les meilleurs campings se trouvent dans les parcs nationaux (www.costarica-nationalparks.com). Vous pouvez aussi contacter la Fundación de Parques Nacionales à San José (*tél. 257 2239*). Comptez de 3 € à 6 € par personne environ, plus le tarif d'entrée du parc.

Antorchas
Dominical (sud)
Tél. 787 0307
www.campingantorchas.net
À 25 m de la plage, location de tente possible. Sdb (eau froide) et cuisine communes. Également chambres avec sdb privées. Repaire de surfeurs.

Camping Arrecife
Punta Uva (côte caraïbe)
Tél. 759 9200
yes@miagenciavirtual.com
Emplacements sablonneux face à la plage, près d'une réserve. Sdb et cuisine communes.

Camping Don Alex
Barra de Parismina
Près de Tortuguero
Tél. 710 1892
Vaste camping devant la plage, cuisine commune. Prendre le bateau sur le quai de Puerto Caño Blanco (2 €). Loue aussi des petites *cabinas*.

Auberges

Les *cabinas* à petit prix n'ont jamais manqué, et la culture de l'auberge s'est donc moins développée que dans des destinations touristiques plus coûteuses. Quelques établissements sont affiliés à Hostelling International (www.hihostels.com).

Bekuo Hostel
San José, 100 m à l'est de l'Hotel Don Fadrique
Tél. 234 1091
www.hostelbekuo.com
Dortoirs un peu étriqués dans une vaste maison par ailleurs très accueillante. Chambres privées également. Cuisine, Internet. Petit déj. inclus. Dépôt de bagages longue durée gratuit. *€*

Gaudy's Backpackers
San José
Av 5, entre Ca 36 y 38
Tél./fax 258 2937
www.backpacker.co.cr
Dans cette maison résidentielle proche du centre-ville, chambres spacieuses, accès cuisine et espaces communs. Thé, café et Internet gratuits. *€*

Kabáta Hostel
San Pedro
100 Sur y 175 Este
Tél. 283 2000
www.kabatahostel.com
Maison de style Art déco dans un quartier calme. Sdb, cuisine et salle à manger communes. Petit déjeuner chaud inclus. Accès Internet. Commerces et bars accessibles à pied. À 10 min en bus du centre de San José. *€*

Hostal Toruma
Av Central, Ca 29-31
San José
Tél. 234 8186
Fax 224 4085
www.hosteltoruma.com
Auberge internationale dans une grande demeure proche du centre-ville. Sdb communes, eau chaude, Internet. *€*

Hotel Costa Linda
Manuel Antonio
Tél. 777 0304
costalinda@gmail.com
Pour les routards, l'hôtel le plus proche de la plage. Dortoir, chambres privées avec sdb commune et un appartement, avec sdb privative. Petit déjeuner et dîner au restaurant. *€-€€*

Mango Verde
Alajuela
Av 3, Ca 2-4
Tél. 441 6330
Fax 443 5074
www.hostelmangoverde.com
11 chambres, presque toutes avec sdb privée. Salle TV, cuisine et hamacs. Bon choix pour première ou dernière nuit. *€*

Playa Tamarindo Beach Hostel
Tamarindo
Tél. 653 0944
Fax 653 1003
www.tamarindobeachhostel.com
Dortoir, vaste cuisine commune, TV grand écran, rangement planches de surf, casiers.

Tranquilo Backpackers
San José
Entre Av 9 et 11, Ca 7
Tél. 222 2493
www.tranquilobackpackers.com
Décor et ambiance résolument zen, chambres ou dortoirs à prix doux, musique live et soirées micro ouvert. Même direction que Tranquilo Backpackers de Mal País (*tél. 640 0589*) à quelques pas de la plage, camping. *€*

Wide Mouth Frog
Quepos
Tél. 777 2798
www.widemouthfrog.org
Chambres indépendantes au rapport qualité-prix quasi imbattable en ville. Accès Internet et piscine. *€*

RESTAURANTS

Se restaurer

Cuisines

La gastronomie locale s'est nettement améliorée depuis l'essor touristique du pays. Une myriade de restaurants permettent de déguster, outre les plats traditionnels locaux (*voir p. 108*), des spécialités indiennes, européennes, sud-américaines, asiatiques et fusions. San José et Escazú abritent un large choix de bonnes adresses. Tamarindo, sur la côte pacifique, et la région de Puerto Viejo, sur la côte caraïbe, commencent également à offrir un éventail de saveurs.

Il est conseillé de réserver dans les établissements haut de gamme. Les cartes et menus doivent indiquer si les taxes et le service (23 % au total) sont inclus ; sinon, renseignez-vous. À moins d'être satisfait du service vous n'avez pas besoin de laisser de pourboire. Certains restaurants ferment entre 15h et 18h ; à San José, nombreux sont ceux qui ferment le lundi.

Avis aux végétariens : la mention "*sine carne*", littéralement "sans viande", signifie en réalité "sans bœuf". Pour être tranquille, mieux vaut donc spécifier "*sólo vegetales*".

Les marchés hebdomadaires regorgent de fruits et de légumes tropicaux. Les vendeurs de *gallo pinto*, de galettes de maïs et de jus de fruits frais s'y installent également, excellente occasion de prendre un bon petit déjeuner sur le pouce. Les grands marchés se tiennent presque toujours le samedi ou le dimanche. Parmi les meilleurs : celui qui donne sur les anciennes arènes de Zapote, au sud-est du centre-ville de San José (dim.) et celui qui se tient près de l'église gothique de Coronado (dim.). Arrivez avant 9h pour avoir le premier choix.

Boissons

Plusieurs bières sont brassées localement (Imperial, Pilsen, Rock Ice, Bavaria et Heineken). Elles sont bonnes, mais pas exceptionnelles.

Alcool de canne local, le *guaro* coûte moins cher qu'un désinfectant.

Horaires

La plupart des bars-restaurants ouvrent du lundi au samedi entre 8h30 et 11h et ne ferment pas avant minuit. Le dimanche, certains ferment plus tôt, d'autres n'ouvrent pas du tout. Le vendredi et samedi sont les soirs les plus animés, mais en semaine les happy hours amènent du monde.

Réglementation

Il faut avoir plus de 18 ans pour pouvoir consommer de l'alcool. Dans certains bars, on pourra vous demander de présenter votre pièce d'identité.

LISTE DES RESTAURANTS

SAN JOSÉ ET ENVIRONS

Bakea (méditerranéen)
300 m au nord du Parque Morazán, Barrio Amón
Tél. 221 1051
Dans une belle demeure restaurée, on déguste une délicieuse cuisine inventive. Fermé dim. et lun. soir.
€€€

Grano de Oro (international)
Av 2-4, Ca 30
Tél. 255 3322
Cuisine de qualité servie dans le jardin couvert d'une élégante résidence rénovée. Accueil chaleureux. €€€

Ile de France (français)
Hotel Le Bergerac, Ca 35
Los Yoses
Tél. 283 5812
Le meilleur restaurant français de la ville – et de loin – se prête particulièrement à un dîner en tête à tête. Réservation conseillée. Fermé dim.
€€€

Tin Jo (asiatique)
Av 6-8, Ca 11
Tél. 221 7605
Large choix de plats végétariens et de spécialités panasiatiques originales. Ambiance chic. Une institution locale.
€€€

Café Mundo (international)
Av 9, Ca 15, Barrio Amón
Tél. 222 6190
Pour savourer une cuisine contemporaine dans une jolie maison ancienne de la vieille ville. Fermé lun. €€

Il Pomodoro
(italien)
Deux *cuadras* au nord de l'église San Pedro, également

GAMME DE PRIX

Prix pour deux personnes, verre de vin inclus :

€	25 $US
€€	de 25 à 50 $US
€€€	plus de 50 $US

à Escazú et Calle Amargura
Tél. 224 0966
Délicieuses pizzas. Goûtez la *panzanella*, garnie de mozarella et de tomates fraîches. €€

Lubnán (libanais)
Paseo Colón, Ca 22-24
Tél. 257 6071
Excellente cuisine. Danse du ventre le jeudi soir à ne pas manquer (arrivez tôt). Bar dans l'arrière-salle. Fermé lun. €€

Olio (méditerranéen)
200 m au nord de Bagelmen's
Barrio Escalante
Tél. 281 0541
Lieu de rendez-vous des universitaires qui viennent y grignoter des tapas. €€

Café del Teatro Nacional
Café del Teatro Nacional
(Café/international)
Av 2, Ca 3
Tél. 221 1329
Restauration légère dans le hall fastueux du Teatro Nacional. Fermé le soir. €

Café Ruiseñor
(international)
150 m du centre commercial San Pedro, Los Yoses
Tél. 225 2562
Pour déjeuner ou manger sur le pouce. Ambiance décontractée. Fermé dim. €

Delicias del Perú (péruvien)
Av 7-9, Ca 3
Face à l'Hotel Santo Tomás
Tél. 222 9249
Cuisine savoureuse à prix doux. Essayez le *chicharrón de calamar*. Uniquement déj. de 11h à 16h, fermé dim. €

La Criollito (costaricain)
Proche INS, centre-ville
Tél. 256 6511
Spécialités locales roboratives. Spécialisé dans les petits déjeuners. €

Manolo's (café/costaricain)
Av Central, 2
Tél. 221 2041
Une bonne adresse pour prendre un café ou grignoter un sandwich, en terrasse. Délicieux *churro* au chocolat. Ouv. 24h/24. €€

Rosti Pollo (nicaraguayen)
Plusieurs enseignes dans toute la ville.
Spécialité de poulet rôti sur bois de caféier. Sur place ou à emporter. €

Shakti (végétarien)
Av 8, Ca 13
Tél. 222 4475
Sandwiches appétissants, soupes et assiettes composées. €

Whapin' (caraïbe)
200 m à l'est d'El Farolito, Barrio Escalante
Tél. 283 1480
Cuisine traditionnelle et musique live occasionnelle. €

Vous cherchez des adresses à petits prix ? Explorez le quartier de l'université à San Pedro. Faites une halte dans les *sodas* du Mercado Central, au centre-ville de San José et de Heredia.

Valle Central

Alajuela

Xandari (international)
Tél. 443 2020
Restaurant en plein air donnant sur la vallée. Carte gastronomique comprenant des plats végétariens et diététiques. Excellentes salades. €€€

La Fiesta del Maiz
(costaricain)
La Garita, Alajuela
Tél. 487 5757
Le maïs à toutes les sauces. Établissement familial, toujours plein à craquer. Une halte agréable en revenant du Pacífico Central. €

Princesa Marina
(cuisine de la mer)
Près de l'église, Barrio San José de Alajuela (et à Curridabat, Moravia et La Sabana)
Tél. 296 7667
Poisson frais et spécialités de riz dans une ambiance sans chichis. Sur place ou à emporter. €

Cartago

Restaurante 1910
(costaricain)
Irazú, Cartago
Tél. 536 6063
Établissement idéal pour se requinquer après avoir exploré le Volcán Irazú. €€

Gecko's (international)
Orosí, Cartago
Tél. 533 3640
Petits plats légers dans un repaire de routards. €

La Casona del Cafetal
(costaricain/international)
Cachí, Cartago
Tél. 577 1414
Halte appréciée sur la boucle de l'Orosí, belle vue sur le lac. Buffet gargantuesque et assortiment de desserts au café. €

Sanchirí Mirador
(costaricain/international)
Paraíso, Cartago
Tél. 574 5454
Plats locaux tout simples, et grand choix de plats de viandes. Superbe vue sur le Valle de Orosí. €

Escazú

Le Monastère (français)
Montagnes d'Escazú
Tél. 228 8515
www.monastere-restaurant.com
Vue sublime sur le Valle Central. Cuisine française raffinée à l'étage (€€€) ; et *bocas* à La Cava Grill (€€), située au rez-de-chaussée. €€-€€€

Mirador Valle Azul
(international)
San Antonio de Escazú
Tél. 254 6281
Vue fabuleuse sur le Valle Central. Cuisine et service corrects. Réservation conseillée. €€-€€€

Caffé Torrino
Tél. 288 4476
Savoureuses salades et petits plats style *Delicatessen*. Le meilleur gâteau au chocolat de la ville. Fermé dim. €

Sale e Pepe (italien)
San Rafael de Escazú, El Cruce
Tél. 289 5750
Pizzas délicieuses.
Une institution locale.
Fermé mar. €€

Wall Street
Tél. 289 6440
Un restaurant chaleureux et coloré proposant de délicieux sandwiches, soupes, plats de pâtes et desserts. €€

Heredia

Baalbek
(costaricain/libanais)
Los Angeles de San Rafael de Heredia
Tél. 267 6482
Vue formidable, bonne cuisine libanaise, danse du ventre le ven. soir. €€

La Casa de Doña Lela
(costaricain)
2 km après le stade Ricardo Saprissa, route de Guápiles
Tél. 240 2228
Plats traditionnels et ambiance décontractée. Mêmes enseignes à Escazú, Alajuela, San Antonio de Belén, Curridabat et Puntarenas. €

Santa Ana

Bacchus (méditerranéen)
Tél. 282 5441
Excellente cuisine italienne dans un cadre chic et chaleureux. Desserts irrésistibles. Réservation conseillée. Fermé lun. €€€

Taj Mahal (indien)
1 km à l'ouest du Centro Comercial Paco, vieille route de Santa Ana
Tél. 228 0980
Cette belle demeure dotée d'une terrasse abrite le seul restaurant indien du pays digne de ce nom. Fermé lun. €€€

Rancho del Macho
(costaricain)
Tél. 282 9295
Bonnes grillades, jolie vue. Ambiance garantie le week-end. Fermé lun. €

Turrialba

Posada de la Luna
(costaricain)
Cervantes, 10 km de Paraíso
Tél. 534 8330
Une bonne adresse pour le petit déjeuner, un hors-d'œuvre ou un snack à la boulangerie attenante. €

PACÍFICO CENTRAL

Jacó et environs

Poseidon
(grillades de poissons)
Hotel Poseidon (centre-ville)
Tél. 643 1642
Carte de la mer de haute volée. Cuisine ouverte. **€€**

Rioasis (mexicain/italien)
Jacó
Tél. 643 3354
Les surfeurs adorent ses délicieuses pizzas cuites au feu de bois. **€-€€**

Jungle Surf Café
(tex-mex/costaricain)
Playa Hermosa
Tél. 643 1495
Cuisine tex-mex, sandwiches et hamburgers. Bonne ambiance. Fermé mer. **€**

El Pelícano
(costaricain/cuisine de la mer)
Playa Herradura
Tél. 637 8910
Sur la plage, excellents produits de la mer. **€€**

Manuel Antonio

Sunspot Grill
(international)
Hotel Makanda by the Sea
Tél. 777 0442
En terrasse, mets raffinés et atmosphère romantique à souhait. **€€€**

The Rico Tico
(costaricain/tex-mex)
Sí Como No Hotel
Tél. 777 0777
Restaurant entouré de jardins tropicaux. Petit déj. buffet. Poisson et homard frais que l'on déguste face à l'Océan. **€€€**

Barba Roja
(international)
Tél. 777 0331
Ses plats de poissons d'une grande fraîcheur en font l'un des favoris du quartier. **€€**

Mar Luna
(costaricain/cuisine de la mer)
Manuel Antonio
Tél. 777 5107
En hauteur, un restaurant simple mais correct. **€€**

Vela Bar
(végétarien)
Vela Bar/Hotel
Tél. 777 0413
Dans un bungalow en bois coiffé d'un toit de palmes, plats de poissons et spécialités ticas. Jus de fruits frais. **€**

El Gran Escape
(cuisine de la mer)
À l'entrée de Quepos
Tél. 777 0395
Délicieux sushi et assiettes généreuses plébiscitées par les habitués. Fermé mar. **€€€**

El Patio Bistro Latino
(international)
Quepos
Tél. 777 4982
Cuisine fusion inventive. Même direction que le Café Milagro voisin. **€€**

NORDOESTE

Flamingo et environs

Marie's Restaurant
(costaricain/cuisine de la mer)
Playa Flamingo
Tél. 654 4136
Institution réputée pour ses *casados* traditionnels, son poisson frais et ses plats mexicains. **€€**

Mar y Sol Restaurant and Bar
(français/méditerranéen)
Playa Flamingo
Tél. 654 5222
En terrasse, cuisine du Sud-Ouest enrichie de saveurs tropicales. Vue imprenable sur le ciel et les flots. **€€-€€€**

Gecko's at the Beach
(international)
Hotel Brasilito, Brasilito
Tél. 654 5463
Restaurant populaire dont la carte est inspirée par les voyages du chef. Fermé mer. **€€**

Golfo de Papagayo

Ginger (tapas/fusion)
Playa Hermosa
Tél. 672 0041
Restaurant moderne à flanc de colline proposant une cuisine inventive. Carte méditerranéenne côté pile, asiatique côté face. Fermé lun. **€€**

Villa del Sueño
(méditerranéen)
Playa Hermosa
Tél. 672 0026
Le meilleur restaurant de la région. Plats de viandes et cuisine de la mer de grande qualité. **€€**

Sol y Luna (italien)
Hotel La Puerta del Sol
Playas del Coco
Tél. 670 0195
Pour savourer des spécialités italiennes en terrasse. Fermé mar. et le midi. **€€**

Picante (international)
Bahía Pez Vela
Ocotal
Tél. 670 0901
Face à l'Océan, on déguste une délicieuse cuisine de la mer et des mets épicés originaux. **€€**

Liberia

Café Liberia (international)
Liberia
Tél. 665 1660
Une bonne adresse pour grignoter des quiches, des bagels et des salades. Un peu cher pour la quantité. Fermé dim. **€**

Monteverde

El Sapo Dorado
(international)
Tél. 645 5010
Une institution très appréciée pour ses savoureuses pizzas, poissons et plats végétariens. **€€€**

Restaurante de Lucia
(international/grill)
Tél. 645 6659
Plats simples et copieux à la sauce chilienne. **€€**

Sofia (latino)
Tél. 645 7017
Cuisine contemporaine servie dans 2 salles joliment décorées. Demandez une table avec vue sur la jungle. Testez le potage au plantain. **€€**

El Márquez
(cuisine de la mer)
Tél. 645 5918
Poisson frais à déguster en pleine montagne. **€**

Flor de Vida
(international/végétarien)
Tél. 645 6328
Tout est délicieux : des frites maison aux desserts. **€**

Montezuma

Playa de Artistas
(méditerranéen)
Montezuma
Tél. 642 0920
Peut-être le restaurant le plus romantique du pays. Décor rustique, cuisine et service excellent. Fermé dim. **€€€**

El Sano Banano Village Café (café/international)
Montezuma
Tél. 642 0638
Plats végétariens, poisson et poulet, très apprécié. Film projeté sur grand écran en soirée. **€€**

Puntarenas

Restaurante La Yunta
(cuisine de la mer)
Tél. 661 3216
Sur la route de l'Océan, véranda rafraîchie par la brise, cuisine sans (mauvaise) surprise. **€€**

Restaurante y Marisquería La Leda (cuisine de la mer)
Mata Limón
Près de Caldera
Tél. 634 4087
Ceviche fraîche et savoureuses *chucecas* (clams à l'ail), une spécialité

GAMME DE PRIX

Prix pour deux personnes, verre de vin inclus :

€	25 $US
€€	de 25 à 50 $US
€€€	plus de 50 $US

locale à ne pas manquer. €-€€

Nosara-Sámara

Café de Paris (international)
Playa Guiones, Nosara
Tél. 682 0087
Pain frais quotidien. Petit déjeuner français ou nord-américain. À la carte, pizzas, bifteck et poisson. €€

Giardino Tropicale (italien)
Playa Guiones
Tél. 682 4000
Pizzas cuites dans un four en brique et cuisine de la mer. Service longuet, mais patience récompensée. €€

Pizza & Pasta a Go Go
Hotel Giada, Sámara
Tél. 656 0132
Vaste éventail de plats de pâtes et de pizzas, belle carte des vins. Le meilleur tiramisú du pays. €€

Santa Cruz

Coope-tortillas (costaricain)
Santa Cruz
Tél. 680 0688
Coopérative de femmes servant des tortillas maison, et des spécialités *guanacastecas*. €

Santa Teresa

Néctar (international)
Florblanca, Santa Teresa
Tél. 640 0232
Dans un complexe luxueux, restaurant gastronomique en terrasse, cuisine française enrichie de saveurs locales. Bar sushi. €€€

De Tamarindo à Junquilla

Dragonfly Bar & Grill (international)
Tamarindo
Tél. 653 1506
Assiettes de poissons et de viandes copieuses et inventives rehaussées de saveurs asiatiques. Réservation conseillée le week-end. €€

Etcetera (international)
Tamarindo
Tél. 653 0100
Une carte très éclectique, des nouilles vietnamiennes au couscous marocain en passant par les soupes italiennes. À ne pas manquer : les huîtres gratinées à l'ail ou les frites mayonnaise maison. Terrasse. €€

Lola's (international)
Playa Avellanas
Tél. 658 8097
Sur la plage, ce restaurant portant le nom du cochon du patron sert une myriade de plats végétariens. Déj. uniquement. Fermé lun. et oct.-mi-nov. €€

Pachanga (méditerranéen)
Tamarindo
Tél. 368 6983
Spécialités méditerranéennes servies en salle ou au jardin. Dîner uniquement. Fermé dim. et 2 sem. en mai. €€

Puesta del Sol (italien)
Junquillal
Tél. 658 8442
4 tables pour le comble de l'intimité. Excellentes pâtes fraîches. Réservation conseillée. €€€

Zona Norte

Alajuela

El Mirador (costaricain)
Alajuela, Route de Zarcero
Tél. 441 9347
Bons plats de viandes et de poissons, si vous arrivez à vous distraire de la vue. €€

La Princesa Marina (cuisine de la mer)
Barrio San José, face à l'église, Alajuela
Tél. 433 7117
Plus de 70 plats de poissons à la carte, pâtes et riz. Décor très modeste, d'où le niveau de prix. €

La Fortuna

La Choza de Laurel (costaricain)
Près de l'église
Tél. 479 9231
Ouvre tôt, idéal pour le petit déj. Poulet rôti à tester. €€

Don Rufino (international)
Tél. 479 9997
Le restaurant le plus chic de la ville. Bar animé. €€

El Vagabundo (italien)
Tél. 479 9565
Les meilleures pâtes et pizzas du secteur. Ambiance garantie ! €€

Lava Rocks Café (costaricain/international)
Tél. 479 8039
Un *soda* chic servant des *smoothies* et des assiettes de riz, de haricots et de viande. €

Laguna de Arenal

Gingerbread (international)
Nuevo Arenal
Tél. 694 0039
Bœuf et porc locaux délicieux, et également plats de poissons. Desserts maison à base de chocolat ou de fruits. €€

Mystica (italien)
Nuevo Arenal
Tél. 692 1001
Pizzas croustillantes et jolie vue sur la Laguna de Arenal. €€

Toad Hall (bio)
Laguna de Arenal
Tél. 692 8001
Somptueuse vue sur le lac, grand choix de jus de fruits et cuisine d'une très grande fraîcheur. Spécialité de brownies. Exposition d'artistes costaricains. €

Willy's Caballo Negro (allemand/végétarien)
3 km de Nuevo Arenal
Tél. 694 4515
Escalopes viennoises, saucisses et plats végétariens savoureux. Grande galerie d'art. €

Sarapiquí

Restaurant El Río (costaricain)
La Vírgen, Sarapiquí
Tél. 841 6724
Cuisine tica à prix doux. €

Varablanca

Restaurant Colbert (français)
Varablanca
Tél. 482 2776
Cuisine et pâtisseries succulentes. L'étape parfaite si vous vous rendez au Volcán Poás ou aux Jardines de la Catarata de La Paz. €

Ci-dessous : *sopa de mariscos.*

Gamme de prix

Prix pour deux personnes, verre de vin inclus :

€	25 $US
€€	de 25 à 50 $US
€€€	plus de 50 $US

CÔTE CARAÏBE

Cahuita

Cha Cha Cha
(international)
Tél. 394 4153
Mélange méditerranéo-thaï plutôt intéressant. Ambiance décontractée, excellent service. Fermé lun. €€

Hotel Jaguar
(costaricain/italien)
Tél. 755 0238
Large choix de pâtes, pizzas, plats costaricains et caraïbes. Fermé mar. €

Miss Edith's
(caraïbe/costaricain)
Tél. 755 0248
Véritable institution. Excellente cuisine locale, mais service un peu longuet. €

Cocles

La Pecora Nera (italien)
Playa Cocles
Tél. 750 0490
Italien chic servant des mets originaux. Même direction chez Galta Ci Cova, à proximité. €€€

Puerto Viejo

Amimodo (italien)
Puerto Viejo
Tél. 750 0257
Cuisine italienne inventive en bord de mer. €€

Chile Rojo (thaï/oriental)
Pas de tél.
Un étonnant assortiment de saveurs exotiques : houmous, samosa, steak de thon à la thaï, etc. €€

Pan Pay (boulangerie)
Tél. 750 0081
Idéal pour faire ses provisions pour pique-niquer sur la plage. Excellents sandwiches, croissants, *empanadas*. Petit déjeuner et déjeuner seulement. €

Restaurant Tamara
(caraïbe)
Centre-ville
Tél. 750 0148
Savoureuse cuisine de la mer et spécialités locales. Ambiance chaleureuse. Musique reggae. Fermé mer. €

Soda Miss Sam
(costaricain/caraïbe)
Pas de tél.
Cuisine caraïbe toute simple. €

Tortuguero

Miss Junie's (caraïbe)
Tél. 709 8102
Sympathique restaurant en plein air où l'on déguste une cuisine consistante et bon marché. Une adresse incontournable. €

ZONA SUR

Cerro de la Muerte

Au sud de San José, l'Interamericana emprunte la route du Cerro de la Muerte (qui doit son nom au froid mortel de ses pentes), traversant des paysages particulièrement grandioses – par temps dégagé. Mais lorsque le brouillard s'épaissit, ou si vous restez coincé derrière un camion (une seule voie et guère de visibilité), vous aurez peut-être envie de faire une pause. Heureusement, les quelque 100 km de lacets sont jalonnés de relais. La plupart visent les passagers de cars fourbus et les routiers affamés, qui sont ravis d'utiliser leurs vastes toilettes et leurs cafétérias ouvertes 24h/24.

Parmi ces relais d'étape, **Los Chespiritos** est la chaîne la plus connue. Le restaurant d'origine se trouve au Km 51, les 2 autres sont situés aux Km 61 et 78. Vous pourrez y goûter des plats locaux à petit prix comme le *plátano* frit, les haricots frits aux œufs ou les *chorreadas*, tortillas de maïs frit au fromage.

Depuis 1947, date de l'ouverture de la route, un bâtiment en bois blanc où sont peints des quetzals géants, abrite le **Restaurant y Hospedaje La Georgina** au Km 95. Il propose un buffet tico traditionnel, mais surtout vous pouvez savourer votre plat devant une vaste baie, "nez à bec" avec les nuées de colibris qui volent vers les réceptacles d'eau sucrée suspendus à l'extérieur.

Vous avez l'estomac dans les talons ? Arrêtez-vous au **Mirador Vista del Valle** (*tél. 384 4685*), Km 119, réputé pour sa truite arc-en-ciel. Dans le jardin, des mangeoires attirent quantité d'oiseaux magnifiques. Si vous êtes nombreux, téléphonez pour négocier un menu spécial et un prix de groupe.

Envie de faire du shopping ? Au Km 56, **Charlie's Coffee Shop** vous propose un café, des gâteaux maison, et d'innombrables babioles.

Dominical

Coconut Spice (thaï)
Tél. 829 8397
La meilleure adresse de la ville pour goûter des plats asiatiques épicés. Vue sur la rivière. Durant la saison verte, dîner uniquement. €€

ConFusione (italien)
Hotel Domilocos, à l'extrémité sud de la plage de Dominical
Tél. 7870244
Sur une jolie terrasse aux tons ocre, on déguste des spécialités italiennes : pizzas au feu de bois, plats de pâtes inventifs, spécialités océanes, etc. Une bonne adresse. €

La Parcela (international)
4 km au sud de Dominical
Tél. 787 0016
Sur une pointe rocheuse. Excellente cuisine de la mer, influences internationales diverses. €€€

Villas Gaia (international)
35 km au sud de Dominical
Tél. 786 5044/363 3928
Excellente table d'hôtel. L'un des rares lieux pour découvrir la banane dans tous ses états. €€

Ojochal

Restaurant Exótica
(français/international)
Tél. 786 5050
Cuisine réputée servie dans un patio ; quelques plats végétariens au menu. Desserts délicieux. Fermé dim. €€

Pavones

Café de la Suerte
(végétarien)
Pas de tél.
Cuisine végétarienne créative. €

Puerto Jiménez

Restaurant Jade Luna
(international)
Tél. 735 5739
Une cuisine raffinée concoctée par un chef réputé notamment pour ses glaces. Fermé dim. et le midi. Pas de cartes de crédit. €€

San Vito

Pizzería Liliana (italien)
Tél. 773 3080
À flanc de colline, terrasse agréable, parfaite pour déguster d'excellentes pâtes et des pizzas. €

Santa María de Dota

Café de los Santos
San Marcos de Tarrazú
Ruta de los Santos
L'adresse idéale pour faire une pause sur la "route des Saints". À la carte, une dizaine de sortes de cafés et des pâtisseries aériennes. Fermé dim. €

C ULTURE & LOISIRS

Sortir, faire du shopping, du sport

Festivals

(JF = jour férié)

1er janvier Point d'orgue d'une semaine de festivités à San José et dans le reste du pays (*Fiestas del Fin del Año*) continuant le lendemain (JF). Mi-jan. Fiestas à Santa Cruz (Península de Nicoya) ; rodéos, corridas, musique et danses à Palmares (Alajuela).

Fév./mars *Exposición Nacional de Orquídeas* ; la meilleure période pour admirer les orchidées en fleurs aux Jardines Lankester, Cartago.

Mars Début de la saison du Teatro Nacional de San José. Rodéos à San José. Festivals de musique réputés au Monteverde et sur la côte caraïbe.

Mi-mars *Feria Artisanale Nacional*, San José. *Día de San José. Día del Boyero* (fête du conducteur de char à bœufs), parade et bénédiction des *carretas* (chars) à San Antonio de Escazú.

Mars/avr. *Semana Santa* : jeudi et vendredi, fermeture des banques, bureaux de postes et services administratifs, et de la plupart des restaurants et des magasins. *Jueves Santo* (jeudi saint, JF) ; début des cérémonies de la *Semana Santa*. *Viernes Santo* (vendredi saint, JF) : processions religieuses à 1h du matin et 16h. "*Centuria Romana*", personnages bibliques et pénitents vêtus de noir ; procession impressionnante à San Joaquín de Flores, Heredia.

11 avril *Día de Juan Santamaría* (JF), héros national, mort à la bataille de Rivas livrée contre William Walker en 1856.

1er mai *Día del Trabajo* (JF) : défilé des Travailleurs, San José. Élection du président du Congrès.

Mai/juin *Día Corpus Cristi* (le jeudi suivant le dimanche de la Trinité).

29 juin *Día de San Pedro y Pablo*.

25 juillet *Anexión de Guanacaste* (JF). Le président et ses ministres commémorent le "Partido de Nicoya". Parades équestres et concerts.

2 août *Fiesta de Nuestra Señora de los Angeles* (JF), sainte patronne du Costa Rica, Basílica de Cartago. Des milliers de pèlerins se pressent durant les jours qui précèdent.

15 août Assomption de la Vierge et *Día de la Madre* (JF).

15 sept. Fête de l'Indépendance (1821) ; le 14 à 18h, tous les Ticos entonnent l'hymne national.

12 oct. *Día de Colón* (Christophe Colomb), *El Día de la Raza* (aujourd'hui *El Día de las Culturas*, JF). Carnaval durant toute une semaine avec chars, concours de danses et parades (Puerto Limón).

Mi-déc. Immenses parades de Noël, feux d'artifices durant tout le mois.

25 déc./dernière sem. de l'année Noël (JF). *Festejos Populares*, avec feux d'artifices à Zapote. Parades équestres (*tope*) le 26 ; carnaval de San José le 27.

Où trouver l'information

Le *Tico Times* (en anglais) publie dans son édition hebdomadaire (ven.) un calendrier des activités et spectacles et un choix de manifestations dans sa Daily News Page (www.ticotimes.net/daily.htm). Le vendredi, *La Nación* répertorie dans ses pages Tiempo Libre les manifestations en cours (www.nacion.com/tiempolibre, cliquez sur "Agenda").

Le site AM Costa Rica (www.amcostarica.com/calendar.htm) dresse une liste assez complète.

Culture

Art et galeries

Si son statut de capitale culturelle (octroyé par l'Union des capitales ibéro-américaines en 2006) peut faire sourire, il n'en demeure pas moins que San José est une ville très dynamique.

Des œuvres d'art comme les sculptures en marbre de Jorge Jiménez Deredia, dont le St Marcellin Champagnat s'élève devant la basilique St-Pierre du Vatican, sont connues dans le monde entier.

Plus de 30 galeries et musées présentent les facettes de l'art costaricain, de l'ère coloniale à aujourd'hui (Museo de Arte Costarricense), des masques indigènes boruca (Galería Namú) aux installations itinérantes, expérimentales et multimédias (Jakob Karpio, TEORética).

Le **Costa Rica Art Tour** (*tél. 359 5571*, www.costaricaarttour.com) permet de découvrir plusieurs ateliers d'artistes (réservation conseillée).

Musique

Le Costa Rica compte des artistes de renommée internationale, tel le pianiste Manuel Obregón ou le trio jazz-fusion Editus, dont la collaboration avec le chanteur-compositeur panaméen Rubén Blades a été récompensée de 2 Grammy Awards. Dans les grands festivals de Monteverde et des Caraïbes, ou au Festival Internacional de Música (*voir Festivals*) des musiciens font résonner les arbres de la forêt humide ou les colonnes du Teatro Nacional.

Les *mariachis* locaux donnent la sérénade dans certains restaurants traditionnels. Dans les *parques* et les salons des grands hôtels, vous entendrez résonner des notes de *marimbas*. Sur la côte caraïbe, le vieux Walter Ferguson porte encore fièrement sa couronne de "Rey del Calypso".

L'Orchestre national donne des concerts de mars à novembre. Les CD du label costaricain Papaya Music (*voir Shopping, p. 290*) offrent un large éventail des musiques locales.

Danse

La Compañía Nacional de Danza propose des spectacles classiques et contemporains, dont certains sont créés par des chorégraphes centraméricains. Le **Teatro Melico Salazar** (*Av 2, Ca Ctrl, San José*) et le **Teatro Nacional** (*Plaza de la Cultura*) présentent des ballets plusieurs fois par mois. Les places sont vendues à des tarifs très abordables.

Théâtre

Les petites salles programment surtout des comédies en espagnol ainsi que quelques pièces politiques et des tragédies. *El Nica* de César Meléndez, one man-show mettant en scène un émigré nicaraguayen au Costa Rica, a longtemps tenu le devant de la scène, et a également connu un grand succès aux États-Unis. **Little Theatre Group**, la plus ancienne compagnie théâtrale du pays, propose 4 spectacles en anglais par an (*tél. 289 3910* ; www.littletheatregroup.org)

À San José, la saison théâtrale est particulièrement dynamique, avec des spectacles en espagnol et en anglais. Les saisons du **Teatro Nacional** et du **Teatro Melico Salazar** sont disponibles sur Internet (*voir encadré*).

Cinéma

À San José, Escazú, San Pedro et Curridabat, des cinémas multiplexe projettent des films en VO sous-titrée dont la plupart sont sortis depuis plusieurs mois en Amérique du Nord. ULa séance coûte environ 4 €, et le mercredi, la plupart des salles proposent des réductions "2 places pour le prix d'une". Les dessins animés et autres films pour enfants sont généralement doublés en espagnol.

Les salles fleurissent dans tout le pays et actuellement il est possible de se faire une toile de Heredia à San Isidro El General en passant par Liberia, San Ramón ou San Carlos. Les quotidiens le *Tico Times* et *La Nación* permettent de s'informer sur les sorties et les horaires des films.

Librairies

7th Street Books
Av Central 1, Ca 7
Tél. 256 8251
"La" librairie anglaise de San José. Vaste choix de guides, de livres sur l'Amérique latine et d'affiches. Personnel serviable et compétent.

Librería Internacional
Multiplaza, Escazú ; Barrio Dent ; Mall Internacional, Alajuela ; Zapote et Rohrmoser
Tél. 253 9553
Livres anglais et espagnols.

Libromax
Plusieurs magasins dans le Valle Central
Tél. 800 542 7662
Bon fonds d'ouvrages en anglais.

Mora Books
Omni Bldg, San José
Tél. 255 4136
Repaire de voyageurs. Livres anglais d'occasion, magazines, BD.

Universal
Av Ctrl, Ca 1-Ctrl
Tél. 222 2222
Large choix de livres en anglais.

Cours de danses latinos

Vous aurez peut-être envie d'apprendre quelques pas de salsa, de *merengue* ou de *cumbia*. Le très sérieux Merecumbé donne des cours en groupe et individualisés dans tout le pays. La plupart des écoles de langues proposent également des cours de danse.

Centro Merecumbé
Tél./fax 224 3531
merecumbe@racsa.co.cr
À San Pedro, Guadalupe, Rohrmoser, Heredia, Alajuela, Escazú et Cartago. Cours plus fréquentés entre 19h et 21h, idéal pour faire des rencontres.

Vie nocturne

Clubs et salles

San José offre une vie nocturne variée mais encore un peu limitée. Dans les clubs, on entend tous les genres musicaux : des rythmes latinos à la techno, du reggae au rock.

Près de Villa Tournón, au nord-est de la ville, le **Centro Comercial El Pueblo** concentre quantité de boutiques, galeries, restaurants et night-clubs ; certains bars restent ouverts jusqu'à 4h du matin.

À San Pedro, près de l'Universidad de Costa Rica, une clientèle jeune fréquente les bars et les restaurants de **Calle de la Amargura** (rue de l'Amertume). Attention, ces lieux sont parfois le théâtre d'actes violents, mais on n'y recense aucune agression contre des touristes. Mieux vaut cependant surveiller votre verre, vos affaires, et prendre un taxi pour rentrer.

En dehors de la capitale, une poignée de clubs animés ont ouvert à Tamarindo, Manuel Antonio (Quepos), Jacó et Puerto Viejo. Dans le reste du pays, les noctambules devront se contenter de bars et de restaurants.

San José

Café Expresivo
Barrio Escalante
Tél. 224 1202
Ambiance bohème ; musique électronique ven. et sam. Fermé dim.

Castro's
Av 13, Ca 22
Tél. 256 8789.
Bondé. Parfait pour apprendre quelques pas latinos. Quartier douteux – prenez un taxi.

Club Oh!
Av 14-16, Ca 2
Tél. 248 1500
L'ancien Dejá V est toujours pro-gay, mais accueille aussi une clientèle plus variée. Musique électronique.

El Cuartel de la Boca del Monte
Av 1, Ca 21-23
Tél. 221 0327
En centre-ville, près du Cine Magaly, bar apprécié des célibataires. On s'y bouscule le lundi.

Billets

La plupart des têtes d'affiches internationales sont sponsorisées par la compagnie Credomatic qui réserve parfois les premières ventes aux détenteurs de cartes bancaires Credomatic. Il n'existe pas d'agence de réservation centrale au Costa Rica ; les points de vente (généralement en magasin) varient selon les sponsors ; *La Nación* en donne la liste. Pour les pièces de théâtre ou les concerts, les billets peuvent s'acheter par téléphone dans les grands théâtres, ou au guichet, ou sur Internet pour le Teatro Nacional.

Mundo Ticket
Tél. 207 2025
www.mundoticket.com
Liste de manifestations sportives et spectacles en vente sur Internet (en espagnol).

Teatro National
Tél. 221 5341
www.teatronacional.go.cr

Teatro Melico Salazar
Tél. 233 5424 ou 257 6005
www.teatromelicosalazar.go.cr

Jacó

Murphy's Monkey Bar
Tél. 643 2357
Roots, hip-hop et autres.

Puerto Viejo

Stanford's Restaurant & Disco
Tél. 750 0608
Reggae et rythmes latinos jusqu'à 2h30. Fermé mar.

Quepos

El Arco Iris
La seule discothèque de la ville est bourrée à craquer le week-end.

Tamarindo

Mambobar
Tél. 653 0929
En plen air. Fermé jeu.
Tamarindo Beach Cigar Lounge and Factory
Tél. 653 0862
Pour les amateurs de cigares et de bon vin. Fermé mer.

Escazú

Trejos Montealegre Shopping Center
Plusieurs bars fréquentés par une clientèle jeune et aisée.

Bars

San José

Henry's Beach Café and Grill
San Rafael de Escazú
Tél. 289 6250
Clientèle de locaux et d'expats, plutôt chic, marche fort.
Jazz Café
À côté de Banco Popular, San Pedro
Tél. 253 8933.
Meilleure salle de musique live, programme varié.
Calle de la Amargura
Près de l'Universidad de Costa Rica, nombreux petits bars d'étudiants et terrasses de restaurants. Très animé.

Tendance gay

La Avispa
Av 8-10, Ca 1
Tél. 223 5343
Salsa et *merengue*. Pistes de danse sur 3 niveaux, billards. Femmes bienvenues le dernier merc. du mois.
El Bochinche
Av 10-12, Ca 11
Tél. 221 0500
Musique pop.

Casinos

Herradura
Cariari
À côté de l'Hotel Cariari sur la route de l'aéroport
Tél. 239 0033

Gran Hotel Costa Rica
Centre-ville de San José
Tél. 221 4000
24h/24.
Hotel Fiesta
Puntarenas
Tél. 663 0808
Hotel Irazú
San José
General Cañas Highway
Tél. 232 4811
24h/24.
Hotel San José Palacio
San José
Tél. 220 2034
Hotel Corobicí
Sabana Norte
Tél. 232 8122
Club Colonial
Centre-ville de San José
Tél. 258 2807
24h/24.

Shopping

À rapporter

Le choix de souvenirs s'étoffe au fil des années. Les articles traditionnels – chars à bœufs, objets en bois, masques indigènes, plumes peintes et café – côtoient aujourd'hui une nouvelle gamme de produits, notamment des CD de world music produits localement. Des associations écologiques comme l'ANAI (*voir p. 295*) vendent également des souvenirs de belle qualité. Le marchandage n'est pas aussi répandu que dans d'autres pays d'Amérique latine, mais même dans les centres commerciaux vous pouvez obtenir une remise en payant en espèces.

Les articles qui suivent se trouvent à peu près partout.

Céramique

Méfiez-vous des poteries "indigènes" proposées à la vente. Les plus jolies sont confectionnées au nord de la Zona Pacífico (Guaitil et Santa Cruz), où les artisans travaillent encore selon les techniques précolombiennes des Chorotega.

Café

Avis aux amateurs, le café costaricain est excellent et relativement bon marché. Café Britt propose un vaste éventail de cafés haut de gamme superbement présentés – en vente dans les épiceries et les boutiques cadeaux. Café Rey et Café Volio vendent également du très bon café à prix plus doux.

Tourisme responsable

N'achetez pas les articles suivants :
• Corail
• Objets en écaille de tortue
• Fourrures, notamment ocelot et jaguar
• Objets en bois durs tropicaux (acajou, laurier, amarante)
• Tout article en peau de crocodile, caïman ou lézard

Bois

Les articles en bois (bols, assiettes, planches à découper, boîtes, etc.) sont en vente dans la plupart des boutiques de cadeaux. La ville de Sarchí est réputée pour son artisanat du bois. Les plus belles pièces, vous les trouverez aux Biesanz Woodworks. Barry Biesanz vous accueille dans son superbe atelier de Bello Horizonte, près d'Escazú (www.biesanz.com). Ses coffrets à bijoux, plateaux et récipients sont magnifiques.

Cuir

Dans le Valle Central, de nombreuses boutiques regorgent de sacs, de portefeuilles et de sacoches en cuir. Plus encombrants, les rocking-chairs pliants vendus à Sarchí ne manquent pas d'allure.

Sacs tissés

Les Bribri réalisent des sacs tissés aux teintes naturelles, en vente un peu partout.

Bijoux

Dans les rues de San José, les artisans confectionnent des bijoux et des boucles d'oreilles à des prix très attractifs.

Musique

Les excellents CD produits par Papaya Music permettent de découvrir la musique traditionnelle du Costa Rica à travers des légendes vivantes ou des célébrités locales (infos en anglais). Disponibles chez 7th Street Books, Universal, Lehman's et bien d'autres magasins.

Papier

Dans de nombreuses boutiques cadeaux, de magnifiques papiers artisanaux sont fabriqués à partir de plantes et de teintures naturelles.

Matériel de camping

Alumicamping
Moravia
Tél. 225 1532
Vente, location et réparation de tentes et autres équipements.
Centro de Aventura
Côté nord de l'ancienne Rotunda

Guadalupe
Tél. 257 0253
www.centrodeaventura.com
L'un des mieux achalandés.

Où acheter

Vous avez envie de ramener des souvenirs originaux ? Faites une halte à Sarchí, ville réputée pour ses *carretas* et autres articles en bois. Vous pourrez assister au travail des artisans.

Vous dénicherez plus facilement les productions d'artisans locaux en vous éloignant de San José. Mais si le temps vous est compté, voici quelques adresses intéressantes dans le Valle Central.

San José

Échoppes d'artisanat **Plaza de la Democracia**, à côté du Museo Nacional, à **La Casona** (*Av Central-1, Ca Central*), et au **Mercado Central**. À **Pavas** (*Plaza Esmeralda, tél. 296 0312*), les artisans confectionnent divers articles devant leurs stands.

Galería Namú
Av 7, Ca 5-7
Tél. 256 3412
Excellent choix d'artisanat local et indigène.

Annemarie Boutique
Hotel Don Carlos
Av 9, Ca 9
Tél. 221 6707
Poteries, articles en bois et bijoux.

Moravia

100 m au sud de la Cruz Roja (Croix rouge). Boutiques souvenirs et galeries d'artisanat bordent 2 *quadras* dans le centre-ville. Miroirs peints à la main.

Alajuela

The Green Turtle Souvenir Outlet
Tél. 430 0211
Également à Tamarindo :
Tél. 653 1606
www.greenturtlesouvenirs.com
Superbe choix, près de l'aéoport d'Alajuela.

Ci-dessous : étal de tissages et de broderies.

Sports & Loisirs

Équitation

Vous aurez l'embarras du choix, de la grande randonnée à la ballade d'une heure sur la plage en passant par le débourrage dans une hacienda.

Caballeriza El Rodeo
Réservations via Desafío Adventures
Tél. 479 9464
www.desafiocostarica.com
Randonnée à cheval de Monteverde à La Fortuna.

Centro Ecuestre Valle de Yos-Oy
Tél. 282 6934
Randonnées autour de Santa Ana, à l'ouest du Valle Central.

Finca Los Caballos
Montezuma
Tél./fax 642 0124
Randonnée de 4h parmi des paysages de toute beauté.

La Garza
Planatar
Tél. 475 5222
Fax 475 5015
www.hotellagarza.com
Vaste hacienda en activité proposant aussi des *cabinas*.

Escalade

Au Costa Rica, les voies les plus intéressantes sont très difficiles d'accès. Mais si vous cherchez quelque falaise pour vous dérouiller, Cachí (près de Cartago) devrait convenir.

Mundo Aventura
Tél. 221 6934
www.maventura.com
Circuit, point de rencontre, mur d'escalade.

Tropical Bungee
Tél. 248 2212
www.bungee.co.cr
Circuits escalade à Cachí.

Golf

En dehors du Valle Central, seuls les grands complexes hôteliers de la côte pacifique ont des terrains de golf. La plupart sont ouverts au public et louent l'équipement nécessaire. Pour plus d'informations, contactez Costa Rica Golf Adventures (*tél. 239 5176 ou 877-258 2688*, www.golfcr.com)

Los Delfines Golf and Country Club
Tambor
Tél. 683 0333
Parcours 9 trous.

Cariari Country Club
Cariari, au nord-ouest de San José
Tél. 293 3211
18 trous. Ouvert aux membres et à la clientèle de Ramada Inn.

Four Seasons Resort
Papagayo, sur la côte pacifique nord
Tél. 696 0000
18 trous conçu par Arnold Palmer.

Hacienda Pinilla
Tamarindo
Tél. 680 7000
18 trous, larges fairways.

Los Reyes Country Club
Guácima, Alajuela
Tél. 438 0004
9 trous. Ouvert au public du lundi au vendredi.

Marriott Los Sueños Golf Resort
Playa Herradura (Pacifico Central)
Tél. 630 9000
18 trous créé par Ted Robinson.

Paradisus Playa Conchal
Playa Conchal
Tél. 654 4123
18 trous. Ouvert à la clientèle uniquement.

Parque Valle del Sol
Santa Ana
Tél. 282 9222
18 trous.

Tango Mar Resort
Península de Nicoya
Près de Tambor
Tél. 683 0001
9 trous.

Kite surfing

Ce sport se pratique uniquement sur la côte pacifique nord.
Kitesurfing Center & school
Playa Papaturro, près de Playa Copal
Tél. 826 5221
www.suntoursandfun.com/kitesurfing.htm
Équipement et leçons avec un instructeur certifié. Dépend du Blue Dream Hotel and Spa. Également 10 *cabinas* et restaurant.

Montgolfière

Contactez :
Serendipity Adventures
Tél. 558 1000
Fax 558 1010
Départs de Turrialba et près de Ciudad Quesada.

Ornithologie

Le Costa Rica compte plus de 850 espèces d'oiseaux : aras macao, colibris, martins-pêcheurs, toucans, trogons et quetzals resplendissants.
Tour operators :
Albergue Mirador de Quetzales
(Finca Eddie Serrano)
Tél. 381 8456
www.exploringcostarica.com/mirador/quetzales
Sur l'Interamericana, en direction du sud (Km 70). Réputé pour l'observation des quetzals.
Costa Rica Birding Journeys
Tél. 889-8815 (Costa Rica), ou 643-1983 (international)
www.costaricabirdingjourneys.org
Guide expérimenté connaissant parfaitement le Parque Nacional Carara. Circuits pour débutants également.
Costa Rica Expeditions
Tél. 257 0766
Horizontes
Tél. 222 2022
Keköldi Wak Ka Koneke
Tél. 756 8033
Circuits à la découverte des oiseaux migrateurs, dans la zone caraïbe sud (meilleure période : fév.-mi-avril).
Organization for Tropical Studies
Tél. 524 0607
www.ots.ac.cr
Gère l'Estación Biológica La Selva et propose des circuits guidés bilingues.
Savegre Hotel de Montaña
Tél. 740 1029
www.savegre.co.cr
Excellents guides.

Pêche

Un permis est nécessaire (votre guide s'en charge habituellement). Sur la côte pacifique, il s'achète juste avant d'embarquer ; côté caraïbe, il est vendu dans les lodges (certaines proposent des forfaits tout compris). Les permis eau douce coûtent plus cher, les sites se trouvant souvent dans les parcs nationaux. Les gardes sont susceptibles de vous demander votre permis et votre passeport (une copie de ce dernier peut suffire).

Infos sur la pêche au Costa Rica :
Carlos Barrantes, La Casa del Pescador
Magasin pêche situé Av 16-18, Ca 2
Tél. 222 1470
Deportes Keko
Av 4-6, Ca 20
Tél. 223 4142
Costa Rica Outdoors
Tél. 231 0306
ou 800-308 3394
www.costaricaoutdoors.com
Croisières dans tout le pays.

Plongée

La meilleure période pour plonger se situe durant la saison sèche (nov.-avr.), le mois d'octobre étant à privilégier sur le littoral caraïbe. Parmi les sites les plus magnifiques figurent le nord du Guacanaste, l'ouest de la Península de Osa et le sud de la côte caraïbe.
Costa Rica Adventure Divers
Hotel Jinetes de Osa, Drake Bay
Tél. 236 5637
www.costaricadiving.com
Appareils photo sous-marins fournis.
Diving Safaris
Playa Hermosa, Guanacaste
Tél. 672 1259
Fax 672 0231
www.costaricadiving.net.
Centre le plus important et le plus ancien du pays. Expéditions, location de matériel et passage des diplômes.
Ocotal Beach Resort
Playa Ocotal
Tél. 670 0321
www.ocotalresort.com
Prestations forfaitaires.
Reef Runner Divers
Puerto Viejo
Tél. 750 0480
www.reefrunnerdivers.com
Plongée sur le littoral caraïbe.

Rafting et kayak

Pour se livrer aux joies du rafting, il faut de l'eau et des montagnes, ce qui ne manque pas au Costa Rica. Ce sport se pratique notamment sur les *ríos* Pacuare, Reventazón, Savegre et Sarapiquí. Si vous voyagez en famille, sachez que certaines descentes sont réservées aux 12 ans et plus.
Costa Rica Expeditions
Tél. 257 0766
www.costasricaexpeditions.com
Costa Sol Rafting
Tél. 431 1183
Fax 431 1185
www.costasolrafting.com
Desafío Adventures
Tél. 479 9464
www.desafiocostarica.com
Spécialisé dans les descentes de la Zona Norte.
Ríos Tropicales
Tél. 233 6455
www.riostropicales.com
Rafting et kayak de mer.
Le Río Corobocí (Guanacaste) offre un terrain de jeu idéal aux débutants.

Randonnée

La randonnée est le meilleur moyen pour découvrir les parcs nationaux qui couvrent une grande part du territoire.

Pour atteindre le Chirripó (3 819 m), point culminant du pays, il faut compter 2 jours. Le parc admet 35 personnes maximum par jour : prévoyez de réserver un bon mois à l'avance.
Les randonneurs expérimentés peuvent relier en 3 jours les *estaciones* des gardes du Parque Corcovado.
Corcovado National Park
Tél. 735 5649
www.pncorcovado.org
Gère les réservations de randonnée dans le Corcovado (site en anglais très complet).
Selva Mar
Tél. 771 4582
www.chirripo.com
Opérateur spécialisé dans la Zona Sur ; propose des ascensions du Chirripó.
La plupart des tour operators peuvent organiser des randonnées et du trekking sur mesure.

Saut à l'élastique

Sous le pont du Río Colorado, les 80 m du canyon défilent devant vos yeux.
Deux opérateurs à Grecia, à environ 1h au nord-ouest de San José :
Costa Rica Bungee and Rappel Adventures
Tél./fax 494 5102
www.bungeecostarica.com
Tropical Bungee
Tél. 248 2212
www.bungee.co.cr

Surf & natation

Avec un littoral pareil, les spots de surf sont nombreux et les opportunités de baignade ne manquent pas... Mais attention, certaines plages ne sont pas sûres toute l'année. Il existe 2 types de dangers : les contre-courants (*voir page suivante*) et les grosses vagues, gonflées par une forte houle, qui peuvent vous écraser au sortir de l'eau. Avant de piquer une tête, renseignez-vous systématiquement auprès de la population locale.

Spots à ne pas manquer

Côte pacifique : Boca Barranca près de Puntarenas, Tamarindo, Jacó, Hermosa, Dominical et Pavones.
Côte caraïbe : Puerto Viejo, Punta Uva, Salsa Brava, Black Beach.
Pour obtenir des infos à jours sur les conditions de surf, contactez :
Alacrán Surf
Tél. 201 7139
www.alacransurf.com

Contre-courants

Plusieurs plages du Costa Rica sont réputées pour la traîtrise de leurs courants, lesquels peuvent atteindre 5 nœuds (10 km/h). Si vous êtes pris dans un courant, détendez-vous, ne cherchez pas à lutter, même si vous êtes un excellent nageur. Quand vous sentez le courant s'affaiblir, nagez parallèlement à la plage, les rouleaux finiront par vous ramener au rivage.
Plages dangereuses :
Côte pacifique : Jacó, Esterillos, Junquillal, Dominical, nord d'Espadilla (Manuel Antonio).
Côte caraïbe : Cahuita, Playa Bonita.

Tennis

Plus grosse compétition nationale, la Copa del Café (junior pro) a lieu en janvier, au Costa Rica Country Club d'Escazú. Les complexes hôteliers haut de gamme disposent généralement d'un ou deux courts. Les courts publics sont rares, sauf à San José et à Tamarindo.
Academia de Tennis Valle del Sol
Près de Santa Ana
Tél. 282 9222
www.vallesol.com
10 courts très bien entretenus, ouverts au public.
Parque La Sabana
4 courts ouverts à tous.

Vélo

Des boutiques de location fleurissent dans tout le pays. Les tour operators spécialisés proposent surtout des circuits VTT. Les plus beaux itinéraires bordent la Laguna de Arenal, sillonnent les collines d'Orosí ou, pour les mollets d'acier, relient la côte caraïbe au Pacifique. Les opérateurs fournissent généralement du très bon matériel, mais vous pouvez aussi apporter le vôtre (conditions à vérifier auprès de votre compagnie aérienne).
Bi.Costa Rica
Tél./fax 446 7585
www.bruncas.com/bicostarica.html
Agence compétente organisant divers circuits à travers le pays.
Coast to Coast Adventures
Tél. 280 8054
www.ctocadventures.com
Circuits aventure combinés (vélo, trek, rafting, kayak). Réputé pour son périple "coast to coast". Pas d'assistance motorisée.
Lava Tours
Tél. 278 2558
www.lava-tours.com
VTT et circuits aventure.
Norman List
Tél. 692 2062
www.rockriverlodge.com

Voile

Les tour operators proposent surtout des croisières "couchers de soleil" et, par conséquent, essentiellement sur la côte pacifique, notamment au Guanacaste où vous pourrez guetter le fameux "Rayon Vert". Tour operators également dans le Pacífico Central.
Hotel El Velero
Playa Hermosa
Tél./fax 672 0016
www.costarica hotel.net
Maison-hôtel de plage avec voilier.
Sunset Sails
Tél. 777 1304
www.sunsetsailstours.com
"Couchers de soleil", à Manuel Antonio.
The Samonique III
Tél. 388 7870
www.costarica-sailing.com
De Flamingo, diverses croisières voile.
Varso Travel
Tél. 395 6090
www.costarica-realestate.com
Croisières "couchers de soleil" sur le Pacifique.

Croisières dans les îles

Calypso Tours
Tél. 256 2727
Fax 256 6767
www.calypsocruises.com
Croisières en catamaran de Puntarenas à Isla Tortuga, ou à la réserve privée de Punta Coral.
Bay Island Cruises
Tél. 258 3536
Fax 257 4344
www.bayislandcruises.com
Croisière d'une journée à Isla Tortuga. Départs en car de San José.

Avec vos enfants

Volcans en activité, rapides bouillonnants, nuages de papillons, vols de colibris et cabrioles de singes... vos têtes blondes garderont un souvenir inoubliable de leur voyage au Costa Rica. Dans ce pays, on peut voyager avec des enfants en toute quiétude, mais les moins de 5 ans supporteront moins bien les déplacements (et la chaleur). À San José et dans ses environs, vous n'aurez aucun mal à distraire vos chérubins. Ne manquez pas le **Museo de los Niños** (musée des Enfants), très bien conçu, et l'**INBioParque** de Heredia (*tél. 507 8107*, www.inbioparque.com), où il est possible d'observer des serpents, des papillons et des colonies de fourmis.

Les enfants sont souvent très impressionnés par les **Jardines de la Catarata La Paz** (*tél. 255 0643*, www.waterfallgardens.com), à Varablanca, (à 1h au nord de San José) avec ses cascades, son vivarium et ses jardins de papillons.

L'imposant **Volcán Arenal** ne manque jamais de faire son effet, surtout si le ciel est dégagé.

Vous n'aurez aucun mal à convaincre les petits de se plonger toute une journée dans le monde du chocolat : le **Chocolate Tour** (*tél. 750 0075*), sur la côte caraïbe, ou dans la Zona Sur, près de Puerto Jiménez, **Finca Köbö** (*tél. 351 8576*) qui fait visiter sa fabrique bio de chocolat.

Sur la plage, les surfeurs débutants trouveront leur bonheur à **Tamarindo**, sur la côte pacifique, ou à **Punta Uva**, côté caraïbe. Dans le Pacífico Central, la **Playa Manuel Antonio**, bien abritée, se prête particulièrement à la baignade et au snorkeling.

The Bug Lady (www.thenighttour.com) propose des randonnées nocturnes très amusantes pour découvrir les insectes. Son site Internet mérite un coup d'œil. Les plus grands seront captivés par le spectacle des **tortues de mer géantes** montant pondre leurs œufs sur les plages de Tamarindo, Tortuguero ou Ostional.

CI-DESSOUS : le capucin ne rate jamais ses effets.

De A à Z

Pratiquer le Costa Rica

Ambassades

Belgique
Los Yoses, San Pedro
1000 San José
Tél. (506) 225 6633
Fax (506) 225 0351
www.diplobel.org/costarica

Canada
Oficentro La Sabana
Building 5
1000 San José
Tél. (506) 242 4400
Fax (506) 242 4410
www.sanjose.gc.ca

France
Curridabat de l'Agence Mitsubishi
BP 10177
1000 San José
Tél. (506) 234 4167
Fax (506) 234 4195

Suisse
Edificio Centro Colón
10e piso
Paseo Colón
1000 San José
Tél. (506) 221 4829
Fax (506) 255 2831
www.eda.admin.ch/sanjose

Argent

La devise nationale est le colón. En sept. 2007, le taux de change est de 1 € = 740 CRC. Pour connaître le taux en cours, consultez les pages business du *Tico Times*. Le quotidien *La Nación* publie également les taux pratiqués dans toutes les banques.

Banques

Banques d'État
La Banco Nacional (*tél. 222 2000*) et la Banco de Costa Rica (*tél. 287 9000*) sont représentées dans tout le pays. La Banco de Costa Rica possède un bureau près de la Clínica Bíblica, au centre-ville (ouv. à 7h30) et un autre à Curridabat, à l'est de la ville (ouv. à 7h).

Banques privées
Les principales banques privées sont Banco Banex (*tél. 287 1000*) et BAC San José (*tél. 295 9595*). Les autres établissements bancaires sont Bancrecen, Interfin, Scotiabank et Citibank, dont la plupart des bureaux sont ouverts jusqu'à 19h. Dans les centres commerciaux du Valle Central, les Rápidos Bancos de BAC San José assurent le dimanche les opérations courantes, change compris.

Travelers' Cheques

En raison du taux élevé de fraudes, certains hôtels et commerces refusent les Travelers' Cheques. Il est tout de même conseillé d'en emporter quelques-uns et de les convertir à la banque.

Espèces

Vous aurez sans doute du mal à casser un billet de 5 000 colones dans les taxis et les petites boutiques ; en revanche, on vous prendra volontiers des $US en petites coupures, notamment dans les villes. Attention aux billets de 100 $US, difficiles à écouler (des faux sont en circulation), mieux vaut prévoir de plus petites coupures.

Cartes bancaires

Les cartes American Express, Visa, et MasterCard sont largement acceptées dans le Valle Central.

Distributeurs

Même si les distributeurs sont de plus en plus répandus, il vaut mieux retirer du liquide systématiquement dans les grandes villes. Les distributeurs siglés ATH acceptent en général les cartes étrangères. Liste des distributeurs ATH sur www.ath.fi.cr (cliquez sur Cajeros Automáticos, puis Búsqueda de Cajeros pour vérifier que vous pourrez retirer de l'argent lors de votre prochaine étape). Les *"local"* délivrent uniquement des colones, les *"ambas"* distribuent également des dollars. Certaines banques acceptent les Visa ou les MasterCard mais pas les deux, à vérifier sur www.mastercard.com/atmlocator/index.jsp ou www.visalatam.com/e_index.jsp. Retirez de l'argent seulement en journée, si possible en présence de policiers.

Change

Le taux de change est variable d'une banque à l'autre et même d'un jour à l'autre. Mais ces variations et fluctuations ne dépassent guère le centime d'euro. Pour éviter les files d'attente, préférez les banques privées (notamment BAC San José). Il est également possible de convertir ses devises à l'hôtel. La plupart des banques prennent les euros aussi bien que les dollars.

En fin de séjour, il est conseillé de changer vos derniers colones contre d'autres devises. Vous pouvez effectuer cette opération à l'aéroport, de 5h à 22h (BAC San José). Évitez la Casa de Cambio Global Exchange, elle pratique des taux plus élevés. Taux quotidiens sur www.bccr.fi.cr/flat/bccr_flat.htm (Central Bank) et dans les pages business de *La Nación*.

Taxes et pourboire

Dans les restaurants et les hôtels, l'addition inclut une taxe de 13 %. Les hôtels prélèvent une taxe de 3 % par chambre et les restaurants ajoutent 10 % pour le service.

Des pourboires sont attendus par le personnel hôtelier, mais pas par les serveurs.

Assurance

Il vous faut impérativement souscrire une bonne assurance voyage avant votre départ. L'assurance octroyée par certaines banques et cartes bancaires ne couvrent pas toujours correctement d'éventuels frais médicaux et de rapatriement.

Assurez-vous également contre le vol de vos effets personnels et la perte de passeport et/ou d'argent.

Certaines activités sportives (d'aventure, notamment) ne sont pas toujours prises en charge – lisez attentivement votre contrat, et n'hésitez pas à questionner votre assureur.

Budget

Comparé aux autres pays d'Amérique latine le Costa Rica n'a rien d'une destination bon marché. Mais vous pouvez voyager à titre individuel dans presque tout le pays, une bonne façon de soulager votre budget. Un itinéraire organisé par un tour operator, en revanche, peut vous faire économiser du temps. Attention, les circuits guidés (de 30 à 80 € en règle générale) feront exploser votre budget. Mais vous ne regretterez pas cette dépense supplémentaire, surtout si vous faites une randonnée nature.

Le budget minimal est de 50 € par jour, sans autre activité qu'un bain de soleil sur la plage et de randonnées en solo. Au départ de San José, le réseau national de bus permet de voyager dans tout le pays pour moins de 6 € l'aller. Il existe quantité de *cabinas* avec douches communes ou froides à moins de 25 € la nuit, surtout en bord de mer, mais elles sont très demandées en haute saison et le week-end. Dans les *sodas*, une platée de riz, viande et haricots tenant bien au corps coûte 3 €. Et il vous restera quelques colones pour siroter une bière au soleil couchant (environ 1 €).

Avec un budget situé entre 50 et 70 €, vous pouvez choisir une chambre double plus confortable (sdb indépendante, eau chaude, parking, etc.) bénéficiant souvent d'une jolie vue. Prendre un mini van climatisé au départ de San José coûte entre 30 et 55 € par personne. Un dîner pour deux avec un verre de vin revient généralement à 25 € maximum.

Quel que soit votre budget, vous serez sans doute amené à prendre un taxi. Comptez 0,65 € pour le 1er km et 0,60 € pour chaque kilomètre supplémentaire ; en dehors de San José, les chauffeurs proposent des tarifs fixes, même si c'est illégal.

Cartes

Des cartes routières sont disponibles gratuitement dans les bureaux de l'ICT (Museo de Oro et à l'aéroport de San José), mais ils sont souvent à court de stock. Vous pouvez aussi vous les procurer directement chez 7th Street Books ou Lehman's (*voir p. 287*).

Si vous louez une voiture, une carte routière peut s'avérer utile. Dans le cas contraire, celles de ce guide ou de l'ICT devraient suffire.

L'*Insight Map Costa Rica* est la plus complète. *The Rough Guide Map to Costa Rica and Panama*, imperméable, est également un excellent investissement. Maptak édite des cartes topographiques détaillées des provinces, des parcs nationaux, etc. Pratique pour préparer son voyage, le site www.costaricamap-online.com met en ligne des cartes et donne des temps de trajet.

Circuits

Grâce à un excellent réseau de transports en commun et à l'usage largement répandu de l'anglais dans les sites et les régions touristiques, voyager au Costa Rica individuellement ne pose pas de problème insurmontable.

Cependant, sachez que les services d'un tour operator vous permettront de gagner un temps précieux, et vous épargneront le genre d'aventures que l'on aime raconter plus tard, mais beaucoup moins vivre sur le moment. Sachez également que pour vous visiter certaines régions reculées comme le Tortuguero et la Península de Osa, vous n'aurez guère d'autres choix – même en réservant auprès de votre hôtel – que de souscrire à un circuit tout compris (dont transport) de 2-3 jours.

Les circuits individuels en voiture proposés par les tour operators sont très bien conçus ; et leurs circuits ruraux offrent une chance de connaître la culture costaricaine.

Si voyager de manière autonome demeure votre choix unique, n'oubliez pas que seul un guide vous permettra d'observer la vie sauvage dans de bonnes conditions. Depuis plusieurs années, l'ICT (Instituto Costarricense de Turismo) édite la liste des guides certifiés, ce qui n'empêche nullement de vous fier aux recommandations de votre hôtel ou d'un tour operator. *Voir encart Tour operators locaux, p. 298.*

Climat

Le Costa Rica ne connaît que deux saisons : celle des pluies, ou saison "verte", que les Ticos appellent d'ailleurs *Invierno* (hiver), et le *verano* (été, ou saison sèche). Dans le Valle Central l'*invierno* dure de mai à novembre et le *verano* de décembre à fin avril. Même durant la saison humide, le soleil est au rendez-vous presque tous les matins.

Durant l'*invierno*, les touristes sont moins nombreux, certains établissements proposent des réductions "saison verte" et surtout la végétation est à son apogée.

Des averses violentes (sauf en octobre, plus sec) arrosent la côte

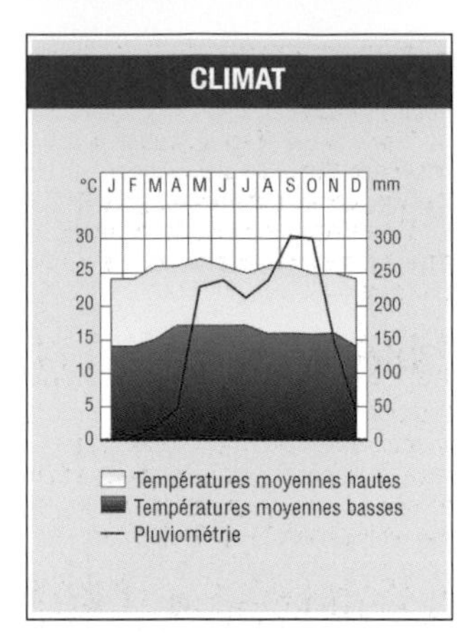

caraïbe, plus humide que le reste du pays.

La température moyenne à San José est de 24°C. Dans la Meseta et les *sierras*, elle chute d'environ 0,6°C tous les 100 m de dénivelé. Sur les deux côtes, les températures sont comprises entre 20 et 30°C.

Consigne

Les aéroports ne disposent pas de consigne. Mais presque tous les hôtels et certains tour operators proposeront de garder vos bagages pendant quelques jours, gratuitement ou contre un petit dédommagement.

Décalage horaire

Le Costa Rica est aligné sur le Central Standard Time d'Amérique du Nord, soit 6h de moins que le GMT. L'heure d'été n'y est pas observée, ce qui augmente le décalage d'une heure en cette saison. Le Costa Rica est proche de l'Équateur, et la durée du jour varie donc beaucoup moins que chez nous d'une saison à l'autre.

Electricité

Courant de 110 volts. Prises de 2 et 3 fiches. La plupart des hôtels fournissent des adaptateurs.

Environnement

La politique environnementale du Costa Rica est citée en modèle dans le monde entier. Cette réputation flatteuse et la biodiversité du pays en ont fait une destination majeure d'écotourisme, terme à l'origine étroitement lié à la protection de l'environnement, mais qui s'est étendu à tout logement ou activité inscrit dans un cadre naturel.

Compte tenu de sa situation économique, le Costa Rica consent d'énormes efforts pour la préservation de l'environnement. Les organismes qui suivent sont réputés pour leur action en faveur de la sauvegarde des ressources naturelles du pays.

APREFLOFAS
(Asociación Preservacionista de Flora y Fauna Silvestre)
Tél. 240 6087
Fax 236 3210
www.preserveplanet.org
ONG privée à but non lucratif.

Asociación ANAI
Tél. 224 3570
Fax 253 7524
www.anaicr.org
Programmes de protection des tortues de mer et des oiseaux, etc.

CCC Caribbean Conservation Corporation
Tél. 297 5510
www.cccturtle.org
Marquage des tortues vertes de Playa Tortuguero.

CEDARENA (Centre de Derecho Ambiental y de los Recursos Naturales)
Tél. 283 7080
www.cedarena.org
Centre de formation spécialisé dans l'application des lois environnementales.

Conservation International
Tél. 202-912 1000
www.conservation.org

Fundación de Parques Nacionales
Tél. 257 2239
www.fpncostarica.org
Organisme national responsable de la protection et du développement des réserves naturelles d'État.

Fundación Neotrópica
Tél. 253 2130
Fax 253 4210
www.neotropica.org
Fondation œuvrant en faveur du développement durable dans les communautés proches des réserves, des parcs et autres zones protégées.

INBio
(Instituto Nacional de Biodiversidad)
Tél. 507 8107
Fax 507 8139
www.inbio.ac.cr
ONG gérant les 5,5 ha de l'INBio Parque à Santo Domingo de Heredia.

Kids Saving The Rainforest
Tél. 777 2592
Fax 777 1954
www.kidssavingtherainforest.org
Basé à Manuel Antonio. Programmes écologiques pour les enfants, dont "adoptez un arbre".

Rainforest Concern
Tél. 020-7229 2093 (UK)
Fax 020-7221 4094
c.fernandez@turtleprotection.org
www.rainforestconcern.org
Organisme achetant et protégeant des forêts vierges et travaillant avec les habitants pour développer un tourisme responsable.

World Society for the Protection of Animals
Tél. 262 6129
www.wspainternational.org
Association soutenant activement des campagnes internationales comme *Save the Whale* ou *Farm Watch*.

Étudiants

Si la carte internationale d'étudiant permet d'obtenir des réductions dans certains sites et musées, et sur les vols internationaux, ce sont les tout petits prix des *cabinas*, des transports et des plats locaux qui font du Costa Rica une destination estudiantine.

De nombreuses associations écologiques proposent aux étudiants de collaborer comme bénévoles (*voir Environnement*). L'Asociación de Volontarios para el Servicio en las Areas Protegidas (ASVO, *tél. 258 4430*, www.asvocr.org) offre des missions courtes ne nécessitant pas un haut niveau d'espagnol : entretien des pistes dans les parcs, surveillance de la protection des tortues de mer ou cours d'anglais.

Des auberges de jeunesse commencent à fleurir dans tout le pays (*voir Auberges dans Se Loger*).

Femmes

En 2006, le magazine *USA Today* classait le Costa Rica au 3e rang des destinations les plus sûres pour les femmes.

Les femmes font rarement l'objet de harcèlements persistants ou physiques, mais les hommes aiment exprimer leur appréciation à haute et intelligible voix. Femme ou homme, mieux vaut se promener à deux ou en groupe et prendre un taxi la nuit. Asseyez-vous toujours à l'arrière.

Les camps de surf réservés aux femmes comme le Del Mar Surf Camp (*tél. 385 8535*, www.costaricasurfingchicas.com) de Playa Hermosa (Pacífico Central), ou les leçons de surf privées proposées par Sirena Surf (*tél. 879 3799*, www.sirenasurf.com) à Dominical, permettent de prendre plus rapidement de l'assurance.

Formalités

Vous pouvez introduire dans le pays 500 g de tabac maximum, 2 kg de bonbons (!) et 5 l de vin ou de liqueurs (si plus de 21 ans). Transportez vos médicaments dans leur emballage d'origine. Toute personne appréhendée en possession de stupéfiants risque entre 8 et 20 ans de prison ferme.

Ambassades

Belgique
Avenue Louise, 489
B-1050 Bruxelles
Tél. 32 (0)640 55 41
Fax 32 (0)648 31 92
www.costaricaembassy.be
Canada
325 Dalhousie Street (suite 407)
Ottawa, Ontario, K1N 7G2
Tél. 1 613-562 0842
www.costaricaembassy.com
Consulat
1425 Rene-Levesque (bureau 602)
Montréal, Québec H3G 1T7
Tél. 514 393-1057
Fax 514 393-1624
France
78, avenue Émile Zola
75015 Paris
Tél. 33 (0)1 45 78 96 96
Fax 33 (0)1 45 78 99 66
www.ambassade-costarica.org
Suisse
Schwarztorstrasse, 1
CH 3007 Berne
Tél. 41 (0)31 372 7887
Fax 41 (0)31 372 78 34

Visas et passeports

La plupart des ressortissants occidentaux, Canadiens compris, doivent présenter un passeport valide au minimum 6 mois après la date d'entrée. Séjour autorisé de 90 jours. Si vous quittez le pays durant 72 h, vous obtiendrez un nouveau visa de 90 jours à votre retour. Mais les services de l'immigration n'apprécie guère les "touristes perpétuels", et les entrées/sorties multiples ne sont pas conseillées.

Contrôles

Conservez toujours sur vous une photocopie de votre passeport avec la page tamponnée par les services d'immigration en cas de contrôle. Le cas échéant, déclarez immédiatement la perte de vos papiers à la police. Infos sur www.rree.go.cr.

Formalités de sortie

Les mineurs (moins de 18 ans) nés ou résidant au Costa Rica ne peuvent quitter le territoire non accompagnés sans l'autorisation de l'immigration. Ces restrictions ne s'appliquent pas aux touristes étrangers.

Handicapés

La réputation du Costa Rica repose essentiellement sur sa nature sauvage, et les routes défoncées, les trottoirs crevassés (quand ils existent) ne se négocient pas sans mal.

Mais les établissements touristiques ont consenti de gros efforts pour faciliter le séjour du voyageur handicapé, même si la définition du terme "accessible" peut varier considérablement. Il est donc conseillé de se renseigner à l'avance pour éviter toute déconvenue.

Différents sites majeurs, notamment le Volcán Poás, offrent un accès praticable aux voyageurs en fauteuil roulant. Consultez les agences de voyages organisant des circuits totalement pris en charge ; plusieurs opérateurs locaux proposent des excursions sur mesure ou s'occupent du transport.

Accessible Journeys
Tél. 800-846 4537
www.disabilitytravel.com
Circuits de septembre à mai.
International Institute for Creative Development
Tél. 771 7482
www.empowermentaccess.com
Itinéraires personnalisés pour des vacances accessibles.
Vaya con Silla de Ruedas
Tél. 454 2810
www.gowithwheelchairs.com
Organise circuits et transports.

Animaux de compagnie

Pour importer votre animal domestique, un permis délivré à l'aéroport est requis. Prenez avec vous son carnet de santé et de vaccination à jour. Pour plus d'informations, contactez :
Vigilancia de la Salud, Ministerio de Salud
Tél. 255 1427
Fax 221 1167

Homosexuels

Par tradition peu enclin à la répression et à l'intolérance, le Costa Rica est devenu une destination appréciée par les gays et les lesbiennes d'Amérique centrale, qui se retrouvent lors de sa Gay-Pride Parade en juin.

La discrétion reste toutefois de mise, et les marques d'affection entre personnes du même sexe choquent les Ticos ; la remarque s'applique d'ailleurs également aux couples hétéros (*voir Savoir-vivre, p. 297*).

À San José et Manuel Antonio, quelques hôtels, restaurants et bars ont une clientèle gay.

Infos touristiques dans *The Gay and Lesbian Guide to Costa Rica* (www.hometown.aol.com/gaycrica/guide.htm).

Tiquicia Travel (tél. 256 6429, www.tiquiciatravel.com), *Aventuras Yemaya (tél. 294 5907)* et *Gaytours Costa Rica (tél. 777 1910,* www.gaytourscr.com) se spécialisent dans les circuits gays ; le Gaybus de *Gaytours* effectue la liaison San José-Manuel Antonio.

Playita Circuit (Manuel Antonio) et *Urbano Circuit* (San José) sont des magazines bimensuels gratuits, distribués dans les établissements gays, ou consultables sur le site de Gaytours.

Horaires d'ouverture

Les bureaux sont ouverts généralement de 9h à 17h, et font souvent une pause déjeuner entre 12h et 13h. Les banques nationales fonctionnent de 8h30 à 16h30.

Internet

À San José, de nombreux cybercafés offrent une connexion ADSL à très bon marché (moins d'1 €/h). Les communications via Internet se sont considérablement améliorées et développées, et ces cafés ont remplacé les centres d'appels téléphoniques internationaux.

En dehors de la capitale, il est possible de naviguer sur le net dans pratiquement toutes les villes, mais les connexions sont plus lentes et plus coûteuses, jusqu'à 5 € dans les stations balnéaires. Et dans les zones reculées où est utilisé le système satellite, les prix sont souvent astronomiques.

La plupart des hôtels haut de gamme mettent à la disposition de leurs clients un accès Internet, le Wifi, ou les deux. Des cafés comme les Balgermen (San José) ou Denny's (Hotel Irazú) offrent un accès Wifi, mais soyez vigilant, les vols d'ordinateurs portables sont en augmentation.

Sites Internet

AM Costa Rica
www.amcostarica.com
News quotidiennes.
Cámara Nacional de Turismo (CANATUR)
www.canatur.org
Ministère des Affaires étrangères
www.rree.go.cr
Infos sur les consulats et ambassades ; traducteurs officiels (en espagnol).
Costa Rica.com
www.costarica.com
ou www.costarica.net
Blogs, recettes, culture, immobilier.
Instituto Costarricense de Turismo (ICT)
www.visitcostarica.com
Infos touristiques complètes.
Info Costa Rica
www.infocostarica.com
Forums, articles sur divers sujets,

liens.
Inside Costa Rica
www.insidecostarica.com
Grands titres quotidiens (en anglais).
La Nación
www.nacion.co.cr
Infos de la semaine en anglais/espagnol (le ven.).
Association of Residents in Costa Rica
www.arcr.net
Infos touristiques et communautaires utiles.
Certificación para la Sostenibilidad Turística (CST)
www.turismo-sostenible.co.cr
Aperçu du programme de tourisme durable et liste détaillée des établissements homologués.
The Tico Times
www.ticotimes.net
Infos générales quotidiennes et hebdomadaires.

Jours fériés

Lorsqu'ils tombent durant le week-end, ils peuvent être déplacés au lundi suivant. Si c'est en semaine, la majorité des magasins sont fermés, mais les services administratifs le repoussent au lundi suivant, suivis parfois de quelques commerces (*voir liste des jours fériés p. 228*).

Médias

Radio

Radio Dos (99.5 FM), en espagnol, diffuse des tubes pop et rock, une émission en anglais le matin, et des bulletins d'informations en anglais toutes les 2h.

Musique rock et informations en anglais sur 107.5 FM.

Télévision

Plus de 70 chaînes câblées sont répertoriées dans le journal TV local. Il existe une trentaine de chaînes en anglais, une en allemand, une en français et une en chinois. Également programmes en hindi, en japonais et en tagalog, et des émissions d'Amérique latine.

Journaux et magazines

Vous trouverez la presse internationale dans les librairies, les supermarchés, les kiosques et les hôtels.

L'hebdomadaire en anglais le ***Tico Times*** (*tél. 258 1558* www.ticotimes.net) sort le vendredi. Largement distribué dans les centre-villes de San José, Cartago, Heredia et Alajuela, il couvre les nouvelles nationales de la semaine, et donne des infos relatives aux spectacles.

Le guide annuel *Exploring Costa Rica* offre une vue globale du pays.

Le bimensuel ***Costa Rica Outdoors*** (*tél. 231 0306*, www.costaricaoutdoors.com) est consacré à la pêche, à l'ornithologie et à la culture tica.

Beach Times (*tél. 654 4436*) est un hebdomadaire distribué sur la côte nord du Pacifique.

La presse costaricaine compte plusieurs quotidiens en espagnol : *La Nación*, *La Prensa Libre*, *La República* et *Al Día*.

Offices de tourisme

À San José, le bureau de l'ICT se trouvant à l'aéroport est fréquemment fermé par manque de personnel et l'agence centrale est surtout fréquenté par les clients du Best Western Irazú. Ne reste donc que le bureau se trouvant au Museo del Oro, au personnel heureusement compétent.

Par chance, les tour operators locaux sont une mine d'informations. Citons notamment :
Café Net El Sol
Tél. 735 5719
www.soldeosa.com
Infos sur la Zona Sur, panneau d'affichage, point rencontres à Puerto Jiménez.
ICT
Tél. 506-299 5800
Fax 223 5452
www.visitcostarica.com
Bureau du Museo del Oro sur l'artère piétonne (*tél. 222 1090*), ouvert du lundi au vendredi de 9h à 13h et de 14h à 17h. Bonnes infos et cartes.
Fundación de Parques Nacionales
Tél. 257 2239 ou 192
Fax 222 4732
www.fpncostarica.org
Infos très complètes sur les parcs nationaux.
Asociación Talamanqueña de Ecoturismo y Conservación (ATEC)
Tél. 750 0398
www.greencoast.com/atec.htm
Infos utiles sur la région de Puerto Viejo.
Tamarindo Tourist Info Center
Tél. 653 0981
www.crparadise.com
Personnel accueillant, infos touristiques et sur les transports.

Photographie

Adeptes de l'argentique, prévoyez un grand stock de pellicules (la limite de 6 rouleaux est rarement appliquée par les douaniers) et du 400 ASA pour prendre des photos dans la jungle. À l'aéroport, mettez vos pellicules dans vos bagages à main (rayons X moins puissants). Afin d'éviter les mauvaises surprises, faites développer vos photos à votre retour.

Digital ou argentique, un téléobjectif est indispensable pour photographier la faune sauvage.

Pensez à prendre un sac de protection, ou au moins une sacoche imperméable ou un sac plastique ; si votre appareil vaut cher, vérifiez qu'il est bien assuré.

Il est possible de transférer vos photos sur un CD ou une clé USB dans la plupart des cybercafés, certains vous fourniront même un cordon universel si vous avez oublié le vôtre.

Poids et mesures

Au Costa Rica on utilise le système métrique. Lorsque vous demandez votre chemin, rappelez-vous que 100 *metros* (mètres) correspondent à une *cuadra*, même si elle ne fait pas exactement cette longueur. Les documents officiels de propriété utilisent les m² et les ha, mais la *manzana* (7 000 m²) continue d'être employée comme unité de mesure.

Religion

Une tenue vestimentaire appropriée est impérative pour assister à l'office.

Si le catholicisme domine, plusieurs religions bénéficient d'une totale liberté de culte. Des communautés anglicanes, Baha'i, juives, de Quakers, de Témoins de Jéhovah et bien d'autres sont présentes dans le Valle Central.

Santé

Le Costa Rica n'a pas grand-chose à envier aux pays occidentaux en matière de protection santé. Aucun vaccin n'est nécessaire.

Eau

Traitée à San José et dans le Valle Central, l'eau est potable dans tout le pays, à quelques exceptions près. Si vous souffrez de problèmes intestinaux persistants, n'hésitez pas à faire analyser vos selles à la Clínica Bíblica (*tél. 522 1000*), les résultats sont prêts en quelques minutes seulement (comptez environ 12 €).

Maladies

La malaria sévit principalement dans la région de Talamanca. D'importants efforts sanitaires sont pratiquement venus à bout du choléra. En revanche, des cas de dengue ont été recensés. Les symptômes se manifestent par une brusque poussée de fièvre, des maux de tête, de vives douleurs musculaires et articulaires suivies

Morsures, attention !

• Lorsque vous marchez dans la nature, portez des chaussures lacées, de préférence montantes.
• Marchez avec un bâton.
• Préférez les chemins dégagés. Évitez les herbes hautes.
• Si vous rencontrez un serpent, restez calme et reculez. Ne pourchassez jamais un serpent qui bat en retraite. Les serpents n'attaquent que s'ils se sentent menacés. Si vous êtes mordu :
• Restez calme et essayez d'immobiliser le membre par un bandage.
• Ne mettez pas de glace, cela risque d'empirer les choses.
• N'entaillez pas la plaie pour sucer le venin.
• Allez à l'hôpital ou dans une antenne de la Croix Rouge pour une piqûre anti venin. Vous n'avez pas besoin d'indiquer quel serpent vous a mordu. Les médecins savent quel anti venin administrer d'après l'aspect de la blessure.

généralement par une éruption cutanée partant du tronc pour s'étendre au visage et aux membres. La fièvre tombe ensuite en quelques jours. La dengue est transmise par le moustique *Aedes aegypti* qui est surtout actif au crépuscule. Il n'existe actuellement aucun traitement contre cette infection virale, mais des soins médicaux atténuent notablement ses effets.

Services médicaux

L'excellent système de santé costaricain est très peu onéreux. De nombreux médecins ont fait leurs études aux États-Unis ou en Europe et parlent anglais, notamment dans les cliniques privées.

Hôpitaux publics

Hospital Dr Calderón Guardia
Tél. 257 7922
Hospital de los Niños
(pour les enfants)
Tél. 222 0122
Hospital México
Tél. 232 6122
Hospital San Juan de Díos
Tél. 257 6282

Établissements privés

Clínica Bíblica
Central San José
Tél. 522 1000
Clínica Católica
Guadalupe
Tél. 246 3000
Hospital San José CIMA
Escazú
Tél. 208 1000
Fax 208 1001
Également clinique à Los Yoses (CIMA del Este).
Hospital Cristiano Jerusalem
Guadalupe
Tél. 216 9191

Dentistes

Les médecins, souvent très compétents, proposent des soins ou des prothèses à des tarifs particulièrement intéressants.

Liste de dentistes anglophones dans le *Tico Times*.

Savoir-vivre

Les Ticos ont la réputation d'être très hospitaliers. Une invitation à boire un verre ou à dîner ne se refuse donc pas.

Au restaurant, n'hésitez pas à faire précéder votre demande de "*Me puede hacer el favor de...*" ("*Pourriez-vous me faire la faveur de...*"). Même si vous voyez les Ticos claquer des doigts et interpeller le personnel *muchacha* ou *muchacho*, en tant qu'étranger, utilisez la formule "*Disculpe, señor/a*" ("*Excusez-moi...*")

Les Costaricains se serrent la main lorsqu'ils se rencontrent pour la première fois. Les femmes s'embrassent généralement sur la joue et se disent au revoir de la même façon. Idem pour les hommes entre eux, ou les hommes avec les femmes, s'ils sont amis. Les enfants sont affectueux et embrassent volontiers leurs aînés. En revanche, une manifestation excessive de tendresse en public sera mal acceptée. Certains établissements vont jusqu'à afficher : "*No se permite escenas amorosas*" ("Comportements amoureux interdits"), ce qui ne semble d'ailleurs guère gêner les amoureux en question.

On s'adresse aux Ticos d'un certain âge en utilisant Don ou Doña, suivi du prénom, formule cérémonieuse considérée comme archaïque dans la plupart des autres pays hispanophones.

Nudisme

Il n'existe aucune plage naturiste au Costa Rica. À éviter : lézarder sur le sable en monokini et se promener en ville en maillot de bain.

Prostitution

La prostitution est légale, mais pas le proxénétisme. Les risques sanitaires sont élevés, faute de contrôle médical officiel. Certaines jolies filles sont des travestis. Le sida fait des ravages et le port du préservatif est fortement encouragé. Les rapports sexuels avec des mineurs sont passibles de prison. L'association Casa Alienza lutte contre la pédophilie et fait pression sur le gouvernement, avec un certain succès.

Sécurité

Le vol a fortement augmenté au Costa Rica, notamment dans le centre-ville de San José. Bien que les agressions violentes contre les touristes soient rares, la prudence reste de mise.
• N'emportez pas d'effets de valeur lorsque vous vous promenez dans la capitale. Ne prenez que le strict nécessaire. Gardez un œil sur votre portefeuille. Si vous achetez un objet de valeur, rentrez en taxi.
• Dans la rue, marchez d'un pas assuré et observez les gens autour de vous.
• Si vous traversez la ville en voiture, gardez vos vitres suffisamment relevées pour que personne ne puisse glisser un bras à l'intérieur.
• Évitez de marcher dans la rue la nuit et en général dans les zones isolées.
• Soyez particulièrement vigilant dans les quartiers suivants : l'artère piétonne près du terminal Coca Cola ; la Plaza de la Cultura ; Parque Central ; Av 4 et Av Central ; et Ca 12 entre Av 10 et Av 5.
• Les voitures de location représentent une cible de choix dans tout le pays. Ne laissez rien dans votre véhicule, ni dans le coffre. Privilégiez les parkings gardés.
• Ne laissez pas sur la plage vos affaires sans surveillance, notamment vêtements et matériel de camping.

Très important : si l'on vous agresse, n'opposez aucune résistance.

En cas de problème, adressez-vous à la Fuerza Pública (police), ou composez le 911. Les agents parlant anglais sont rares, et trouver un traducteur peut prendre des heures. Essayez de vous faire aider par quelqu'un. Si vous vous êtes fait voler

Numéros utiles

Appels PCV locaux 110
Renseignements 113
Renseignements internationaux 124
Opérateur (international) 116
Informations aéroport 437 2626
Informations tourisme 222 1090
Taux de change 243 4143
Heure 112
Pompiers, police, ambulance 911
Parcs nationaux 192

votre passeport ou un objet de valeur, faites immédiatement une déclaration auprès de l'OIJ (prononcez oï-hota), faute de quoi votre plainte risque de s'entasser avec des milliers d'autres dans des classeurs poussiéreux.

Services postaux

Un courrier pour l'Europe prend en général 5 jours à parvenir à destination, mais ne vous étonnez pas s'il arrive au bout d'une à deux semaines. La poste principale de San José (*Correo Central, Av 1-3, Calle 2, tél. 223 9766*) dispose d'un service de poste restante (*lista de correos*). Dans les hôtels, les réceptionnistes peuvent se charger de l'expédition du courrier. Recevoir un colis par la poste relève de l'exploit. Pour retirer votre paquet, il faudra payer une lourde taxe et vous passerez sans doute des jours à essayer de franchir les barrières administratives. S'il est inclus dans le colis, un certificat de faible valeur peut accélérer les démarches. Vous trouverez dans l'annuaire les coordonnées des *agencias de duanas* qui se chargeront des procédures contre rémunération.

Numéros de téléphone des services express (FedEx, DHL...) dans les Pages Jaunes.

Tarifs d'entrée

Comme dans de nombreux pays en voie de développement, 2 tarifs sont affichés à l'entrée des sites : l'un pour les touristes, l'autre, moins cher, pour les Costaricains. La majorité des petits musées sont gratuits. Les autres demandent moins de 1 € à 6 € maximum (pour le Museo de Oro), et proposent souvent des réductions enfants et étudiants. La plupart des musées/galeries d'art sont gratuits, sauf le Museo de Arte Costarricense (5 €, dim. gratuit). Les tarifs d'entrée des parcs tournent autour de 7 €.

Taxes d'aéroport

La taxe internationale d'aéroport (26 €) peut se régler à l'arrivée ou avant de reprendre l'avion (en $US ou en colones, pas de Travelers' Cheques). Prévoyez un peu de marge, les files d'attente peuvent être longues. Dans certains hôtels de luxe, vous pouvez régler cette taxe en même temps que la note.

Télécommunications

Le réseau de télécommunications costaricain fonctionne très bien. La majorité des bureaux de poste sont équipés de fax.

Radiográfica Costarricense, S.A. (RACSA)
Ave 5, Calle 1
Tél. 287 0087
www.racsa.co.cr
Fax, télégrammes et accès Internet.

Téléphone

La plupart des cabines fonctionnent avec des cartes vendues dans de nombreuses boutiques, pharmacies et supermarchés.

Les pièces de 10 ou 20 colones et les cabines qui les utilisent sont de plus en plus rares.

Appels internationaux

Composez le 124 avant l'indicatif du pays. Des cartes téléphoniques internationales sont en vente un peu partout. Vous pouvez également passer vos communications dans n'importe quel cybercafé.

Toilettes publiques

Ayez toujours avec vous une provision de papier toilette.

Le papier toilette doit être jeté dans la poubelle, et surtout pas dans la cuvette.

Les toilettes publiques sont rares. À San José, vous pouvez aisément profiter d'un fast-food, et en dehors du Valle Central, de nombreux restaurants et relais routiers vous permettent d'utiliser leurs toilettes, parfois en payant 100 colones.

Tour operators

Généralistes

Belgique
Nouvelles Frontières
Tél. (33) 070 22 24 11
www.nouvelles-frontieres.be

Canada
Amerik Aventure
1164, Bourlamaque
Québec, Canada G1R2P8
Tél. (1) 866 679 7070
www.amerikaventure.com

France
Amerik Aventure
23, rue de la Condamine, 75017 Paris
Tél. (33) 01 76 60 72 87
www.amerikaventure.com
Makila Voyages
4, place de Valois, 75001 Paris
Tél. (33) 01 42 96 80 00
www.makila.fr

Suisse
Antilles Evasion
Rue Roi-Victor-Amé, 3, 1227 Carouge
Tél. (41) 022 820 3247
www.antilles.ch

Numéros de téléphone

Depuis mars 2008, tous les numéros sont à 8 chiffres : le réseau terrestre prend un 2 supplémentaire, et les lignes cellulaires un 8. Ainsi, le numéro 299-8000 devient 2299-8000. Tous les numéros présentés dans ce guide ont été mis à jour.

Spécialisés

Belgique
Continents insolites
Rue César Franck, 44A
1050 Bruxelles
Tél. 32 (0)22 18 24 84
www.continentsinsolites.com
Circuits sportifs et écotourisme.
Allibert Trekking
Rue Royale, 15
1000 Bruxelles
www.allibert-trekking.com

Canada
GAP Aventures
19 Duncan Street (suite 401)
Toronto, Ontario MSH 3H1
www.gap.ca
Circuits aventure.

France
Club Faune, côté pêche
22, rue Duban, 75016 Paris
Tél. (33) 01 42 88 08 63
www.club-faune-peche.com
Pêches en mer.
Intermèdes
60, rue de la Boëtie, 75008 Paris
Tél. (33) 01 45 61 90 90
www.intermedes.com
Voyages culturels.

Suisse
Néos Voyages
Rue des Bains, 50
1205 Genève
Tél. 41 (0)22 320 66 35
www.neos.ch
Plongée.

Au Costa Rica

L'écotourisme est en plein essor et les hôtels peuvent fournir ou recommander des guides compétents.

Encore embryonnaire, le réseau de tourisme rural garantit un impact minimum sur l'environnement... et des retombées maximum sur l'économie locale. Le *Guía de Turismo Rural Comunitario* (bilingue espagnol/anglais) édité par la COOPRENA, réseau national d'écotourisme, répertorie plusieurs programmes de tourisme rural (*tél. 290 8667*, www.turismoruralcr.com). Autres possibilités :

Asociación de Mujeres de Costa de Pájaros
Golfo de Nicoya
Tél./fax 678 8054
Cette association féminine a mis en œuvre des alternatives touristiques à l'économie de pêche locale. Jardin d'herbes médicinales, de papillons, pêche traditionnelle, circuits dans les mangroves et du Golfo de Nicoya.

Finca Educativa Lodge
Shiroles, Talamanca
Tél. 711 1598
Tél./fax 711 1600
Hébergement et repas dans une communauté bribrí, sur les pentes caraïbes. Médecines douces, danses et spectacles traditionnels, randonnées guidées dans la réserve.

Keköldi Wa Ka Koneke
Puerto Viejo de Talamanca
Tél. 756 8033,
Fax 756 8133
www.corredortalamanca.org
Association spécialisée dans la protection des ressources naturelles et le développement du territoire indigène keköldi. Des guides bilingues vous conduisent à des miradors considérés comme le 3e meilleur site de la planète pour l'observation des rapaces migrateurs.

Rural El Encanto de Piedra Blanca
Tél. 228 0183
www.codece.org
Excursion d'une journée au départ de San José. Sucreries traditionnelles, danses, repas dans les collines de San Antonio Escazú.

Tour operators spécialisés

Desafío Adventure Center
Tél. 479 9464
www.desafiocostarica.com
Rafting, spéléo, rando extrême... dans la Zona Norte. Bonne réputation.

Diving Safaris
Playa Hermosa
Tél. 672 1259
Fax 672 0231
www.costaricadiving.net
Tour operator plongée et aventure réputé. Bon site Internet.

Costa Rica Expeditions
Tél. 257 0766
Fax 257 1665
www.costaricaexpeditions.com
Pionnier du rafting dans le pays. Circuits Tortuguero, Corcovado et Monteverde avec des guides bilingues et compétents.

Costa Rica Temptations
Tél. 239 9999
www.crtinfo.com
Les 5 sites majeurs – Finca de Café, Volcán Poás, Río Sarapiquí et Catarata La Paz –, et gamme de circuits d'une à plusieurs journées.

Coast to Coast Adventures
Tél. 280 8054
Fax 225 6055
www.coasttocoastadventures.com
Tourisme d'aventure et courses ; circuits vélo.

Costa Rica Sun Tours
Tél. 296 7757
Fax 296 4307
www.crsuntours.com
Volcans, parcs nationaux, forêt humide ; plages ; observation des tortues ; rafting, randonnées à pied, à cheval et à vélo.

Costa Rican Trails
Tél. 225 6000
Fax 225 4049
www.costaricantrails.com
Personnel accueillant, divers circuits nature, famille et aventure (notamment moto).

Discovery Costa Rica
Tél. 228 9261
Fax 289 7124
www.discoverycostarica.com
Vaste éventail de circuits.

Horizontes
Tél. 222 2022
Fax 255 4513
www.horizontes.com
Circuits nature sur mesure dans tout le pays, y compris pour les familles. Excursions dans le Valle Central à la journée.

Ríos Tropicales
Tél. 233 6455
Fax 255 4354
www.riostropicales.com
Rafting et kayak. Très bonne réputation.

Selva Mar
Tél. 771 4582
www.exploringcostarica.com
Spécialiste de la Zona Sur.

Serendipity Adventures
Tél. 558 1000
Fax 558 1010
www.serendipityadventures.com
Spécialiste des ascensions en montgolfière.

Swiss Travel
Tél. 282 4898
Fax 282 4890
www.swisstravelcr.com
Écotourisme et circuits aventure haut de gamme.

Vesatours
Tél. 239 6767
www.vesatours.com
Circuits aventure ou en famille bien organisés, itinéraires indépendants et tourisme rural.

Rural Tourism Association (ACTUAR)
Tél. 248 9470
www.actuarcostarica.com
Réseau de tourisme rural bien implanté.

Simbiosis Tours
Tél. 290-8646
www.turismoruralcr.com
Branche touristique de la Cooprena. Partenaire des lodges gérées en coopérative.

Urgences

Dans tout le pays, composez le 911.

Accident de la route
Police routière de San José
Tél. 800-872 6748
Instituto Nacional de Seguros, Assurances nacionales
Tél. 800-800 8000

Agression, vol
OIJ à San José
Tél. 295 3272
24h/24.

Pharmacie ouv. 24h/24
Farmacia Clínica Bíblica
Centre-ville de San José
Tél. 257 5252
Farmacia Cimaz
Escazú
Tél. 208 1080

Vol Visa Card
Tél. 0-800-011 0030

Vol MasterCard
Tél. 0-800 011 0184

Valise

Vous aurez besoin de pulls et de vestes, indispensables pour la montagne et les soirées fraîches, et particulièrement si vous séjournez dans le Valle Central durant le mois de décembre. Un parapluie vous sera souvent utile. Le port du short devra être réservé à la plage et aux activités sportives. Les randonneurs emporteront des vêtements et des chaussures imperméables – pensez à prendre des chaussures de marche déjà faites à votre pied. Les trottoirs sont pratiquement inexistants dans bien des agglomérations.

Les Costaricaines soignent leur apparence en toute occasion. Prévoyez des tenues habillées si vous comptez dîner dans les restaurants chic de San José.

Outre la crème solaire, emportez les médicaments dont vous avez besoin, ainsi que des contraceptifs, souvent chers et difficiles à trouver. Quant à la lotion antimoustiques, vous vous en procurerez facilement à San José, dont des formules végétales.

Pour les tampons hygiéniques, même si les magasins Automercado en vendent généralement, mieux vaut apporter votre stock.

LANGUE

Premiers pas en espagnol

Lexique

Apprenez quelques phrases en espagnol avant de partir, ne serait-ce que des formules de politesse basiques comme "Bonjour", "comment allez-vous", "je vais bien, merci". Ces phrases, d'apparence si insignifiante, permettent d'entrer en contact avec les Costaricains. À San José et dans les grands hôtels, nombre parlent l'anglais et vous pourrez toujours vous en sortir sans connaître un mot d'espagnol. Mais si vous pensez qu'un voyage réussi passe par un bon contact avec les gens, alors il vous faudra connaître quelques rudiments d'espagnol.

Si vous comptez rester longtemps au Costa Rica, une semaine de stage dans l'une des nombreuses écoles de langue du pays peut vous apporter beaucoup. Ces écoles proposent toutes sortes de programmes à la cartes et souvent des excursions.

Pensez à mettre dans votre valise un petit dictionnaire électronique.

Mots & Expressions

Chiffres

1 *uno*
2 *dos*
3 *tres*
4 *cuatro*
5 *cinco*
6 *seis*
7 *siete*
8 *ocho*
9 *nueve*
10 *diez*
11 *once*
12 *doce*
13 *trece*
14 *catorce*
15 *quince*
16 *dieciseis*
17 *diecisiete*
18 *dieciocho*
19 *diecinueve*
20 *veinte*
21 *veinte y uno*
30 *treinta*
40 *cuarenta*
50 *cincuenta*
60 *sesenta*
70 *setenta*
80 *ochenta*
90 *noventa*
100 *cien*
101 *ciento uno*
200 *doscientos*
300 *trescientos*
400 *cuatrocientos*
500 *quinientos*
600 *seiscientos*
700 *setecientos*
800 *ochocientos*
900 *novecientos*
1 000 *mil*
2 000 *dos mil*
10 000 *diez mil*
100 000 *cien mil*
1 000 000 *un millón*

Au quotidien

Bonjour *Buenos días*
Bonjour (après midi) *Buenas tardes*
Bonsoir *Buenas noches*
Au revoir *Hasta luego/Adios*
Comment allez-vous? *¿Cómo está Usted?*
Je vais bien, merci *Muy bien, gracias*
Et vous? *¿Y Usted?*
S'il vous plaît *Por favor*
Merci *Gracias*
Non, merci *No, gracias*
Je vous en prie *Con mucho gusto*
Vous êtes bien aimable *Usted es muy amable*
Je suis désolé *Lo siento*
Excusez-moi *Disculpe* (pardon). *Con permiso* (pour passer devant quelqu'un, etc.)
Oui *Sí*
Non *No*
Parlez-vous anglais/français ? *¿Habla Usted inglés?*
Vous me comprenez ? *¿Me entiende?*
Y a-t-il quelqu'un qui parle anglais ? français ? *¿Hay alguien aquí que hable inglés? francés?*
Un petit moment, s'il vous plaît *Un momentito, por favor*
C'est bon *Está bueno*
C'est mauvais *Está malo*

Shopping et restaurant

Combien cela coûte-t-il? *¿Cuánto cuesta? ou ¿Cuánto es?*
C'est trop cher *Es muy caro*
Pouvez-vous me faire une réduction? *¿Puede darme un descuento?*
Avez-vous...? *¿Tiene Usted...?*
Je prends ceci *Voy a comprar esto*
Montrez-moi un autre, s'il vous plaît *Muéstreme otro, por favor*
S'il vous plaît, apportez-moi... *Tráigame por favor...*
Café au lait *Café con leche*
Café noir *Café negro*
Thé *Té*
Une bière *Una cerveza*
Eau froide *Agua fría*
Une boisson gazeuse *Una gaseosa*
La carte *El menú*
Le plat du jour *El plato del día*
Puis-je avoir une autre bière? *Puede darme una cerveza más, por favor*
Puis-je avoir l'addition ? *La cuenta, por favor*
Pour appeler le serveur/la serveuse *Disculpe Señor/ Señora/Señorita*
Où est la salle à manger ? *¿Dónde está el comedor?*
La pharmacie *La farmacia*
La station-service *La bomba*

La clé *La llave*
Le directeur *El gerente (homme)/ la gerente (femme)*
Le patron *El dueño (homme)/la dueña (femme)*
Pouvez-vous changer un Travelers' Cheque? *Se puede cambiar un cheque de viajero?*
Argent *Dinero ou plata*
Carte bancaire *Tarjeta de crédito*
Taxe *Impuesto*
Lettre *Carta*
Carte postale *Tarjeta postal*
Enveloppe *Sobre*
Timbre *Estampilla/sello*

Se déplacer

Appelez-moi un taxi, s'il vous plaît
Pídame un taxi, por favor
Combien de kilomètres y a-t-il... d'ici ? *¿Cuántos kilómetros hay de aquí a ...?*
Combien de temps faut-il pour y aller ? *¿Cuánto se tarda en llegar?*
Combien prenez-vous pour m'emmener à...? *¿Cuánto cobra para llevarme a...?*
Combien coûte un ticket pour...?
¿Cuánto cuesta un billete a...?
Je voudrais un ticket pour...
Quiero un billete a..., por favor
Où va ce bus? *¿Adónde va este bus?*
Arrêtez-vous (dans un bus) *¡Parada!*
Arrêtez-vous ici, s'il vous plaît
Pare aquí, por favor
Allez tout droit, s'il vous plaît
Vaya recto, por favor
Droite *a la derecha*
Gauche *a la izquierda*
Comment s'appelle cet endroit?
¿Cómo se llama este lugar?
Je vais à ... *Me voy a ...*
Où y a-t-il un hôtel pas cher?
¿Dónde hay un hotel económico?
Avez-vous une chambre avec...
¿Hay un cuarto con ...?
Où est...? *¿Dónde está...?*

Arrêt de bus *Parada del bus*
Siège réservé *Asiento reservado*
Réservation *Reservación*
Avion *Avión*
Train *Tren*
Bus *Bus*
Bains *Baño*
Ventilateur *Abanico/ventilador*
Air conditionné *Aire-climatización*
La sortie *La salida*
L'entrée *La entrada*
L'aéroport *El aeropuerto*
Un taxi *Un taxi*
Le commissariat
La delegación de policía
L'ambassade *La embajada*
Le bureau de poste
La oficina de correos
Un téléphone public
Un teléfono público
Une banque *Un banco*
Un hôtel *Un hotel*
Un restaurant *Un restaurante*
Une salle de repos *Un servicio*
Une salle de bains *El baño*
Le guichet *La oficina de billetes*
Un grand magazin *Una tienda*
Le marché *El mercado*

En voiture

Le plein, s'il vous plaît
Lleno, por favor
Vérifiez l'huile, s'il vous plaît
Vea el aceite, por favor
Remplissez le radiateur s'il vous plaît
Favor de llenar el radiador
J'ai besoin de...
Necesito...
Aidez-moi, s'il vous plaît
Ayúdeme, por favor
Appelez un médecin, vite !
¡Llame a un médico de prisa!

La batterie *La batería*
Un cric *Un gato*
Une remorqueuse *Una grúa*
Un mécanicien *Un mecánico*
Un pneu *Una llanta*

Expressions ticas

Si vous connaissez quelques rudiments d'espagnol, vous pouvez apprendre quelques *tiquismos*, expressions exclusivement costaricaines.

Le "*tú*" familier ne s'emploie pas, même avec les enfants. Il est remplacé par une forme archaïque, le "*vos*". Les règles d'usage du "*vos*" sont complexes, même pour ceux qui maîtrisent bien l'espagnol. Mieux vaut se cantonner au "*Usted*", correct en toute occasion.

Dans les villes en dehors de San José, les Costaricains qui se croisent dans la rue se saluent par "*Adios*" ou "*'dios*". Les Ticos adorent les *sobrenomes* (surnoms). Le plus souvent, ces surnoms se réfèrent à la particularité physique de quelqu'un : *Macho/Macha*, pour une personne de peau ou de cheveux légèrement plus clairs ; *china* pour celle qui a les yeux légèrement en amande ; *negra*, si sa peau est très sombre ; *gordito*, si elle accuse un léger surpoids ; *morena*, si elle a le teint légèrement bruni, etc.

Si quelqu'un vous demande : "*¿Cómo está Usted?*", vous pouvez répondre : "*Muy bien, gracias a Dios*" ou "*Muy bien, por dicho*" (*Très bien, heureusement*). Vous pouvez aussi tenter une formule plus décontractée comme : "*Pura vida*" ("Super") ou "*Con toda la pata*" ("Génial" – littéralement, "avec toute la patte") ou "*Tranquilo*" ("cool").

Écoles de langue

"Conversation", "affaires", ou "étude approfondie", vous trouverez sans difficulté le stage approprié. Voici une liste des écoles les plus connues. Liste détaillée dans le *Tico Times*.

Centro Cultural Costarricense Norteamericano
San José
Tél. 207 7500
Fax 224 1480
www.cccncr.com
Stages intensifs à Los Yoses, Cartago, La Sabana, Alajuela, Palmares, Ciudad Quesada et Liberia. Cours individuels. Club de conversation. L'école organise des sorties théâtre et concerts. Séjours chez l'habitant. Carte universitaire possible.

COSI
Tél. 234 1001
Fax 253 2117
www.cosi.co.cr
Cours intensifs pour groupes et individuels. Stages de une à 16 semaines. Cours à partir du lun. à San José et Manuel Antonio. Séjours chez l'habitant.

CPI
Tél. 265 6306
Fax 265 6866
www.cpi-edu.com
Cours à Heredia, Monteverde et Flamingo. Carte universitaire offerte. Séjours chez l'habitant.

Instituto de Español Costa Rica
Tél./fax 283 4733
www.professionalspanish.com
Cours avec jeux de rôles, discussions, exercices de compréhension et vidéo, entre autres. Tous niveaux, individuels ou en groupe. Stages cuisine tica et ateliers danses latinos.

Ilisa
San José
Tél. 280 0700
Fax 225 4665
www.ilisa.com
Cours avec maximum 4 étudiants. Cours privés également. Stages d'espagnol commercial. Approche plus communicative que méthodique. Séjours chez l'habitant et hôtels. E-mail et accès ordinateur gratuits.

Mesoamerica Language Institute
San Pedro
Tél. 253 3195
www.mesoamericaonline.com
Département de l'Institute for Central America Studies (ICAS) dédié à la paix, la justice et le bien-être des peuples d'Amérique centrale. Stages d'espagnol d'une journée pour les touristes.

Pour en savoir plus

À lire

Histoire

Honey, Martha *Hostile Acts : US Policy in Costa Rica in the 1980s*, Gainesville, Florida : University of Florida Press, 1994.
Lemoine, Maurice *Amérique centrale, les naufragés d'Esquipulas*, L'Atalante, 2002. Synthèse de l'histoire de l'Amérique centrale.
Molina, Iván et Palmer, Steven *The History of Costa Rica*, University of Costa Rica, 2001.
Rudel, Christian *Le Costa Rica*, Karthala, "collection Méridiens", 2004.

Société

Biesanz, Mavis, Biesanz, Richard et Biesanz, Karen *The Ticos : Culture and Social Change in Costa Rica*, Colorado, Lynne Rienner Publishers, 1998. Ouvrage facile d'accès analysant la culture du Costa Rica.
Musset, Alain *Villes nomades du Nouveau Monde*, EHESS, "collection Civilisations et Sociétés", 2002.
Rouquié, Alain *Forces politiques en Amérique Centrale*, Karthala, 1991.
Salazar, Rodrigo *The Costa Rican Indigenous People*, San José, Editorial Tecnológico de Costa Rica, 2006.

Art et architecture

Collectif *Arts précolombiens de l'Amérique centrale*, Somogy, 2001.
Sims, Michael *The Painted Oxcart*, Impresión Comercial, Grupo Nación, 2005. Ouvrage très bien illustré consacré à l'artisanat traditionnel de Sarchí.

Beaux-livres

Cheneviere, Alain *Amérique centrale : les pays de l'arc-en-ciel*, Vilo Éditions, 2000.

Littérature

Benavides, Miguel *The Children of Mariplata*, London, Forest Books, 1992. Une dizaine de nouvelles explorant les sentiments humains.
Collectif *Déluge de soleil : nouvelles contemporaines du Costa Rica*, Presses de l'Unesco, 1997.
Ewing, Jack *Monkeys are Made of Chocolate*, Colorado, Pixy Jack Press, 2005. Une trentaine de nouvelles décrivant la faune et la flore du Costa Rica.
Gutiérez, Federico de Joaquín *Mourons (ensemble)*, Actes Sud, 2003.
Ras, Barbara *Costa Rica : A Traveler's Literary Companion*, San Francisco, Whereabouts Press, 1993. Nouvelles d'auteurs costaricains.
Rossi, Anacristina *Maria la nuit*, Actes Sud, 1997.

Faune et flore

Blancke, Rolf *Guide des plantes des Caraïbes et d'Amérique centrale*, Ulmer, 1999. Précis sur la flore de la région.
Bonneau, Stéphane *Costa Rica : voyage au cœur du vivant*, Vigot, 2004.
Boza, Mario *Costa Rica : National Parks*, Madrid, Incafo S.A., 2006.
Collectif, *Costa Rican Natural History*, ed. Daniel H. Janzen. University of Chicago Press, 1983.
Evans, Sterling *The Green Republic : A Conservation History of Costa Rica*, University of Texas Press, 1999.
Fogden, Susan et Michaël *Oiseaux du Costa Rica*, Broquet Inc., 2007.
Garrigues, Richard *The Birds of Costa Rica : A Field Guide*. San José, Costa Rica, Zona Tropical Publications, 2007. Très bien illustré.
Herrera, Wilberth *Costa Rica Nature Atlas*, Heredia, Editorial Incafo S.A. Cartes et photos, des volcans aux vallées.
Leenders, Twan *A Guide to Amphibians and Reptiles of Costa Rica*, Distribuidores Zona Tropical, S.A., 2001.
Mitchell, Sam *Pura Vida : The Waterfalls and Hot Springs of Costa Rica*, Menasha Ridge Press, 1995. Description des 25 cascades, des 7 sources chaudes et des campings du pays.
Zuchowski, Willow *A Guide to Tropical Plants of Costa Rica*, San José, Costa Rica, Zona Tropical Publications, 2005.
Fogden, Michael et Patricia *Costa Rica : Wildlife of the National Parks and Reserves*, pour la Fundación Neotrópica, 1997.
Stiles, Gary F. et Skutch, A.F. *A Guide to the Birds of Costa Rica*, Cornell University Press, 1990. Le livre de chevet des amateurs.

Récits de voyage

Ford, Peter *Miskito Coast*, Payot, 1994. Le récit d'un journaliste anglais qui a parcouru les côtes des mers caraïbes en passant longuement par le Costa Rica.
Huxley, Aldous *Des Caraïbes au Mexique*, La Table ronde, 1992.
Zyke, Cizia *Oro*, Livre de Poche, 1986. Carnet de bord d'un chercheur d'or dans la péninsule d'Osa.

Bande dessinée

Abolin, Georges et Pont, Olivier *Où le regard ne porte pas...* (tome II), Dargaud, 2004.

À voir

Ratoff, Gregory *Carnaval à Costa Rica*, 1947.
Spielberg, Steven *Jurassic Park*, 1993. Le tournage a eu lieu au Costa Rica.
Gutiérrez, Ishtar Yasin *El Camino*, 2005.
Martinez, Isabel et Ferraz, Vicente *El Rey del cha cha cha*, 2007.

À écouter

Ambiances sonores du Costa Rica, Mélodie distribution.
Calypsos *Afro-Limonese Music of Costa Rica*, Lyrichord.
Musique du Costa Rica, Matambu, Arc Music, 2005.

CRÉDITS PHOTOGRAPHIQUES

Couverture

© Jouan/rius/Jacana
Toucan à bec arc-en-ciel, Costa Rica

Intérieur

Glyn Genin/Apa 6(hg), 6(bd), 7(cd), 7B(g), 7(bd), 8(cd), 8(bd), 9C(g), 9(bd), 17, 25, 27(g), 45, 82-83, 90, 96, 135(h), 138, 139, 139(h), 140, 140(h), 147(h), 149(h), 151, 151(h), 155, 155(h), 156(h), 159, 159(h), 161(h), 166-167, 171(h), 172, 174(h), 183(h), 184, 187(h), 188, 189(h), 193(h), 196, 197(h), 198, 199, 201, 209(h), 216, 217, 218(h), 221(h), 223(h), 229, 231(h), 233(h), 234, 235, 235(h), 238(h), 239(h), 254(h), 253(h), 255(h), 259(h), 260, 262(h), 263
Martin Bache/Alamy 291
André Bårtschi 12-13, 88, 148, 190, 208, 237, 239, 242-243, 254, 255, 259
Suzy Bennett/Alamy 271
Gary Braasch 85, 202, 228, 232, 233, 247
John Coletti/Jon Arnold 141
Reinhard D./Robert Harding 6(hd)
John Elleston 98
Michael & Patricia Fogden 1, 10-11, 78-79, 80-81, 86, 87, 147, 175, 206, 207, 209, 222, 223, 258
Henry C. Genthe 14, 20-21, 24, 28, 31(d), 31(g), 33(d), 33(g), 36, 37, 43, 44, 49, 56-57, 59, 60, 68, 74(d), 104, 110, 111, 112, 113, 114, 115, 117, 118-119, 122-123, 124, 136, 137, 142-143, 149, 152, 153, 154, 158, 161, 169, 171, 173, 182, 192, 194, 200, 218, 220, 221, 226-227, 249, 250, 251, 252, 264
Cozzi Guido/4Corners Images 135
Genthe/Haber 23, 32, 35, 40, 41, 42
Lode Greven/Free Lens 150
Harvey Haber 16, 22, 34(d), 34(g), 38, 39, 69, 73
Harvey Haber Collection 46-47, 48, 52-53, 61, 238
Heeb/laif 191
Chip et Jill Isenhart 18, 54, 74(g), 84, 89, 120-121, 180, 181, 214, 254, 257, 262
Carlos Jinesta 76, 156, 157, 186, 231
Julio Lainez 62-63, 64-65, 174
Lapa Rios Eco Lodge 281
Miriam Lefkowitz 99
Yadid Levy/Alamy 108(g), 108(d)
Neil P Lucas/Nature Picture Library 212-213
Luiz Claudio Marigo/Bruce Coleman Ltd 241
Buddy Mays 286, 293
Buddy Mays/Travel Stock 8(h), 9T(d), 26, 58, 67, 70, 72, 77, 91, 97, 100, 102(g), 109, 183, 187, 195, 203, 205, 248
Carl Purcell 66, 71, 145
Jose Fuste Raga/Corbis 134
Schmid Reinhard/SIME/4Corners Images 6(bg), 160
Reuters/Corbis 132
R. H. Productions/Robert Harding 8(bg)
Orlando Sierra/AFP/Getty Images 55
John Skiffington 27(d), 29, 30, 50-51, 75, 94-95, 101, 102(d), 103, 105, 106-107, 116, 128-129, 133, 162, 163, 168, 176-177, 185, 189, 192, 193, 197, 215, 219, 236, 240, 253
Marco T. Saborio 19
Dave & Sigrun Tollerton/Alamy 261
Mary Steinbacher/Pictures Colour Library 7(hd)
Carlos M. Uribe 204

Cartographie Colourmap Scanning Ltd

Édition : Zoe Goodwin
Production : Linton Donaldson
Iconographie Hilary Genin
Conception artistique
Klaus Geisler, Graham Mitchener

Zoom sur...

Pages 92-93
En haut, de gauche à droite : Michael & Patricia Fogden ; Michael & Patricia Fogden ; Michael & Patricia Fogden ; Buddy Mays.
Au centre, de gauche à droite : Arco Images/Alamy ; Michael & Patricia Fogden.
En bas de gauche à droite : Buddy Mays ; Buddy Mays ; Buddy Mays ; Glyn Genin.

Pages 164-165
En haut, de gauche à droite : Glyn Genin ; Glyn Genin ; Buddy Mays.
Au centre, de gauche à droite : Glyn Genin ; Glyn Genin ; Marco T. Saborio.
En bas, de gauche à droite : toutes de Glyn Genin.

Pages 210-211
En haut, de gauche à droite : Buddy Mays ; Michael & Patricia Fogden ; Peter Oxford/Nature Picture Library.
Au centre, de gauche à droite : Michael & Patricia Fogden ; Gerry Ellis/Nature Picture Library ; Michael & Patricia Fogden.
En bas, de gauche à droite : Michael & Patricia Fogden ; Jeff Foott/Nature Picture Library.

Pages 224-225
En haut, de gauche à droite : Marco T. Saborio ; Marco T. Saborio ; Marco T. Saborio ; Glyn Genin.

Les numéros de page en gras répertoriés dans l'index renvoient à une illustration ou à une photo.

A

B

C

D

E

P

Q

R